# LA PEAU DE CHAGRIN
## LE CURÉ DE TOURS
## LE COLONEL CHABERT

# LA PEAU DE CHAGRIN

## LE CURÉ DE TOURS
## LE COLONEL CHABERT

HONORÉ DE BALZAC

PARIS

NELSON ÉDITEURS

25 RUE HENRI BARBUSSE

LONDRES ÉDIMBOURG ET NEW-YORK

1952

SOCIÉTÉ FRANÇAISE D'ÉDITIONS NELSON
25 rue Henri Barbusse Paris Vᵉ

THOMAS NELSON AND SONS LTD
Parkside Works Edinburgh 9
3 Henrietta Street London WC2
312 Flinders Street Melbourne C1
5 Parker's Buildings  Burg Street  Cape Town

THOMAS NELSON AND SONS (CANADA) LTD
91–93 Wellington Street West   Toronto 1

THOMAS NELSON AND SONS
19 East 47th Street New York 17

# INTRODUCTION

Les trois romans qui sont réunis ici, et qui ont paru en 1831 et 1832, semblent à première vue très différents. Le cadre, l'aventure, les personnages paraissent vraiment avoir bien peu de rapport. Mais, ainsi que Maurice Bardèche l'a très judicieusement fait observer, ils traitent, tous trois, notamment du même problème, celui de « la femme sans cœur », comme disait Balzac. La Fœdora de *la Peau de chagrin*, M^lle Gamard dans *le Curé de Tours*, la comtesse Ferrand dans *le Colonel Chabert*, toutes trois « solitaires », puisqu'on ne peut les dire célibataires, se caractérisent par leur égoïsme, ce sentiment qui a fait beaucoup souffrir Balzac, et qui est très éloigné de sa propre nature.

Cependant il y a autre chose dans chacun des romans, comme on va le voir.

*La Peau de chagrin* (1831) se place parmi les premiers *Romans du Jeune Homme Pauvre*. Raphaël de Valentin, ruiné, reçoit d'un marchand de curiosités du quai Voltaire le talisman oriental qui le rendra riche et puissant. Ses moindres désirs seront réalisés, mais, après la réalisation de chacun d'eux, il verra la peau de chagrin se rétracter, et il mourra lorsqu'elle sera tout à fait réduite. La possession du talisman le conduit chez le banquier Taillefer, fait de lui un journaliste, donc un des rois du moment, et l'amène à préférer à la simple Pauline Gaudin l'élégante princesse Fœdora. Effrayé de voir diminuer très vite la peau de chagrin, il essaie de n'avoir plus aucun désir, mais, sentant l'inutilité de sa vie,

il revient à Pauline, devenue riche, et meurt en
voulant « la prendre dans ses bras ».

Roman, donc, de la jeunesse pauvre, c'est aussi
le roman vécu du jeune Balzac, alors âgé de trente
ans. On peut y retrouver bien des traits biogra-
phiques connus, mais, plus encore, la courbe même
de sa vie dans ces années 1819 si importantes pour
lui. Il nous y autorise d'ailleurs, car, dans un manuscrit décrit par Lovenjoul, il remplace le nom de
Raphaël par le mot « moi ». Comme Balzac, Raphaël
est incompris par sa famille qui lui refuse toute
marque de tendresse. Comme lui, il pense à se suicider en se jetant dans la Seine. Il doit aussi étudier
le droit, être clerc d'avoué, pour être autorisé ensuite à faire ses preuves. Comme Balzac, il est logé
dans une « mansarde d'artiste », il vit « de trois sous
de pain, deux sous de lait et trois sous de charcuterie ». Au moment où Balzac écrit sa tragédie de
*Cromwell*, son premier ouvrage littéraire qui est mal
accueilli par les siens (« Vous avez tous vu dans
ce chef-d'œuvre... une véritable niaiserie d'enfant »),
il est en train de composer une comédie pour
entrer dans le monde avec les droits que donne le
génie. Après cet échec, ainsi que Balzac qui, dès
1821, rêve de fonder un journal, il comprend l'immense puissance de la presse, et se consacre au
journalisme, car « le pouvoir s'est transporté des
Tuileries chez les journalistes ». Il considère, comme
le romancier qui vient d'en faire l'expérience, qu'une
passion pour une femme du monde est indispensable
pour réussir et se lancer, et que cette liaison offre
de grandes satisfactions d'amour-propre : « Une
femme aristocratique et son sourire fin, la distinction de ses manières et son respect d'elle-même
m'enchante. Elle flatte en moi toutes les vanités

qui sont la moitié de l'amour. » L'amour de Raphaël
pour Fœdora serait inspiré, aux dires mêmes de
Balzac, par l'intérêt porté par celui-ci à la belle
princesse Bagration et à l'actrice Olympe Pélissier
(« J'ai fait Fœdora de deux femmes que j'ai connues sans être entré dans leur intimité. L'observation m'a suffi, outre quelques confidences »). Pauline, cette jeune fille qui ressemble aux vignettes
de keepsakes anglais dessinées par Westhall, et à
la fille de Carlo Dolci lithographiée par Deveria, est
plus énigmatique ; ne peut-on penser à Zulma Carraud, chez qui Balzac écrit une partie de son roman
(« Pauline existe, dit-il le 5 octobre 1831 à Mᵐᵉ de
Castries, mais je veux en garder le secret ») ; on
notera que la princesse russe, déjà veuve, a 22 ans
seulement, et Pauline 14 à 16 ; or, les deux grandes
passions du Balzac d'avant 1830 sont plus âgées :
Mᵐᵉ de Berny a 54 ans, et Mᵐᵉ d'Abrantès 47 ;
Balzac ne croit donc plus, et ne croit pas encore,
au charme de *la Femme de Trente Ans*. En tout
cas, ce qui est le plus intéressant ici, c'est la prescience chez Balzac de sa propre destinée. Comme
Raphaël, il dit : « Je veux vivre au sein de ce luxe
un an, six mois, n'importe... Et puis après, mourir.
J'aurai du moins connu, dévoré, mille existences. »
Il semble vraiment deviner ce que sera sa vie, car
il mourra dès l'âge de cinquante ans, avant d'avoir
eu le temps de terminer son œuvre, avant d'avoir
éprouvé tout le bonheur de l'amour, et Mᵐᵉ Hanska
pourra dire comme Pauline : « Il est à moi, je l'ai tué. »

La peau de chagrin, le talisman, ressort du roman,
nous amène en Perse ; elle donne au livre un accent
fantastique qui atteste la lecture des *Mille et Une
Nuits*. L'auteur possédait de ce livre un exemplaire
relié en 1826 qu'il fait relier de nouveau — preuve

de nombreuses lectures — en 1829. Balzac, dans ses projets, note, en effet, l'œuvre comme un « conte oriental ». En attendant l'étude sur ce point de M. Ergman, remarquons ce vif intérêt pour l'Orient que confirmera l'amitié de Balzac pour le savant orientaliste Hammer-Purgstall [1].

D'autre part, Théophile Gautier note une audace qui a été justement relevée aussi par André Billy. Le jeune Raphaël, « à une époque de passions uniques et d'amour idéales » mêle la question d'argent de façon très précise aux affaires de cœur. Il se demande s'il a ému le cœur de la belle Fœdora, mais il est aussi, en même temps et autant, « préoccupé de savoir s'il aura assez de monnaie pour payer le fiacre dans lequel il la reconduit. Cette audace est peut-être une des plus grandes qu'on se soit permises en littérature..., la stupéfaction fut profonde, et les purs s'indignèrent de cette infraction aux lois du genre. » On peut donc vraiment dire que cette page si remarquable (et pourtant qui semble aujourd'hui si anodine) ouvre la voie aux passages les plus osés des romans réalistes.

Mais *la Peau de chagrin* n'est pas que ce que nous venons de montrer ; elle est, surtout, comme l'a bien vu Stephan Zweig, le premier *vrai roman* de Balzac, « celui dans lequel il découvre son but futur : le roman conçu comme une coupe à travers la société toute entière, mêlant les classes..., le Paris de la solitude et celui des salons, la puissance de l'argent et son impuissance ». La *Comédie humaine* est ici, vraiment, en germe, et toute l'œuvre du

---

[1] C'est lui qui fournira le texte et la traduction de l'inscription sur la peau de chagrin qui ne figurent que dans les éditions postérieures à 1835. cf Alois Richard Nykl, *le Talisman...*, dans *Modern Language notes*, déc. 1919, et M. Bouteron dans *Revue d'hist litt. de la France*.

grand romancier. Dans une lettre à M<sup>me</sup> de Castries il explique qu'il a voulu peindre ici toute son époque. *La Peau de chagrin* devait « formuler le siècle entier, notre vie, notre égoïsme ». Déjà, on y voit apparaître la glorification du naturaliste Cuvier, inspirateur et guide du romancier, traité comme l'enchanteur, le « plus grand poète de notre siècle », celui qui « repeuple mille forêts de tous les mystères de la zoologie avec quelques fragments de houille, et retrouve des populations de géants dans le pied d'un mammouth ». On y trouve l'antithèse, qui deviendra habituelle, de la jeune fille pauvre et pure en face de la princesse veuve et qui aime trop le luxe, les discussions de jeunes littérateurs, « sabbat des intelligences », le mélange des personnages réels et des créations romanesques : Taillefer, le notaire Cardot, Bixiou, Cursy, Nathan, Desroches se mêlent à des types réels comme la fiancée d'un des sergents de La Rochelle, Aquilina, le musicien Rossini (qui va épouser Olympe Pélissier), et « Étienne » Arago qui n'est pas encore devenu Étienne Lousteau [1]. Déjà, aussi, on voit ces descriptions d'intérieur qui se retrouveront sans cesse sous la plume de Balzac, et qui commencent ici par l'appartement de Fœdora dont une pièce est meublée en style gothique.

Enfin Balzac s'y montre, déjà, très intéressé par l'Art. Il marque cet intérêt en faisant figurer parmi les personnages de l'orgie chez Taillefer un statuaire, un peintre, et « le plus spirituel de nos caricatu-

---

[1] L'Hôtel Saint-Quentin, rue des Cordeliers, a existé (à la place de l'École de Médecine). George Sand y a habité. De nombreuses maisons de jeu ont existé au Palais Royal ; Balzac a fait exprès, afin de ne pas compromettre le propriétaire de celle qu'il décrit, de lui donner le n° 36 qui était en réalité celui du célèbre Café des Mille Colonnes tenu par M<sup>me</sup> Lamblin, « la belle limonadière », que Rowlandson appelait « la belle liminaudière ».

ristes » ; il fait une allusion au Mont-Dore « dont les
âpres et sauvages attraits commencent à tenter le
pinceau de nos artistes » ; il a une intéressante observation sur l'art chinois, « symbole d'un peuple qui,
fatigué du beau toujours unitaire, trouve d'ineffables plaisirs dans la fécondité des laideurs ». Il va
plus loin, il présente ses personnages comme font
les peintres de son temps, éclairés par des « accidents
de lumière », par les flammes du punch, les lueurs
d'un flambeau ou d'un réverbère. Il compare un
vieillard à une tête de Schnetz, une jeune femme à
une peinture de Carrache ; il célèbre plusieurs fois
l'art de Raphaël. Et il décrit l'étonnant bric-à-brac
du marchand du quai Voltaire, cet entassement de
richesses groupées dans un désordre romantique et
voulu, qui annonce le Musée de Cluny et les tableaux
de Roqueplan, en s'inspirant peut-être de l'appartement de son ami Théodore Dablin.

Le roman fut commencé à la fin de 1830 à Saint-
Cyr chez les Carraud, et terminé en mai 1831 à
Nemours. Dès le début de l'année, l'auteur avait
signé un contrat avec Gosselin et Urbain Canel
promettant le texte à imprimer pour le 15 février.
Un passage (la maison de jeu) parut dans *la Caricature* du 16 décembre 1830, sous le titre de : « Le
dernier Napoléon » ; un autre, « Une débauche », en
mai 1831 dans la *Revue des Deux-Mondes*, et un
troisième : « Le suicide d'un poète », dans le n° du
27 mai 1831 de la *Revue de Paris*. Balzac semble
avoir fait une lecture de son œuvre en juillet à
l'Abbaye-aux-Bois, chez M^me Récamier, et une
autre chez Sophie Gay.

La première édition de *la Peau de chagrin*,
*roman philosophique*, fut publiée en août 1831 chez
Charles Gosselin et Urbain Canel. La seconde en

septembre dans les *Contes et romans philosophiques* édités par Gosselin. La troisième en mars 1833 sous le même titre, et avec l'indication « 4e éd. » qui fut démentie ensuite par Balzac ; elle a subi des remaniements (Balzac y ajoute notamment une description du lac du Bourget qu'il a vu en septembre 1832 avec Mme de Castries). La quatrième édition se trouve dans les *Études philosophiques* publiées chez Werdet en 1835 ; elle est remaniée par Balzac et Lemesle ; elle porte, à la fin, la date « La Bouleaunière, avril 1831 ». En 1838, le roman constitue la seconde partie des *Études sociales* dans le « Balzac illustré » de chez H. Delloye et V. Lecou, avec des vignettes de Baron, Janet-Lange, Gavarni, Français et Marckl, cent images gravées sur acier ; en horstexte aux pages 148 et 287 deux planches : le portrait de Pauline et celui de Fœdora par G. Staal. Ils sont aussi tirés à part, et destinés à un album *les femmes de Balzac* qui paraîtra seulement en 1851 chez la veuve de Louis Janet. *La Peau de chagrin* figure dans l'édition de la *Comédie humaine* donnée par Furne et Dubochet au tome XIV (1846 ; 1er vol. des *Études philosophiques*) et dans le même tome de la réédition par Houssiaux (1855).

L'accueil de la presse fut favorable ; Balzac avait, d'ailleurs, préparé l'opinion en écrivant trois articles aimables sur son œuvre dans *la Caricature* ; l'article de Janin dans *l'Artiste* [1] donne le ton général : il

---

[1] p. 18–21. Voir aussi deux articles anonymes dans la *Revue encyclopédique*, 1831, t. 31, p. 325–336, et dans *la Revue Européenne*, 15 sept. 1831, ainsi qu'un article de R. de Burcy dans *l'Avenir*, 6 novembre 1831. *La Peau de chagrin* a été traduite en allemand par le Dr Schiff (Das Elendsfell, Berlin, 1832). Une pièce en a été tirée dès 1832, jouée au Théâtre de la Gaîté, puis un drame par A. Arnault et Louis Judicis qui a été joué à l'Ambigu-Comique en 1851.

définit l'œuvre comme un « conte oriental, parfumé, élégant, colère et brutal. Par ce livre, M. de Balzac se place au premier rang de nos conteurs. » Dans la *Gazette de Franche-Comté*, Charles de Bernard, seul futur disciple direct de Balzac, se déclara enchanté, et parla de l'influence d'Hoffmann sur le romancier français ; celui-ci s'en défendit dans une lettre de la fin d'août. Gœthe, enfin, dans son *Journal* au mois d'octobre nota : « C'est un livre excellent, selon la formule la plus récente. Il se distingue par l'habileté de l'auteur à évoluer entre l'impossible et l'insupportable, et à employer le merveilleux de façon très logique pour exprimer les sentiments les plus étranges et traiter les situations les plus extraordinaires » ; le mois suivant, il écrivit à Müller que le roman caractérise « la corruption incurable de la nation française ».

Ce roman fut très goûté par le public féminin ; dès septembre, après l'avoir lu, M^me de Castries entra en relations avec Balzac qui retrouva en elle une seconde « Fœdora » au cours des années suivantes. De même, c'est après une lecture du roman que M^me Hanska, l'Étrangère, écrivit à Balzac par l'intermédiaire de l'éditeur sa première lettre qui lui parvint le 28 février 1832.

L'influence de *la Peau de chagrin* sur Flaubert est considérable ; le livre a inspiré le style de ses premiers romans ; *l'Éducation sentimentale*, qui s'en souvient aussi, en est une sorte de contre-point.

———————

*Le Curé de Tours* (1832) offre l'étude d'un ecclésiastique ambitieux dans un cadre provincial. L'abbé Troubert, aidé par M^lle Gamard, terrible vieille fille, arrive à dépouiller de son logement, de ses meubles, et de ses livres, le médiocre et bonasse abbé Birotteau, bien qu'il soit protégé par la meilleure société de la ville.

Cette histoire pourrait se passer dans n'importe quelle ville de France ; mais Balzac la localise à Tours dont il évoque au début le décor urbain avec Saint-Gatien et le cloître, et à la fin le pont sur la Loire particulièrement long et nouvellement réalisé. Car Balzac était né à Tours ; il avait été élevé dans les environs, à une demi-lieue, de l'autre côté du pont, à Saint-Cyr-sur-Loire ; de 1804 à 1807, en 1813–1814, il avait séjourné à Tours avec ses parents, et sa mère le menait souvent à la messe de Saint-Gatien. En 1830, il était revenu à Saint-Cyr avec Mme de Berny, et il y avait loué la maison de « la Grenadière » dont il gardera toujours, ensuite, la nostalgie. Mais ce n'est pas là qu'il composa son roman ; il l'écrivit à Saint-Firmin, chez Mme de Berny, non loin de la propriété de M. de Trumilly dont il comptait épouser la jeune fille Éléonore.

Le cadre est donc accessoire ; l'indication de la date peut le paraître également, car les romanciers nous apprennent que les rivalités ecclésiastiques sont éternelles, mais Balzac place la scène en 1826, exprès, au moment même où Stendhal (écrivant en 1830) place l'histoire de Julien Sorel, c'est-à-dire à l'époque où triomphe le « parti-prêtre » soutenu par Charles X. La toute-puissance de l'abbé Troubert vient de ce qu'il est, malgré sa modestie affectée, « le personnage le plus important de la province, où il représente la *Congrégation* ».

Mais l'abbé Troubert, qui ressemble à son aîné le terrible abbé de Frilair de Stendhal, « cet homme adroit..., dont les dépêches, à Paris, faisaient trembler juges, préfets et jusqu'aux officiers généraux

de la garnison », n'est pas le seul personnage de ce
drame provincial ; M$^{lle}$ Gamard, qui le soutient,
est une préfiguration de ces vieilles filles qui auront
une telle importance dans la *Comédie humaine*, et
contre qui « un préjugé, dans lequel il y a du vrai
peut-être, jette constamment partout, et en France
encore plus qu'ailleurs, une grande défaveur sur la
femme avec qui personne n'a voulu ni partager les
biens, ni supporter les maux de la vie ».

*Le Curé de Tours* tient de la rapidité de sa rédaction, et aussi du génie croissant de son auteur, un
ton très entraînant. On peut le considérer comme
une série de dialogues entre deux décors de paysages. Le talent de l'exposition est grand ; la description — ici très réduite — des personnages atteste
une habitude d'observation assez rare ; l'opposition
du gras Birotteau avec la figure « rouge et ronde »
à celle du maigre Troubert au visage long et creusé
« par des rides profondes » est classique dans la
caricature de 1820, mais Laure de Surville assure
qu'à l'office dans la cathédrale de Tours, son jeune
frère s'intéressait déjà presque uniquement aux
« physionomies des prêtres ».

La rapidité d'écriture du romancier, qui a du
charme, et donne plus de vigueur au récit, lui fait
parfois commettre d'étranges bévues ; on sait que
Taine en a relevé une (dans son grand article nécro-
logique des *Débats*), la description des « hommes qui
doivent unir dans leur puissante tête les mamelles
de la femme à la force de Dieu », et le critique écrit :
« Jamais on n'a vu d'homme avec des mamelles
dans la tête. Le lecteur frappe la sienne, les bras
lui tombent, et il regarde en souriant le malheureux
ami qui trouve cela beau. » Stendhal, lui aussi, a
été surpris (*Mémoires d'un touriste*, 1837) par le

mélange de grand talent et de mauvais goût visibles dans le roman : « Que j'admire cet auteur ! qu'il a bien su énumérer les malheurs et petitesses de la province : je voudrais un style plus simple ; mais, dans ce cas, les provinciaux l'achèteraient-ils ? Je suppose qu'il fait ses romans en deux temps : d'abord raisonnablement, puis il les habille en beau style néo-logique, avec les « patiements de l'âme », « il neige dans mon cœur », et autres belles choses.

Mais le livre semble avoir porté auprès du public, et M. Bouteron a publié une curieuse lettre d'une mère de famille signée M$^{me}$ L. veuve Saint-H., adressée au romancier pour lui dire qu'après avoir lu son roman, elle aime mieux tuer son enfant que la voir devenir vieille fille, ou de devoir lui chercher un mari.

*Le Curé de Tours* a paru au tome III de la 2$^e$ édition des *Scènes de la vie privée*, 1832, puis au tome II de la 1$^{re}$ édition des *Scènes de la vie de province*, en 1837 ; il figure dans la nouvelle édition de 1843, dédié au sculpteur David d'Angers qui fait alors le buste de Balzac. Le texte de 1832 était moins étendu que celui-ci, la description de Tours y était réduite, les tout derniers paragraphes étaient moins longs, et le titre « la Congrégation » était remplacé par « la Grande Aumônerie ».

*Le Colonel Chabert* (1832) ne se recommande ni par une merveilleuse étude psychologique, ni par une étude philosophique particulièrement poussée, mais par une extrême saveur de vie. C'est un des plus vivants des romans de Balzac. Écrit rapidement, en huit jours, dit-on, immédiatement après *la Peau de chagrin*, au courant de la plume, comme au cours d'une conversation, c'est un conte en deux épisodes avec un épilogue.

Deux thèmes s'y joignent : celui de l'homme à la recherche de la personnalité, et celui de deux intérêts opposés. Le second est essentiellement balzacien ; le premier est plus profond, et va plus loin ; c'est, sous une forme différente, celui du *Malentendu* d'Albert Camus et du *Voyageur sans bagage* d'Anouilh ; c'est également Balzac se cherchant luimême encore, et se demandant quel personnage il jouera dans la vie, sous quelle forme il pourra trouver enfin sa voie.

L'étude des deux intérêts opposés est admirablement menée, avec une sobriété de moyens parfaite, et un caractère « direct » qui atteste un énorme talent. Dans la composition, dans la rédaction, Balzac s'y montre très différent de l'auteur de *la Peau de chagrin*. Les associations qu'il forme ne sont plus visuelles mais auditives ; encore plus que dans *le Curé de Tours*, les conversations y sont importantes et y sont parfaitement rendues, avec comme l'inflexion particulière de chaque voix. Balzac n'est plus l'homme qui regarde, qui s'intéresse à l'art, aux tableaux, c'est un homme qui parle, et qui écoute. Pierre Abraham, dans son travail si remarquable, a bien remarqué que le romancier est « avant tout un auditif ». Pour lui « l'outil par excellence c'est l'oreille, et c'est la musique. Ce n'est pas tant, d'ailleurs, la musique instrumentale proprement dite que cette musique de la voix, cette musique découpée en syllabes qu'est le langage parlé » ; et il conclut très justement : « L'association auditive est le grand moteur de la création chez Balzac. »

Le début du roman, la scène dans l'étude de l'avoué, M. Derville, avec ses conversations, ses saillies, ses personnages, est certainement écrit d'après les souvenirs de jeunesse du romancier, ceux du temps où il était clerc lui-même (1816–1817) chez Me Guillonnet-Derville, rue Coquillière, entre les Halles et la place des Victoires. On sait, d'ailleurs, que, durant cette époque, il recueillit dans sa mémoire de nombreuses notations qu'on retrouvera souvent au cours de la *Comédie humaine*. La scène est traitée avec esprit ; elle n'est pas loin de certaines images en couleurs d'Henry Monnier, ami de Balzac, railleur impitoyable, comme lui, de la paperasserie et des bureaux.

Le fait qui sert de fonds même à l'histoire, le retour du colonel Chabert, doit sans doute sa naissance à un fait divers relatant l'aventure d'un de ces braves des armées de Napoléon qu'on vit revenir de Russie, où ils avaient été soignés après la campagne, jusque vers 1830. Et précisément, comme l'a retrouvé Arrigon, un ami des Carraud, le lieutenant Duparc, avait été blessé pendant les guerres de l'Empire et laissé pour mort sur un champ de bataille ; il avait eu de grandes difficultés à faire reconnaître son identité véritable en revenant à Paris. Le nom de Chabert n'est pas inventé non plus par Balzac ; il y a trois Chabert, dont un « colonel Chabert », blessé le 5 mai 1811 au Portugal « d'une balle à la tête qui fit craindre pour ses jours », signalés dans *Victoires et Conquêtes* (tome XX, p. 85). Cet ouvrage, énorme compilation de vingt-quatre volumes parus de 1816 à 1821, qui raconte les guerres de la Révolution et de l'Empire, et se termine par un Dictionnaire des Braves, est cité par le Chabert de Balzac comme ayant annoncé sa mort à Eylau, mais on n'y lit (tome XVII, p. 69) que ces mots d'où est sortie l'évocation du romancier : « Le colonel Dalhmann, commandant les chasseurs de la

Garde, avait été tué avec une cinquantaine de ses braves, qui avaient traversé jusqu'à deux fois les lignes de l'infanterie russe [1]. »

Indiquons enfin que, parmi les décors du roman, on voit Balzac décrire très soigneusement l'habitation du « nourrisseur » Vergniaud, masure qui, « quoique récemment construite..., semblait près de tomber en ruines ». Balzac la situe avec précision rue du Vieux-Banquier (actuellement rue Watteau), et sans doute la décrit d'après nature, car elle n'est pas loin de la rue Cassini, et il a pu la voir au cours d'une de ses promenades qui le menaient de l'Observatoire au Jardin des Plantes à travers un quartier encore à moitié champêtre.

Le roman parut en trois feuilletons dans l'*Artiste* en février–mai 1832 sous le titre : « La Transaction. » Puis la même année, l'édition originale, assez augmentée, fut donnée dans le tome I des *Salmigondis*, recueil de contes publié chez Fournier, et intitulée *le Comte Chabert*. Le texte reparut en 1835 avec le titre : *La comtesse a deux maris* au tome IV des « Scènes de la vie parisienne », et en 1844 au tome X de la *Comédie humaine*, de Furne, dit enfin : *Le Colonel Chabert* [2].

Il est dédié à partir de l'édition de 1844 à la comtesse Ida de Bocarmé, admiratrice de Balzac, qui avait eu l'attention délicate de faire exécuter

---

[1] L'oncle de Victor Hugo, le colonel Louis Hugo (1777–1854), alors capitaine de grenadiers, se battit vaillamment aussi à Eylau. Dans *Choses vues* et dans la *Légende des Siècles*, on trouve des souvenirs de cette terrible bataille.

[2] La vivacité des dialogues du roman a amené un certain nombre d'auteurs à en tirer des pièces de théâtre ; citons : Paul de Faulquemont et A. Favre, drame, 1852 ; — Auguste Guyot, drame, 1883 (à Bruxelles avec dénouement différent) ; — pièce par G. I. Holdship, Pittsburg, 1892 ; drame par Louis Forest, 1903; pièce par Maurice V. Samuels, à New-Jersey, 1909.

pour lui un vase de Bohème portant l'inscription
« *Divo Balzac* ».

JEAN ADHÉMAR,
Conservateur adjoint
à la Bibliothèque Nationale

Le texte suivi ici est, comme dans la plupart des
éditions modernes, celui donné dans l'édition « défini-
tive » publiée chez Calmann-Lévy, de 1869 à 1876
(24 vol. in-8°).

BIBLIOGRAPHIE SOMMAIRE

*Œuvres* de Balzac éditées par M. Bouteron, chez
Conard, tome VII, 1913 (*Colonel Chabert*), IX, 1913
(*Curé de Tours*) et XXVII, 1927 (*La Peau de chagrin*)

*Œuvres* de Balzac éditées par Maurice Allem (avec de
nombreuses notes et variantes) chez Garnier, 1933

Satler (H.) *Honoré de Balzacs roman, la Peau de chagrin*
(dissertation), Halle, 1912, 160 p.

M. Bardèche, *Balzac romancier*, 1943, p. 204 et sq.
(notamment sur Hoffmann) ; B. Guyon, *la pensée politique et sociale de Balzac*, 1949

*Catalogue de l'exposition du centenaire, Bibliothèque Na-
tionale*, 1950, par R. Pierrot, J. Lethève et J. Adhémar

# TABLE

# LA PEAU DE CHAGRIN

## A MONSIEUR SAVARY

MEMBRE DE L'ACADÉMIE DES SCIENCES

(Sterne, *Tristram Shandy*, ch. cccxxii)

## LE TALISMAN

VERS la fin du mois d'octobre dernier, un jeune homme entra dans le Palais-Royal au moment où les maisons de jeu s'ouvraient, conformément à la loi qui protège une passion essentiellement imposable. Sans trop hésiter, il monta l'escalier du tripot désigné sous le nom de numéro 36.

— Monsieur, votre chapeau, s'il vous plaît ? lui cria d'une voix sèche et grondeuse un petit vieillard blême, accroupi dans l'ombre, protégé par une barricade, et qui se leva soudain en montrant une figure moulée sur un type ignoble.

Quand vous entrez dans une maison de jeu, la loi commence par vous dépouiller de votre chapeau. Est-ce une parabole évangélique et providentielle ? N'est-ce pas plutôt une manière de conclure un contrat infernal avec vous en exigeant je ne sais quel gage ? Serait-ce pour vous obliger à garder un maintien

respectueux devant ceux qui vont gagner votre
argent ? Est-ce la police, tapie dans tous les égouts
sociaux, qui tient à savoir le nom de votre chapelier
ou le vôtre, si vous l'avez inscrit sur la coiffe ? Est-ce,
enfin, pour prendre la mesure de votre crâne et dresser
une statistique instructive sur la capacité cérébrale
des joueurs ? Sur ce point, l'administration garde un
silence-complet. Mais, sachez-le bien, à peine avez-vous
fait un pas vers le tapis vert, déjà votre chapeau ne
vous appartient pas plus que vous ne vous appartenez
à vous-même : vous êtes au jeu, vous, votre fortune,
votre coiffe, votre canne et votre manteau. A votre
sortie, le JEU vous démontrera, par une atroce épigramme en action, qu'il vous laisse encore quelque
chose en vous rendant votre bagage. Si toutefois vous
avez une coiffure neuve, vous apprendrez à vos dépens qu'il faut se faire un costume de joueur.

L'étonnement manifesté par le jeune homme en
recevant une fiche numérotée en échange de son
chapeau, dont heureusement les bords étaient légèrement pelés, indiquait assez une âme encore innocente ;
aussi le petit vieillard, qui sans doute avait croupi dès
son jeune âge dans les bouillants plaisirs de la vie des
joueurs, lui jeta-t-il un coup d'œil terne et sans
chaleur, dans lequel un philosophe aurait vu les misères
de l'hôpital, les vagabondages des gens ruinés, les
procès-verbaux d'une foule d'asphyxiés, les travaux
forcés à perpétuité, les expatriations au Guazacoalco.
Cet homme, dont la longue face blanche n'était plus
nourrie que par les soupes gélatineuses de D'Arcet,

présentait la pâle image de la passion réduite à son terme le plus simple. Dans ses rides il y avait trace de vieilles tortures, il devait jouer ses maigres appointements le jour même où il les recevait. Semblable aux rosses sur qui les coups de fouet n'ont plus de prise, rien ne le faisait tressaillir ; les sourds gémissements des joueurs qui sortaient ruinés, leurs muettes imprécations, leurs regards hébétés le trouvaient toujours insensible. C'était le Jeu incarné. Si le jeune homme avait contemplé ce triste Cerbère, peut-être se serait-il dit: Il n'y a plus qu'un Jeu de cartes dans ce cœur-là! L'inconnu n'écouta pas ce conseil vivant, placé là sans doute par la Providence, comme elle a mis le dégoût à la porte de tous les mauvais lieux. Il entra résolument dans la salle, où le son de l'or exerçait une éblouissante fascination sur les sens en pleine convoitise. Ce jeune homme était probablement poussé là par la plus logique de toutes les éloquentes phrases de Jean-Jacques Rousseau, et dont voici, je crois, la triste pensée : *Oui, je conçois qu'un homme aille au jeu, mais c'est lorsque, entre lui et la mort, il ne voit plus que son dernier écu.*

Le soir, les maisons de jeu n'ont qu'une poésie vulgaire, mais dont l'effet est assuré comme celui d'un drame sanguinolent. Les salles sont garnies de spectateurs et de joueurs, de vieillards indigents qui s'y traînent pour s'y réchauffer, de faces agitées, d'orgies commencées dans le vin et près de finir dans la Seine. Si la passion y abonde, le trop grand nombre d'acteurs vous empêche de contempler face à face le démon du

jeu. La soirée est un véritable morceau d'ensemble
où la troupe entière crie, où chaque instrument de
l'orchestre module sa phrase. Vous verriez là beaucoup
de gens honorables qui viennent y chercher des distractions et les payent comme ils payeraient le plaisir
du spectacle, de la gourmandise, ou comme ils iraient
dans une mansarde acheter à bas prix de cuisants
regrets pour trois mois. Mais comprenez-vous tout ce
que doit avoir de délire et de vigueur dans l'âme un
homme qui attend avec impatience l'ouverture d'un
tripot ? Entre le joueur du matin et le joueur du soir,
il existe la différence qui distingue le mari nonchalant
de l'amant pâmé sous les fenêtres de sa belle. Le
matin seulement, arrivent la passion palpitante et le
besoin dans sa franche horreur. En ce moment, vous
pourrez admirer un véritable joueur, un joueur qui
n'a pas mangé, dormi, vécu, pensé, tant il était rude-
ment flagellé par le fouet de sa martingale, tant il
souffrait, travaillé par le prurit d'un coup de *trente-
et-quarante*. A cette heure maudite, vous rencontrerez
des yeux dont le calme effraye, des visages qui vous
fascinent, des regards qui soulèvent les cartes et les
dévorent. Aussi les maisons de jeu ne sont-elles sublimes qu'à l'ouverture de leurs séances. Si l'Espagne
a ses combats de taureaux, si Rome a eu ses gladia-
teurs, Paris s'enorgueillit de son Palais-Royal, dont
les agaçantes roulettes donnent le plaisir de voir couler
le sang à flots sans que les pieds du parterre risquent
d'y glisser. Essayez de jeter un regard furtif sur cette
arène, entrez! Quelle nudité! Les murs, couverts

d'un papier gras à hauteur d'homme, n'offrent pas une seule image qui puisse rafraîchir l'âme. Il ne s'y trouve même pas un clou pour faciliter le suicide. Le parquet est usé, malpropre. Une table oblongue occupe le centre de la salle. La simplicité des chaises de paille pressées autour de ce tapis usé par l'or annonce une curieuse indifférence du luxe chez ces hommes qui viennent périr là pour la fortune et pour le luxe. Cette antithèse humaine se découvre partout où l'âme réagit puissamment sur elle-même. L'amoureux veut mettre sa maîtresse dans la soie, la revêtir d'un moelleux tissu d'Orient, et, la plupart du temps, il la possède sur un grabat. L'ambitieux se rêve au faîte du pouvoir, tout en s'aplatissant dans la boue du servilisme. Le marchand végète au fond d'une boutique humide et malsaine, en élevant un vaste hôtel, d'où son fils, héritier précoce, sera chassé par une licitation fraternelle. Enfin, existe-t-il chose plus déplaisante qu'une maison de plaisir ? Singulier problème ! Toujours en opposition avec lui-même, trompant ses espérances par ses maux présents, et ses maux par un avenir qui ne lui appartient pas, l'homme imprime à tous ses actes le caractère de l'inconséquence et de la faiblesse. Ici-bas, rien n'est complet que le malheur.

Au moment où le jeune homme entra dans le salon, quelques joueurs s'y trouvaient déjà. Trois vieillards à têtes chauves étaient nonchalamment assis autour du tapis vert ; leurs visages de plâtre, impassibles comme ceux des diplomates, révélaient des âmes blasées, des cœurs qui depuis longtemps avaient

désappris de palpiter, même en risquant les biens
paraphernaux d'une femme. Un jeune Italien aux
cheveux noirs, au teint olivâtre, était accoudé tranquillement au bout de la table et paraissait écouter
ces pressentiments secrets qui crient fatalement à un
joueur : « Oui ! — Non ! » Cette tête méridionale
respirait l'or et le feu. Sept ou huit spectateurs debout,
rangés de manière à former une galerie, attendaient
les scènes que leur préparaient les coups du sort, les
figures des acteurs, le mouvement de l'argent et celui
des râteaux. Ces désœuvrés étaient là, silencieux,
immobiles, attentifs comme l'est le peuple à la Grève,
quand le bourreau tranche une tête. Un grand homme
sec, en habit râpé, tenait un registre d'une main et de
l'autre une épingle pour marquer les passes de la rouge
ou de la noire. C'était un de ces Tantales modernes
qui vivent en marge de toutes les jouissances de leur
siècle, un de ces avares sans trésor qui jouent une
mise imaginaire ; espèce de fou raisonnable qui se
consolait de ses misères en caressant une chimère, qui
agissait enfin avec le vice et le danger comme les
jeunes prêtres avec l'eucharistie, lorsqu'ils disent des
messes blanches. En face de la banque, un ou deux
de ces fins spéculateurs, experts des chances du jeu,
et semblables à d'anciens forçats qui ne s'effrayent
plus des galères, étaient venus là pour hasarder trois
coups et remporter immédiatement le gain probable
duquel ils vivaient. Deux vieux garçons de salle se
promenaient nonchalamment les bras croisés, et de
temps en temps regardaient le jardin par les fenêtres,

comme pour montrer aux passants leurs plates figures,
en guise d'enseigne. Le *tailleur* et le *banquier* venaient
de jeter sur les pontes ce regard blême qui les tue, et
disaient d'une voix grêle : « Faites le jeu ! » quand le
jeune homme ouvrit la porte. Le silence devint en
quelque sorte plus profond, et les têtes se tournèrent
vers le nouveau venu par curiosité. Chose inouïe !
les vieillards émoussés, les employés pétrifiés, les
spectateurs, et jusqu'au fanatique Italien, tous, en
voyant l'inconnu, éprouvèrent je ne sais quel sentiment épouvantable. Ne faut-il pas être bien malheureux pour obtenir de la pitié, bien faible pour
exciter une sympathie, ou d'un bien sinistre aspect
pour faire frissonner les âmes dans cette salle où les
douleurs doivent être muettes, où la misère est gaie
et le désespoir décent ? Eh bien, il y avait de tout cela
dans la sensation neuve qui remua ces cœurs glacés
quand le jeune homme entra. Mais les bourreaux
n'ont-ils pas quelquefois pleuré sur les vierges dont les
blondes têtes devaient être coupées à un signal de la
Révolution ?

Au premier coup d'œil les joueurs lurent sur le
visage du novice quelque horrible mystère; ses jeunes
traits étaient empreints d'une grâce nébuleuse, son
regard attestait des efforts trahis, mille espérances
trompées ! La morne impassibilité du suicide donnait
à ce front une pâleur mate et maladive, un sourire
amer dessinait de légers plis dans les coins de la bouche,
et la physionomie exprimait une résignation qui faisait
mal à voir. Quelque secret génie scintillait au fond de

ces yeux, voilés peut-être par les fatigues du plaisir.
Était-ce la débauche qui marquait de son sale cachet
cette noble figure, jadis pure et brillante, maintenant
dégradée ? Les médecins auraient sans doute attribué
à des lésions au cœur ou à la poitrine le cercle jaune
qui encadrait les paupières et la rougeur qui marquait
les joues, tandis que les poètes eussent voulu reconnaître à ces signes les ravages de la science, les traces
de nuits passées à la lueur d'une lampe studieuse. Mais
une passion plus mortelle que la maladie, une maladie
plus impitoyable que l'étude et le génie, altéraient
cette jeune tête, contractaient ces muscles vivaces,
tordaient ce cœur qu'avaient seulement effleuré les
orgies, l'étude et la maladie. Comme, lorsqu'un célèbre
criminel arrive au bagne, les condamnés l'accueillent
avec respect, ainsi tous ces démons humains, experts
en tortures, saluèrent une douleur inouïe, une blessure
profonde que sondait leur regard, et reconnurent un
de leurs princes à la majesté de sa muette ironie, à
l'élégante misère de ses vêtements. Le jeune homme
avait bien un frac de bon goût, mais la jonction de
son gilet et de sa cravate était trop savamment
maintenue pour qu'on lui supposât du linge. Ses
mains, jolies comme des mains de femme, étaient d'une
douteuse propreté ; enfin, depuis deux jours il ne
portait plus de gants ! Si le tailleur et les garçons de
salle eux-mêmes frissonnèrent, c'est que les enchantements de l'innocence florissaient par vestiges dans ces
formes grêles et fines, dans ces cheveux blonds et
rares, naturellement bouclés. Cette figure avait encore

vingt-cinq ans, et le vice paraissait n'y être qu'un
accident. La verte vie de la jeunesse y luttait encore
avec les ravages d'une impuissante lubricité. Les
ténèbres et la lumière, le néant et l'existence s'y com-
battaient en produisant tout à la fois de la grâce et
de l'horreur. Le jeune homme se présentait là comme
un ange sans rayons, égaré dans sa route. Aussi
tous ces professeurs émérites de vice et d'infamie,
semblables à une vieille femme édentée prise de pitié
à l'aspect d'une belle fille qui s'offre à la corruption,
furent-ils près de crier au novice : « Sortez ! » Celui-ci
marcha droit à la table, s'y tint debout, jeta sans
calcul sur le tapis une pièce d'or qu'il avait à la main,
et qui roula sur noir ; puis, comme les âmes fortes,
abhorrant de chicanières incertitudes, il lança sur le
tailleur un regard tout à la fois turbulent et calme.
L'intérêt de ce coup était si grand, que les vieillards
ne firent pas de mise ; mais l'Italien saisit avec le
fanatisme de la passion une idée qui vint lui sourire
et ponta sa masse d'or en opposition au jeu de l'inconnu. Le banquier oublia de dire ces phrases, qui se
sont à la longue converties en un cri rauque et inintel-
ligible : « Faites le jeu !... Le jeu est fait !... Rien ne va
plus ! » Le tailleur étala les cartes et sembla souhaiter bonne chance au dernier venu, indifférent qu'il
était à la perte ou au gain fait par les entrepreneurs de
ces sombres plaisirs. Chacun des spectateurs voulut
voir un drame et la dernière scène d'une noble vie
dans le sort de cette pièce d'or ; leurs yeux, arrêtés
sur les cartons fatidiques, étincelèrent ; mais, malgré

l'attention avec laquelle ils regardèrent alternativement et le jeune homme et les cartes, ils ne purent
apercevoir aucun symptôme d'émotion sur sa figure
froide et résignée. Rouge, pair, passe, dit officiellement
le tailleur.

Une espèce de râle sourd sortit de la poitrine de
l'Italien lorsqu'il vit tomber un à un les billets pliés
que lui lança le banquier. Quant au jeune homme, il
ne comprit sa ruine qu'au moment où le râteau s'al-
longea pour ramasser son dernier napoléon. L'ivoire
fit rendre un bruit sec à la pièce, qui, rapide comme
une flèche, alla se réunir au tas d'or étalé devant la
caisse. L'inconnu ferma les yeux doucement, ses lèvres
blanchirent ; mais il releva bientôt ses paupières, sa
bouche reprit une rougeur de corail, il affecta l'air
d'un Anglais pour qui la vie n'a plus de mystères, et
disparut sans mendier une consolation par un de ces
regards déchirants que les joueurs au désespoir lan-
cent assez souvent sur la galerie. Combien d'événements se pressent dans l'espace d'une seconde, et que
de choses dans un coup de dé !

— Voilà sans doute sa dernière cartouche, dit en
souriant le croupier, après un moment de silence
pendant lequel il tint cette pièce d'or entre le pouce
et l'index pour la montrer aux assistants.

— C'est un cerveau brûlé qui va se jeter à l'eau,
répondit un habitué en regardant autour de lui les
joueurs, qui se connaissaient tous.

— Bah ! s'écria le garçon de chambre en prenant
une prise de tabac.

sont tracées en lettres hautes d'un pied : SECOURS
AUX ASPHYXIÉS. M. Dacheux lui apparut armé de
sa philanthropie, réveillant et faisant mouvoir ces
vertueux avirons qui cassent la tête aux noyés,
quand malheureusement ils remontent sur l'eau ; il
l'aperçut ameutant les curieux, quêtant un médecin,
apprêtant des fumigations ; il lut les doléances des
journalistes écrites entre les joies d'un festin et le
sourire d'une danseuse ; il entendit sonner les écus
comptés à des bateliers pour sa tête par le préfet de
police. Mort, il valait cinquante francs ; mais, vivant,
il n'était qu'un homme de talent sans protecteurs,
sans amis, sans paillasse, sans tambour, un véritable
zéro social, inutile à l'État, qui n'en avait aucun
souci. Une mort en plein jour lui parut ignoble, il
résolut de mourir pendant la nuit, afin de livrer un
cadavre indéchiffrable à cette société qui méconnaissait la grandeur de sa vie. Il continua donc son chemin,
et se dirigea vers le quai Voltaire en affectant la
démarche indolente d'un désœuvré qui veut tuer le
temps. Quand il descendit les marches qui terminent
le trottoir du pont, à l'angle du quai, son attention
fut excitée par les bouquins étalés sur le parapet ;
peu s'en fallut qu'il n'en marchandât quelques-uns.
Il se prit à sourire, remit philosophiquement les mains
dans ses goussets et allait reprendre son allure d'insouciance où perçait un froid dédain, quand il entendit avec surprise quelques pièces retentir d'une manière véritablement fantastique au fond de sa poche.
Un sourire d'espérance illumina son visage, glissa

— Si nous avions imité monsieur ! dit un des
vieillards à ses collègues en désignant l'Italien.

Tout le monde regarda l'heureux joueur, dont les
mains tremblaient en comptant ses billets de banque.

— J'ai entendu, dit-il, une voix qui me criait dans
l'oreille: Le jeu aura raison contre le désespoir de ce
jeune homme.

— Ce n'est pas un joueur, reprit le banquier ;
autrement, il aurait groupé son argent en trois masses
pour se donner plus de chances.

Le jeune homme passait sans réclamer son chapeau ;
mais le vieux molosse ayant remarqué le mauvais état
de cette guenille la lui rendit sans proférer une parole ;
le joueur restitua la fiche par un mouvement machinal,
et descendit les escaliers en sifflant *Di tanti palpiti*,
d'un souffle si faible qu'il en entendit à peine lui-
même les notes délicieuses.

Il se trouva bientôt sous les galeries du Palais-
Royal, alla jusqu'à la rue Saint-Honoré, prit le chemin
des Tuileries et traversa le jardin d'un pas indécis.
Il marchait comme au milieu d'un désert, coudoyé
par des hommes qu'il ne voyait pas, n'écoutant à
travers les clameurs populaires qu'une seule voix, celle
de la mort ; enfin perdu dans une engourdissante
méditation, semblable à celle dont jadis étaient saisis
les criminels qu'une charrette conduisait, du Palais
à la Grève, vers cet échafaud rouge de tout le sang
versé depuis 1793.

Il existe je ne sais quoi de grand et d'épouvantable
dans le suicide. Les chutes d'une multitude de gens

sont sans danger, comme celles des enfants qui tombent de trop bas pour se blesser ; mais quand un grand homme se brise, il doit venir de bien haut, s'être élevé jusqu'aux cieux, avoir entrevu quelque paradis inaccessible. Implacables doivent être les ouragans qui le forcent à demander la paix de l'âme à la bouche d'un pistolet. Combien de jeunes talents confinés dans une mansarde s'étiolent et périssent faute d'un ami, faute d'une femme consolatrice, au sein d'un million d'êtres, en présence d'une foule lassée d'or et qui s'ennuie ! A cette pensée, le suicide prend des proportions gigantesques. Entre une mort volontaire et la féconde espérance dont la voix appelait un jeune homme à Paris, Dieu seul sait combien se heurtent de conceptions, de poésies abandonnées, de désespoirs et de cris étouffés, de tentatives inutiles et de chefs-d'œuvre avortés. Chaque suicide est un poème sublime de mélancolie. Où trouverez-vous dans l'océan des littératures un livre surnageant qui puisse lutter de génie avec cet entrefilet :

*Hier, à quatre heures, une jeune femme s'est jetée dans la Seine du haut du pont des Arts.*

Devant ce laconisme parisien, les drames, les romans, tout pâlit, même ce vieux frontispice : *Les lamentations du glorieux roi de Kaërnavan, mis en prison par ses enfants ;* dernier fragment d'un livre perdu, dont la seule lecture faisait pleurer ce Sterne, qui lui-même délaissait sa femme et ses enfants.

L'inconnu fut assailli par mille pensées semblables,

qui passaient en lambeaux dans son âme, comme des drapeaux déchirés voltigent au milieu d'une bataille. S'il déposait pendant un moment le fardeau de son intelligence et de ses souvenirs pour s'arrêter devant quelques fleurs dont les têtes étaient mollement balancées par la brise parmi des massifs de verdure, bientôt saisi par une convulsion de la vie, qui regimbait encore sous la pesante idée du suicide, il levait les yeux au ciel : là, des nuages gris, des bouffées de vent chargées de tristesse, une atmosphère lourde, lui conseillaient encore de mourir. Il s'achemina vers le pont Royal en songeant aux dernières fantaisies de ses prédécesseurs. Il souriait en se rappelant que lord Castlereagh avait satisfait le plus humble de nos besoins avant de se couper la gorge, et que l'académicien Auger avait été chercher sa tabatière pour priser tout en marchant à la mort. Il analysait ces bizarreries et s'interrogeait lui-même, quand, en se serrant contre le parapet du pont pour laisser passer un fort de la Halle, celui-ci ayant légèrement blanchi la manche de son habit, il se surprit à en secouer soigneusement la poussière. Arrivé au point culminant de la voûte, il regarda l'eau d'un air sinistre.

— Mauvais temps pour se noyer, lui dit en riant une vieille femme vêtue de haillons. Est-elle sale et froide, la Seine !...

Il répondit par un sourire plein de naïveté qui attestait le délire de son courage ; mais il frissonna tout à coup en voyant de loin, sur le port des Tuileries, la baraque surmontée d'un écriteau où ces paroles

de ses lèvres sur ses traits, sur son front, fit briller
de joie ses yeux et ses joues sombres. Cette étincelle
de bonheur ressemblait à ces feux qui courent dans les
vestiges d'un papier déjà consumé par la flamme ;
mais le visage eut le sort des cendres noires, il redevint triste quand l'inconnu, après avoir vivement
retiré la main de son gousset, aperçut trois gros sous.

— Ah ! mon bon monsieur, *la carita ! la carita !*
*Catarina !* Un petit sou pour avoir du pain !

Un jeune ramoneur, dont la figure bouffie était
noire, le corps brun de suie, les vêtements déguenillés,
tendit la main à cet homme pour lui arracher ses
derniers sous.

A deux pas du petit Savoyard, un vieux pauvre
honteux, maladif, souffreteux, ignoblement vêtu d'une
tapisserie trouée, lui dit d'une grosse voix sourde:
« Monsieur, donnez-moi *ce que vous voudrez*, je prierai
Dieu pour vous. »

Mais quand l'homme jeune eut regardé le vieillard
celui-ci se tut et ne demanda plus rien, reconnaissant
peut-être sur ce visage funèbre la livrée d'une misère
plus âpre que n'était la sienne.

— *La carita ! la carita !*

L'inconnu jeta sa monnaie à l'enfant et au vieux
pauvre en quittant le trottoir pour aller vers les
maisons, il ne pouvait plus supporter le poignant
aspect de la Seine.

— Nous prierons Dieu pour la conservation de vos
jours, lui dirent les deux mendiants.

En arrivant à l'étalage d'un marchand d'estampes,

cet homme presque mort rencontra une jeune femme qui descendait d'un brillant équipage. Il contempla délicieusement cette charmante personne, dont la blanche figure était harmonieusement encadrée dans le satin d'un élégant chapeau. Il fut séduit par une taille svelte, par de jolis mouvements. La robe, légèrement relevée par le marchepied, lui laissa voir une jambe dont les fins contours étaient dessinés par un bas blanc et bien tiré. La jeune femme entra dans le magasin, y marchanda des albums, des collections de lithographies ; elle en acheta pour plusieurs pièces d'or, qui étincelèrent et sonnèrent sur le comptoir. Le jeune homme, en apparence occupé sur le seuil de la porte à regarder les gravures exposées dans la montre, échangea vivement avec la belle inconnue l'œillade la plus perçante que puisse lancer un homme, contre un de ces coups d'œil insouciants jetés au hasard sur les passants. C'était, de sa part, un adieu à l'amour, à la femme ! mais cette dernière et puissante interrogation ne fut pas comprise, ne remua pas ce cœur de femme frivole, ne la fit pas rougir, ne lui fit pas baisser les yeux. Qu'était-ce pour elle ? une admiration de plus, un désir inspiré qui, le soir, lui suggérerait cette douce parole : « J'étais *bien* aujourd'hui. » Le jeune homme passa promptement à un autre cadre, et ne se retourna point quand l'inconnue remonta dans sa voiture. Les chevaux partirent, cette dernière image du luxe et de l'élégance s'éclipsa comme allait s'éclipser sa vie. Il marcha d'un pas mélancolique le long des magasins, en examinant sans beaucoup d'intérêt les échantillons de marchandises. Quand les boutiques lui manquèrent, il étudia le Louvre, l'Institut, les tours de Notre-Dame, celles du Palais, le pont des Arts. Ces monuments paraissaient prendre une physionomie triste en reflétant les teintes grises du ciel, dont les rares clartés prêtaient un air menaçant à Paris, qui, pareil à une jolie femme, est soumis à d'inexplicables caprices de laideur et de beauté. Ainsi, la nature elle-même conspirait à plonger le mourant dans une extase douloureuse. En proie à cette puissance malfaisante dont l'action dissolvante trouve un véhicule dans le fluide qui circule en nos nerfs, il sentait son organisme arriver insensiblement aux phénomènes de la fluidité. Les tourmentes de cette agonie lui imprimaient un mouvement semblable à celui des vagues, et lui faisaient voir les bâtiments, les hommes, à travers un brouillard où tout ondoyait. Il voulut se soustraire aux titillations que produisaient sur son âme les réactions de la nature physique, et se dirigea vers un magasin d'antiquités dans l'intention de donner une pâture à ses sens ou d'y attendre la nuit en marchandant des objets d'art. C'était, pour ainsi dire, quêter du courage et demander un cordial, comme les criminels qui se défient de leurs forces en allant à l'échafaud ; mais la conscience de sa prochaine mort rendit pour un moment au jeune homme l'assurance d'une duchesse qui a deux amants, et il entra chez le marchand de curiosités d'un air dégagé, laissant voir sur ses lèvres un sourire fixe comme celui d'un ivrogne. N'était-il pas ivre de la vie, ou peut-

être de la mort ! Il retomba bientôt dans ses vertiges,
et continua d'apercevoir les choses sous d'étranges
couleurs, ou animées d'un léger mouvement dont le
principe était sans doute dans une irrégulière circula-
tion de son sang, tantôt bouillonnant comme une
cascade, tantôt tranquille et fade comme l'eau tiède.
Il demanda simplement à visiter les magasins pour
chercher s'ils ne renfermaient pas quelques singularités
à sa convenance. Un jeune garçon à figure fraîche et
joufflue, à chevelure rousse, et coiffé d'une casquette
de loutre, commit la garde de la boutique à une
vieille paysanne, espèce de *Caliban* femelle occupée
à nettoyer un poêle dont les merveilles étaient dues
au génie de Bernard Palissy ; puis il dit à l'étranger
d'un air insouciant :

— Voyez, monsieur, voyez ! Nous n'avons en bas
que des choses assez ordinaires ; mais, si vous voulez
prendre la peine de monter au premier étage, je
pourrai vous montrer de fort belles momies du Caire,
plusieurs poteries incrustées, quelques ébènes sculptés,
*vraie renaissance*, récemment arrivés, et qui sont de
toute beauté.

Dans l'horrible situation où se trouvait l'inconnu,
ce babil de cicerone, ces phrases sottement mercantiles
furent pour lui comme les taquineries mesquines par
lesquelles des esprits étroits assassinent un homme
de génie. Portant sa croix jusqu'au bout, il parut
écouter son conducteur et lui répondit par gestes ou
par monosyllabes ; mais insensiblement il sut conquérir le droit d'être silencieux et put se livrer sans

crainte à ses dernières méditations, qui furent terribles.
Il était poète, et son âme rencontra fortuitement une
immense pâture : il devait voir par avance les ossements de vingt mondes.

Au premier coup d'œil, les magasins lui offrirent un
tableau confus, dans lequel toutes les œuvres humaines
et divines se heurtaient. Des crocodiles, des singes,
des boas empaillés souriaient à des vitraux d'église,
semblaient vouloir mordre des bustes, courir après
des laques, ou grimper sur des lustres. Un vase de
Sèvres, où Mᵐᵉ Jacotot avait peint Napoléon, se
trouvait auprès d'un sphinx dédié à Sésostris. Le
commencement du monde et les événements d'hier
se mariaient avec une grotesque bonhomie. Un tourne-
broche était posé sur un ostensoir, un sabre républicain
sur une hacquebute du moyen âge. Mᵐᵉ du Barry,
peinte au pastel par Latour, une étoile sur la tête, nue
et dans un nuage, paraissait contempler avec concupiscence une chibouque indienne, en cherchant à
deviner l'utilité des spirales qui serpentaient vers
elle. Les instruments de mort, poignards, pistolets
curieux, armes à secret, étaient jetés pêle-mêle avec
des instruments de vie : soupières en porcelaine,
assiettes de Saxe, tasses diaphanes venues de Chine,
salières antiques, drageoirs féodaux. Un vaisseau
d'ivoire voguait à pleines voiles sur le dos d'une immobile tortue. Une machine pneumatique éborgnait
l'empereur Auguste, majestueusement impassible.
Plusieurs portraits d'échevins français, de bourg-
mestres hollandais, insensibles alors comme pendant

leur vie, s'élevaient au-dessus de ce chaos d'antiquités, en y lançant un regard pâle et froid. Tous les pays de la terre semblaient avoir apporté là quelque débris de leurs sciences, un échantillon de leurs arts. C'était une espèce de fumier philosophique auquel rien ne manquait, ni le calumet du sauvage, ni la pantoufle vert et or du sérail, ni le yatagan du Maure, ni l'idole des Tartares. Il y avait jusqu'à la blague à tabac du soldat, jusqu'au ciboire du prêtre, jusqu'aux plumes d'un trône. Ces monstrueux tableaux étaient encore assujettis à mille accidents de lumière par la bizarrerie d'une multitude de reflets dus à la confusion des nuances, à la brusque opposition des jours et des noirs. L'oreille croyait entendre des cris interrompus, l'esprit saisir des drames inachevés, l'œil apercevoir des lueurs mal étouffées. Enfin, une poussière obstinée avait jeté son léger voile sur tous ces objets, dont les angles multipliés et les sinuosités nombreuses produisaient les effets les plus pittoresques.

L'inconnu compara d'abord ces trois salles gorgées de civilisation, de cultes, de divinités, de chefs-d'œuvre, de royautés, de débauches, de raison et de folie, à un miroir plein de facettes dont chacune représentait un monde. Après cette impression brumeuse, il voulut choisir ses jouissances ; mais, à force de regarder, de penser, de rêver, il tomba sous la puissance d'une fièvre due peut-être à la faim qui rugissait dans ses entrailles. La vue de tant d'existences nationales ou individuelles, attestées par ces gages humains qui leur survivaient, acheva d'engourdir les sens du jeune

homme ; le désir qui l'avait poussé dans le magasin fut
exaucé : il sortit de la vie réelle, monta par degrés vers
un monde idéal, arriva dans les palais enchantés de
l'extase, où l'univers lui apparut par bribes et en
traits de feu, comme l'avenir passa jadis flamboyant
aux yeux de saint Jean dans Pathmos.

Une multitude de figures endolories, gracieuses et
terribles, obscures et lucides, lointaines et rapprochées,
se leva par masses, par myriades, par générations.
L'Égypte, raide, mystérieuse, se dressa de ses sables,
représentée par une momie qu'enveloppaient des
bandelettes noires ; puis ce fut les Pharaons ensevelis-
sant des peuples pour se construire une tombe, et
Moïse, et les Hébreux, et le désert, il entrevit tout un
monde antique et solennel. Fraîche et suave, une
statue de marbre assise sur une colonne torse et
rayonnant de blancheur lui parla des mythes voluptueux de la Grèce et de l'Ionie. Ah ! qui n'aurait souri
comme lui de voir, sur un fond rouge, la jeune fille
brune dansant dans la fine argile d'un vase étrusque
devant le dieu Priape, qu'elle saluait d'un air joyeux ?
En regard, une reine latine caressait sa chimère avec
amour ! Les caprices de la Rome impériale respiraient
là tout entiers et révélaient le bain, la couche, la
toilette d'une Julie indolente, songeuse, attendant son
Tibulle. Armée du pouvoir des talismans arabes, la
tête de Cicéron évoquait les souvenirs de la Rome
libre et lui déroulait les pages de Tite-Live. Le jeune
homme contempla *Senatus populusque romanus :* le
consul, les licteurs, les toges bordées de pourpre, les

luttes du Forum, le peuple courroucé, défilaient
lentement devant lui comme les vaporeuses figures
d'un rêve. Enfin la Rome chrétienne dominait ces
images. Une peinture ouvrait les cieux, il y voyait la
Vierge Marie plongée dans un nuage d'or, au sein des
anges, éclipsant la gloire du soleil, écoutant les
plaintes des malheureux auxquels cette Ève régénérée
souriait d'un air doux. En touchant une mosaïque
faite avec les différentes laves du Vésuve et de l'Etna,
son âme s'élançait dans la chaude et fauve Italie : il
assistait aux orgies des Borgia, courait dans les
Abruzzes, aspirait aux amours italiennes, se passion-
nait pour les blancs visages aux longs yeux noirs. Il
frémissait aux dénouements nocturnes interrompus
par la froide épée d'un mari, en apercevant une dague
du moyen âge dont la poignée était travaillée comme
l'est une dentelle, et dont la rouille ressemblait à des
taches de sang. L'Inde et ses religions revivaient dans
une idole coiffée de son chapeau pointu, à losanges
relevés, parés de clochettes, vêtue d'or et de soie.
Près du magot, une natte, jolie comme la bayadère
qui s'y était roulée, exhalait encore les odeurs du
sandal. Un monstre de la Chine dont les yeux restaient
tordus, la bouche contournée, les membres torturés,
réveillait l'âme par les inventions d'un peuple qui,
fatigué du beau toujours unitaire, trouve d'ineffables
plaisirs dans la fécondité des laideurs. Une salière
sortie des ateliers de Benvenuto Cellini le reportait
au sein de la Renaissance, au temps où les arts et la
licence florissaient, où les souverains se divertissaient

à des supplices, où les conciles, couchés dans les bras
des courtisanes, décrétaient la chasteté pour les simples
prêtres. Il vit les conquêtes d'Alexandre sur un camée,
les massacres de Pizarre dans une arquebuse à mèche,
les guerres de religion, échevelées, bouillantes, cruelles,
au fond d'un casque. Puis les riantes images de la
chevalerie sourdirent d'une armure de Milan supérieurement damasquinée, bien fourbie, et sous la visière
de laquelle brillaient encore les yeux d'un paladin.

Cet océan de meubles, d'inventions, de modes,
d'œuvres, de ruines, lui composait un poème sans fin.
Formes, couleurs, pensées, tout revivait là ; mais rien
de complet ne s'offrait à l'âme. Le poète devait
achever les croquis du grand peintre qui avait fait
cette immense palette où les innombrables accidents
de la vie humaine étaient jetés à profusion, avec
dédain. Après s'être emparé du monde, après avoir
contemplé des pays, des âges, des règnes, le jeune
homme revint à des existences individuelles. Il se
personnifia de nouveau, s'empara des détails en
repoussant la vie des nations comme trop accablante
pour un seul homme.

Là dormait un enfant en cire, sauvé du cabinet de
Ruysch, et cette ravissante créature lui rappelait les
joies de son jeune âge. Au prestigieux aspect du
pagne virginal de quelque jeune fille de Taïti, sa
brûlante imagination lui peignait la vie simple de la
nature, la chaste nudité de la vraie pudeur, les délices
de la paresse si naturelle à l'homme, toute une destinée
calme au bord d'un ruisseau frais et rêveur, sous un

bananier qui dispensait une manne savoureuse, sans
culture. Mais tout à coup il devenait corsaire, et revê-
tait la terrible poésie empreinte dans le râle de Lara,
vivement inspiré par les couleurs nacrées de mille
coquillages, exalté par la vue de quelques madrépores
qui sentaient le varech, les algues et les ouragans
atlantiques. Admirant plus loin les délicates minia-
tures, les arabesques d'azur et d'or qui enrichissaient
quelque précieux missel manuscrit, il oubliait les
tumultes de la mer. Mollement balancé dans une
pensée de paix, il épousait de nouveau l'étude et la
science, souhaitait la grasse vie des moines, exempte
de chagrins, exempte de plaisirs, et se couchait au
fond d'une cellule, en contemplant par sa fenêtre en
ogive les prairies, les bois, les vignobles de son monas-
tère. Devant quelque Teniers, il endossait la casaque
d'un soldat ou la misère d'un ouvrier ; il désirait
porter le bonnet sale et enfumé des Flamands, s'eni-
vrait de bière, jouait aux cartes avec eux, et souriait
à une grosse paysanne d'un attrayant embonpoint. Il
grelottait en voyant une tombée de neige de Miéris,
ou se battait en regardant un combat de Salvator
Rosa. Il caressait un tomahawk d'Illinois, et sentait
le scalpel d'un Chérokée qui lui enlevait la peau du
crâne. Émerveillé à l'aspect d'un rebec, il le confiait
à la main d'une châtelaine en en savourant la romance
mélodieuse et lui déclarant son amour, le soir, auprès
d'une cheminée gothique dans la pénombre où se
perdait un regard de consentement. Il s'accrochait à
toutes les joies, saisissait toutes les douleurs, s'em-

parait de toutes les formules d'existence en épar-
pillant si généreusement sa vie et ses sentiments sur
les simulacres de cette nature plastique et vide que
le bruit de ses pas retentissait dans son âme comme
le son lointain d'un autre monde, comme la rumeur
de Paris arrive sur les tours de Notre-Dame.

En montant l'escalier intérieur qui conduisait aux
salles situées au premier étage, il vit des boucliers
votifs, des panoplies, des tabernacles sculptés, des
figures en bois pendues au mur, posées sur chaque
marche. Poursuivi par les formes les plus étranges,
par des créations merveilleuses assises sur les confins
de la mort et de la vie, il marchait dans les enchantements d'un songe. Enfin, doutant de son existence, il
était comme ces objets curieux, ni tout à fait mort, ni
tout à fait vivant. Quand il entra dans les nouveaux
magasins, le jour commençait à pâlir ; mais la lumière
semblait inutile aux richesses resplendissant d'or et
d'argent qui s'y trouvaient entassées. Les plus coûteux
caprices de dissipateurs morts sous des mansardes
après avoir possédé plusieurs millions étaient dans ce
vaste bazar des folies humaines. Une écritoire payée
cent mille francs et rachetée pour cent sous gisait
auprès d'une serrure à secret dont le prix aurait suffi
jadis à la rançon d'un roi. Là, le genre humain apparaissait dans toutes les pompes de sa misère, dans
toute la gloire de ses gigantesques petitesses. Une
table d'ébène, véritable idole d'artiste, sculptée d'après
les dessins de Jean Goujon et qui coûta jadis plusieurs
années de travail, avait été peut-être acquise au prix

du bois à brûler. Des coffrets précieux, des meubles
faits par la main des fées y étaient dédaigneusement
amoncelés.

— Vous avez des millions ici ! s'écria le jeune
homme en arrivant à la pièce qui terminait une immense enfilade d'appartements dorés et sculptés par
des artistes du siècle dernier.

— Dites des milliards, répliqua le gros garçon
joufflu. Mais ce n'est rien encore, montez au troisième
étage, et vous verrez !

L'inconnu suivit son conducteur et parvint à une
quatrième galerie où successivement passèrent devant
ses yeux fatigués plusieurs tableaux du Poussin, une
sublime statue de Michel-Ange, quelques ravissants
paysages de Claude Lorrain, un Gérard Dow qui
ressemblait à une page de Sterne, des Rembrandt, des
Murillo, des Vélasquez sombres et colorés comme un
poème de lord Byron ; puis des bas-reliefs antiques,
des coupes d'agate, des onyx merveilleux !... Enfin
c'étaient des travaux à dégoûter du travail, des chefs-
d'œuvre accumulés à faire prendre en haine les arts
et à tuer l'enthousiasme. Il arriva devant une Vierge
de Raphaël, mais il était las de Raphaël. Une figure
du Corrège qui voulait un regard ne l'obtint même
pas. Un vase inestimable en porphyre antique et dont
les sculptures circulaires représentaient de toutes les
priapées romaines la plus grotesquement licencieuse,
délice de quelque Corinne, eut à peine un sourire. Il
étouffait sous les débris de cinquante siècles évanouis,
il était malade de toutes ces pensées humaines, assas-

siné par le luxe et les arts, oppressé sous ces formes
renaissantes qui, pareilles à des monstres enfantés
sous ses pieds par quelque malin génie, lui livraient
un combat sans fin.

Semblable en ses caprices à la chimie moderne, qui
résume la création par un gaz, l'âme ne compose-t-elle
pas de terribles poisons par la rapide concentration de
ses jouissances, de ses forces ou de ses idées ? Beaucoup
d'hommes ne périssent-ils pas sous le foudroiement de
quelque acide moral soudainement épandu dans leur
être intérieur ?

— Que contient cette boîte ? demanda-t-il en arrivant à un grand cabinet, dernier morceau de gloire,
d'efforts humains, d'originalités, de richesses parmi
lesquelles il montra du doigt une grande caisse carrée
construite en acajou, suspendue à un clou par une
chaîne d'argent.

— Ah ! monsieur en a la clef, dit le gros garçon avec
un air de mystère. Si vous désirez voir ce portrait, je
me hasarderai volontiers à prévenir monsieur.

— Vous hasarder ! fit le jeune homme. Votre maître
est-il un prince ?

— Mais je ne sais pas, répondit le garçon.

Ils se regardèrent pendant un moment, aussi
étonnés l'un que l'autre. Après avoir interprété le
silence de l'inconnu comme un souhait, l'apprenti le
laissa seul dans le cabinet.

Vous êtes-vous jamais lancé dans l'immensité de
l'espace et du temps, en lisant les œuvres géologiques
de Cuvier ? Emporté par son génie, avez-vous plané

sur l'abîme sans bornes du passé, comme soutenu par
la main d'un enchanteur ? En découvrant de tranche
en tranche, de couche en couche, sous les carrières de
Montmartre ou dans les schistes de l'Oural, ces
animaux dont les dépouilles fossilisées appartiennent
à des civilisations antédiluviennes, l'âme est effrayée
d'entrevoir des milliards d'années, des millions de
peuples que la faible mémoire humaine, que l'indestructible tradition divine, ont oubliés et dont la
cendre, entassée à la surface de notre globe, y forme
les deux pieds de terre qui nous donnent du pain et
des fleurs. Cuvier n'est-il pas le plus grand poète de
notre siècle ? Lord Byron a bien reproduit par des
mots quelques agitations morales ; mais notre im-
mortel naturaliste a reconstruit des mondes avec des
os blanchis, a rebâti, comme Cadmus, des cités avec
des dents, a repeuplé mille forêts de tous les mystères
de la zoologie avec quelques fragments de houille, a
retrouvé des populations de géants dans le pied d'un
mammouth. Ces figures se dressent, grandissent et
meublent des régions en harmonie avec leurs statures
colossales. Il est poète avec des chiffres, il est sublime
en posant un zéro près d'un sept. Il réveille le néant
sans prononcer des paroles artificiellement magiques ;
il fouille une parcelle de gypse, y aperçoit une empreinte, et vous crie : « Voyez ! » Soudain les marbres
s'animalisent, la mort se vivifie, le monde se déroule !
Après d'innombrables dynasties de créatures gigantesques, après des races de poissons et des clans de
mollusques, arrive enfin le genre humain, produit

dégénéré d'un type grandiose, brisé peut-être par le
Créateur. Échauffés par son regard rétrospectif, ces
hommes chétifs, nés d'hier, peuvent franchir le chaos,
entonner un hymne sans fin et se configurer le passé
de l'univers dans une sorte d'Apocalypse rétrograde.
En présence de cette épouvantable résurrection due
à la voix d'un seul homme, la miette dont l'usufruit
nous est concédé dans cet infini sans nom, commun
à toutes les sphères et que nous avons nommé LE
TEMPS, cette minute de vie nous fait pitié. Nous nous
demandons, écrasés que nous sommes sous tant d'univers en ruine, à quoi bon nos gloires, nos haines, nos
amours ; et si, pour devenir un point intangible dans
l'avenir, la peine de vivre doit s'accepter ? Déracinés
du présent, nous sommes morts jusqu'à ce que notre
valet de chambre entre et vienne nous dire : « Madame
la comtesse a répondu qu'elle attendait monsieur. »

Les merveilles dont l'aspect venait de présenter au
jeune homme toute la création connue mirent dans
son âme l'abattement que produit chez le philosophe
la vue scientifique des créations inconnues ; il souhaita
plus vivement que jamais de mourir et tomba sur
une chaise curule en laissant errer ses regards à travers
les fantasmagories de ce panorama du passé. Les
tableaux s'illuminèrent, les têtes de Vierge lui sourirent, et les statues se colorèrent d'une vie trompeuse.
A la faveur de l'ombre, et mises en danse par la
fiévreuse tourmente qui fermentait dans son cerveau
brisé, ces œuvres s'agitèrent et tourbillonnèrent devant
lui ; chaque magot lui jeta sa grimace, les paupières

des personnages représentés dans les tableaux s'abais-
sèrent sur leurs yeux pour les rafraîchir. Chacune de
ces formes frémit, sautilla, se détacha de sa place
gravement, légèrement, avec grâce ou brusquerie,
selon ses mœurs, son caractère et sa contexture. Ce
fut un mystérieux sabbat digne des fantaisies entrevues
par le docteur Faust sur le *Brocken*. Mais ces phénomènes d'optique, enfantés par la fatigue, par la tension
des forces oculaires ou par les caprices du crépuscule,
ne pouvaient effrayer l'inconnu. Les terreurs de la
vie étaient impuissantes sur une âme familiarisée avec
les terreurs de la mort. Il favorisa même par une sorte
de complicité railleuse les bizarreries de ce galvanisme
moral, dont les prodiges s'accouplaient aux dernières
pensées qui lui donnaient encore le sentiment de
l'existence. Le silence régnait si profondément autour
de lui que bientôt il s'aventura dans une douce
rêverie dont les impressions graduellement noires
suivirent, de nuance en nuance et comme par magie,
les lentes dégradations de la lumière. Une lueur, en
quittant le ciel, fit reluire un dernier reflet rouge en
luttant contre la nuit ; il leva la tête, vit un squelette
à peine éclairé qui pencha dubitativement son crâne
de droite à gauche, comme pour lui dire : « Les morts
ne veulent pas encore de toi ! » En passant la main
sur son front pour en chasser le sommeil, le jeune
homme sentit distinctement un vent frais produit par
je ne sais quoi de velu qui lui effleura les joues, et il
frissonna. Les vitres ayant retenti d'un claquement
sourd, il pensa que cette froide caresse digne des

mystères de la tombe venait de quelque chauve-souris.
Pendant un moment encore, les vagues reflets du
couchant lui permirent d'apercevoir indistinctement
les fantômes par lesquels il était entouré ; puis toute
cette nature morte s'abolit dans une même teinte
noire. La nuit, l'heure de mourir était subitement
venue. Il s'écoula, dès ce moment, un certain laps
de temps pendant lequel il n'eut aucune perception
claire des choses terrestres, soit qu'il se fût enseveli
dans une rêverie profonde, soit qu'il eût cédé à la
somnolence provoquée par ses fatigues et par la
multitude des pensées qui lui déchiraient le cœur.
Tout à coup il crut avoir été appelé par une voix
terrible, et il tressaillit comme lorsqu'au milieu d'un
brûlant cauchemar nous sommes précipités d'un seul
bond dans les profondeurs d'un abîme. Il ferma les
yeux, les rayons d'une vive lumière l'éblouissaient :
il voyait briller au sein des ténèbres une sphère
rougeâtre dont le centre était occupé par un petit
vieillard qui se tenait debout et dirigeait sur lui la
clarté d'une lampe. Il ne l'avait entendu ni venir,
ni parler, ni se mouvoir. Cette apparition eut quelque
chose de magique. L'homme le plus intrépide, surpris
ainsi dans son sommeil, aurait sans doute tremblé
devant ce personnage qui semblait être sorti d'un
sarcophage voisin. La singulière jeunesse qui animait
les yeux immobiles de cette espèce de fantôme empêchait l'inconnu de croire à des effets surnaturels ;
néanmoins, pendant le rapide intervalle qui sépara sa
vie somnambulique de sa vie réelle, il demeura dans

le doute philosophique recommandé par Descartes, et fut alors, malgré lui, sous la puissance de ces inexplicables hallucinations dont les mystères sont condamnés par notre fierté ou que notre science impuissante tâche en vain d'analyser.

Figurez-vous un petit vieillard sec et maigre, vêtu d'une robe en velours noir serrée autour de ses reins par un gros cordon de soie. Sur sa tête, une calotte en velours également noir laissait passer, de chaque côté de la figure, les longues mèches de ses cheveux blancs et s'appliquait sur le crâne de manière à rigidement encadrer le front. La robe ensevelissait le corps comme dans un vaste linceul et ne permettait de voir d'autre forme humaine qu'un visage étroit et pâle. Sans le bras décharné, qui ressemblait à un bâton sur lequel on aurait posé une étoffe et que le vieillard tenait en l'air pour faire porter sur le jeune homme toute la clarté de la lampe, ce visage aurait paru suspendu dans les airs. Une barbe grise et taillée en pointe cachait le menton de cet être bizarre, et lui donnait l'apparence de ces têtes judaïques qui servent de types aux artistes quand ils veulent représenter Moïse. Les lèvres de cet homme étaient si décolorées, si minces qu'il fallait une attention particulière pour deviner la ligne tracée par la bouche dans son blanc visage. Son large front ridé, ses joues blêmes et creuses, la rigueur implacable de ses petits yeux verts dénués de cils et de sourcils pouvaient faire croire à l'inconnu que le *Peseur d'or* de Gérard Dow était sorti de son cadre. Une finesse d'inquisiteur, trahie par les sinuo-

sités de ses rides et par les plis circulaires dessinés
sur ses tempes, accusait une science profonde des
choses de la vie. Il était impossible de tromper cet
homme, qui semblait avoir le don de surprendre les
pensées au fond des cœurs les plus discrets. Les
mœurs de toutes les nations du globe et leur sagesse
se résumaient sur sa face froide, comme les productions
du monde entier se trouvaient accumulées dans ses
magasins poudreux. Vous y auriez lu la tranquillité
lucide d'un Dieu qui voit tout, ou la force orgueilleuse
d'un homme qui a tout vu. Un peintre aurait, avec
deux expressions différentes et en deux coups de
pinceau, fait de cette figure une belle image du
Père éternel ou le masque ricaneur du Méphistophélès,
car il se trouvait tout ensemble une suprême puissance
dans le front et de sinistres railleries sur la bouche.
En broyant toutes les peines humaines sous un pouvoir
immense, cet homme devait avoir tué les joies terrestres. Le moribond frémit en pressentant que ce vieux
génie habitait une sphère étrangère au monde, et où
il vivait seul, sans jouissances parce qu'il n'avait plus
d'illusions, sans douleurs parce qu'il ne connaissait
plus de plaisirs. Le vieillard se tenait debout, immobile, inébranlable comme une étoile au milieu
d'un nuage de lumière. Ses yeux verts, pleins de je
ne sais quelle malice calme, semblaient éclairer le
monde moral comme sa lampe illuminait ce cabinet
mystérieux.

Tel fut le spectacle étrange qui surprit le jeune
homme au moment où il ouvrit les yeux, après avoir

été bercé par des pensées de mort et de fantasques
images. S'il demeura comme étourdi, s'il se laissa
momentanément dominer par une croyance digne
d'enfants qui écoutent les contes de leurs nourrices,
il faut attribuer cette erreur au voile étendu sur sa
vie et sur son entendement par ses méditations, à
l'agacement de ses nerfs irrités, au drame violent dont
les scènes venaient de lui prodiguer les atroces délices
contenues dans un morceau d'opium. Cette vision avait
lieu dans Paris, sur le quai Voltaire, au XIXᵉ siècle,
temps et lieux où la magie devait être impossible.
Voisin de la maison où le dieu de l'incrédulité française
avait expiré, disciple de Gay-Lussac et d'Arago, con-
tempteur des tours de gobelets que font les hommes
du pouvoir, l'inconnu n'obéissait sans doute qu'à ces
fascinations poétiques auxquelles nous nous prêtons
souvent, comme pour fuir de désespérantes vérités,
comme pour tenter la puissance de Dieu. Il trembla
donc devant cette lumière et ce vieillard, agité par
l'inexplicable pressentiment de quelque pouvoir
étrange ; mais cette émotion était semblable à celle
que nous avons tous éprouvée devant Napoléon, ou
en présence de quelque grand homme brillant de
génie et revêtu de gloire.

— Monsieur désire voir le portrait de Jésus-Christ
peint par Raphaël ? lui dit courtoisement le vieillard
d'une voix dont la sonorité claire et brève avait
quelque chose de métallique.

Et il posa la lampe sur le fût d'une colonne brisée,
de manière que la boîte brune reçût toute la clarté.

Aux noms religieux de Jésus-Christ et de Raphaël, il échappa au jeune homme un geste de curiosité, sans doute attendu par le marchand, qui fit jouer un ressort. Soudain le panneau d'acajou glissa dans une rainure, tomba sans bruit et livra la toile à l'admiration de l'inconnu. A l'aspect de cette immortelle création, il oublia les fantaisies du magasin, les caprices de son sommeil, redevint homme, reconnut dans le vieillard une créature de chair, bien vivante, nullement fantasmagorique, et revécut dans le monde réel. La tendre sollicitude, la douce sérénité du divin visage, influèrent aussitôt sur lui. Quelque parfum épanché des cieux dissipa les tortures infernales qui lui brûlaient la moelle des os. La tête du Sauveur des hommes paraissait sortir des ténèbres figurées par un fond noir ; une auréole de rayons étincelait vivement autour de sa chevelure d'où cette lumière voulait sortir ; sous le front, sous les chairs, il y avait une éloquente conviction qui s'échappait de chaque trait par de pénétrantes effluves. Les lèvres vermeilles venaient de faire entendre la parole de vie, et le spectateur en cherchait le retentissement sacré dans les airs, il en demandait les ravissantes paraboles au silence, il l'écoutait dans l'avenir, la retrouvait dans les enseignements du passé. L'Évangile était traduit par la simplicité calme de ces adorables yeux où se réfugiaient les âmes troublées. Enfin la religion catholique se lisait tout entière en un suave et magnifique sourire qui semblait exprimer ce précepte où elle se résume : *Aimez-vous les uns les autres !* Cette

peinture inspirait une prière, recommandait le pardon,
étouffait l'égoïsme, réveillait toutes les vertus endor-
mies. Partageant le privilège des enchantements de
la musique, l'œuvre de Raphaël vous jetait sous le
charme impérieux des souvenirs, et son triomphe
était complet, on oubliait le peintre. Le prestige de
la lumière agissait encore sur cette merveille : par
moments, il semblait que la tête s'agitât dans le
lointain, au sein de quelque nuage.

— J'ai couvert cette toile de pièces d'or, dit froidement le marchand.

— Eh bien ! il va falloir mourir ! s'écria le jeune
homme, qui sortait d'une rêverie dont la dernière
pensée l'avait ramené vers sa fatale destinée en le
faisant descendre par d'insensibles déductions d'une
dernière espérance à laquelle il s'était attaché.

— Ah ! ah ! j'avais donc raison de me méfier de
toi ! répondit le vieillard en saisissant les deux mains
du jeune homme, qu'il serra par les poignets dans
l'une des siennes, comme dans un étau.

L'inconnu sourit tristement de cette méprise et
dit d'une voix douce :

— Eh ! monsieur, ne craignez rien, il s'agit de ma
vie et non de la vôtre... Pourquoi n'avouerais-je pas
une innocente supercherie ? reprit-il après avoir
regardé le vieillard inquiet. En attendant la nuit,
afin de pouvoir me noyer sans esclandre, je suis
venu voir vos richesses. Qui ne pardonnerait ce
dernier plaisir à un homme de science et de poésie ?

Le soupçonneux marchand examina d'un œil

sagace le morne visage de son faux chaland, tout en l'écoutant parler. Rassuré bientôt par l'accent de cette voix douloureuse, ou lisant peut-être dans ces traits décolorés les sinistres destinées qui naguère avaient fait frémir les joueurs, il lâcha les mains ; mais, par un reste de suspicion qui révéla une expérience au moins centenaire, il étendit nonchalamment le bras vers un buffet comme pour s'appuyer, et dit en y prenant un stylet :

— Êtes-vous depuis trois ans surnuméraire au Trésor, sans y avoir touché de gratification ?

L'inconnu ne put s'empêcher de sourire en faisant un geste négatif.

— Votre père vous a-t-il trop vivement reproché d'être venu au monde ? ou bien êtes-vous déshonoré ?

— Si je voulais me déshonorer, je vivrais.

— Avez-vous été sifflé aux Funambules ? ou vous trouvez-vous obligé de composer des flonflons pour payer le convoi de votre maîtresse ? N'auriez-vous pas plutôt la maladie de l'or ? Voulez-vous détrôner l'ennui ? Enfin, quelle erreur vous engage à mourir ?

— Ne cherchez pas le principe de ma mort dans les raisons vulgaires qui commandent la plupart des suicides. Pour me dispenser de vous dévoiler des souffrances inouïes et qu'il est difficile d'exprimer en langage humain, je vous dirai que je suis dans la plus profonde, la plus ignoble, la plus perçante de toutes les misères. Et, ajouta-t-il d'un ton de voix dont la fierté sauvage démentait ses paroles précédentes, je ne veux mendier ni secours ni consolations.

— Eh ! eh !

Ces deux syllabes que d'abord le vieillard fit entendre pour toute réponse ressemblèrent au cri d'une crécelle. Puis il reprit ainsi :

— Sans vous forcer à m'implorer, sans vous faire rougir et sans vous donner un centime de France, un parat du Levant, un tarain de Sicile, un creutzer d'Allemagne, un kopeck de Russie, un farthing d'Écosse, une seule des sesterces ou des oboles de l'ancien monde ni une piastre du nouveau, sans vous offrir quoi que ce soit en or, argent, billon, papier, billet, je veux vous faire plus riche, plus puissant et plus considéré que ne peut l'être un roi constitutionnel.

Le jeune homme crut le vieillard en enfance et resta comme engourdi, sans oser répondre.

— Retournez-vous, dit le marchand en saisissant tout à coup la lampe pour en diriger la lumière sur le mur qui faisait face au portrait, et regardez cette PEAU DE CHAGRIN, ajouta-t-il.

Le jeune homme se leva brusquement et témoigna quelque surprise en apercevant au-dessus du siège où il s'était assis un morceau de *chagrin* accroché sur le mur, et dont la dimension n'excédait pas celle d'une peau de renard ; mais, par un phénomène inexplicable au premier abord, cette peau projetait au sein de la profonde obscurité qui régnait dans le magasin des rayons si lumineux que vous eussiez dit une petite comète. Le jeune incrédule s'approcha de ce prétendu talisman qui devait le préserver du malheur et s'en moqua par une phrase mentale. Cependant, animé d'une curiosité bien légitime, il se pencha pour regarder alternativement la peau sous toutes les faces, et découvrit bientôt une cause naturelle à cette singulière lucidité. Les grains noirs du chagrin étaient si soigneusement polis et si bien brunis, les rayures capricieuses en étaient si propres et si nettes, que, pareilles à des facettes de grenat, les aspérités de ce cuir oriental formaient autant de petits foyers qui réfléchissaient vivement la lumière. Il démontra mathématiquement la raison de ce phénomène au vieillard, qui, pour toute réponse, sourit avec malice. Ce sourire de supériorité fit croire au jeune savant qu'il était la dupe en ce moment de quelque charlatanisme. Il ne voulut pas emporter une énigme de plus dans la tombe et retourna promptement la peau comme un enfant pressé de connaître les secrets de son jouet nouveau.

— Ah ! ah ! s'écria-t-il, voici l'empreinte du sceau que les Orientaux nomment le cachet de Salomon.

— Vous le connaissez donc ? demanda le marchand, dont les narines laissèrent passer deux ou trois bouffées d'air qui peignirent plus d'idées que n'en auraient exprimé les plus énergiques paroles.

— Existe-t-il au monde un homme assez simple pour croire à cette chimère ? s'écria le jeune homme piqué d'entendre ce rire muet et plein d'amères dérisions. Ne savez-vous pas, ajouta-t-il, que les superstitions de l'Orient ont consacré la forme mystique et les caractères mensongers de cet emblème qui représente une puissance fabuleuse ? Je ne crois pas devoir être plus taxé de niaiserie dans cette circonstance que si je parlais des sphinx ou des griffons, dont l'existence est en quelque sorte mythologiquement admise.

— Puisque vous êtes un orientaliste, reprit le vieillard, peut-être lirez-vous cette sentence ?

لو مكنتنى مسكت آلكل

ولكن عرك مسكى

واراد الله هكذا

اطلب وستننال مطالبك

ولكن قسن مطالبك على عرك

وهى هاهنا

فبكل مرامك استستزل ايامك

أتريد ق

الله مجيبك

آمين

Il apporta la lampe près du talisman que le jeune homme tenait à l'envers, et lui fit apercevoir des caractères incrustés dans le tissu cellulaire de cette peau merveilleuse, comme s'ils eussent été produits par l'animal auquel elle avait jadis appartenu.

— J'avoue, s'écria l'inconnu, que je ne devine guère le procédé dont on se sera servi pour graver si profondément ces lettres sur la peau d'un onagre.

Et, se retournant avec vivacité vers les tables

chargées de curiosités, ses yeux parurent y chercher quelque chose.

— Que voulez-vous ? demanda le vieillard.

— Un instrument pour trancher le chagrin, afin de voir si les lettres y sont empreintes ou incrustées.

Le vieillard présenta son stylet à l'inconnu, qui le prit et tenta d'entamer la peau à l'endroit où les paroles se trouvaient écrites ; mais quand il eut enlevé une légère couche de cuir les lettres y reparurent si nettes et tellement conformes à celles qui étaient imprimées sur la surface que, pendant un moment, il crut n'en avoir rien ôté.

— L'industrie du Levant a des secrets qui lui sont réellement particuliers, dit-il en regardant la sentence orientale avec une sorte d'inquiétude.

— Oui, répondit le vieillard, il vaut mieux s'en prendre aux hommes qu'à Dieu !

Les paroles mystérieuses étaient disposées de la manière suivante, et voulaient dire en français :

SI TU ME POSSÈDES, TU POSSÉDERAS TOUT.
MAIS TA VIE M'APPARTIENDRA. DIEU L'A
VOULU AINSI. DÉSIRE, ET TES DÉSIRS
SERONT ACCOMPLIS. MAIS RÈGLE
TES SOUHAITS SUR TA VIE.
ELLE EST LÀ. A CHAQUE
VOULOIR, JE DÉCROÎTRAI
COMME TES JOURS.
ME VEUX-TU ?
PRENDS. DIEU
T'EXAUCERA.
SOIT !

— Ah! vous lisez couramment le sanscrit, dit le vieillard. Peut-être avez-vous voyagé en Perse ou dans le Bengale?

— Non, monsieur, répondit le jeune homme en tâtant avec curiosité cette peau symbolique, assez semblable à une feuille de métal par son peu de flexibilité.

Le vieux marchand remit la lampe sur la colonne où il l'avait prise, en lançant au jeune homme un regard empreint d'une froide ironie qui semblait dire: « Il ne pense déjà plus à mourir. »

— Est-ce une plaisanterie? est-ce un mystère? demanda le jeune inconnu.

Le vieillard hocha de la tête et dit gravement:

— Je ne saurais vous répondre. J'ai offert le terrible pouvoir que donne ce talisman à des hommes doués de plus d'énergie que vous ne paraissez en avoir; mais, tout en se moquant de la problématique influence qu'il devait exercer sur leurs destinées futures, aucun n'a voulu se risquer à conclure ce contrat si fatalement proposé par je ne sais quelle puissance. Je pense comme eux, j'ai douté, je me suis abstenu, et...

— Et vous n'avez pas même essayé? dit le jeune homme en l'interrompant.

— Essayer! répondit le vieillard. Si vous étiez sur la colonne de la place Vendôme, essayeriez-vous de vous jeter dans les airs? Peut-on arrêter le cours de la vie? L'homme a-t-il jamais pu scinder la mort? Avant d'entrer dans ce cabinet, vous aviez résolu de vous suicider; mais tout à coup un secret vous occupe et vous distrait de mourir. Enfant! Chacun de vos

jours ne vous offrira-t-il pas une énigme plus intéressante que ne l'est celle-ci ? Écoutez-moi. J'ai vu la
cour licencieuse du régent. Comme vous, j'étais alors
dans la misère, j'ai mendié mon pain ; néanmoins,
j'ai atteint l'âge de cent deux ans, et je suis devenu
millionnaire : le malheur m'a donné la fortune,
l'ignorance m'a instruit. Je vais vous révéler en peu
de mots un grand mystère de la vie humaine. L'homme
s'épuise par deux actes instinctivement accomplis qui
tarissent les sources de son existence. Deux verbes
expriment toutes les formes que prennent ces deux
causes de mort : VOULOIR et POUVOIR. Entre ces deux
termes de l'action humaine, il est une autre formule
dont s'emparent les sages, et je lui dois le bonheur
et ma longévité. *Vouloir* nous brûle et *pouvoir* nous
détruit ; mais SAVOIR laisse notre faible organisation
dans un perpétuel état de calme. Ainsi le désir ou le
vouloir est mort en moi, tué par la pensée ; le mouvement ou le pouvoir s'est résolu par le jeu naturel de
mes organes. En deux mots, j'ai placé ma vie, non
dans le cœur qui se brise, non dans les sens qui
s'émoussent, mais dans le cerveau qui ne s'use pas
et qui survit à tout. Rien d'excessif n'a froissé ni
mon âme ni mon corps. Cependant j'ai vu le monde
entier. Mes pieds ont foulé les plus hautes montagnes
de l'Asie et de l'Amérique, j'ai appris tous les langages
humains, et j'ai vécu sous tous les régimes. J'ai prêté
mon argent à un Chinois en prenant pour gage le
corps de son père, j'ai dormi sous la tente de l'Arabe
sur la foi de sa parole, j'ai signé des contrats dans

toutes les capitales européennes, et j'ai laissé sans
crainte mon or dans le wigwam des sauvages ; enfin
j'ai tout obtenu, parce que j'ai su tout dédaigner.
Ma seule ambition a été de voir. Voir, n'est-ce pas
savoir ?... Oh ! savoir, jeune homme, n'est-ce pas jouir
intuitivement ? n'est-ce pas découvrir la substance
même du fait et s'en emparer essentiellement ? Que
reste-t-il d'une possession matérielle ? une idée.
Jugez alors combien doit être belle la vie d'un homme
qui, pouvant empreindre toutes les réalités dans sa
pensée, transporte en son âme les sources du bonheur,
en extrait mille voluptés idéales dépouillées des
souillures terrestres. La pensée est la clef de tous les
trésors, elle procure les joies de l'avare sans en donner
les soucis. Aussi ai-je plané sur le monde, où mes
plaisirs ont toujours été des jouissances intellectuelles.
Mes débauches étaient la contemplation des mers,
des peuples, des forêts, des montagnes ! J'ai tout vu,
mais tranquillement, sans fatigue ; je n'ai jamais rien
désiré, j'ai tout attendu. Je me suis promené dans
l'univers comme dans le jardin d'une habitation qui
m'appartenait. Ce que les hommes appellent chagrins,
amours, ambitions, revers, tristesse, est, pour moi,
des idées que je change en rêveries ; au lieu de les
sentir, je les exprime, je les traduis ; au lieu de leur
laisser dévorer ma vie, je les dramatise, je les développe ;
je m'en amuse comme de romans que je lirais par une
vision intérieure. N'ayant jamais lassé mes organes,
je jouis encore d'une santé robuste. Mon âme ayant
hérité de toute la force dont je n'abusais pas, cette

tête est encore mieux meublée que ne le sont mes
magasins. Là, dit-il en se frappant le front, là sont
les vrais millions. Je passe des journées délicieuses en
jetant un regard intelligent dans le passé ; j'évoque
des pays entiers, des sites, des vues de l'Océan, des
figures historiquement belles ! J'ai un sérail imaginaire
où je possède toutes les femmes que je n'ai pas eues.
Je revois souvent vos guerres, vos révolutions, et je
les juge. Oh ! comment préférer de fébriles, de légères
admirations pour quelques chairs plus ou moins
colorées, pour des formes plus ou moins rondes ;
comment préférer tous les désastres de vos volontés
trompées à la faculté sublime de faire comparaître en
soi l'univers, au plaisir immense de se mouvoir sans
être garrotté par les liens du temps ni par les entraves
de l'espace, au plaisir de tout embrasser, de tout voir,
de se pencher sur le bord du monde pour interroger
les autres sphères, pour écouter Dieu ? Ceci, dit-il
d'une voix éclatante en montrant la peau de chagrin,
est le *pouvoir* et le *vouloir* réunis. Là sont vos idées
sociales, vos désirs excessifs, vos intempérances, vos
joies qui tuent, vos douleurs qui font trop vivre ; car
le mal n'est peut-être qu'un violent plaisir. Qui
pourrait déterminer le point où la volupté devient un
mal et celui où le mal est encore la volupté ? Les plus
vives lumières du monde idéal ne caressent-elles pas
la vue, tandis que les plus douces ténèbres du monde
physique la blessent toujours ? Le mot de sagesse ne
vient-il pas de savoir ? et qu'est-ce que la folie, sinon
l'excès d'un vouloir ou d'un pouvoir ?

— Eh bien, oui, je veux vivre avec excès ! dit l'inconnu en saisissant la peau de chagrin.

— Jeune homme, prenez garde ! s'écria le vieillard avec une incroyable vivacité.

— J'avais résolu ma vie par l'étude et par la pensée ; mais elles ne m'ont même pas nourri, répliqua l'inconnu. Je ne veux être la dupe ni d'une prédication digne de Swedenborg, ni de votre amulette orientale, ni des charitables efforts que vous faites, monsieur, pour me retenir dans un monde où mon existence est désormais impossible. Voyons ! ajouta-t-il en serrant le talisman d'une main convulsive et regardant le vieillard. Je veux un dîner royalement splendide, quelque bacchanale digne du siècle où tout s'est, dit-on, perfectionné ! Que mes convives soient jeunes, spirituels et sans préjugés, joyeux jusqu'à la folie ! Que les vins se succèdent toujours plus incisifs, plus pétillants, et soient de force à nous enivrer pour trois jours ! Que cette nuit soit parée de femmes ardentes ! Je veux que la débauche en délire et rugissante nous emporte, dans son char à quatre chevaux, par delà les bornes du monde, pour nous verser sur des plages inconnues ! Que les âmes montent dans les cieux ou se plongent dans la boue, je ne sais si alors elles s'élèvent ou s'abaissent, peu m'importe ! Donc je commande à ce pouvoir sinistre de me fondre toutes les joies dans une joie. Oui, j'ai besoin d'embrasser les plaisirs du ciel et de la terre dans une dernière étreinte, pour en mourir. Aussi souhaité-je et des priapées antiques après boire, et des chants à réveiller les morts, et de triples baisers, des baisers sans fin dont la clameur passe sur Paris comme un craquement d'incendie, y réveille les époux et leur inspire une ardeur cuisante qui les rajeunisse tous, même les septuagénaires !

Un éclat de rire, parti de la bouche du petit vieillard, retentit dans les oreilles du jeune fou comme un bruissement de l'enfer, et l'interdit si despotiquement qu'il se tut.

— Croyez-vous, dit le marchand, que mes planchers vont s'ouvrir tout à coup pour donner passage à des tables somptueusement servies et à des convives de l'autre monde ? Non, non, jeune étourdi. Vous avez signé le pacte, tout est dit. Maintenant, vos volontés seront scrupuleusement satisfaites, mais aux dépens de votre vie. Le cercle de vos jours, figuré par cette peau, se resserrera suivant la force et le nombre de vos souhaits, depuis le plus léger jusqu'au plus exorbitant. Le bramine auquel je dois ce talisman m'a jadis expliqué qu'il s'opérerait un mystérieux accord entre les destinées et les souhaits du possesseur. Votre premier désir est vulgaire, je pourrais le réaliser ; mais j'en laisse le soin aux événements de votre nouvelle existence. Après tout, vous vouliez mourir ? eh bien, votre suicide n'est que retardé.

L'inconnu, surpris et presque irrité de se voir toujours plaisanté par ce singulier vieillard, dont l'intention à demi philantropique lui parut clairement démontrée dans cette dernière raillerie, s'écria :

— Je verrai bien, monsieur, si ma fortune changera

pendant le temps que je vais mettre à franchir la largeur du quai. Mais, si vous ne vous moquez pas d'un malheureux, je désire, pour me venger d'un si fatal service, que vous tombiez amoureux d'une danseuse ! Vous comprendrez alors le bonheur d'une débauche, et peut-être deviendrez-vous prodigue de tous les biens que vous avez si philosophiquement ménagés.

Il sortit sans entendre un grand soupir que poussa le vieillard, traversa les salles et descendit l'escalier de cette maison, suivi par le gros garçon joufflu, qui voulut vainement l'éclairer ; il courait avec la prestesse d'un voleur pris en flagrant délit. Aveuglé par une sorte de délire, il ne s'aperçut même pas de l'incroyable ductilité de la peau de chagrin, qui, devenue souple comme un gant, se roula sous ses doigts frénétiques et put entrer dans la poche de son habit, où il la mit presque machinalement. En s'élançant de la porte du magasin sur la chaussée, il heurta trois jeunes gens qui se tenaient bras dessus, bras dessous.

— Animal !

— Imbécile !

Telles furent les gracieuses interpellations qu'ils échangèrent.

— Eh ! c'est Raphaël !

— Ah bien, nous te cherchions.

— Quoi ! c'est vous ?

Ces trois phrases amicales succédèrent à l'injure aussitôt que la clarté d'un réverbère balancé par le vent frappa les visages de ce groupe étonné.

— Mon cher ami, dit à Raphaël le jeune homme qu'il avait failli renverser, tu vas venir avec nous.

— De quoi s'agit-il donc ?

— Avance toujours, je te conterai l'affaire en marchant.

De force ou de bonne volonté, Raphaël fut entouré de ses amis, qui, l'ayant enchaîné par les bras dans leur joyeuse bande, l'entraînèrent vers le pont des Arts.

— Mon cher, dit l'orateur en continuant, nous sommes à ta poursuite depuis une semaine environ. A ton respectable *Hôtel de Saint-Quentin*, dont par parenthèse l'enseigne inamovible offre des lettres toujours alternativement noires et rouges comme au temps de Jean-Jacques Rousseau, ta Léonarde nous a dit que tu étais parti pour la campagne. Cependant nous n'avions certes pas l'air de gens d'argent, huissiers, créanciers, gardes de commerce, etc. N'importe ! Rastignac t'avait aperçu la veille aux Bouffons, nous avons repris courage, et nous avons mis de l'amour-propre à découvrir si tu perchais sur les arbres des Champs-Élysées, si tu allais coucher pour deux sous dans ces maisons philanthropiques où les mendiants dorment appuyés sur des cordes tendues ; ou si, plus heureux, ton bivac n'était pas établi dans quelque boudoir. Nous ne t'avons rencontré nulle part, ni sur les écrous de Sainte-Pélagie, ni sur ceux de la Force ! Les ministères, l'Opéra, les maisons conventuelles, cafés, bibliothèques, listes de préfets, bureaux de journalistes, restaurants, foyers de théâtres, bref, tout ce qu'il y a dans Paris de bons et de mauvais lieux ayant été savamment exploré, nous gémissions sur la perte d'un homme doué d'assez de génie pour se faire également chercher à la cour et dans les prisons. Nous parlions de te canoniser comme un héros de Juillet ! et, ma parole d'honneur, nous te regrettions.

En ce moment, Raphaël passait avec ses amis sur le pont des Arts, d'où, sans les écouter, il regardait la Seine, dont les eaux mugissantes répétaient les lumières de Paris. Au-dessus de ce fleuve, dans lequel il voulait se précipiter naguère, les prédictions du vieillard étaient accomplies, l'heure de sa mort se trouvait déjà fatalement retardée.

— Et nous te regrettions vraiment ! reprit son ami, poursuivant toujours sa thèse. Il s'agit d'une combinaison dans laquelle nous te comprenions en ta qualité d'homme supérieur, c'est-à-dire d'homme qui sait se mettre au-dessus de tout. L'escamotage de la muscade constitutionnelle sous le gobelet royal se fait aujourd'hui, mon cher, plus gravement que jamais. L'infâme monarchie renversée par l'héroïsme populaire était une femme de mauvaise vie avec laquelle on pouvait rire et banqueter ; mais la patrie est une épouse acariâtre et vertueuse ; il nous faut accepter, bon gré, mal gré, ses caresses compassées. Or donc le pouvoir s'est transporté, comme tu sais, des Tuileries chez les journalistes, de même que le budget a changé de quartier, en passant du faubourg Saint-Germain à la Chaussée-d'Antin. Mais voici ce que tu ne sais peut-être pas ! Le gouvernement, c'est-à-dire l'aristocratie

de banquiers et d'avocats qui font aujourd'hui de la
patrie comme les prêtres faisaient jadis de la monarchie,
a senti la nécessité de mystifier le bon peuple de France
avec des mots nouveaux et de vieilles idées, à l'instar
des philosophes de toutes les écoles et des hommes
forts de tous les temps. Il s'agit donc de nous inculquer
une opinion royalement nationale, en nous prouvant
qu'il est bien plus heureux de payer douze cent
millions trente-trois centimes à la patrie, représentée
par MM. tels et tels, que onze cents millions neuf
centimes à un roi qui disait *moi* au lieu de *nous*. En
un mot, un journal armé de deux ou trois cents bons
mille francs vient d'être fondé dans le but de faire une
opposition qui contente les mécontents, sans nuire au
gouvernement national du roi-citoyen. Or, comme
nous nous moquons de la liberté autant que du
despotisme, de la religion aussi bien que de l'incrédulité ; que, pour nous, la patrie est une capitale où
les idées s'échangent et se vendent à tant la ligne, où
tous les jours amènent de succulents dîners, de nombreux spectacles ; où fourmillent de licencieuses prostituées, où les soupers ne finissent que le lendemain,
où les amours vont à l'heure comme les citadines ; que
Paris sera toujours la plus adorable de toutes les
patries ! la patrie de la joie, de la liberté, de l'esprit,
des jolies femmes, des mauvais sujets, du bon vin, et
où le bâton du pouvoir ne se fera jamais trop sentir,
puisque l'on est près de ceux qui le tiennent... nous,
véritables sectateurs du dieu Méphistophélès, avons
entrepris de badigeonner l'esprit public, de rhabiller

les acteurs, de clouer de nouvelles planches à la
baraque gouvernementale, de médicamenter les doctrinaires, de recuire les vieux républicains, de ré-
champir les bonapartistes et de ravitailler le centre,
pourvu qu'il nous soit permis de rire *in petto* des rois
et des peuples, de ne pas être le soir de notre opinion
du matin, et de passer une joyeuse vie à la Panurge
ou *more orientali*, couchés sur de moelleux coussins.
Nous te destinions les rênes de cet empire macaro-
nique et burlesque ; ainsi nous t'emmenons de ce pas
au dîner donné par le fondateur dudit journal, un
banquier retiré qui, ne sachant que faire de son or,
veut le changer en esprit. Tu y seras accueilli comme
un frère, nous t'y saluerons roi de ces esprits frondeurs
que rien n'épouvante, dont la perspicacité découvre les
intentions de l'Autriche, de l'Angleterre ou de la
Russie, avant que la Russie, l'Angleterre ou l'Autriche
aient des intentions ! Oui, nous t'instituerons le souverain de ces puissances intelligentes qui fournissent
au monde les Mirabeau, les Talleyrand, les Pitt, les
Metternich, enfin tous ces habiles Crispins qui jouent
entre eux les destinées d'un empire comme les hommes
vulgaires jouent leur *kirschenwasser* au domino. Nous
t'avons donné pour le plus intrépide compagnon qui
jamais ait étreint corps à corps la débauche, ce monstre
admirable avec lequel veulent lutter tous les esprits
forts ; nous avons même affirmé qu'il ne t'a pas encore
vaincu. J'espère que tu ne feras pas mentir nos éloges.
Taillefer, notre amphitryon, nous a promis de surpasser les étroites saturnales de nos petits Lucullus

modernes. Il est assez riche pour mettre de la grandeur
dans les petitesses, de l'élégance et de la grâce dans le
vice... Entends-tu, Raphaël ? lui demanda l'orateur
en s'interrompant.

— Oui, répondit le jeune homme, moins étonné de
l'accomplissement de ses souhaits que surpris de la
manière naturelle par laquelle les événements s'en-
chaînaient.

Quoiqu'il lui fût impossible de croire à une influence
magique, il admirait les hasards de la destinée humaine.

— Mais tu nous dis oui, comme si tu pensais à la
mort de ton grand-père, lui répliqua l'un de ses voisins.

— Ah ! reprit Raphaël avec un accent de naïveté
qui fit rire ces écrivains, l'espoir de la jeune France,
je pensais, mes amis, que nous voilà près de devenir
de bien grands coquins ! Jusqu'à présent nous avons
fait de l'impiété entre deux vins, nous avons pesé la
vie étant ivres, nous avons prisé les hommes et les
choses en digérant. Vierges du fait, nous étions hardis
en paroles ; mais, marqués maintenant par le fer
chaud de la politique, nous allons entrer dans ce grand
bagne et y perdre nos illusions. Quand on ne croit
plus qu'au diable, il est permis de regretter le paradis
de la jeunesse, le temps d'innocence où nous tendions
dévotement la langue à un bon prêtre pour recevoir
le sacré corps de Notre-Seigneur Jésus-Christ. Ah !
mes bons amis, si nous avons eu tant de plaisir à
commettre nos premiers péchés, c'est que nous avions
des remords pour les embellir et leur donner du piquant,
de la saveur ; tandis que, maintenant...

— Oh ! maintenant, reprit le premier interlocuteur, il nous reste...

— Quoi ? demanda un autre.

— Le crime...

— Voilà un mot qui a toute la hauteur d'une potence et toute la profondeur de la Seine, répliqua Raphaël.

— Oh ! tu ne m'entends pas... Je parle des crimes politiques. Depuis ce matin je n'envie qu'une existence, celle des conspirateurs. Demain je ne sais si ma fantaisie durera toujours ; mais, ce soir, la vie pâle de notre civilisation, unie comme la rainure d'un chemin de fer, fait bondir mon cœur de dégoût ! Je suis épris de passion pour les malheurs de la déroute de Moscou, pour les émotions du *Corsaire rouge* et pour l'existence des contrebandiers. Puisqu'il n'y a plus de chartreux en France, je voudrais au moins un Botany-Bay, une espèce d'infirmerie destinée aux petits lords Byrons, qui, après avoir chiffonné la vie comme une serviette après dîner, n'ont plus rien à faire qu'à incendier leur pays, se brûler la cervelle, conspirer pour la république, ou demander la guerre...

— Émile, dit avec feu le voisin de Raphaël à l'interlocuteur, foi d'homme, sans la révolution de Juillet, je me faisais prêtre pour aller mener une vie animale au fond de quelque campagne, et...

— Et tu aurais lu le bréviaire tous les jours ?

— Oui.

— Tu es un fat.

— Nous lisons bien les journaux !

— Pas mal, pour un journaliste ! Mais tais-toi, nous marchons au milieu d'une masse d'abonnés. Le journalisme, vois-tu, c'est la religion des sociétés modernes, et il y a progrès.

— Comment ?

— Les pontifes ne sont pas tenus de croire, ni le peuple non plus...

En devisant ainsi, comme de braves gens qui savaient le *De Viris illustribus* depuis de longues années, ils arrivèrent à un hôtel de la rue Jouvert.

Émile était un journaliste qui avait conquis plus de gloire à ne rien faire que les autres n'en recueillent de leurs succès. Critique hardi, plein de verve et de mordant, il possédait toutes les qualités que comportaient ses défauts. Franc et rieur, il disait en face mille épigrammes à un ami que, absent, il défendait avec courage et loyauté. Il se moquait de tout, même de son avenir. Toujours dépourvu d'argent, il restait, comme tous les hommes de quelque portée, plongé dans une inexprimable paresse, jetant un livre dans un mot au nez des gens qui ne savaient pas mettre un mot dans leurs livres. Prodigue de promesses qu'il ne réalisait jamais, il s'était fait de sa fortune et de sa gloire un coussin pour dormir, courant ainsi la chance de se réveiller vieux à l'hôpital. D'ailleurs, ami jusqu'à l'échafaud, fanfaron de cynisme et simple comme un enfant, il ne travaillait que par boutade ou par nécessité.

— Nous allons faire, suivant l'expression de maître Alcofribas, un fameux *tronçon de chiere lie*, dit-il à

Raphaël en lui montrant les caisses de fleurs qui embaumaient et verdissaient les escaliers.

— J'aime les porches bien chauffés et garnis de riches tapis, répondit Raphaël. Le luxe dès le péristyle est rare en France. Ici je me sens renaître.

— Et, là-haut, nous allons boire et rire encore une fois, mon pauvre Raphaël. — Ah çà ! reprit-il, j'espère que nous serons les vainqueurs et que nous marcherons sur toutes ces têtes-là.

Puis, d'un geste moqueur, il montra les convives en entrant dans un salon qui resplendissait de dorures, de lumières, et où ils furent aussitôt accueillis par les jeunes gens les plus remarquables de Paris. L'un venait de révéler un talent neuf et de rivaliser par son premier tableau avec les gloires de la peinture impériale. L'autre avait hasardé la veille un livre plein de verdeur, empreint d'une sorte de dédain littéraire, et qui découvrait à l'école moderne de nouvelles routes. Plus loin, un statuaire, dont la figure pleine de rudesse accusait quelque vigoureux génie, causait avec un de ces froids railleurs qui, selon l'occurrence, tantôt ne veulent voir de supériorité nulle part, et tantôt en reconnaissent partout. Ici, le plus spirituel de nos caricaturistes, à l'œil malin, à la bouche mordante, guettait les épigrammes pour les traduire à coups de crayon. Là, ce jeune et audacieux écrivain, qui mieux que personne distillait la quintessence des pensées politiques, ou condensait en se jouant l'esprit d'un écrivain fécond, s'entretenait avec ce poète dont les écrits écraseraient toutes les œuvres du temps présent,

si son talent avait la puissance de sa haine. Tous deux
essayaient de ne pas dire la vérité et de ne pas mentir,
en s'adressant de douces flatteries. Un musicien célèbre consolait en *si bémol*, et d'une voix moqueuse,
un jeune homme politique récemment tombé de la
tribune sans se faire aucun mal. De jeunes auteurs
sans style étaient auprès de jeunes auteurs sans idées,
des prosateurs pleins de poésie près de poètes pro-
saïques. Voyant ces êtres incomplets, un pauvre saint-
simonien, assez naïf pour croire à sa doctrine, les
accouplait avec charité, voulant sans doute les trans-
former en religieux de son ordre. Enfin il s'y trouvait
deux ou trois de ces savants destinés à mettre de
l'azote dans la conversation, et plusieurs vaudevillistes
prêts à y jeter de ces lueurs éphémères qui, semblables
aux étincelles du diamant, ne donnent ni chaleur ni
lumière. Quelques hommes à paradoxes, riant sous
cape des gens qui épousent leurs admirations ou leurs
mépris pour les hommes et les choses, faisaient déjà
de cette politique à double tranchant avec laquelle
ils conspirent contre tous les systèmes, sans prendre
parti pour aucun. Le *jugeur* qui ne s'étonne de rien,
qui se mouche au milieu d'une cavatine aux Bouffons,
y crie *brava* avant tout le monde, et contredit ceux
qui préviennent son avis, était là, cherchant à s'attribuer les mots des gens d'esprit. Parmi ces convives,
cinq avaient de l'avenir, une dizaine devaient obtenir
quelque gloire viagère ; quant aux autres, ils pouvaient,
comme toutes les médiocrités, se dire le fameux
mensonge de Louis XVIII : *Union et oubli*. L'am-

phitryon avait la gaieté soucieuse d'un homme qui dépense deux mille écus. De temps en temps, ses yeux se dirigeaient avec impatience vers la porte du salon, en appelant celui des convives qui se faisait attendre. Bientôt apparut un gros petit homme qui fut accueilli par une flatteuse rumeur ; c'était le notaire qui, le matin même, avait achevé de créer le journal. Un valet de chambre vêtu de noir vint ouvrir les portes d'une vaste salle à manger, où chacun alla sans cérémonie reconnaître sa place autour d'une table immense. Avant de quitter les salons, Raphaël y jeta un dernier coup d'œil. Son souhait était certes bien complètement réalisé. La soie et l'or tapissaient les appartements. De riches candélabres supportant d'innombrables bougies faisaient briller les plus légers détails des frises dorées, les délicates ciselures du bronze et les somptueuses couleurs de l'ameublement. Les fleurs rares de quelques jardinières artistement construites avec des bambous répondaient de doux parfums. Tout, jusqu'aux draperies, respirait une élégance sans prétention ; enfin, il y avait en tout je ne sais quelle grâce poétique dont le prestige devait agir sur l'imagination d'un homme sans argent.

— Cent mille livres de rente sont un bien joli commentaire du catéchisme et nous aident merveilleusement à mettre la *morale en actions !* dit-il en soupirant. Oh ! oui, ma vertu ne va guère à pied. Pour moi, le vice c'est une mansarde, un habit râpé, un chapeau gris en hiver, et des dettes chez le portier... Ah ! je veux vivre au sein de ce luxe un an, six mois, n'importe ! et puis après, mourir. J'aurai du moins connu, épuisé, dévoré mille existences !

— Oh ! lui dit Émile, qui l'écoutait, tu prends le coupé d'un agent de change pour le bonheur. Va, tu serais bientôt ennuyé de la fortune en t'apercevant qu'elle te ravirait la chance d'être un homme supérieur. Entre les pauvretés de la richesse et les richesses de la pauvreté, l'artiste a-t-il jamais balancé ? Ne nous faut-il pas toujours des luttes, à nous autres ? Aussi, prépare ton estomac, vois, dit-il en lui montrant par un geste héroïque le majestueux, le trois fois saint et rassurant aspect que présentait la salle à manger du benoît capitaliste. Cet homme-là, reprit-il, ne s'est vraiment donné la peine d'amasser son argent que pour nous. N'est-ce pas une espèce d'éponge oubliée par les naturalistes dans l'ordre des polypiers, et qu'il s'agit de presser avec délicatesse, avant de la laisser sucer par des héritiers ? Ne trouves-tu pas du style aux bas-reliefs qui décorent les murs ? Et les lustres, et les tableaux, quel luxe bien entendu ! S'il faut croire les envieux et ceux qui tiennent à voir les ressorts de la vie, cet homme aurait tué, pendant la Révolution, un Allemand et quelques autres personnes, qui seraient, dit-on, son meilleur ami et la mère de cet ami. Peux-tu donner place à des crimes sous les cheveux grisonnants de ce vénérable Taillefer ? Il a l'air d'un bien bon homme. Vois donc comme l'argenterie étincelle, et chacun de ses rayons brillants serait pour lui un coup de poignard ?... allons donc ! autant vaudrait croire en Mahomet. Si le public avait

raison, voici trente hommes de cœur et de talent qui
s'apprêteraient à manger les entrailles, à boire le
sang d'une famille... et nous deux, jeunes gens pleins
de candeur, d'enthousiasme, nous serions complices
du forfait ! J'ai envie de demander à notre capitaliste
s'il est honnête homme...

— Non, pas maintenant ! s'écria Raphaël, mais
quand il sera ivre-mort ; nous aurons dîné.

Les deux amis s'assirent en riant. D'abord et par
un regard plus rapide que la parole, chaque convive
paya son tribut d'admiration au somptueux coup d'œil
qu'offrait une longue table, blanche comme une couche
de neige fraîchement tombée, et sur laquelle s'élevaient symétriquement les couverts couronnés de
petits plains blonds. Les cristaux répétaient les couleurs de l'iris dans leurs reflets étoilés, les bougies
traçaient des feux croisés à l'infini, les mets placés
sous des dômes d'argent aiguisaient l'appétit et la
curiosité. Les paroles furent assez rares. Les voisins se
regardèrent. Le vin de Madère circula. Puis le premier
service apparut dans toute sa gloire, il aurait fait
honneur à feu Cambacérès, et Brillat-Savarin l'eût
célébré. Les vins de Bordeaux et de Bourgogne, blancs
et rouges, furent servis avec une profusion royale.
Cette première partie du festin était comparable, en
tout point, à l'exposition d'une tragédie classique. Le
second acte devint quelque peu bavard. Chaque convive avait bu raisonnablement en changeant de crus
suivant ses caprices, en sorte qu'au moment où l'on
emporta les restes de ce magnifique service, de tem-

pêtueuses discussions s'étaient établies ; quelques
fronts pâles rougissaient, plusieurs nez commençaient
à s'empourprer, les visages s'allumaient, les yeux
pétillaient. Pendant cette aurore de l'ivresse, le discours ne sortit pas encore des bornes de la civilité ;
mais les railleries, les bons mots s'échappèrent peu à
peu de toutes les bouches ; puis la calomnie éleva tout
doucement sa petite tête de serpent et parla d'une voix
flûtée ; çà et là quelques sournois écoutèrent attentivement, espérant garder leur raison. Le second service
trouva donc les esprits tout à fait échauffés. Chacun
mangea en parlant, parla en mangeant, but sans
prendre garde à l'affluence des liquides, tant ils étaient
lampants et parfumés, tant l'exemple fut contagieux.
Taillefer se piqua d'animer ses convives et fit avancer
les terribles vins du Rhône, le chaud tokay, le vieux
roussillon capiteux. Déchaînés comme les chevaux
d'une malle-poste qui part d'un relais, ces hommes,
fouettés par les flammèches du vin de Champagne
impatiemment attendu, mais abondamment versé,
laissèrent alors galoper leur esprit dans le vide de ces
raisonnements que personne n'écoute, se mirent à
raconter ces histoires qui n'ont pas d'auditeurs, re-
commencèrent cent fois ces interpellations qui restent
sans réponse. L'orgie seule déploya sa grande voix, sa
voix composée de cent clameurs confuses qui gros-
sissent comme les crescendos de Rossini. Puis arrivèrent
les toasts insidieux, les forfanteries, les défis. Tous
renonçaient à se glorifier de leur capacité intellectuelle
pour revendiquer celle des tonneaux, des foudres,

des cuves. Il semblait que chacun eût deux voix. Il
vint un moment où les maîtres parlèrent tous à la fois,
et où les valets sourirent. Mais cette mêlée de paroles
où les paradoxes douteusement lumineux, les vérités
grotesquement habillées se heurtèrent à travers les cris,
les jugements interlocutoires, les arrêts souverains et
les niaiseries, comme au milieu d'un combat se croisent
les boulets, les balles et la mitraille, eût sans doute
intéressé quelque philosophe par la singularité des
pensées, ou surpris un politique par la bizarrerie des
systèmes. C'était tout à la fois un livre et un tableau.
Les philosophies, les religions, les morales, si différentes
d'une latitude à l'autre, les gouvernements, enfin tous
les grands actes de l'intelligence humaine tombèrent
sous une faux aussi longue que celle du Temps, et
peut-être eussiez-vous pu difficilement décider si elle
était maniée par la Sagesse ivre ou par l'Ivresse devenue sage et clairvoyante. Emportés par une espèce
de tempête, ces esprits semblaient, comme la mer
irritée contre ses falaises, vouloir ébranler toutes les
lois entre lesquelles flottent les civilisations, satis-
faisant ainsi sans le savoir à la volonté de Dieu, qui
laisse dans la nature le bien et le mal en gardant pour
lui seul le secret de leur lutte perpétuelle. Furieuse et
burlesque, la discussion fut en quelque sorte un sabbat
des intelligences. Entre les tristes plaisanteries dites
par ces enfants de la Révolution à la naissance d'un
journal, et les propos tenus par de joyeux buveurs à
la naissance de Gargantua, se trouvait tout l'abîme qui
sépare le XIXᵉ siècle du XVIᵉ. Celui-ci apprêtait une

destruction en riant, le nôtre riait au milieu des ruines.

— Comment appelez-vous le jeune homme que je vois là-bas ? dit le notaire en montrant Raphaël. J'ai cru l'entendre nommer Valentin.

— Que chantez-vous, avec votre Valentin tout court ? s'écria Émile en riant. Raphaël de Valentin, s'il vous plaît ! Nous portons *un aigle d'or en champ de sable, couronné d'argent, becqué et onglé de gueules*, avec une belle devise : NON CECIDIT ANIMUS ! Nous ne sommes pas un enfant trouvé, mais le descendant de l'empereur Valens, souche des Valentinois, fondateur des villes de Valence en Espagne et en France, héritier légitime de l'empire d'Orient. Si nous laissons trôner Mahmoud à Constantinople, c'est par pure bonne volonté, et faute d'argent ou de soldats.

Émile décrivit en l'air, avec sa fourchette, une couronne au-dessus de la tête de Raphaël. Le notaire se recueillit pendant un moment et se remit bientôt à boire en laissant échapper un geste authentique, par lequel il semblait avouer qu'il lui était impossible de rattacher à sa clientèle les villes de Valence, de Constantinople, Mahmoud, l'empereur Valens et la famille des Valentinois.

— La destruction de ces fourmilières nommées Babylone, Tyr, Carthage ou Venise, toujours écrasées sous les pieds d'un géant qui passe, ne serait-elle pas un avertissement donné à l'homme par une puissance moqueuse ? dit Claude Vignon, espèce d'esclave acheté pour faire du Bossuet à dix sous la ligne.

— Moïse, Sylla, Louis XI, Richelieu, Robespierre

et Napoléon sont peut-être un même homme qui reparaît à travers les civilisations, comme une comète dans le ciel, répondit un ballanchiste.

— Pourquoi sonder la Providence ? dit Canalis, le fabricant de ballades.

— Allons, voilà la Providence ! s'écria le jugeur en l'interrompant. Je ne connais rien au monde de plus élastique.

— Mais, monsieur, Louis XIV a fait périr plus d'hommes pour creuser les aqueducs de Maintenon que la Convention pour asseoir justement l'impôt, pour mettre de l'unité dans la loi, nationaliser la France et faire également partager les héritages, disait Massol, un jeune homme devenu républicain faute d'une syllabe devant son nom.

— Monsieur, lui répondit Moreau (de l'Oise), bon propriétaire, vous qui prenez le sang pour du vin, cette fois-ci, laisserez-vous à chacun sa tête sur ses épaules ?

— A quoi bon, monsieur ? Les principes de l'ordre social ne valent-ils donc pas quelques sacrifices ?

— Bixiou ! Hé ! Chose le républicain prétend que la tête de ce propriétaire serait un sacrifice ! dit un jeune homme à son voisin.

— Les hommes et les événements ne sont rien, disait le républicain en continuant sa théorie à travers les hoquets ; il n'y a en politique et en philosophie que des principes et des idées.

— Quelle horreur ! Vous n'auriez nul chagrin de tuer vos amis pour un *si ?*...

— Eh ! monsieur, l'homme qui a des remords est

le vrai scélérat, car il a quelque idée de la vertu ;
tandis que Pierre le Grand, le duc d'Albe, étaient des
systèmes, et le corsaire Monbard une organisation.

— Mais la société ne peut-elle pas se priver de vos
systèmes et de vos organisations ? dit Canalis.

— Oh ! d'accord, s'écria le républicain.

— Eh ! votre stupide république me donne des
nausées ! nous ne saurions découper tranquillement
un chapon sans y trouver la loi agraire.

— Tes principes sont excellents, mon petit Brutus
farci de truffes ! Mais tu ressembles à mon valet de
chambre : le drôle est si cruellement possédé par la
manie de la propreté que, si je lui laissais brosser
mes habits à sa fantaisie, j'irais tout nu.

— Vous êtes des brutes ! vous voulez nettoyer une
nation avec des cure-dents, répliqua l'homme à la
république. Selon vous, la justice serait plus dangereuse que les voleurs.

— Eh ! eh ! fit l'avoué Desroches.

— Sont-ils ennuyeux, avec leur politique ! dit Cardot le notaire. Fermez la porte. Il n'y a pas de science
ou de vertu qui vaillent une goutte de sang. Si nous
voulions faire la liquidation de la vérité, nous la
trouverions peut-être en faillite.

— Ah ! il en aurait sans doute moins coûté de nous
amuser dans le mal que de nous quereller dans le
bien. Aussi, donnerais-je tous les discours prononcés
à la tribune depuis quarante ans pour une truite, pour
un conte de Perrault ou une croquade de Charlet.

— Vous avez bien raison !... Passez-moi des asperges... Car, après tout, la liberté enfante l'anarchie, l'anarchie conduit au despotisme, et le despotisme ramène à la liberté. Des millions d'êtres ont péri sans avoir pu faire triompher aucun de ces systèmes. N'est-ce pas le cercle vicieux dans lequel tournera toujours le monde moral ? Quand l'homme croit avoir perfectionné, il n'a fait que déplacer les choses.

— Oh ! oh ! s'écria Cursy le vaudevilliste, alors, messieurs, je porte un toast à Charles X, père de la liberté !

— Pourquoi pas ? dit Émile. Quand le despotisme est dans les lois, la liberté se trouve dans les mœurs, et *vice versa.*

— Buvons donc à l'imbécillité du pouvoir qui nous donne tant de pouvoir sur les imbéciles ! dit le banquier.

— Eh ! mon cher, au moins Napoléon nous a-t-il laissé de la gloire ! criait un officier de marine qui n'était jamais sorti de Brest.

— Ah ! la gloire, triste denrée. Elle se paye cher et ne se garde pas. Ne serait-elle point l'égoïsme des grands hommes, comme le bonheur est celui des sots ?

— Monsieur, vous êtes bien heureux...

— Le premier qui inventa les fossés était sans doute un homme faible, car la société ne profite qu'aux gens chétifs. Placés aux deux extrémités du monde moral, le sauvage et le penseur ont également horreur de la propriété.

— Joli ! s'écria Cardot. S'il n'y avait pas de propriétés, comment pourrions-nous faire des actes ?

— Voilà des petits pois délicieusement fantastiques !

— Et le curé fut trouvé mort dans son lit le lendemain...

— Qui parle de mort ?... Ne badinez pas ! j'ai un oncle.

— Vous vous résigneriez sans doute à le perdre.

— Ce n'est pas une question.

— Écoutez-moi, messieurs !... MANIÈRE DE TUER
SON ONCLE. Chut ! (*Écoutez ! écoutez !*) Ayez d'abord
un oncle gros et gras, septuagénaire au moins, ce sont
les meilleurs oncles. (Sensation.) Faites-lui manger,
sous un prétexte quelconque, un pâté de foies gras.

— Hé ! mon oncle est un grand homme sec, avare
et sobre.

— Ah ! ces oncles-là sont des monstres qui abusent
de la vie.

— Et, dit l'homme aux oncles en continuant,
annoncez-lui, pendant sa digestion, la faillite de son
banquier.

— S'il résiste ?

— Lâchez-lui une jolie fille !

— S'il est... ? dit l'autre en faisant un geste négatif.

— Alors, ce n'est pas un oncle... l'oncle est essentiellement égrillard.

— La voix de la Malibran a perdu deux notes.

— Non, monsieur.

— Si, monsieur.

— Oh ! oh ! Oui et non, n'est-ce pas l'histoire de
toutes les dissertations religieuses, politiques et littéraires ? L'homme est un bouffon qui danse sur des
précipices !

— A vous entendre, je suis un sot ?

— Au contraire, c'est parce que vous ne m'entendez pas.

— L'instruction, belle niaiserie ! M. Heineffettermach porte le nombre des volumes imprimés à plus d'un milliard, et la vie d'un homme ne permet pas d'en lire cent cinquante mille. Alors, expliquez-moi ce que signifie le mot *instruction ?* Pour les uns, l'instruction consiste à savoir les noms du cheval d'Alexandre, du dogue Bérécillo, du seigneur des Accords, et d'ignorer celui de l'homme auquel nous devons le flottage des bois ou la porcelaine. Pour les autres, être instruit, c'est savoir brûler un testament et vivre en honnêtes gens, aimés, considérés, au lieu de voler une montre en récidive, avec les cinq circonstances aggravantes, et d'aller mourir en place de Grève, haïs et déshonorés.

— Nathan restera-t-il ?

— Ah ! ses collaborateurs, monsieur, ont bien de l'esprit !

— Et Canalis ?

— C'est un grand homme, n'en parlons plus.

— Vous êtes ivres !

— La conséquence immédiate d'une constitution est l'aplatissement des intelligences. Arts, sciences, monuments, tout est dévoré par un effroyable sentiment d'égoïsme, notre lèpre actuelle. Vos trois cents bourgeois, assis sur des banquettes, ne penseront qu'à planter des peupliers. Le despotisme fait illégalement de grandes choses, la liberté ne se donne même pas la peine d'en faire légalement de très petites.

— Votre enseignement mutuel fabrique des pièces de cent sous en chair humaine, dit un absolutiste en interrompant. Les individualités disparaissent chez un peuple nivelé par l'instruction.

— Cependant le but de la société n'est-il pas de procurer à chacun le bien-être ? demanda le saint-simonien.

— Si vous aviez cinquante mille livres de rente, vous ne penseriez guère au peuple. Êtes-vous épris de belle passion pour l'humanité ? allez à Madagascar : vous y trouverez un joli petit peuple tout neuf à saint-simoniser, à classer, à mettre en bocal ; mais, ici, chacun entre tout naturellement dans son alvéole, comme une cheville dans son trou. Les portiers sont portiers, et les niais sont des bêtes sans avoir besoin d'être promus par un collège de Pères. Ah ! ah !

— Vous êtes un carliste !

— Pourquoi pas ? J'aime le despotisme, il annonce un certain mépris pour la race humaine. Je ne hais pas les rois. Ils sont si amusants ! Trôner dans une chambre, à trente millions de lieues du soleil, n'est-ce donc rien ?

— Mais résumons cette large vue de la civilisation, disait le savant qui, pour l'instruction du sculpteur inattentif, avait entrepris une discussion sur le commencement des sociétés et sur les peuples autochtones. A l'origine des nations, la force fut en quelque sorte matérielle, une, grossière ; puis avec l'accroissement des agrégations, les gouvernements ont procédé par des décompositions plus ou moins habiles du pouvoir primitif. Ainsi, dans la haute antiquité, la force était dans la théocratie ; le prêtre tenait le glaive et l'encensoir. Plus tard il y eut deux sacerdoces : le pontife et le roi. Aujourd'hui notre société, dernier terme de la civilisation, a distribué la puissance suivant le nombre des combinaisons, et nous sommes arrivés aux forces nommées industrie, pensée, argent, parole. Le pouvoir, n'ayant plus alors d'unité, marche sans cesse vers une dissolution sociale qui n'a plus d'autre barrière que l'intérêt. Aussi ne nous appuyons-nous ni sur la religion, ni sur la force matérielle, mais sur l'intelligence. Le livre vaut-il le glaive ? la discussion vaut-elle l'action ? Voilà le problème.

— L'intelligence a tout tué ! s'écria le carliste. Allez, la liberté absolue mène les nations au suicide, elles s'ennuient dans le triomphe, comme un Anglais millionnaire.

— Que nous direz-vous de neuf ? Aujourd'hui vous avez ridiculisé tous les pouvoirs, et c'est même chose vulgaire que de nier Dieu ! Vous n'avez plus de croyance. Aussi le siècle est-il comme un vieux sultan perdu de débauche ! Enfin votre lord Byron, en dernier désespoir de poésie, a chanté les passions du crime.

— Savez-vous, lui répondit Bianchon complètement ivre, qu'une dose de phosphore de plus ou de moins fait l'homme de génie ou le scélérat, l'homme d'esprit ou l'idiot, l'homme vertueux ou le criminel ?

— Peut-on traiter ainsi la vertu ! s'écria Cursy ; la vertu, sujet de toutes les pièces de théâtre, dénouement de tous les drames, base de tous les tribunaux...

— Eh! tais-toi donc, animal. Ta vertu, c'est Achille sans talon! dit Bixiou.

— A boire!

— Veux-tu parier que je bois une bouteille de vin de Champagne d'un seul trait?

— Quel trait d'esprit! s'écria Bixiou.

— Ils sont gris comme des charretiers, dit un jeune homme qui donnait sérieusement à boire à son gilet.

— Oui, monsieur, le gouvernement actuel est l'art de faire régner l'opinion publique.

— L'opinion? mais c'est la plus vicieuse de toutes les prostituées! A vous entendre, hommes de morale et de politique, il faudrait sans cesse préférer vos lois à la nature, l'opinion à la conscience. Allez, tout est vrai, tout est faux! Si la société nous a donné le duvet des oreillers, elle a certes compensé le bienfait par la goutte, comme elle a mis la procédure pour tempérer la justice, et les rhumes à la suite des châles de Cachemire.

— Monstre! dit Émile en interrompant le misanthrope, comment peux-tu médire de la civilisation en présence de vins, de mets si délicieux, et à table jusqu'au menton? Mords ce chevreuil aux pieds et aux cornes dorés, mais ne mords pas ta mère...

— Est-ce ma faute, à moi, si le catholicisme arrive à mettre un million de dieux dans un sac de farine, si la république aboutit toujours à quelque Napoléon, si la royauté se trouve entre l'assassinat de Henri IV et le jugement de Louis XVI, si le libéralisme devient La Fayette?

— L'avez-vous embrassé en Juillet ?

— Non.

— Alors, taisez-vous, sceptique.

— Les sceptiques sont les hommes les plus consciencieux.

— Ils n'ont pas de conscience.

— Que dites-vous ! ils en ont au moins deux.

— Escompter le ciel ! monsieur, voilà une idée
vraiment commerciale. Les religions antiques n'étaient
qu'un heureux développement du plaisir physique ;
mais, nous autres, nous avons développé l'âme et
l'espérance ; il y a eu progrès.

— Eh ! mes bons amis, que pouvez-vous attendre
d'un siècle repu de politique ? dit Nathan. Quel a
été le sort de l'*Histoire du roi de Bohême et de ses
sept châteaux*, la plus ravissante conception ?...

— Ça ? cria le jugeur d'un bout de la table à l'autre,
c'est des phrases tirées au hasard dans un chapeau,
véritable ouvrage écrit pour Charenton.

— Vous êtes un sot !

— Vous êtes un drôle !

— Oh ! oh !

— Ah ! ah !

— Ils se battront.

— Non.

— A demain, monsieur.

— A l'instant, répondit Mathan.

— Allons ! allons ! vous êtes deux braves.

— Vous en êtes un autre ! dit le provocateur.

— Ils ne peuvent seulement pas se mettre debout.

— Ah ! je ne me tiens pas droit, peut-être, répliqua le belliqueux Nathan en se dressant comme un cerf-volant indécis.

Il jeta sur la table un regard hébété ; puis, comme exténué par cet effort, il retomba sur sa chaise, pencha la tête et resta muet.

— Ne serait-il pas plaisant, dit le jugeur à son voisin, de me battre pour un ouvrage que je n'ai jamais vu ni lu ?

— Émile, prends garde à ton habit, ton voisin pâlit, dit Bixiou.

— Kant, monsieur ? Encore un ballon lancé pour amuser les niais ! Le matérialisme et le spiritualisme sont deux jolies raquettes avec lesquelles des charlatans en robe font aller le même volant. Que Dieu soit en tout, selon Spinosa, ou que tout vienne de Dieu, selon saint Paul... imbéciles ! ouvrir ou fermer une porte, n'est-ce pas le même mouvement ? L'œuf vient-il de la poule ou la poule de l'œuf ?... Passez-moi du canard !... Voilà toute la science.

— Nigaud, lui cria le savant, la question que tu poses est tranchée par un fait.

— Et lequel ?

— Les chaires de professeurs n'ont pas été faites pour la philosophie, mais bien la philosophie pour les chaires ? Mets des lunettes et lis le budget.

— Voleurs !

— Imbéciles !

— Fripons !

— Dupes !

— Où trouverez-vous ailleurs qu'à Paris un échange aussi vif, aussi rapide entre les pensées, s'écria Bixiou en prenant une voix de basse-taille.

— Allons, Bixiou, fais-nous quelque farce classique ! Voyons, une charge !

— Voulez-vous que je vous fasse le XIXᵉ siècle ?

— Écoutez !

— Silence !

— Mettez des sourdines à vos mufles !

— Te tairas-tu, Chinois !

— Donnez-lui du vin, et qu'il se taise, cet enfant !

— A toi, Bixiou !

L'artiste boutonna son habit noir jusqu'au col, mit ses gants jaunes, et se grima de manière à singer la *Revue des Deux Mondes*, en louchant ; mais le bruit couvrit sa voix, il fut impossible de saisir un seul mot de sa moquerie. S'il ne représenta pas le siècle, au moins représenta-t-il la *Revue*, car il ne s'entendit pas lui-même.

Le dessert se trouva servi comme par enchantement. La table fut couverte d'un vaste surtout en bronze doré, sorti des ateliers de Thomire. De hautes figures, douées par un célèbre artiste des formes convenues en Europe pour la beauté idéale, soutenaient et portaient des buissons de fraises, des ananas, des dattes fraîches, des raisins jaunes, de blondes pêches, des oranges arrivées de Sétubal par un paquebot, des grenades, des fruits de la Chine, enfin toutes les surprises de luxe, des miracles du petit four, les délicatesses les plus friandes, les friandises les plus séductrices. Les couleurs de ces tableaux gastronomiques étaient rehaussées par l'éclat de la porcelaine, par des lignes étincelantes d'or, par les découpures des vases. Gracieuse comme les liquides franges de l'Océan, verte et légère, la mousse couronnait les paysages du Poussin, copiés à Sèvres. Le territoire d'un prince allemand n'aurait pas payé cette richesse insolente. L'argent, la nacre, l'or, les cristaux furent de nouveau prodigués sous de nouvelles formes ; mais les yeux engourdis et la verbeuse fièvre de l'ivresse permirent à peine aux convives d'avoir une intuition vague de cette féerie digne d'un conte oriental. Les vins de dessert apportèrent leurs parfums et leurs flammes, filtres pénétrants, vapeurs enchanteresses, qui engendrent une espèce de mirage intellectuel et dont les liens puissants enchaînent les pieds, alourdissent les mains. Les pyramides de fruits furent pillées, les voix grossirent, le tumulte grandit. Il n'y eut plus alors de paroles distinctes, les verres volèrent en éclats, et des rires atroces partirent comme des fusées. Cursy saisit un cor et se mit à sonner une fanfare. Ce fut comme un signal donné par le diable. Cette assemblée en délire hurla, siffla, chanta, cria, rugit, gronda. Vous eussiez souri de voir des gens, naturellement gais, devenus sombres comme les dénouements de Crébillon, ou rêveurs comme des marins en voiture. Les hommes fins disaient leurs secrets à des curieux qui n'écoutaient pas. Les mélancoliques souriaient comme des danseuses qui achèvent

leurs pirouettes. Claude Vignon se dandinait à la manière des ours en cage. Des amis intimes se battaient.
Les ressemblances animales inscrites sur les figures
humaines, et si curieusement démontrées par les
physiologistes, reparaissaient vaguement dans les
gestes, dans les habitudes du corps. Il y avait un livre
tout fait pour quelque Bichat qui se serait trouvé là
froid et à jeun. Le maître du logis, se sentant ivre,
n'osait se lever, mais il approuvait les extravagances
de ses convives par une grimace fixe, en tâchant de
conserver un air décent et hospitalier. Sa large figure,
devenue rouge et bleue, presque violacée, terrible à
voir, s'associait au mouvement général par des efforts
semblables au roulis et au tangage d'un brick.

— Les avez-vous assassinés ? lui demanda Émile.

— La peine de mort va, dit-on, être abolie en
faveur de la révolution de Juillet, répondit Taillefer,
qui haussa les sourcils d'un air tout à la fois plein de
finesse et de bêtise.

— Mais ne les voyez-vous pas quelquefois en songe ?
insista Raphaël.

— Il y a prescription ! dit le meurtrier plein d'or.

— Et sur sa tombe, s'écria Émile d'un ton sardonique, l'entrepreneur du cimetière gravera : *Passants,
accordez une larme à sa mémoire !*... Oh ! reprit-il, je
donnerais bien cent sous au mathématicien qui me
démontrerait par une équation algébrique l'existence
de l'enfer.

Il jeta une pièce en l'air en criant :

— Face pour Dieu !

— Ne regardez pas ! dit Raphaël en saisissant la pièce ; que sait-on ? le hasard est si plaisant.

— Hélas ! reprit Émile d'un air tristement bouffon, je ne vois pas où poser les pieds entre la géométrie de l'incrédule et le *Pater noster* du pape. Bah ! buvons ! *Trinc* est, je crois, l'oracle de la dive bouteille et sert de conclusion au Pantagruel.

— Nous devons au *Pater noster*, répondit Raphaël, nos arts, nos monuments, nos sciences peut-être, et, bienfait plus grand encore, nos gouvernements modernes, dans lesquels une société vaste et féconde est merveilleusement représentée par cinq cents intelligences, où les forces opposées les unes aux autres se neutralisent en laissant tout pouvoir à la CIVILISATION, reine gigantesque qui remplace le ROI, cette ancienne et terrible figure, espèce de faux destin créé par l'homme entre le ciel et lui. En présence de tant d'œuvres accomplies, l'athéisme apparaît comme un squelette qui n'engendre pas. Qu'en dis-tu ?

— Je songe aux flots de sang répandu par le catholicisme, dit froidement Émile. Il a pris nos veines et nos cœurs pour faire une contrefaçon du déluge. Mais n'importe ! Tout homme qui pense doit marcher sous la bannière du Christ. Lui seul a consacré le triomphe de l'esprit sur la matière, lui seul nous a poétiquement révélé le monde intermédiaire qui nous sépare de Dieu.

— Tu crois ? reprit Raphaël en lui jetant un indéfinissable sourire d'ivresse. Eh bien ! pour ne pas nous compromettre, portons le fameux toast : *Diis ignotis !*

4

Et ils vidèrent leurs calices de science, de gaz carbonique, de parfums, de poésie et d'incrédulité.

— Si ces messieurs veulent passer dans le salon, le café les y attend, dit le maître d'hôtel.

En ce moment, presque tous les convives se roulaient au sein de ces limbes délicieux où les lumières de l'esprit s'éteignent, où le corps, délivré de son tyran, s'abandonne aux joies délirantes de la liberté. Les uns, arrivés à l'apogée de l'ivresse, restaient mornes et péniblement occupés à saisir une pensée qui leur attestât leur propre existence ; les autres, plongés dans le marasme produit par une digestion alourdissante, niaient le mouvement. D'intrépides orateurs disaient encore de vagues paroles dont le sens leur échappait à eux-mêmes. Quelques refrains retentissaient comme le bruit d'une mécanique obligée d'accomplir sa vie factice et sans âme. Le silence et le tumulte s'étaient bizarrement accouplés. Néanmoins, en entendant la voix sonore du valet qui, à défaut d'un maître, leur annonçait des joies nouvelles, les convives se levèrent, entraînés, soutenus ou portés les uns par les autres. La troupe entière resta pendant un moment immobile et charmée sur le seuil de la porte. Les jouissances excessives du festin pâlirent devant le chatouillant spectacle que l'amphitryon offrait au plus voluptueux de leurs sens. Sous les étincelantes bougies d'un lustre d'or, autour d'une table chargée de vermeil, un groupe de femmes se présenta soudain aux convives hébétés, dont les yeux s'allumèrent comme autant de diamants. Riches

étaient les parures, mais plus riches encore étaient ces
beautés éblouissantes devant lesquelles disparaissaient
toutes les merveilles de ce palais. Les yeux passionnés
de ces filles, prestigieuses comme des fées, avaient
encore plus de vivacité que les torrents de lumière qui
faisaient resplendir les reflets satinés des tentures, la
blancheur des marbres et les saillies délicates des
bronzes. Le cœur brûlait à voir les contrastes de leurs
coiffures agitées et de leurs attitudes, toutes diverses
d'attraits et de caractères. C'était une haie de fleurs
mêlées de rubis, de saphirs et de corail ; une ceinture
de colliers noirs sur des cous de neige, des écharpes
légères flottant comme les flammes des phares, des
turbans orgueilleux, des tuniques modestement provo-
quantes. Ce sérail offrait des séductions pour tous les
yeux, des voluptés pour tous les caprices. Posée à
ravir, une danseuse semblait être sans voile sous les
plis onduleux du cachemire. Là une gaze diaphane,
ici la soie chatoyante, cachaient ou révélaient des
perfections mystérieuses. De petits pieds étroits
parlaient d'amour, des bouches fraîches et rouges se
taisaient. De frêles et décentes jeunes filles, vierges
factices dont les jolies chevelures respiraient une
religieuse innocence, se présentaient au regard comme
des apparitions qu'un souffle pouvait dissiper. Puis
des beautés aristocratiques au regard fier, mais indolentes, mais fluettes, maigres, gracieuses, penchaient
la tête comme si elles avaient encore de royales
protections à faire acheter. Une Anglaise, blanche et
chaste figure aérienne descendue des nuages d'Ossian,

ressemblait à un ange de mélancolie, à un remords
fuyant le crime. La Parisienne, dont toute la beauté
gît dans une grâce indescriptible, vaine de sa toilette
et de son esprit, armée de sa toute-puissante faiblesse,
souple et dure, sirène sans cœur et sans passion, mais
qui sait artificieusement créer les trésors de la passion
et contrefaire les accents du cœur, ne manquait pas
à cette périlleuse assemblée, où brillaient encore des
Italiennes tranquilles en apparence et consciencieuses
dans leur félicité, de riches Normandes aux formes
magnifiques, des femmes méridionales aux cheveux
noirs, aux yeux bien fendus. Vous eussiez dit des
beautés de Versailles convoquées par Lebel, ayant
dès le matin dressé tous leurs pièges, arrivant comme
une troupe d'esclaves orientales réveillées par la voix
du marchand pour partir à l'aurore. Elles restaient
interdites, honteuses, et s'empressaient autour de la
table comme des abeilles qui bourdonnent dans
l'intérieur d'une ruche. Cet embarras craintif, reproche
et coquetterie tout ensemble, était ou quelque séduc-
tion calculée ou de la pudeur involontaire. Peut-être
un sentiment que la femme ne dépouille jamais
complètement leur ordonnait-il de s'envelopper dans
le manteau de la vertu pour donner plus de charme et
de piquant aux prodigalités du vice. Aussi la conspiration ourdie par le vieux Taillefer sembla-t-elle devoir échouer. Ces hommes sans frein furent subjugués
tout d'abord par la puissance majestueuse dont est
investie la femme. Un murmure d'admiration résonna
comme la plus douce musique. L'amour n'avait pas

voyagé de compagnie avec l'ivresse ; au lieu d'un ouragan de passions, les convives, surpris dans un moment de faiblesse, s'abandonnèrent aux délices d'une
voluptueuse extase. A la voix de la poésie qui les
domine toujours, les artistes étudièrent avec bonheur
les nuances délicates qui distinguaient ces beautés
choisies. Réveillé par une pensée due peut-être à
quelque émanation d'acide carbonique dégagé du vin
de Champagne, un philosophe frissonna en songeant
aux malheurs qui amenaient là ces femmes, dignes
peut-être jadis des plus purs hommages. Chacune
d'elles avait sans doute un drame sanglant à raconter.
Presque toutes apportaient d'infernales tortures et
traînaient après elles des hommes sans foi, des promesses trahies, des joies rançonnées par la misère. Les
convives s'approchèrent d'elles avec politesse, et des
conversations aussi diverses que les caractères s'établirent. Des groupes se formèrent. Vous eussiez dit un
salon de bonne compagnie où les jeunes filles et les
femmes vont offrant aux convives, après le dîner, les
secours que le café, les liqueurs et le sucre prêtent
aux gourmands embarrassés dans les travaux d'une
digestion récalcitrante. Mais bientôt quelques rires
éclatèrent, le murmure augmenta, les voix s'élevèrent.
L'orgie, domptée pendant un moment, menaça par
intervalles de se réveiller. Ces alternatives de silence
et de bruit eurent une vague ressemblance avec une
symphonie de Beethoven.

Assis sur un moelleux divan, les deux amis virent
d'abord arriver près d'eux une grande fille bien pro-

portionnée, superbe en son maintien, de physionomie assez irrégulière, mais perçante, mais impétueuse, et qui saisissait l'âme par de vigoureux contrastes. Sa chevelure noire, lascivement bouclée, semblait avoir déjà subi les combats de l'amour, et retombait en flocons légers sur ses larges épaules, qui offraient des perspectives attrayantes à voir. De longs rouleaux bruns enveloppaient à demi un cou majestueux sur lequel la lumière glissait par intervalles en révélant la finesse des plus jolis contours. La peau, d'un blanc mat, faisait ressortir les tons chauds et animés de ses vives couleurs. L'œil, armé de longs cils, lançait des flammes hardies, étincelles d'amour ! La bouche, rouge, humide, entr'ouverte, appelait le baiser. Cette fille avait une taille forte, mais amoureusement élastique ; son sein, ses bras étaient largement développés, comme ceux des belles figures du Carrache ; néanmoins elle paraissait leste, souple, et sa vigueur supposait l'agilité d'une panthère, comme la mâle élégance de ses formes en promettait les voluptés dévorantes. Quoique cette fille dût savoir rire et folâtrer, ses yeux et son sourire effrayaient la pensée. Semblable à ces prophétesses agitées par un démon, elle étonnait plutôt qu'elle ne plaisait. Toutes les expressions passaient par masses et comme des éclairs sur sa figure mobile. Peut-être eût-elle ravi des gens blasés, mais un jeune homme l'eût redoutée. C'était une statue colossale tombée du haut de quelque temple grec, sublime à distance, mais grossière à voir de près. Néanmoins, sa foudroyante beauté devait réveiller les impuissants, sa voix charmer les sourds, ses regards ranimer de vieux ossements ; aussi Émile la comparait-il vaguement à une tragédie de Shakspeare, espèce d'arabesque admirable où la joie hurle, où l'amour a je ne sais quoi de sauvage, où la magie de la grâce et le feu du bonheur succèdent aux sanglants tumultes de la colère ; monstre qui sait mordre et caresser, rire comme un démon, pleurer comme les anges, improviser dans une seule étreinte toutes les séductions de la femme, excepté les soupirs de la mélancolie et les enchanteresses modesties d'une vierge ; puis en un moment rugir, se déchirer les flancs, briser sa passion, son amant ; enfin, se détruire elle-même comme fait un peuple insurgé. Vêtue d'une robe en velours rouge, elle foulait d'un pied insouciant quelques fleurs déjà tombées de la tête de ses compagnes, et d'une main dédaigneuse tendait aux deux amis un plateau d'argent. Fière de sa beauté, fière de ses vices peut-être, elle montrait un bras blanc qui se détachait vivement sur le velours. Elle était là comme la reine du plaisir, comme une image de la joie humaine, de cette joie qui dissipe les trésors amassés par trois générations, qui rit sur des cadavres, se moque des aïeux, dissout des perles et des trônes, transforme les jeunes gens en vieillards, et souvent les vieillards en jeunes gens ; de cette joie permise seulement aux géants fatigués du pouvoir, éprouvés par la pensée, ou pour lesquels la guerre est devenue comme un jouet.

— Comment te nommes-tu ? lui dit Raphaël.

— Aquilina.

— Oh! oh! tu viens de *Venise sauvée!* s'écria Émile.

— Oui, répondit-elle. De même que les papes se donnent de nouveaux noms en montant au-dessus des hommes, j'en ai pris un autre en m'élevant au-dessus de toutes les femmes.

— As-tu donc, comme ta patronne, un noble et terrible conspirateur qui t'aime et sache mourir pour toi? dit vivement Émile, réveillé par cette apparence de poésie.

— Je l'ai eu, répondit-elle. Mais la guillotine a été ma rivale. Aussi metté-je toujours quelques chiffons rouges dans ma parure pour que ma joie n'aille jamais trop loin.

— Oh! si vous lui laissez raconter l'histoire des quatre jeunes gens de La Rochelle, elle n'en finira pas. — Tais-toi donc, Aquilina! les femmes n'ont-elles pas toutes un amant à pleurer; mais toutes n'ont pas, comme toi, le bonheur de l'avoir perdu sur un échafaud. Ah! j'aimerais bien mieux savoir le mien couché dans une fosse, à Clamart, que dans le lit d'une rivale!

Ces phrases furent prononcées d'une voix douce et mélodieuse par la plus innocente, la plus jolie et la plus gentille petite créature qui, sous la baguette d'une fée, fût jamais sortie d'un œuf enchanté. Elle était arrivée à pas muets et montrait une figure délicate, une taille grêle, des yeux bleus ravissants de modestie, des tempes fraîches et pures. Une naïade ingénue, qui s'échappe de sa source, n'est pas plus

timide, plus blanche ni plus naïve que cette jeune
fille, qui paraissait avoir seize ans, ignorer le mal,
ignorer l'amour, ne pas connaître les orages de la vie,
et venir d'une église où elle aurait prié les anges d'obtenir avant le temps son rappel dans les cieux. A Paris
seulement se rencontrent ces créatures au visage can-
dide qui cachent la dépravation la plus profonde, les
vices les plus raffinés sous un front aussi doux, aussi
tendre que la fleur d'une marguerite. Trompés d'abord
par les célestes promesses écrites dans les suaves
attraits de cette jeune fille, Émile et Raphaël acceptèrent le café qu'elle leur versa dans les tasses pré-
sentées par Aquilina et se mirent à la questionner.
Elle acheva de transfigurer aux yeux des deux poètes,
par une sinistre allégorie, je ne sais quelle face de la
vie humaine, en opposant à l'expression rude et passionnée de son imposante compagne le portrait de
cette corruption froide, voluptueusement cruelle,
assez étourdie pour commettre un crime, assez forte
pour en rire ; espèce de démon sans cœur, qui punit
les âmes riches et tendres de ressentir les émotions
dont il est privé, qui trouve toujours une grimace
d'amour à vendre, des larmes pour le convoi de sa
victime, et de la joie le soir pour en lire le testament.
Un poète eût admiré la belle Aquilina ; le monde
entier devait fuir la touchante Euphrasie : l'une était
l'âme du vice, l'autre le vice sans âme.

— Je voudrais bien savoir, dit Émile à cette jolie
créature, si parfois tu songes à l'avenir.

— L'avenir ? répondit-elle en riant. Qu'appelez-vous

l'avenir ? Pourquoi penserais-je à ce qui n'existe pas
encore ? Je ne regarde jamais ni en arrière ni en avant
de moi. N'est-ce pas déjà trop que de m'occuper d'une
journée à la fois ? D'ailleurs l'avenir, nous le connaissons, c'est l'hôpital.

— Comment peux-tu voir d'ici l'hôpital et ne pas
éviter d'y aller ? s'écria Raphaël.

— Qu'a donc l'hôpital de si effrayant ? demanda la
terrible Aquilina. Quand nous ne sommes ni mères ni
épouses, quand la vieillesse nous met des bas noirs
aux jambes et des rides au front, flétrit tout ce qu'il y
a de femme en nous et sèche la joie dans les regards de
nos amis, de quoi pourrions-nous avoir besoin ? Vous
ne voyez plus alors en nous, de notre parure, que sa
fange primitive qui marche sur deux pattes, froide,
sèche, décomposée et va produisant un bruissement
de feuilles mortes. Les plus jolis chiffons nous deviennent des haillons, l'ambre qui réjouissait le boudoir
prend une odeur de mort et sent le squelette ; puis, s'il
se trouve un cœur dans cette boue, vous y insultez
tous, vous ne nous permettez même pas un souvenir.
Ainsi, que nous soyons, à cette époque de la vie, dans
un riche hôtel à soigner des chiens, ou dans un hôpital
à trier des guenilles, notre existence n'est-elle pas
exactement la même ? Cacher nos cheveux blancs
sous un mouchoir à carreaux rouges et bleus ou sous
des dentelles, balayer les rues avec du bouleau ou les
marches des Tuileries avec du satin, être assises à des
foyers dorés ou nous chauffer à des cendres dans un
pot de terre rouge, assister au spectacle de la Grève

ou aller à l'Opéra, y a-t-il donc là tant de différence ?

— *Aquilina mia*, jamais tu n'as eu tant de raison au milieu de tes désespoirs, reprit Euphrasie. Oui, les cachemires, les vélins, les parfums, l'or, la soie, le luxe, tout ce qui brille, tout ce qui plaît ne va bien qu'à la jeunesse. Le temps seul pourrait avoir raison contre nos folies, mais le bonheur nous absout. — Vous riez de ce que je dis, s'écria-t-elle en lançant un sourire venimeux aux deux amis ; n'ai-je pas raison ? J'aime mieux mourir de plaisir que de maladie. Je n'ai ni la manie de la perpétuité ni grand respect pour l'espèce humaine, à voir ce que Dieu en fait ! Donnez-moi des millions, je les mangerai ; je ne voudrais pas garder un centime pour l'année prochaine. Vivre pour plaire et régner, tel est l'arrêt que prononce chaque battement de mon cœur. La société m'approuve ; ne fournit-elle pas sans cesse à mes dissipations ? Pourquoi le bon Dieu me fait-il tous les matins la rente de ce que je dépense tous les soirs ? pourquoi nous bâtissez-vous des hôpitaux ? Comme il ne nous a pas mis entre le bien et le mal pour choisir ce qui nous blesse ou nous ennuie, je serais bien sotte de ne pas m'amuser.

— Et les autres ? dit Émile.

— Les autres ? Eh bien ! qu'ils s'arrangent ! J'aime mieux rire de leurs souffrances que d'avoir à pleurer sur les miennes. Je défie un homme de me causer la moindre peine.

— Qu'as-tu donc souffert pour penser ainsi ? demanda Raphaël.

— J'ai été quittée pour un héritage, moi ! dit-elle en

prenant une pose qui fit ressortir toutes ses séductions.
Et cependant j'avais passé les nuits et les jours à
travailler pour nourrir mon amant ! Je ne veux plus
être la dupe d'aucun sourire, d'aucune promesse, et
je prétends faire de mon existence une longue partie
de plaisir.

— Mais, s'écria Raphaël, le bonheur ne vient-il
donc pas de l'âme ?

— Eh bien ! reprit Aquilina, n'est-ce rien que de
se voir admirée, flattée, de triompher de toutes les
femmes, même des plus vertueuses, en les écrasant
par notre beauté, par notre richesse ? D'ailleurs, nous
vivons plus en un jour qu'une bonne bourgeoise en
dix ans, et alors tout est jugé.

— Une femme sans vertu n'est-elle pas odieuse ? dit
Émile à Raphaël.

Euphrasie leur lança un regard de vipère et répondit avec un inimitable accent d'ironie :

— La vertu ! nous la laissons aux laides et aux
bossues. Que seraient-elles sans cela, les pauvres
femmes ?

— Allons, tais-toi ! s'écria Émile, ne parle point de
ce que tu ne connais pas.

— Ah ! je ne la connais pas ! répliqua Euphrasie.
Se donner pendant toute la vie à un être détesté,
savoir élever des enfants qui vous abandonnent, et
leur dire : « Merci ! » quand ils vous frappent au cœur ;
voilà les vertus que vous ordonnez à la femme ; et
encore, pour la récompenser de son abnégation, venez-
vous lui imposer des souffrances en cherchant à la

séduire ; si elle résiste, vous la compromettez. Jolie vie ! Autant rester libres, aimer ceux qui nous plaisent et mourir jeunes.

— Ne crains-tu pas de payer tout cela un jour ?

— Eh bien ! répondit-elle, au lieu d'entremêler mes plaisirs de chagrins, ma vie sera coupée en deux parts : une jeunesse certainement joyeuse, et je ne sais quelle vieillesse incertaine pendant laquelle je souffrirai tout à mon aise.

— Elle n'a pas aimé, dit Aquilina d'un son de voix profond. Elle n'a jamais fait cent lieues pour aller dévorer avec mille délices un regard et un refus ; elle n'a point attaché sa vie à un cheveu, ni essayé de poignarder plusieurs hommes pour sauver son souverain, son seigneur, son Dieu. Pour elle, l'amour était un joli colonel.

— Eh ! Eh ! *la Rochelle*, répondit Euphrasie, l'amour est comme le vent, nous ne savons d'où il vient. D'ailleurs, si tu avais été bien aimée par une bête, tu prendrais les gens d'esprit en horreur.

— Le Code nous défend d'aimer les bêtes, répliqua la grande Aquilina d'un accent ironique.

— Je te croyais plus indulgente pour les militaires ! s'écria Euphrasie en riant.

— Sont-elles heureuses de pouvoir abdiquer ainsi leur raison ! s'écria Raphaël.

— Heureuses ? dit Aquilina souriant de pitié, de terreur, en jetant aux deux amis un horrible regard. Ah ! vous ignorez ce que c'est que d'être condamnée au plaisir avec un mort dans le cœur...

Contempler en ce moment les salons, c'était avoir
une vue anticipée du Pandémonium de Milton. Les
flammes bleues du punch coloraient d'une teinte
infernale les visages de ceux qui pouvaient boire
encore. Des danses folles, animées par une sauvage
énergie, excitaient des rires et des cris qui éclataient
comme les détonations d'un feu d'artifice. Jonchés de
morts et de mourants, le boudoir et un petit salon
offraient l'image d'un champ de bataille. L'atmosphère
était chaude de vin, de plaisirs et de paroles. L'ivresse,
l'amour, le délire, l'oubli du monde, étaient dans les
cœurs, sur les visages, écrits sur les tapis, exprimés
par le désordre, et jetaient sur tous les regards de
légers voiles qui faisaient voir dans l'air des vapeurs
enivrantes. Il s'était ému, comme dans les bandes
lumineuses tracées par un rayon de soleil, une poussière brillante à travers laquelle se jouaient les formes
les plus capricieuses, les luttes les plus grotesques.
Çà et là des groupes de figures enlacées se confondaient
avec les marbres blancs, nobles chefs-d'œuvre de la
sculpture qui ornaient les appartements. Quoique
les deux amis conservassent encore une sorte de
lucidité trompeuse dans les idées et dans leurs organes,
un dernier frémissement, simulacre imparfait de la
vie, il leur était impossible de reconnaître ce qu'il y
avait de réel dans les fantaisies bizarres, de possible
dans les tableaux surnaturels qui passaient incessamment devant leurs yeux lassés. Le ciel étouffant de
nos rêves, l'ardente suavité que contractent les figures
dans nos visions, surtout je ne sais quelle agilité

chargée de chaînes, enfin les phénomènes les plus inaccoutumés du sommeil les assaillaient si vivement qu'ils prirent les jeux de cette débauche pour les caprices d'un cauchemar où le mouvement est sans bruit, où les cris sont perdus pour l'oreille. En ce moment le valet de chambre de confiance réussit, non sans peine, à attirer son maître dans l'antichambre et lui dit à l'oreille :

— Monsieur, tous les voisins sont aux fenêtres et se plaignent du tapage.

— S'ils ont peur du bruit, ne peuvent-ils pas faire mettre de la paille devant leurs portes ? s'écria Taillefer.

Raphaël laissa tout à coup échapper un éclat de rire si brusquement intempestif que son ami lui demanda compte de cette joie brutale.

— Tu me comprendrais difficilement, répondit-il. D'abord, il faudrait t'avouer que vous m'avez arrêté sur le quai Voltaire au moment où j'allais me jeter dans la Seine, et tu voudrais sans doute connaître les motifs de ma mort. Mais, quand j'ajouterais que, par un hasard presque fabuleux, les ruines les plus poétiques du monde matériel venaient alors de se résumer à mes yeux par une traduction symbolique de la sagesse humaine ; tandis qu'en ce moment les débris de tous les trésors intellectuels que nous avons saccagés à table aboutissent à ces deux femmes, images vives et originales de la folie, et que notre profonde insouciance des hommes et des choses a servi de transition aux tableaux fortement colorés de

deux systèmes d'existence si diamétralement opposés,
en seras-tu plus instruit ? Si tu n'étais pas ivre, tu y
verrais peut-être un traité de philosophie.

— Si tu n'avais pas les deux pieds sur cette ravissante Aquilina, dont les ronflements ont je ne sais
quelle analogie avec le rugissement d'un orage près
d'éclater, répondit Émile, qui lui-même s'amusait à
rouler et à dérouler les cheveux d'Euphrasie sans trop
avoir la conscience de cette innocente occupation, tu
rougirais de ton ivresse et de ton bavardage. Tes deux
systèmes peuvent entrer dans une seule phrase et se
réduisent à une pensée. La vie simple et mécanique
conduit à quelque sagesse insensée en étouffant notre
intelligence par le travail ; tandis que la vie passée
dans le vide des abstractions ou dans les abîmes du
monde moral mène à quelque folle sagesse. En un
mot, tuer les sentiments pour vivre vieux, ou mourir
jeune en acceptant le martyre des passions, voilà notre
arrêt. Encore, cette sentence lutte-t-elle avec les
tempéraments que nous a donnés le rude goguenard à
qui nous devons le patron de toutes les créatures.

— Imbécile ! s'écria Raphaël en l'interrompant.
Continue à t'abréger toi-même ainsi, tu feras des
volumes ! Si j'avais eu la prétention de formuler
proprement ces deux idées, je t'aurais dit que l'homme
se corrompt par l'exercice de la raison et se purifie
par l'ignorance. C'est faire le procès aux sociétés !
Mais que nous vivions avec les sages ou que nous
périssions avec les fous, le résultat n'est-il pas, tôt ou
tard, le même ? Aussi le grand abstracteur de quintes-

sence a-t-il jadis exprimé ces deux systèmes en deux mots : CARYMARY, CARYMARA.

— Tu me fais douter de la puissance de Dieu, car tu es plus bête qu'il n'est puissant, répliqua Émile Notre cher Rabelais a résolu cette philosophie par un mot plus bref que *Carymary, Carymara ;* c'est *Peut-être,* d'où Montaigne a pris son *Que sais-je ?* Encore ces derniers mots de la science morale ne sont-ils guère que l'exclamation de Pyrrhon restant entre le bien et le mal, comme l'âne de Buridan entre deux mesures d'avoine. Mais laissons là cette éternelle discussion qui aboutit aujourd'hui à *oui* et *non.* Quelle expérience voulais-tu donc faire en te jetant dans la Seine ? étais-tu jaloux de la machine hydraulique du pont Notre-Dame ?

— Ah ! si tu connaissais ma vie.

— Ah ! s'écria Émile, je ne te croyais pas si vulgaire, la phrase est usée. Ne sais-tu pas que nous avons tous la prétention de souffrir beaucoup plus que les autres ?

— Ah !... soupira Raphaël.

— Mais tu es bouffon avec ton *Ah !* Voyons : une maladie d'âme ou de corps t'oblige-t-elle de ramener tous les matins, par une contraction de tes muscles, les chevaux qui le soir doivent t'écarteler, comme jadis le fit Damiens ? As-tu mangé ton chien tout cru, sans sel, dans ta mansarde ? Tes enfants t'ont-ils jamais dit : « J'ai faim ? » As-tu vendu les cheveux de ta maîtresse pour aller au jeu ? Es-tu jamais allé payer à un faux domicile une fausse lettre de change, tirée sur un faux oncle, avec la crainte d'arriver trop tard ?

Voyons, j'écoute ! Si tu te jetais à l'eau pour une femme, pour un protêt ou par ennui, je te renie. Confesse-toi, ne mens pas ; je ne te demande point de mémoires historiques. Surtout sois aussi bref que ton ivresse te le permettra ; je suis exigeant comme un lecteur, et près de dormir comme une femme qui lit ses vêpres.

— Pauvre sot ! dit Raphaël. Depuis quand les douleurs ne sont-elles plus en raison de la sensibilité ? Lorsque nous arriverons au degré de science qui nous permettra de faire une histoire naturelle des cœurs, de les nommer, de les classer en genres, en sous-genres, en familles, en crustacés, en fossiles, en sauriens, en microscopiques, en..., que sais-je ? alors, mon bon ami, ce sera chose prouvée qu'il en existe de tendres, de délicats comme des fleurs, et qui doivent se briser comme elles par de légers froissements auxquels certains cœurs minéraux ne sont même pas sensibles...

— Oh ! de grâce, épargne-moi ta préface, dit Émile d'un air moitié riant, moitié piteux, en prenant la main de Raphaël.

## LA FEMME SANS CŒUR

APRÈS être resté silencieux pendant un moment, Raphaël dit en laissant échapper un geste d'insouciance :

— Je ne sais, en vérité, s'il ne faut pas attribuer

aux fumées du vin et du punch l'espèce de lucidité qui me permet d'embrasser en cet instant toute ma vie comme un même tableau où les figures, les couleurs, les ombres, les lumières, les demi-teintes sont fidèlement rendues. Ce jeu poétique de mon imagination ne m'étonnerait pas, s'il n'était accompagné d'une sorte de dédain pour mes souffrances et pour mes joies passées. Vue à distance, ma vie est comme rétrécie par un phénomène moral. Cette longue et lente douleur qui a duré dix ans peut aujourd'hui se reproduire par quelques phrases dans lesquelles la douleur ne sera plus qu'une pensée et le plaisir une réflexion philosophique. Je juge au lieu de sentir...

— Tu es ennuyeux comme un amendement qui se développe, s'écria Émile.

— C'est possible, reprit Raphaël sans murmurer. Aussi pour ne pas abuser de tes oreilles, te ferai-je grâce des dix-sept premières années de ma vie. Jusque-là, j'ai vécu comme toi, comme mille autres, de cette vie de collège ou de lycée dont les malheurs fictifs et les joies réelles sont les délices de notre souvenir, à laquelle notre gastronomie blasée redemande les légumes du vendredi, tant que nous ne les avons pas goûtés de nouveau : belle vie, dont les travaux nous semblent méprisables et qui cependant nous ont appris le travail...

— Arrive au drame, dit Émile d'un air moitié comique et moitié plaintif.

— Quand je sortis du collège, reprit Raphaël en réclamant par un geste le droit de continuer, mon

père m'astreignit à une discipline sévère, il me logea
dans une chambre contiguë à son cabinet ; je me
couchais dès neuf heures du soir et me levais à cinq
heures du matin ; il voulait que je fisse mon droit en
conscience ; j'allais en même temps à l'École et chez
un avoué ; mais les lois du temps et de l'espace étaient
si sévèrement appliquées à mes courses, à mes travaux,
et mon père me demandait en dînant un compte si
rigoureux de...

— Qu'est-ce que cela me fait ? interrompit Émile.

— Eh ! que le diable t'emporte ! répondit Raphaël.
Comment pourras-tu concevoir mes sentiments, si je
ne te raconte les faits imperceptibles qui influèrent
sur mon âme, la façonnèrent à la crainte et me laissèrent
longtemps dans la naïveté primitive du jeune homme ?
Ainsi, jusqu'à vingt et un ans, j'ai été courbé sous un
despotisme aussi froid que celui d'une règle monacale.
Pour te révéler les tristesses de ma vie, il suffira peut-
être de te dépeindre mon père : un homme grand, sec
et mince, le visage en lame de couteau, le teint pâle,
à parole brève, taquin comme une vieille fille, méticu-
leux comme un chef de bureau. Sa paternité planait
au-dessus de mes lutines et joyeuses pensées, et les
enfermait comme sous un dôme de plomb ; si je voulais
lui manifester un sentiment doux et tendre, il me
recevait en enfant qui va dire une sottise ; je le
redoutais bien plus que nous ne craignions naguère
nos maîtres d'études, j'avais toujours huit ans pour
lui. Je crois encore le voir devant moi. Dans sa
redingote marron, où il se tenait droit comme un

cierge pascal, il avait l'air d'un hareng saur enveloppé
dans la couverture rougeâtre d'un pamphlet. Cependant j'aimais mon père : au fond il était juste. Peut-
être ne haïssons-nous pas la sévérité, quand elle est
justifiée par un grand caractère, par des mœurs pures,
et qu'elle est adroitement entremêlée de bonté. Si mon
père ne me quitta jamais, si, jusqu'à l'âge de vingt ans,
il ne laissa pas dix francs à ma disposition, dix coquins,
dix libertins de francs, trésor immense dont la possession vainement enviée me faisait rêver d'ineffables
délices, il cherchait du moins à me procurer quelques
distractions. Après m'avoir promis un plaisir pendant
des mois entiers, il me conduisait aux Bouffons, à un
concert, à un bal où j'espérais rencontrer une maîtresse.
Une maîtresse ! c'était pour moi l'indépendance. Mais,
honteux et timide, ne sachant point l'idiome des salons
et n'y connaissant personne, j'en revenais le cœur
toujours aussi neuf et tout aussi gonflé de désirs.
Puis, le lendemain, bridé comme un cheval d'escadron
par mon père, dès le matin je retournais chez mon
avoué, au droit, au Palais. Vouloir m'écarter de la
route uniforme que mon père m'avait tracée, c'eût
été m'exposer à sa colère ; il m'avait menacé de
m'embarquer à ma première faute, en qualité de
mousse, pour les Antilles. Aussi me prenait-il un
horrible frisson quand par hasard j'osais m'aventurer,
pendant une heure ou deux, dans quelque partie de
plaisir. Figure-toi l'imagination la plus vagabonde, le
cœur le plus amoureux, l'âme la plus tendre, l'esprit
le plus poétique, sans cesse en présence de l'homme

le plus caillouteux, le plus atrabilaire, le plus froid
du monde ; enfin marie une jeune fille à un squelette,
et tu comprendras l'existence dont les scènes curieuses
ne peuvent que t'être dites : projets de fuite évanouis
à l'aspect de mon père, désespoirs calmés par le
sommeil, désirs comprimés, sombres mélancolies
dissipées par la musique. J'exhalais mon malheur en
mélodies. Beethoven ou Mozart furent souvent mes
discrets confidents. Aujourd'hui, je souris en me
souvenant de tous les préjugés qui troublaient ma
conscience à cette époque d'innocence et de vertu :
si j'avais mis le pied chez un restaurateur, je me
serais cru ruiné ; mon imagination me faisait considérer un café comme un lieu de débauche, où les
hommes se perdaient d'honneur et engageaient leur
fortune ; quant à risquer de l'argent au jeu, il aurait
fallu en avoir. Oh ! quand je devrais t'endormir, je
veux te raconter l'une des plus terribles joies de ma
vie, une de ces joies armées de griffes et qui s'enfoncent
dans notre cœur comme un fer chaud sur l'épaule
d'un forçat. J'étais au bal chez le duc de Navarreins,
cousin de mon père. Mais, pour que tu puisses parfaitement comprendre ma position, apprends que j'avais
un habit râpé, des souliers mal faits, une cravate de
cocher et des gants déjà portés. Je me mis dans un
coin afin de pouvoir tout à mon aise prendre des
glaces et contempler les jolies femmes. Mon père
m'aperçut. Par une raison que je n'ai jamais devinée,
tant cet acte de confiance m'abasourdit, il me donna
sa bourse et ses clefs à garder. A dix pas de moi,

quelques hommes jouaient. J'entendais frétiller l'or.
J'avais vingt ans, je souhaitais passer une journée
entière plongé dans les crimes de mon âge. C'était un
libertinage d'esprit dont l'analogue ne se trouverait ni
dans les caprices des courtisanes, ni dans les songes
des jeunes filles. Depuis un an, je me rêvais bien mis,
en voiture, ayant une belle femme à mes côtés, tranchant du seigneur, dînant chez Véry, allant le soir au
spectacle, décidé à ne revenir que le lendemain chez
mon père, mais armé contre lui d'une aventure plus
intriguée que ne l'est *le Mariage de Figaro,* et de
laquelle il lui aurait été impossible de se dépêtrer.
J'avais estimé toute cette joie cinquante écus. N'étais-
je pas encore sous le charme naïf de l'école buisson-
nière ? J'allai donc dans un boudoir où, seul, les yeux
cuisants, les doigts tremblants, je comptai l'argent de
mon père : cent écus ! Évoquées par cette somme,
les joies de mon escapade apparurent devant moi,
dansant somme les sorcières de Macbeth autour de leur
chaudière, mais alléchantes, frémissantes, délicieuses !
Je devins un coquin déterminé. Sans écouter ni les
tintements de mon oreille, ni les battements précipités
de mon cœur, je pris deux pièces de vingt francs que
je vois encore ! Leurs millésimes étaient effacés et la
figure de Bonaparte y grimaçait. Après avoir mis la
bourse dans ma poche, je revins vers une table de jeu
en tenant les deux pièces d'or dans la paume humide
de ma main, et je rôdai autour des joueurs comme un
émouchet au-dessus d'un poulailler. En proie à des
angoisses inexprimables, je jetai soudain un regard

translucide autour de moi. Certain de n'être aperçu
par aucune personne de connaissance, je pariai pour
un petit homme gras et réjoui, sur la tête duquel
j'accumulai plus de prières et de vœux qu'il ne s'en
fait en mer pendant trois tempêtes. Puis, avec un
instinct de scélératesse ou de machiavélisme surprenant à mon âge, j'allai me planter près d'une porte,
regardant à travers les salons sans y rien voir. Mon
âme et mes yeux voltigeaient autour du fatal tapis
vert. De cette soirée date la première observation
physiologique à laquelle j'ai dû cette espèce de pénétration qui m'a permis de saisir quelques mystères
de notre double nature. Je tournais le dos à la table
où se disputait mon futur bonheur, bonheur d'autant
plus profond peut-être qu'il était criminel ; entre les
deux joueurs et moi, il se trouvait une haie d'hommes,
épaisse de quatre ou cinq rangées de causeurs ; le
bourdonnement des voix empêchait de distinguer le
son de l'or qui se mêlait au bruit de l'orchestre ;
malgré tous ces obstacles, par un privilège accordé
aux passions qui leur donne le pouvoir d'anéantir
l'espace et le temps, j'entendais distinctement les
paroles des deux joueurs, je connaissais leurs points,
je savais celui des deux qui retournait le roi comme
si j'eusse vu les cartes ; enfin, à dix pas du jeu, je
pâlissais de ses caprices. Mon père passa devant moi
tout à coup, je compris alors cette parole de l'Écriture :
« L'esprit de Dieu passa devant sa face ! » J'avais
gagné. A travers le tourbillon d'hommes qui gravitait
autour des joueurs, j'accourus à la table en m'y glissant

avec la dextérité d'une anguille qui s'échappe par la maille rompue d'un filet. De douloureuses mes fibres devinrent joyeuses. J'étais comme un condamné qui, marchant au supplice, a rencontré le roi. Par hasard un homme décoré réclama quarante francs qui manquaient. Je fus soupçonné par des yeux inquiets, je pâlis et des gouttes de sueur sillonnèrent mon front. Le crime d'avoir volé mon père me parut bien vengé. Le bon gros petit homme dit alors d'une voix certainement angélique : « Tous ces messieurs avaient mis », et il paya les quarante francs. Je relevai mon front et jetai des regards triomphants sur les joueurs. Après avoir réintégré dans la bourse de mon père l'or que j'y avais pris, je laissai mon gain à ce digne et honnête monsieur, qui continua de gagner. Dès que je me vis possesseur de cent soixante francs, je les enveloppai dans mon mouchoir de manière qu'ils ne pussent ni remuer ni sonner pendant notre retour au logis, et je ne jouai plus.

« — Que faisiez-vous au jeu ? me dit mon père en entrant dans le fiacre.

« — Je regardais, répondis-je en tremblant.

« — Mais, reprit mon père, il n'y aurait eu rien d'extraordinaire à ce que vous eussiez été forcé, par amour-propre, à mettre quelque argent sur le tapis. Aux yeux des gens du monde, vous paraissez assez âgé pour avoir le droit de commettre des sottises. Aussi vous excuserais-je, Raphaël, si vous vous étiez servi de ma bourse...

« Je ne répondis rien. Quand nous fûmes de retour,

je rendis à mon père ses clefs et son argent. En rentrant dans sa chambre, il vida la bourse sur sa cheminée, compta l'or, se tourna vers moi d'un air assez gracieux, et me dit en séparant chaque phrase par une pause plus ou moins longue et significative :

« — Mon fils, vous avez bientôt vingt ans. Je suis content de vous. Il vous faut une pension, ne fût-ce que pour vous apprendre à économiser, à connaître les choses de la vie. Dès ce soir, je vous donnerai cent francs par mois. Vous disposerez de votre argent comme il vous plaira. Voici le premier trimestre de cette année, ajouta-t-il en caressant une pile d'or, comme pour vérifier la somme.

« J'avoue que je fus près de me jeter à ses pieds, de lui déclarer que j'étais un brigand, un infâme, et, pis que cela, un menteur ! La honte me retint. J'allais l'embrasser, il me repoussa faiblement.

« — Maintenant, tu es un homme, *mon enfant*, me dit-il. Ce que je fais est une chose simple et juste dont tu ne dois pas me remercier. Si j'ai droit à votre reconnaissance, Raphaël, reprit-il d'un ton doux, mais plein de dignité, c'est pour avoir préservé votre jeunesse des malheurs qui dévorent tous les jeunes gens à Paris. Désormais nous serons deux amis. Vous deviendrez, dans un an, docteur en droit. Vous avez, non sans quelques déplaisirs et certaines privations, acquis les connaissances solides et l'amour du travail, si nécessaires aux hommes appelés à manier les affaires. Apprenez, Raphaël, à me connaître. Je ne veux faire de vous ni un avocat, ni un notaire, mais un homme d'État qui puisse devenir la gloire de notre pauvre maison... A demain ! ajouta-t-il en me renvoyant par un geste mystérieux.

« Dès ce jour, mon père m'initia franchement à ses projets. J'étais fils unique et j'avais perdu ma mère depuis dix ans. Autrefois, peu flatté d'avoir le droit de labourer la terre l'épée au côté, mon père, chef d'une maison historique à peu près oubliée en Auvergne, vint à Paris pour y lutter avec le diable. Doué de cette finesse qui rend les hommes du midi de la France si supérieurs, quand elle se trouve accompagnée d'énergie, il était parvenu sans grand appui à prendre position au cœur même du pouvoir. La Révolution renversa bientôt sa fortune ; mais il avait su épouser l'héritière d'une grande maison et s'était vu, sous l'Empire, au moment de restituer à notre famille son ancienne splendeur. La Restauration, qui rendit à ma mère des biens considérables, ruina mon père. Ayant jadis acheté plusieurs terres données par l'empereur à ses généraux et situées en pays étranger, il se battait depuis dix ans avec des liquidateurs et des diplomates, avec les tribunaux prussiens et bavarois pour se maintenir dans la possession contestée de ces malheureuses dotations. Mon père me jeta dans le labyrinthe inextricable de ce vaste procès d'où dépendait notre avenir. Nous pouvions être condamnés à restituer les revenus, ainsi que le prix de certaines coupes de bois faites de 1814 à 1817 ; dans ce cas, le bien de ma mère eût à peine suffi pour sauver l'honneur de notre nom. Ainsi le jour où mon

père parut en quelque sorte m'avoir émancipé, je
tombai sous le joug le plus odieux. Je dus combattre
comme sur un champ de bataille, travailler nuit et
jour, aller voir des hommes d'État, tâcher de surprendre leur religion, tenter de les intéresser à notre
affaire, les séduire, eux, leurs femmes, leurs valets,
leurs chiens, et déguiser cet horrible métier sous des
formes élégantes, sous d'agréables plaisanteries. Je
compris tous les chagrins dont l'empreinte flétrissait
la figure de mon père. Pendant une année environ je
menai donc en apparence la vie d'un homme du
monde, mais cette dissipation et mon empressement
à me lier avec des parents en faveur ou avec des gens
qui pouvaient nous être utiles cachaient d'immenses
travaux. Mes divertissements étaient encore des plai-
doiries et mes conversations des mémoires. Jusque-
là, j'avais été vertueux par l'impossibilité de me livrer
à mes passions de jeune homme ; mais, craignant alors
de causer la ruine de mon père ou la mienne par une
négligence, je devins mon propre despote, et n'osai
me permettre ni un plaisir ni une dépense. Lorsque
nous sommes jeunes, quand à force de froissements
les hommes et les choses ne nous ont point encore
enlevé cette délicate fleur de sentiment, cette verdeur
de pensée, cette noble pureté de conscience qui ne
nous laisse jamais transiger avec le mal, nous sentons
vivement nos devoirs ; notre honneur parle haut et se
fait écouter ; nous sommes francs et sans détour ;
ainsi étais-je alors. Je voulus justifier la confiance de
mon père ; naguère je lui aurais dérobé délicieusement

une chétive somme ; mais, portant avec lui le fardeau de ses affaires, de son nom, de sa maison, je lui eusse donné secrètement mes biens, mes espérances, comme je lui sacrifiais mes plaisirs, heureux même de mon sacrifice ! Aussi, quand M. de Villèle exhuma, tout exprès pour nous, un décret impérial sur les déchéances et nous eut ruinés, signai-je la vente de mes propriétés, n'en gardant qu'une île sans valeur, située au milieu de la Loire et où se trouvait le tombeau de ma mère. Aujourd'hui, peut-être, les arguments, les détours, les discussions philosophiques, philanthropiques et politiques ne me manqueraient pas pour me dispenser de faire ce que mon avoué nommait une *bêtise ;* mais, à vingt et un ans, nous sommes, je le répète, tout générosité, tout chaleur, tout amour. Les larmes que je vis dans les yeux de mon père furent alors pour moi la plus belle des fortunes, et le souvenir de ces larmes a souvent consolé ma misère. Dix mois après avoir payé ses créanciers, mon père mourut de chagrin ; il m'adorait et m'avait ruiné ! cette idée le tua. En 1826, à l'âge de vingt-deux ans, vers la fin de l'automne, je suivis tout seul le convoi de mon premier ami, de mon père. Peu de jeunes gens se sont trouvés seuls avec leurs pensées, derrière un corbillard, perdus dans Paris, sans avenir, sans fortune. Les orphelins recueillis par la charité publique ont au moins pour avenir le champ de bataille, pour père le gouvernement ou le procureur du roi, pour refuge un hospice. Moi, je n'avais rien ! Trois mois après, un commissaire priseur me remit onze cent douze francs, produit net et liquide de la succession paternelle. Des créanciers m'avaient obligé à vendre notre mobilier. Accoutumé dès ma jeunesse à donner une grande valeur aux objets de luxe dont j'étais entouré, je ne pus m'empêcher de marquer une sorte d'étonnement à l'aspect de ce reliquat exigu.

« — Oh ! me dit le commissaire priseur, tout cela était bien *rococo !*

« Mot épouvantable, qui flétrissait toutes les religions de mon enfance et me dépouillait de mes premières illusions, les plus chères de toutes. Ma fortune se résumait par un bordereau de vente, mon avenir gisait dans un sac de toile qui contenait onze cent douze francs, la société m'apparaissait en la personne d'un huissier priseur qui me parlait le chapeau sur la tête... Un valet de chambre qui me chérissait, et à qui ma mère avait jadis constitué quatre cents francs de rente viagère, Jonathas, me dit en quittant la maison d'où j'étais si souvent sorti joyeusement en voiture pendant mon enfance :

« — Soyez bien économe, monsieur Raphaël !

« Il pleurait, le bonhomme.

« Tels sont, mon cher Émile, les événements qui maîtrisèrent ma destinée, modifièrent mon âme et me placèrent jeune encore dans la plus fausse de toutes les situations sociales, dit Raphaël après avoir fait une pause. Des liens de famille, mais faibles, m'attachaient à quelques maisons riches dont l'accès m'eût été interdit par ma fierté, si le mépris et l'indifférence ne m'en eussent déjà fermé les portes. Quoique parent

de personnes très influentes et prodigues de leur protection pour des étrangers, je n'avais ni parents ni
protecteurs. Sans cesse arrêtée dans ses expansions,
mon âme s'était repliée sur elle-même. Plein de
franchise et de naturel, je devais paraître froid, dissi-
mulé ; le despotisme de mon père m'avait ôté toute
confiance en moi ; j'étais timide et gauche, je ne croyais
pas que ma voix pût exercer le moindre empire, je me
déplaisais, je me trouvais laid, j'avais honte de mon
regard. Malgré la voix intérieure qui doit soutenir les
hommes de talent dans leurs luttes et qui me criait :
« Courage ! marche ! » malgré les révélations soudaines
de ma puissance dans la solitude, malgré l'espoir dont
j'étais animé en comparant les ouvrages nouveaux
admirés du public à ceux qui voltigeaient dans ma
pensée, je doutais de moi comme un enfant. J'étais la
proie d'une excessive ambition, je me croyais destiné
à de grandes choses, et je me sentais dans le néant.
J'avais besoin des hommes, et je me trouvais sans
amis. Je devais me frayer une route dans le monde, et
j'y restais seul, moins craintif que honteux. Pendant
l'année où je fus jeté par mon père dans le tourbillon de
la grande société, j'y vins avec un cœur neuf, avec une
âme fraîche. Comme tous les grands enfants, j'aspirai
secrètement à de belles amours. Je rencontrai parmi
les jeunes gens de mon âge une secte de fanfarons
qui allaient tête levée, disant des riens, s'asseyant
sans trembler près des femmes qui me semblaient
les plus imposantes, débitant des impertinences, mâ-
chant le bout de leur canne, minaudant, se prostituant

à eux-mêmes les plus jolies personnes, mettant ou
prétendant avoir mis leur tête sur tous les oreillers,
ayant l'air d'être au refus du plaisir, considérant les
plus vertueuses, les plus prudes comme de prise facile
et pouvant être conquises à la simple parole, au
moindre geste hardi, par le premier regard insolent !
Je te le déclare en mon âme et conscience, la conquête
du pouvoir ou d'une grande renommée littéraire me
paraissait un triomphe moins difficile à obtenir qu'un
succès auprès d'une femme de haut rang, jeune,
spirituelle et gracieuse. Je trouvai donc les troubles
de mon cœur, mes sentiments, mes cultes en désaccord
avec les maximes de la société. J'avais de la hardiesse,
mais dans l'âme seulement, et non dans les manières.
J'ai su plus tard que les femmes ne voulaient pas être
mendiées ; j'en ai beaucoup vu que j'adorais de loin,
auxquelles je livrais un cœur à toute épreuve, une
âme à déchirer, une énergie qui ne s'effrayait ni des
sacrifices, ni des tortures : elles appartenaient à des
sots de qui je n'aurais pas voulu pour portiers. Combien de fois, muet, immobile, n'ai-je pas admiré la
femme de mes rêves, surgissant dans un bal ; dévouant
alors en pensée mon existence à des caresses éternelles,
j'imprimais toutes mes espérances en un regard, et lui
offrais dans mon extase un amour de jeune homme qui
courait au-devant des tromperies. En certains moments, j'aurais donné ma vie pour une seule nuit. Eh
bien ! n'ayant jamais trouvé d'oreilles où jeter mes
propos passionnés, de regards où reposer les miens, de
cœur pour mon cœur, j'ai vécu dans tous les tour-

ments d'une impuissante énergie qui se dévorait elle-même, soit faute de hardiesse ou d'occasions, soit inexpérience. Peut-être ai-je désespéré de me faire comprendre, ou tremblé d'être trop compris. Et cependant j'avais un orage tout prêt à chaque regard poli que l'on pouvait m'adresser. Malgré ma promptitude à prendre ce regard ou des mots en apparence affectueux comme de tendres engagements, je n'ai jamais osé ni parler ni me taire à propos. A force de sentiment, ma parole était insignifiante et mon silence devenait stupide. J'avais, sans doute, trop de naïveté pour une société factice qui vit aux lumières, qui rend toutes ses pensées par des phrases convenues, ou par des mots que dicte la mode. Puis je ne savais point parler en me taisant, ni me taire en parlant. Enfin, gardant en moi des feux qui me brûlaient, ayant une âme semblable à celles que les femmes souhaitent de rencontrer, en proie à cette exaltation dont elles sont avides, possédant l'énergie dont se vantent les sots, toutes les femmes m'ont été traîtreusement cruelles. Aussi admirais-je naïvement les héros de coterie quand ils célébraient leurs triomphes, sans les soupçonner de mensonge. J'avais sans doute le tort de désirer un amour sur parole, de vouloir trouver grande et forte, dans un cœur de femme frivole et légère, affamée de luxe, ivre de vanité, cette passion large, cet océan qui battait tempétueusement dans mon cœur. Oh ! se sentir né pour aimer, pour rendre une femme bien heureuse, et n'avoir trouvé personne, pas même une courageuse et noble Marceline ou

quelque vieille marquise ! Porter des trésors dans une
besace, et ne pouvoir rencontrer une enfant, quelque
jeune fille curieuse pour les lui faire admirer ! J'ai
souvent voulu me tuer de désespoir.

— Joliment tragique ce soir ! s'écria Émile.

— Eh ! laisse-moi condamner ma vie, répondit
Raphaël. Si ton amitié n'a pas la force d'écouter mes
élégies, si tu ne peux me faire crédit d'une demi-heure
d'ennui, dors ! Mais ne me demande plus alors compte
de mon suicide qui gronde, qui se dresse, qui m'appelle
et que je salue. Pour juger un homme, au moins faut-il
être dans le secret de sa pensée, de ses malheurs, de
ses émotions ; ne vouloir connaître de sa vie que les
événements matériels, c'est faire de la chronologie,
l'histoire des sots !

Le ton amer avec lequel ces paroles furent prononcées frappa si vivement Émile que, dès ce moment,
il prêta toute son attention à Raphaël en le regardant
d'un air hébété.

— Mais, reprit le narrateur, maintenant la lueur
qui colore ces accidents leur prête un nouvel aspect.
L'ordre des choses que je considérais jadis comme un
malheur a peut-être engendré les belles facultés dont
plus tard je me suis enorgueilli. La curiosité philosophique, les travaux excessifs, l'amour de la lecture
qui, depuis l'âge de sept ans jusqu'à mon entrée dans
le monde, ont constamment occupé ma vie ne m'au-
raient-ils pas doué de la facile puissance avec laquelle,
s'il faut vous en croire, je sais rendre mes idées et
marcher en avant dans le vaste champ des connais-

sances humaines ? L'abandon auquel j'étais condamné,
l'habitude de refouler mes sentiments et de vivre dans
mon cœur ne m'ont-ils pas investi du pouvoir de
comparer, de méditer ? En ne se perdant pas au
service des irritations mondaines, qui rapetissent la
plus belle âme et la réduisent à l'état de guenille, ma
sensibilité ne s'est-elle pas concentrée pour devenir
l'organe perfectionné d'une volonté plus haute que
le vouloir de la passion ? Méconnu par les femmes,
je me souviens de les avoir observées avec la sagacité
de l'amour dédaigné. Maintenant je le vois, la
sincérité de mon caractère a dû déplaire ! Peut-être
les femmes veulent-elles un peu d'hypocrisie ? Moi qui
suis tour à tour, dans la même heure, homme et
enfant, futile et penseur, sans préjugés et plein de
superstitions, souvent femme comme elles, n'ont-elles
pas dû prendre ma naïveté pour du cynisme, et la
pureté même de ma pensée pour du libertinage ? La
science leur était ennui, la langueur féminine, faiblesse.
Cette excessive mobilité d'imagination, le malheur des
poètes, me faisait sans doute juger comme un être
incapable d'amour, sans constance dans les idées,
sans énergie. Idiot quand je me taisais, je les effarou-
chais peut-être quand j'essayais de leur plaire, et les
femmes m'ont condamné. J'ai accepté, dans les larmes
et le chagrin, l'arrêt porté par le monde. Cette peine
a produit son fruit. Je voulus me venger de la société,
je voulus posséder l'âme de toutes les femmes en me
soumettant les intelligences, et voir tous les regards
fixés sur moi quand mon nom serait prononcé par

un valet à la porte d'un salon. Je m'instituai grand
homme. Dès mon enfance je m'étais frappé le front
en me disant comme André Chénier : « Il y a quelque
chose là ! » Je croyais sentir en moi une pensée à
exprimer, un système à établir, une science à expliquer.
O mon cher Émile, aujourd'hui que j'ai vingt-six ans
à peine, que je suis sûr de mourir inconnu, sans avoir
jamais été l'amant de la femme que j'ai rêvé de
posséder, laisse-moi te conter mes folies ! N'avons-
nous pas tous, plus ou moins, pris nos désirs pour
des réalités ? Ah ! je ne voudrais point pour ami d'un
jeune homme qui dans ses rêves ne se serait pas tressé
des couronnes, construit quelque piédestal ou donné
de complaisantes maîtresses. Moi, j'ai souvent été
général, empereur ; j'ai été Byron, puis rien. Après
avoir joué sur le faîte des choses humaines, je m'apercevais que toutes les montagnes, toutes les difficultés
restaient à gravir. Cet immense amour-propre qui
bouillonnait en moi, cette croyance sublime à une
destinée, et qui devient du génie, peut-être, quand
un homme ne se laisse pas déchiqueter l'âme par le
contact des affaires aussi facilement qu'un mouton
abandonne sa laine aux épines des halliers où il passe,
tout cela me sauva. Je voulus me couvrir de gloire
et travailler dans le silence pour la maîtresse que
j'espérais avoir un jour. Toutes les femmes se résumaient par une seule, et cette femme, je croyais la
rencontrer dans la première qui s'offrait à mes regards ;
mais, voyant une reine dans chacune d'elles, toutes
devaient, comme les reines qui sont obligées de faire

des avances à leurs amants, venir au-devant de moi, souffreteux, pauvre et timide. Ah! pour celle qui m'eût plaint, j'avais dans le cœur tant de reconnaissance, outre l'amour, que je l'eusse adorée pendant toute sa vie. Plus tard, mes observations m'ont appris de cruelles vérités. Ainsi, mon cher Émile, je risquais de vivre éternellement seul. Les femmes sont habituées, par je ne sais quelle pente de leur esprit, à ne voir dans un homme de talent que ses défauts, et dans un sot que ses qualités; elles éprouvent de grandes sympathies pour les qualités du sot, qui sont une flatterie perpétuelle de leurs propres défauts, tandis que l'homme supérieur ne leur offre pas assez de jouissances pour compenser ses imperfections. Le talent est une fièvre intermittente, nulle femme n'est jalouse d'en partager seulement les malaises, toutes, elles veulent trouver dans leurs amants des motifs de satisfaire leur vanité. C'est elles encore qu'elles aiment en nous! Un homme pauvre, fier, artiste, doué du pouvoir de créer, n'est-il pas armé d'un blessant égoïsme? Il existe autour de lui je ne sais quel tourbillon de pensées dans lequel il enveloppe tout, même sa maîtresse, qui doit en suivre le mouvement. Une femme adulée peut-elle croire à l'amour d'un tel homme? ira-t-elle le chercher? Cet amant n'a pas le loisir de s'abandonner autour d'un divan à ces petites singeries de sensibilité auxquelles les femmes tiennent tant et qui sont le triomphe des gens faux et insensibles. Le temps manque à ses travaux, comment en dépenserait-il à se rapetisser, à se chamarrer? Prêt à

donner ma vie d'un coup, je ne l'aurais pas avilie en
détail. Enfin il existe, dans le manège d'un agent de
change qui fait les commissions d'une femme pâle et
minaudière, je ne sais quoi de mesquin dont a horreur
l'artiste. L'amour abstrait ne suffit pas à un homme
pauvre et grand, il en veut tous les dévouements. Les
petites créatures qui passent leur vie à essayer des
cachemires ou qui se font les portemanteaux de la
mode n'ont pas de dévouement, elles en exigent et
voient dans l'amour le plaisir de commander, non
celui d'obéir. La véritable épouse en cœur, en chair
et en os se laisse traîner là où va celui en qui résident
sa vie, sa force, sa gloire, son bonheur. Aux hommes
supérieurs, il faut des femmes orientales dont l'unique
pensée soit l'étude de leurs besoins ; car, pour eux,
le malheur est dans le désaccord de leurs désirs et des
moyens. Moi, qui me croyais homme de génie, j'aimais
précisément ces petites-maîtresses ! Nourrissant des
idées si contraires aux idées reçues, ayant la prétention
d'escalader le ciel sans échelle, possédant des trésors
qui n'avaient pas cours, armé de connaissances
étendues qui surchargeaient ma mémoire et que je
n'avais pas encore classées, que je ne m'étais point
assimilées ; me trouvant sans parents, sans amis, seul
au milieu du plus affreux désert, un désert pavé, un
désert animé, pensant, vivant, où tout vous est bien
plus qu'ennemi, indifférent ! la résolution que je pris
était naturelle, quoique folle ; elle comportait je ne
sais quoi d'impossible qui me donna du courage. Ce
fut comme un pari fait avec moi-même, et où j'étais

le joueur et l'enjeu. Voici mon plan. Mes onze cents francs devaient suffire à ma vie pendant trois ans, et je m'accordais ce temps pour mettre au jour un ouvrage qui pût attirer l'attention publique sur moi, me faire une fortune ou un nom. Je me réjouissais en pensant que j'allais vivre de pain et de lait, comme un solitaire de la Thébaïde, plongé dans le monde des livres et des idées, dans une sphère inaccessible au milieu de ce Paris si tumultueux, sphère de travail et de silence où, comme les chrysalides, je me bâtissais une tombe pour renaître brillant et glorieux. J'allais risquer de mourir pour vivre. En réduisant l'existence à ses vrais besoins, au strict nécessaire, je trouvais que trois cent soixante-cinq francs par an devaient suffire à ma pauvreté. En effet, cette maigre somme a satisfait à ma vie, tant que j'ai voulu subir ma propre discipline claustrale.

— C'est impossible ! s'écria Émile.

— J'ai vécu près de trois ans ainsi, répondit Raphaël avec une sorte de fierté. Comptons ! reprit-il. Trois sous de pain, deux sous de lait, trois sous de charcuterie m'empêchaient de mourir de faim et tenaient mon esprit dans un état de lucidité singulière. J'ai observé, tu le sais, de merveilleux effets produits par la diète sur l'imagination. Mon logement me coûtait trois sous par jour, je brûlais pour trois sous d'huile par nuit, je faisais moi-même ma chambre, je portais des chemises de flanelle pour ne dépenser que deux sous de blanchissage par jour. Je me chauffais avec du charbon de terre, dont le prix divisé par les jours de l'année n'a jamais donné plus de deux sous pour chacun. J'avais des habits, du linge, des chaussures pour trois années, je ne voulais m'habiller que pour aller à certains cours publics et aux bibliothèques. Ces dépenses réunies ne faisaient que dix-huit sous, il me restait deux sous pour les choses imprévues. Je ne me souviens pas d'avoir, pendant cette longue période de travail, passé le pont des Arts, ni d'avoir jamais acheté d'eau ; j'allais en chercher le matin à la fontaine de la place Saint-Michel, au coin de la rue des Grès. Oh ! je portais ma pauvreté fièrement. Un homme qui pressent un bel avenir marche dans sa vie de misère comme un innocent conduit au supplice, il n'a point honte. Je n'avais pas voulu prévoir la maladie. Comme Aquilina, j'envisageais l'hôpital sans terreur. Je n'ai pas douté un moment de ma bonne santé. D'ailleurs le pauvre ne doit se coucher que pour mourir. Je me coupai les cheveux jusqu'au moment où un ange d'amour ou de bonté... Mais je ne veux pas anticiper sur la situation à laquelle j'arrive. Apprends seulement, mon cher ami, qu'à défaut de maîtresse, je vécus avec une grande pensée, avec un rêve, un mensonge auquel nous commençons tous par croire plus ou moins. Aujourd'hui, je ris de moi, de ce *moi*, peut-être saint et sublime, qui n'existe plus. La société, le monde, nos usages, nos mœurs, vus de près, m'ont révélé le danger de ma croyance innocente et la superfluité de mes fervents travaux. Ces approvisionnements sont inutiles à l'ambitieux. Que léger soit le bagage de qui poursuit la fortune !

La faute des hommes supérieurs est de dépenser leurs
jeunes années à se rendre dignes de la faveur. Pendant
que les pauvres gens thésaurisent et leur force et la
science pour porter sans effort le poids d'une puissance
qui les fuit, les intrigants, riches de mots et dépourvus
d'idées, vont et viennent, surprennent les sots et se
logent dans la confiance des demi-niais ; les uns
étudient, les autres marchent ; les uns sont modestes,
les autres hardis ; l'homme de génie tait son orgueil,
l'intrigant arbore le sien, il doit arriver nécessairement.
Les hommes du pouvoir ont si fort besoin de croire
au mérite tout fait, au talent effronté, qu'il y a chez
le vrai savant de l'enfantillage à espérer les récompenses
humaines. Je ne cherche certes pas à paraphraser les
lieux communs de la vertu, le Cantique des cantiques
éternellement chanté par les génies méconnus : je
veux déduire logiquement la raison des fréquents
succès obtenus par les hommes médiocres. Hélas !
l'étude est si maternellement bonne, qu'il y a peut-
être crime à lui demander des récompenses autres que
les pures et douces joies dont elle nourrit ses enfants.
Je me souviens d'avoir quelquefois trempé gaiement
mon pain dans mon lait, assis auprès de ma fenêtre
en y respirant l'air, en laissant planer mes yeux sur un
paysage de toits bruns, grisâtres, rouges, en ardoises,
en tuiles, couverts de mousses jaunes ou vertes. Si
d'abord cette vue me parut monotone, j'y découvris
bientôt de singulières beautés. Tantôt, le soir, des
raies lumineuses, parties des volets mal fermés,
nuançaient et animaient les noires profondeurs de ce

pays original. Tantôt les lueurs pâles des réverbères
projetaient d'en bas des reflets jaunâtres à travers le
brouillard et accusaient faiblement dans les rues les
ondulations de ces toits pressés, océan de vagues
immobiles. Enfin, parfois, de rares figures apparaissaient au milieu de ce morne désert ; parmi les fleurs
de quelque jardin aérien, j'entrevoyais le profil
anguleux et crochu d'une vieille femme arrosant des
capucines, ou dans le cadre d'une lucarne pourrie
quelque jeune fille faisant sa toilette, se croyant seule,
et de qui je ne pouvais apercevoir que le beau front
et les longs cheveux elevés en l'air par un joli bras
blanc. J'admirais dans les gouttières quelques végéta-
tions éphémères, pauvres herbes bientôt emportées
par un orage ! J'étudiais les mousses, leurs couleurs
ravivées par la pluie, et qui sous le soleil se changeaient en un velours sec et brun à reflets capricieux.
Enfin les poétiques et fugitifs effets du jour, les
tristesses du brouillard, les soudains pétillements du
soleil, le silence et les magies de la nuit, les mystères
de l'aurore, les fumées de chaque cheminée, tous les
accidents de cette singulière nature, devenus familiers
pour moi, me divertissaient. J'aimais ma prison, elle
était volontaire. Ces savanes de Paris formées par des
toits nivelés comme une plaine, mais qui couvraient
des abîmes peuplés, allaient à mon âme et s'harmonisaient avec mes pensées. Il est fatigant de retrouver
brusquement le monde quand nous descendons des
hauteurs célestes où nous entraînent les méditations
scientifiques ; aussi ai-je alors parfaitement conçu la

nudité des monastères. Quand je fus bien résolu à
suivre mon nouveau plan de vie, je cherchai mon
logis dans les quartiers les plus déserts de Paris. Un
soir, en revenant de l'Estrapade, je passais par la
rue des Cordiers pour retourner chez moi. A l'angle
de la rue de Cluny, je vis une petite fille d'environ
quatorze ans qui jouait au volant avec une de ses
camarades, et dont les rires et les espiègleries amusaient
les voisins. Il faisait beau, la soirée était chaude, le
mois de septembre durait encore. Devant chaque porte,
des femmes assises devisaient comme dans une ville
de province par un jour de fête. J'observai d'abord
la jeune fille, dont la physionomie était d'une admirable expression et le corps tout posé pour un peintre.
C'était une scène ravissante. Je cherchai la cause de
cette bonhomie au milieu de Paris, je remarquai que
la rue n'aboutissait à rien et ne devait pas être très
passante. En me rappelant le séjour de Jean-Jacques
Rousseau dans ce lieu, je trouvai l'*Hôtel de Saint-
Quentin ;* le délabrement dans lequel il était me fit
espérer d'y rencontrer un gîte peu coûteux, et je
voulus le visiter. En entrant dans une chambre basse,
je vis les classiques flambeaux de cuivre garnis de
leurs chandelles, méthodiquement rangés au-dessus
de chaque clef, et je fus frappé de la propreté qui
régnait dans cette salle, ordinairement assez mal tenue
dans les autres hôtels, et que je trouvai là peignée
comme un tableau de genre ; son lit bleu, les ustensiles,
les meubles avaient la coquetterie d'une nature de
convention. La maîtresse de l'hôtel, femme de quarante

ans environ, dont les traits exprimaient des malheurs, dont le regard était comme terni par des pleurs, se leva, vint à moi ; je lui soumis humblement le tarif de mon loyer ; alors, sans en paraître étonnée, elle chercha une clef parmi toutes les autres, et me conduisit dans les mansardes, où elle me montra une chambre qui avait vue sur les toits, sur les cours des maisons voisines, par les fenêtres desquelles passaient de longues perches chargées de linge. Rien n'était plus horrible que cette mansarde aux murs jaunes et sales, qui sentait la misère et appelait son savant. La toiture s'y abaissait régulièrement et les tuiles disjointes laissaient voir le ciel. Il y avait place pour un lit, une table, quelques chaises, et sous l'angle aigu du toit je pouvais loger mon piano. N'étant pas assez riche pour meubler cette cage digne des Plombs de Venise, la pauvre femme n'avait jamais pu la louer. Ayant précisément excepté de la vente mobilière que je venais de faire les objets qui m'étaient en quelque sorte personnels, je fus bientôt d'accord avec mon hôtesse et m'installai le lendemain chez elle. Je vécus dans ce sépulcre aérien pendant près de trois ans, travaillant nuit et jour sans relâche, avec tant de plaisir que l'étude me semblait être le plus beau thème, la plus heureuse solution de la vie humaine. Le calme et le silence nécessaires au savant ont je ne sais quoi de doux, d'enivrant comme l'amour. L'exercice de la pensée, la recherche des idées, les contemplations tranquilles de la science nous prodiguent d'ineffables délices, indescriptibles comme tout ce qui participe de l'intelligence, dont les phénomènes sont invisibles à nos sens extérieurs. Aussi sommes-nous toujours forcés d'expliquer les mystères de l'esprit par des comparaisons matérielles. Le plaisir de nager dans un lac d'eau pure, au milieu des rochers, des bois et des fleurs, seul et caressé par une brise tiède, donnerait aux ignorants une bien faible image du bonheur que j'éprouvais quand mon âme se baignait dans les lueurs de je ne sais quelle lumière, quand j'écoutais les voix terribles et confuses de l'inspiration, quand d'une source inconnue les images ruisselaient dans mon cerveau palpitant. Voir une idée qui point dans le champ des abstractions humaines comme le soleil au matin et s'élève comme lui, qui, mieux encore, grandit comme un enfant, arrive à la puberté, se fait lentement virile, est une joie supérieure aux autres joies terrestres, ou plutôt c'est un divin plaisir. L'étude prête une sorte de magie à tout ce qui nous environne. Le bureau chétif sur lequel j'écrivais et la basane brune qui le couvrait, mon piano, mon lit, mon fauteuil, les bizarreries de mon papier de tenture, mes meubles, toutes ces choses s'animèrent et devinrent pour moi d'humbles amis, les complices silencieux de mon avenir ; combien de fois ne leur ai-je pas communiqué mon âme, en les regardant ! Souvent en laissant voyager mes yeux sur une moulure déjetée, je rencontrais des développements nouveaux, une preuve frappante de mon système ou des mots que je croyais heureux pour rendre des pensées presque intraduisibles. A force de

contempler les objets qui m'entouraient, je trouvais
à chacun sa physionomie, son caractère ; souvent ils
me parlaient ; si, par-dessus les toits, le soleil couchant jetait à travers mon étroite fenêtre quelque
lueur furtive, ils se coloraient, pâlissaient, brillaient,
s'attristaient ou s'égayaient, en me surprenant toujours par des effets nouveaux. Ces menus accidents
de la vie solitaire, qui échappent aux préoccupations
du monde, sont la consolation des prisonniers. N'étais-
je pas captivé par une idée, emprisonné dans un
système, mais soutenu par la perspective d'une vie
glorieuse ! A chaque difficulté vaincue, je baisais les
mains douces de la femme aux beaux yeux, élégante
et riche, qui devait un jour caresser mes cheveux en
me disant avec attendrissement :

« — Tu as bien souffert, pauvre ange !

« J'avais entrepris deux grandes œuvres. Une
comédie devait en peu de jours me donner une renommée, une fortune, et l'entrée de ce monde où je
voulais reparaître en y exerçant les droits régaliens
de l'homme de génie. Vous avez tous vu dans ce chef-
d'œuvre la première erreur d'un jeune homme qui
sort du collège, une véritable niaiserie d'enfant. Vos
plaisanteries ont coupé les ailes à de fécondes illusions,
qui depuis ne se sont plus réveillées. Toi seul, mon cher
Émile, as calmé la plaie profonde que d'autres firent
à mon cœur ! Toi seul admiras ma *Théorie de la volonté*,
ce long ouvrage pour lequel j'avais appris les langues
orientales, l'anatomie, la physiologie, auquel j'avais
consacré la plus grande partie de mon temps. Cette

œuvre, si je ne me trompe, complétera les travaux de
Mesmer, de Lavater, de Gall, de Bichat, en ouvrant
une nouvelle route à la science humaine. Là s'arrête
ma belle vie, ce sacrifice de tous les jours, ce travail
de ver à soie inconnu au monde et dont la seule récompense est peut-être dans le travail même. Depuis
l'âge de raison jusqu'au jour où j'eus terminé ma
*Théorie*, j'ai observé, appris, écrit, lu sans relâche, et
ma vie fut comme un long pensum. Amant efféminé
de la paresse orientale, amoureux de mes rêves, sen-
suel, j'ai toujours travaillé, me refusant à goûter les
jouissances de la vie parisienne. Gourmand, j'ai été
sobre ; aimant et la marche et les voyages maritimes,
désirant visiter plusieurs pays, trouvant encore du
plaisir à faire, comme un enfant, ricocher des cailloux
sur l'eau, je suis resté constamment assis, une plume
à la main ; bavard j'allais écouter en silence les
professeurs aux cours publics de la Bibliothèque et du
Muséum ; j'ai dormi sur mon grabat solitaire comme
un religieux de l'ordre de Saint-Benoît, et la femme
était cependant ma seule chimère, une chimère que je
caressais et qui me fuyait toujours ! Enfin ma vie a
été une cruelle antithèse, un perpétuel mensonge.
Puis jugez donc les hommes ! Parfois mes goûts
naturels se réveillaient comme un incendie longtemps
couvé. Par une sorte de mirage ou de calenture, moi,
veuf de toutes les femmes que je désirais, dénué de
tout et logé dans une mansarde d'artiste, je me voyais
alors entouré de maîtresses ravissantes ! Je courais à
travers les rues de Paris, couché sur les moelleux

coussins d'un brillant équipage ! J'étais rongé de vices,
plongé dans la débauche, voulant tout, ayant tout ;
enfin ivre à jeun, comme saint Antoine dans sa tentation. Heureusement le sommeil finissait par éteindre
ces visions dévorantes ; le lendemain, la science m'appelait en souriant, et je lui étais fidèle. J'imagine que
les femmes dites vertueuses doivent être souvent la
proie de ces tourbillons de folie, de désirs et de passions, qui s'élèvent en nous, malgré nous. De tels rêves
ne sont pas sans charme : ne ressemblent-ils pas à ces
causeries du soir, en hiver, où l'on part de son foyer
pour aller en Chine ? Mais que devient la vertu, pendant ces délicieux voyages où la pensée a franchi tous
les obstacles ? Pendant les dix premiers mois de ma
réclusion, je menai la vie pauvre et solitaire que je t'ai
dépeinte ; j'allais chercher moi-même, dès le matin et
sans être vu, mes provisions pour la journée ; je faisais
ma chambre, j'étais tout ensemble le maître et le
serviteur, je diogénisais avec une incroyable fierté.
Mais après ce temps, pendant lequel l'hôtesse et sa
fille espionnèrent mes mœurs et mes habitudes, exa-
minèrent ma personne et comprirent ma misère, peut-
être parce qu'elles étaient elles-mêmes fort malheureuses, il s'établit d'inévitables liens entre elles et
moi. Pauline, cette charmante créature dont les grâces
naïves et secrètes m'avaient en quelque sorte amené là,
me rendit plusieurs services qu'il me fut impossible de
refuser. Toutes les infortunes sont sœurs, elles ont le
même langage, la même générosité, la générosité de
ceux qui, ne possédant rien, sont prodigues de senti-

ment, payent de leur temps et de leur personne. Insensiblement Pauline s'impatronisa chez moi, voulut me servir, et sa mère ne s'y opposa point. Je vis la mère elle-même raccommodant mon linge et rougissant d'être surprise à cette charitable occupation. Devenu malgré moi leur protégé, j'acceptai leurs services. Pour comprendre cette singulière affection, il faut connaître l'emportement du travail, la tyrannie des idées et cette répugnance instinctive qu'éprouve pour les détails de la vie matérielle l'homme qui vit par la pensée. Pouvais-je résister à la délicate attention avec laquelle Pauline m'apportait à pas muets mon repas frugal, quand elle s'apercevait que, depuis sept ou huit heures, je n'avais rien pris ? Avec les grâces de la femme et l'ingénuité de l'enfance, elle me souriait en faisant un signe pour me dire que je ne devais pas la voir. C'était Ariel se glissant comme un sylphe sous mon toit, et prévoyant mes besoins. Un soir, Pauline me raconta son histoire avec une touchante naïveté. Son père était chef d'escadron dans les grenadiers à cheval de la garde impériale. Au passage de la Bérésina, il avait été fait prisonnier par les Cosaques ; plus tard, quand Napoléon proposa de l'échanger, les autorités russes le firent vainement chercher en Sibérie ; au dire des autres prisonniers, il s'était échappé avec le projet d'aller aux Indes. Depuis ce temps, M^{me} Gaudin, mon hôtesse, n'avait pu obtenir aucune nouvelle de son mari. Les désastres de 1814 et 1815 étaient arrivés ; seule, sans ressource et sans secours, elle avait pris le parti de tenir un

hôtel garni pour faire vivre sa fille. Elle espérait toujours revoir son mari. Son plus cruel chagrin était de
laisser Pauline sans éducation, sa Pauline, filleule de
la princesse Borghèse, et qui n'aurait pas dû mentir
aux belles destinées promises par son impériale protectrice. Quand M^me Gaudin me confia cette amère
douleur qui la tuait et me dit avec un accent déchirant : « Je donnerais bien et le chiffon de papier
qui crée Gaudin baron de l'Empire, et le droit que
nous avons à la dotation de Wistchnau, pour savoir
Pauline élevée à Saint-Denis ! » tout à coup je tressaillis, et, pour reconnaître les soins que me prodiguaient ces deux femmes, j'eus l'idée de m'offrir à
finir l'éducation de Pauline. La candeur avec laquelle
ces deux femmes acceptèrent ma proposition fut égale
à la naïveté qui la dictait. J'eus ainsi des heures de
récréation. La petite avait les plus heureuses dispositions, elle apprit avec tant de facilité, qu'elle
devint bientôt plus forte que je ne l'étais sur le piano.
En s'accoutumant à penser tout haut près de moi, elle
déployait les mille gentillesses d'un cœur qui s'ouvre
à la vie comme le calice d'une fleur lentement dépliée
par le soleil, elle m'écoutait avec recueillement et
plaisir en arrêtant sur moi ses yeux noirs et veloutés
qui semblaient sourire ; elle répétait ses leçons d'un
accent doux et caressant, en témoignant une joie
enfantine quand j'étais content d'elle. Sa mère, chaque
jour plus inquiète d'avoir à préserver de tout danger
une jeune fille qui développait en croissant toutes les
promesses faites par les grâces de son enfance, la vit

avec plaisir s'enfermant pendant toute la journée
pour étudier. Mon piano étant le seul dont elle pût
se servir, elle profitait de mes absences pour s'exercer.
Quand je rentrais, je trouvais Pauline chez moi, dans
la toilette la plus modeste ; mais, au moindre mouvement, sa taille souple et les attraits de sa personne se
révélaient sous l'étoffe grossière. Comme l'héroïne du
conte de *Peau-d'Ane,* elle laissait voir un pied mignon
dans d'ignobles souliers. Mais ces jolis trésors, cette
richesse de jeune fille, tout ce luxe de beauté fut
comme perdu pour moi. Je m'étais ordonné à moi-
même de ne voir qu'une sœur en Pauline, j'aurais eu
horreur de tromper la confiance de sa mère ; j'admirais
cette charmante fille comme un tableau, comme le
portrait d'une maîtresse morte ; enfin, c'était mon
enfant, ma statue. Pygmalion nouveau, je voulais
faire d'une vierge vivante et colorée, sensible et par-
lante, un marbre ; j'étais très sévère avec elle, mais
plus je lui faisais éprouver les effets de mon despotisme
magistral, plus elle devenait douce et soumise. Si je
fus encouragé dans ma retenue et dans ma continence
par des sentiments nobles, néanmoins les raisons de
procureur ne me manquèrent pas. Je ne comprends
point la probité des écus sans la probité de la pensée.
Tromper une femme ou faire faillite a toujours été
même chose pour moi. Aimer une jeune fille ou se
laisser aimer par elle constitue un vrai contrat dont
les conditions doivent être bien entendues. Nous
sommes maîtres d'abandonner la femme qui se vend,
mais non pas la jeune fille qui se donne, car elle ignore

l'étendue de son sacrifice. J'aurais donc épousé Pauline, et c'eût été une folie. N'était-ce pas livrer une âme douce et vierge à d'effroyables malheurs ? Mon indigence parlait son langage égoïste et venait toujours mettre sa main de fer entre cette bonne créature et moi. Puis, je l'avoue à ma honte, je ne conçois pas l'amour dans la misère. Peut-être est-ce en moi une dépravation due à cette maladie humaine que nous nommons la civilisation ; mais une femme, fût-elle attrayante autant que la belle Hélène, la Galatée d'Homère, n'a plus aucun pouvoir sur mes sens pour peu qu'elle soit crottée. Ah ! vive l'amour dans la soie, sur le cachemire, entouré des merveilles du luxe qui le parent merveilleusement bien, parce que lui-même est un luxe peut-être. J'aime à froisser sous mes désirs de pimpantes toilettes, à briser des fleurs, à porter une main dévastatrice dans les élégants édifices d'une coiffure embaumée. Des yeux brûlants, cachés par un voile de dentelle que les regards percent comme la flamme déchire la fumée du canon, m'offrent de fantastiques attraits. Mon amour veut des échelles de soie escaladées en silence, par une nuit d'hiver. Quel plaisir d'arriver couvert de neige dans une chambre éclairée par des parfums, tapissée de soies peintes, et d'y trouver une femme qui, elle aussi, secoue de la neige, car quel autre nom donner à ces voiles de voluptueuses mousselines à travers lesquels elle se dessine vaguement comme un ange dans son nuage, et d'où elle va sortir ? Puis il me faut encore un craintif bonheur, une audacieuse sécurité. Enfin je veux revoir cette mystérieuse femme, mais éclatante, mais au milieu du monde, mais vertueuse, environnée d'hommages, vêtue de dentelles, étincelante de diamants, donnant ses ordres à la ville, et si haut placée et si imposante que nul n'ose lui adresser des vœux. Au milieu de sa cour, elle me jette un regard à la dérobée, un regard qui dément ces artifices, un regard qui me sacrifie le monde et les hommes ! Certes, je me suis cent fois trouvé ridicule d'aimer quelques aunes de blonde, du velours, de fines batistes, les tours de force d'un coiffeur, des bougies, un carrosse, un titre, d'héraldiques couronnes peintes par des vitriers ou fabriquées par un orfèvre, enfin tout ce qu'il y a de factice et de moins femme dans la femme ; je me suis moqué de moi, je me suis raisonné, tout a été vain. Une femme aristocratique et son sourire fin, la distinction de ses manières et son respect d'elle-même m'enchantent ; quand elle met une barrière entre elle et le monde, elle flatte en moi toutes les vanités, qui sont la moitié de l'amour. Enviée par tous, ma félicité me paraît avoir plus de saveur. En ne faisant rien de ce que font les autres femmes, en ne marchant pas, ne vivant pas comme elles, en s'enveloppant dans un manteau qu'elles ne peuvent avoir, en respirant des parfums à elle, ma maîtresse me semble être bien mieux à moi ; plus elle s'éloigne de la terre, même dans ce que l'amour a de terrestre, plus elle s'embellit à mes yeux. En France, heureusement pour moi, nous sommes depuis vingt ans sans reine, j'eusse aimé la reine ! Pour avoir les

façons d'une princesse, une femme doit être riche. En
présence de mes romanesques fantaisies, qu'était
Pauline ? Pouvait-elle me vendre des nuits qui coûtent
la vie, un amour qui tue et met en jeu toutes les
facultés humaines ? Nous ne mourons guère pour de
pauvres filles qui se donnent ! Je n'ai jamais pu détruire ces sentiments ni ces rêveries de poète. J'étais
né pour l'amour impossible, et le hasard a voulu que
je fusse servi par delà mes souhaits. Combien de fois
n'ai-je pas vêtu de satin les pieds mignons de Pauline,
emprisonné sa taille svelte comme un jeune peuplier
dans une robe de gaze, jeté sur son sein une légère
écharpe en lui faisant fouler les tapis de son hôtel
et la conduisant à une voiture élégante ! Je l'eusse
adorée ainsi. Je lui donnais une fierté qu'elle n'avait
pas, je la dépouillais de toutes ses vertus, de ses
grâces naïves, de son charmant naturel, de son sourire
ingénu, pour la plonger dans le Styx de nos vices et
lui rendre le cœur invulnérable, pour la farder de nos
crimes, pour en faire la poupée fantasque de nos salons,
une femme fluette qui se couche au matin pour renaître
le soir, à l'aurore des bougies. Pauline était tout sentiment, tout fraîcheur, je la voulais sèche et froide.
Dans les derniers jours de ma folie, le souvenir m'a
montré Pauline, comme il nous peint les scènes de
notre enfance. Plus d'une fois je suis resté attendri,
songeant à de délicieux moments : soit que je revisse
cette adorable fille assise près de ma table, occupée à
coudre, paisible, silencieuse, recueillie et faiblement
éclairée par le jour qui, descendant de ma lucarne,

dessinait de légers reflets argentés sur sa belle chevelure noire ; soit que j'entendisse son rire jeune, ou sa voix au timbre riche chanter les gracieuses cantilènes qu'elle composait sans effort. Souvent ma Pauline s'exaltait en faisant de la musique, sa figure ressemblait alors d'une manière frappante à la noble tête par laquelle Carlo Dolci a voulu représenter l'Italie. Ma cruelle mémoire me jetait cette jeune fille à travers les excès de mon existence comme un remords, comme une image de la vertu ! Mais laissons la pauvre enfant à sa destinée ! Quelque malheureuse qu'elle puisse être, au moins l'aurai-je mise à l'abri d'un effroyable orage, en évitant de la traîner dans mon enfer.

« Jusqu'à l'hiver dernier, ma vie fut la vie tranquille et studieuse de laquelle j'ai tâché de te donner une faible image. Dans les premiers jours du mois de décembre 1829, je rencontrai Rastignac, qui, malgré le misérable état de mes vêtements, me donna le bras et s'enquit de ma fortune avec un intérêt vraiment fraternel. Pris à la glu de ses manières, je lui racontai brièvement et ma vie et mes espérances ; il se mit à rire, me traita tout à la fois d'homme de génie et de sot. Sa voix gasconne, son expérience du monde, l'opulence qu'il devait à son savoir-faire, agirent sur moi d'une manière irrésistible. Rastignac me fit mourir à l'hôpital, méconnu comme un niais, conduisit mon propre convoi, me jeta dans le trou des pauvres. Il me parla du charlatanisme. Avec cette verve aimable qui le rend si séduisant, il me montra tous les hommes de génie comme des charlatans. Il me déclara que j'avais un sens de moins, une cause de mort, si je restais seul, rue des Cordiers. Selon lui, je devais aller dans le monde, habituer les gens à prononcer mon nom et me dépouiller moi-même de l'humble *monsieur* qui messeyait à un grand homme de son vivant.

« — Les imbéciles, s'écria-t-il, nomment ce métier-là *intriguer*, les gens à morale le proscrivent sous le mot de *vie dissipée;* ne nous arrêtons pas aux hommes, interrogeons les résultats. Toi, tu travailles? eh bien! tu ne feras jamais rien. Moi, je suis propre à tout et bon à rien, paresseux comme un homard? eh bien! j'arriverai à tout. Je me répands, je me pousse, on me fait place ; je me vante, on me croit ; je fais des dettes, on les paye ! La dissipation, mon cher, est un système politique. La vie d'un homme occupé à manger sa fortune devient souvent une spéculation ; il place ses capitaux en amis, en plaisirs, en protecteurs, en connaissances. Un négociant risque-t-il un million ? Pendant vingt ans il ne dort, ni ne boit, ni ne s'amuse ; il couve son million, il le fait trotter par toute l'Europe ; il s'ennuie, se donne à tous les démons que l'homme a inventés ; puis une liquidation, comme j'en ai vu faire, le laisse souvent sans un sou, sans un nom, sans un ami. Le dissipateur, lui, s'amuse à vivre, à faire courir ses chevaux. Si par hasard il perd ses capitaux, il a la chance d'être nommé receveur général, de se bien marier, d'être attaché à un ministre, à un ambassadeur. Il a encore des amis, une réputation et toujours de l'argent. Connaissant les ressorts du monde, il les manœuvre à son profit. Ce système est-il logique, ou ne suis-je qu'un fou ? N'est-ce pas là la moralité de la comédie qui se joue tous les jours dans le monde ? — Ton ouvrage est achevé, reprit-il après une pause, tu as un talent immense ! Eh bien ! tu arrives à mon point de départ. Il faut maintenant faire ton succès toi-même, c'est plus sûr. Tu iras conclure des alliances avec les coteries, conquérir des prôneurs. Moi, je veux me mettre de moitié dans ta gloire, je serai le bijoutier qui aura monté les diamants de ta couronne... Pour commencer, sois ici demain soir. Je te présenterai dans une maison où va tout Paris, notre Paris à nous, celui des beaux, des gens à millions, des célébrités, enfin des hommes qui parlent d'or comme Chrysostome. Quand ces gens ont adopté un livre, le livre devient à la mode ; s'il est réellement bon, ils ont donné quelque brevet de génie sans le savoir. Si tu as de l'esprit, mon cher enfant, tu feras toi-même la fortune de ta *Théorie* en comprenant mieux la théorie de la fortune. Demain soir, tu verras la belle comtesse Fœdora, la femme à la mode.

« — Je n'en ai jamais entendu parler...

« — Tu es un Cafre, répliqua Rastignac en riant. Ne pas connaître Fœdora ! Une femme à marier qui possède près de quatre-vingt mille livres de rente, qui ne veut de personne ou de qui personne ne veut ! Espèce de problème féminin, une Parisienne à moitié Russe, une Russe à moitié Parisienne ! Une femme chez laquelle s'éditent toutes les productions romantiques qui ne paraissent pas, la plus belle femme de Paris,

la plus gracieuse ! Tu n'es même pas un Cafre, tu es
la bête intermédiaire qui joint le Cafre à l'animal...
Adieu, à demain.

« Il fit une pirouette et disparut sans attendre ma
réponse, n'admettant pas qu'un homme raisonnable
pût refuser d'être présenté à Fœdora. Comment
expliquer la fascination d'un nom ? Fœdora me
poursuivit comme une mauvaise pensée avec laquelle
on cherche à transiger. Une voix me disait : « Tu iras
chez Fœdora. » J'avais beau me débattre avec cette
voix et lui crier qu'elle mentait, elle écrasait tous
mes raisonnements avec ce nom : Fœdora. Mais ce
nom, cette femme, n'étaient-ils pas le symbole de
tous mes désirs et le thème de ma vie ? Le nom
réveillait les poésies artificielles du monde, faisait
briller les fêtes du haut Paris et les clinquants de la
vanité. La femme m'apparaissait avec tous les problèmes de passion dont je m'étais affolé. Ce n'était
peut-être ni la femme ni le nom, mais tous mes vices
qui se dressaient debout dans mon âme pour me
tenter de nouveau. La comtesse Fœdora, riche et sans
amant, résistant à des séductions parisiennes, n'était-ce
pas l'incarnation de mes espérances, de mes visions ?
Je me créai une femme, je la dessinai dans ma pensée,
je la rêvai. Pendant la nuit, je ne dormis pas, je
devins son amant, je fis tenir en peu d'heures une vie
entière, une vie d'amour, et j'en savourai les fécondes,
les brûlantes délices. Le lendemain, incapable de
soutenir le supplice d'attendre longuement la soirée,
j'allai louer un roman et passai la journée à le lire,

me mettant ainsi dans l'impossibilité de penser ni de
mesurer le temps. Pendant ma lecture, le nom de
Fœdora retentissait en moi comme un son que l'on
entend dans le lointain, qui ne vous trouble pas, mais
qui se fait écouter. Je possédais heureusement encore
un habit noir et un gilet blanc assez honorables ; puis,
de toute ma fortune, il me restait environ trente
francs que j'avais semés dans mes hardes, dans mes
tiroirs, afin de mettre entre une pièce de cent sous
et mes fantaisies la barrière épineuse d'une recherche
et les hasards d'une circumnavigation dans ma
chambre. Au moment de m'habiller, je poursuivis
mon trésor à travers un océan de papier. La rareté
du numéraire peut te faire concevoir ce que mes
gants et mon fiacre emportèrent de richesses, ils
mangèrent le pain de tout un mois. Hélas ! nous ne
manquons jamais d'argent pour nos caprices, nous
ne discutons que le prix des choses utiles ou nécessaires. Nous jetons l'or avec insouciance à des danseuses, et nous marchandons un ouvrier dont la
famille affamée attend le payement d'un mémoire.
Combien de gens ont un habit de cent francs, un
diamant à la pomme de leur canne, et qui dînent
à vingt-cinq sous ! Il semble que nous n'achetions
jamais assez chèrement les plaisirs de la vanité.
Rastignac, fidèle au rendez-vous, sourit de ma métamorphose et m'en plaisanta ; mais, tout en allant
chez la comtesse, il me donna de charitables conseils sur la manière de me conduire avec elle ;
il me la peignit avare, vaine et défiante ; mais

avare avec faste, vaine avec simplicité, défiante avec
bonhomie.

« — Tu connais mes engagements, me dit-il, et tu
sais combien je perdrais à changer d'amour. En
observant Fœdora, j'étais désintéressé, de sang-froid,
mes remarques doivent être justes. En pensant à te
présenter chez elle, je songeais à ta fortune ; ainsi
prends garde à tout ce que tu lui diras, elle a une
mémoire cruelle, elle est d'une adresse à désespérer
un diplomate, elle saurait deviner le moment où il
dit vrai ; entre nous, je crois que son mariage n'est
pas reconnu par l'empereur, car l'ambassadeur de
Russie s'est mis à rire quand je lui ai parlé d'elle. Il
ne la reçoit pas et la salue fort légèrement quand
il la rencontre au Bois. Néanmoins elle est de la société de M^me de Sérizy, va chez M^mes de Nucingen
et de Restaud. En France, sa réputation est intacte ;
la duchesse de Carigliano, la maréchale la plus collet
monté de toute la coterie bonapartiste, va souvent
passer avec elle la belle saison à sa terre. Beaucoup
de jeunes fats, le fils d'un pair de France, lui ont
offert un nom en échange de sa fortune ; elle les a
tous poliment éconduits. Peut-être sa sensibilité ne
commence-t-elle qu'au titre de comte ! N'es-tu pas
marquis ? marche en avant, si elle te plaît ! Voilà ce
que j'appelle donner des instructions.

« Cette plaisanterie me fit croire que Rastignac
voulait rire et piquer ma curiosité, en sorte que ma
passion improvisée était arrivée à son paroxysme
quand nous nous arrêtâmes devant un péristyle orné

de fleurs. En montant un vaste escalier à tapis, où je remarquai toutes les recherches du confort anglais, le cœur me battit ; j'en rougissais, je démentais mon origine, mes sentiments, ma fierté, j'étais sottement bourgeois. Hélas ! je sortais d'une mansarde, après trois années de pauvreté, sans savoir encore mettre au-dessus des bagatelles de la vie ces trésors acquis, ces immenses capitaux intellectuels qui vous enrichissent en un moment quand le pouvoir tombe entre vos mains sans vous écraser, parce que l'étude vous a formé d'avance aux luttes politiques. J'aperçus une femme d'environ vingt-deux ans, de moyenne taille, vêtue de blanc, entourée d'un cercle d'hommes, et tenant à la main un écran de plumes. En voyant entrer Rastignac, elle se leva, vint à nous, sourit avec grâce, me fit d'une voix mélodieuse un compliment sans doute apprêté ; notre ami m'avait annoncé comme un homme de talent, et son adresse, son emphase gasconne, me procurèrent un accueil flatteur. Je fus l'objet d'une attention particulière qui me rendit confus ; mais Rastignac avait heureusement parlé de ma modestie. Je rencontrai là des savants, des gens de lettres, d'anciens ministres, des pairs de France. La conversation reprit son cours quelque temps après mon arrivée, et, sentant que j'avais une réputation à soutenir, je me rassurai ; puis, sans abuser de la parole quand elle m'était accordée, je tâchai de résumer les discussions par des mots plus ou moins incisifs, profonds ou spirituels. Je produisis quelque sensation. Pour la millième fois de sa vie, Rastignac fut prophète. Quand il y eut assez de monde pour que chacun retrouvât sa liberté, mon introducteur me donna le bras, et nous nous promenâmes dans les appartements.

« — N'aie pas l'air d'être trop émerveillé de la princesse, me dit-il, elle devinerait le motif de ta visite.

« Les salons étaient meublés avec un goût exquis. J'y vis des tableaux de choix. Chaque pièce avait, comme chez les Anglais les plus opulents, son caractère particulier, et la tenture de soie, les agréments, la forme des meubles, le moindre décor s'harmonisaient avec une pensée première. Dans un boudoir gothique dont les portes étaient cachées par des rideaux en tapisserie, les encadrements de l'étoffe, la pendule, les dessins du tapis étaient gothiques ; le plafond, formé de solives brunes sculptées, présentait à l'œil des caissons pleins de grâce et d'originalité ; les boiseries étaient artistement travaillées ; rien ne détruisait l'ensemble de cette jolie décoration, pas même les croisées, dont les vitraux étaient coloriés et précieux. Je fus surpris à l'aspect d'un petit salon moderne où je ne sais quel artiste avait épuisé la science de notre décor, si léger, si frais, si suave, sans éclat, sobre de dorures. C'était amoureux et vague comme une ballade allemande, un vrai réduit taillé pour une passion de 1827, embaumé par des jardinières pleines de fleurs rares. Après ce salon j'aperçus en enfilade une pièce dorée où revivait le goût du siècle de Louis XIV, qui, opposé à nos peintures actuelles, produisait un bizarre mais agréable contraste.

« — Tu seras assez bien logé, me dit Rastignac avec un sourire où perçait une légère ironie. N'est-ce pas séduisant ? ajouta-t-il en s'asseyant.

« Tout à coup il se leva, me prit par la main, me conduisit à la chambre à coucher, et me montra, sous un dais de mousseline et de moire blanches, un lit voluptueux doucement éclairé, le vrai lit d'une jeune fée fiancée à un génie.

« — N'y a-t-il pas, s'écria-t-il à voix basse, de l'impudeur, de l'insolence et de la coquetterie outre mesure à nous laisser contempler ce trône de l'amour ? Ne se donner à personne, et permettre à tout le monde de mettre là sa carte ! Si j'étais libre, je voudrais voir cette femme soumise et pleurant à ma porte...

« — Es-tu donc si certain de sa vertu ?

« — Les plus audacieux de nos maîtres, et même les plus habiles, avouent avoir échoué près d'elle, l'aiment encore et sont ses amis dévoués. Cette femme n'est-elle pas une énigme ?

« Ces paroles excitèrent en moi une sorte d'ivresse, ma jalousie craignait déjà le passé. Tressaillant d'aise, je revins précipitamment dans le salon où j'avais laissé la comtesse, que je rencontrai dans le boudoir gothique. Elle m'arrêta par un sourire, me fit asseoir près d'elle, me questionna sur mes travaux, et sembla s'y intéresser vivement, surtout quand je lui traduisis mon système en plaisanteries, au lieu de prendre le langage d'un professeur pour le lui développer doctoralement. Elle parut s'amuser beaucoup en apprenant que la volonté humaine était une force matérielle semblable à la

vapeur ; que, dans le monde moral, rien ne résistait
à cette puissance quand un homme s'habituait à la
concentrer, à en manier la somme, à diriger constamment sur les âmes la projection de cette masse fluide ;
que cet homme pouvait à son gré tout modifier
relativement à l'humanité, même les lois absolues de
la nature. Les objections de Fœdora me révélèrent
en elle une certaine finesse d'esprit ; je me complus
à lui donner raison pendant quelques moments pour
la flatter, et je détruisis ses raisonnements de femme
par un mot, en attirant son attention sur un fait
journalier dans la vie, le sommeil, fait vulgaire en
apparence, mais au fond plein de problèmes insolubles
pour le savant, et je piquai sa curiosité. La comtesse
resta même un instant silencieuse quand je lui dis
que nos idées étaient des êtres organisés, complets,
qui vivaient dans un monde invisible et influaient sur
nos destinées, en lui citant pour preuves les pensées
de Descartes, de Diderot, de Napoléon, qui avaient
conduit, qui conduisaient encore tout un siècle. J'eus
l'honneur d'amuser cette femme ; elle me quitta en
m'invitant à la venir voir ; en style de cour, elle me
donna les grandes entrées. Soit que je prisse, selon
ma louable habitude, des formules polies pour des
paroles de cœur, soit que Fœdora vît en moi quelque
célébrité prochaine et voulût augmenter sa ménagerie
de savants, je crus lui plaire. J'évoquai toutes mes
connaissances physiologiques et mes études antérieures
sur la femme pour examiner minutieusement pendant
cette soirée cette singulière personne et ses manières ;

caché dans l'embrasure d'une fenêtre, j'espionnai ses pensées en les cherchant dans son maintien, en étudiant ce manège d'une maîtresse de maison qui va et vient, s'assied et cause, appelle un homme, l'interroge, et s'appuie pour l'écouter sur un chambranle de porte ; je remarquai dans sa démarche un mouvement brisé si doux, une ondulation de robe si gracieuse, elle excitait si puissamment le désir, que je devins alors très incrédule sur sa vertu. Si Fœdora méconnaissait aujourd'hui l'amour, elle avait dû jadis être fort passionnée ; car une volupté savante se peignait jusque dans la manière dont elle se posait devant son interlocuteur ; elle se soutenait sur la boiserie avec coquetterie, comme une femme près de tomber, mais aussi près de s'enfuir si quelque regard trop vif l'intimide. Les bras mollement croisés, paraissant respirer les paroles, les écoutant même du regard et avec bienveillance, elle exhalait le sentiment. Ses lèvres fraîches et rouges tranchaient sur un teint d'une vive blancheur. Ses cheveux bruns faisaient assez bien valoir la couleur orangée de ses yeux mêlés de veines comme une pierre de Florence, et dont l'expression semblait ajouter de la finesse à ses paroles. Enfin son corsage était paré des grâces les plus attrayantes. Une rivale aurait peut-être accusé de dureté d'épais sourcils qui paraissaient se rejoindre, et blâmé l'imperceptible duvet qui ornait les contours du visage. Je trouvai la passion empreinte en tout. L'amour était écrit sur les paupières italiennes de cette femme, sur ses belles épaules dignes de la Vénus de Milo, dans

ses traits, sur sa lèvre inférieure un peu forte et
légèrement ombragée. C'était plus qu'une femme,
c'était un roman. Oui, ces richesses féminines, l'ensemble harmonieux des lignes, les promesses que cette
riche structure faisait à la passion, étaient tempérés
par une réserve constante, par une modestie extraordinaire, qui contrastaient avec l'expression de toute
la personne. Il fallait une observation aussi sagace que
la mienne pour découvrir dans cette nature les signes
d'une destinée de volupté. Pour expliquer plus clairement ma pensée, il y avait en Fœdora deux femmes,
séparées par le buste peut-être : l'une était froide, la
tête seule semblait être amoureuse ; avant d'arrêter
ses yeux sur un homme, elle préparait son regard,
comme s'il se passait je ne sais quoi de mystérieux
en elle-même, vous eussiez dit une convulsion dans
ses yeux si brillants. Enfin, ou ma science était impar-
faite et j'avais encore bien des secrets à découvrir dans
le monde moral, ou la comtesse possédait une belle
âme, dont les sentiments et les émanations communi-
quaient à sa physionomie ce charme qui nous subjugue
et nous fascine, ascendant tout moral et d'autant plus
puissant qu'il s'accorde avec les sympathies du désir.
Je sortis ravi, séduit par cette femme, enivré par son
luxe, chatouillé dans tout ce que mon cœur avait de
noble, de vicieux, de bon, de mauvais. En me sentant si ému, si vivant, si exalté, je crus comprendre
l'attrait qui amenait là ces artistes, ces diplomates,
ces hommes du pouvoir, ces agioteurs doublés de
tôle comme leurs caisses : sans doute ils venaient

chercher près d'elle l'émotion délirante qui faisait
vibrer en moi toutes les forces de mon être, fouet-
tait mon sang dans la moindre veine, agaçait le plus
petit nerf et tressaillait dans mon cerveau ! Elle ne
s'était donnée à aucun pour les garder tous. Une
femme est coquette tant qu'elle n'aime pas.

« — Puis, dis-je à Rastignac, elle a peut-être été
mariée ou vendue à quelque vieillard, et le souvenir
de ses premières noces lui donne de l'horreur pour
l'amour.

« Je revins à pied du faubourg Saint-Honoré, où
Fœdora demeure. Entre son hôtel et la rue des Cordiers
il y a presque tout Paris ; le chemin me parut court,
et cependant il faisait froid. Entreprendre la conquête
de Fœdora dans l'hiver, un rude hiver, quand je
n'avais pas trente francs en ma possession, quand la
distance qui nous séparait était si grande ! Un jeune
homme pauvre peut seul savoir ce qu'une passion
coûte en voitures, en gants, en habits, linge, etc. Si
l'amour reste un peu trop de temps platonique, il
devient ruineux. Vraiment, il y a des Lauzuns de
l'École de droit auxquels il est impossible d'approcher
d'une passion logée à un premier étage. Et comment
pouvais-je lutter, moi faible, grêle, mis simplement,
pâle et hâve comme un artiste en convalescence d'un
ouvrage, avec des jeunes gens bien frisés, jolis,
pimpants, cravatés à désespérer toute la Croatie,
riches, armés de tilburys et vêtus d'impertinence ?

« — Bah ! Fœdora ou la mort !... criai-je au détour
d'un pont. Fœdora, c'est la fortune !

« Le beau boudoir gothique et le salon à la Louis XIV
passèrent devant mes yeux, je revis la comtesse avec
sa robe blanche, ses grandes manches gracieuses, et
sa séduisante démarche, et son corsage tentateur.
Quand j'arrivai dans ma mansarde nue, froide, aussi
mal peignée que la perruque d'un naturaliste, j'étais
encore environné par les images du luxe de Fœdora.
Ce contraste était un mauvais conseiller, les crimes
doivent naître ainsi. Je maudis alors, en frissonnant
de rage, ma décente et honnête misère, ma mansarde
féconde où tant de pensées avaient surgi. Je demandai
compte à Dieu, au diable, à l'état social, à mon père,
à l'univers entier de ma destinée, de mon malheur ;
je me couchai tout affamé, grommelant de risibles
imprécations, mais bien résolu à séduire Fœdora. Ce
cœur de femme était un dernier billet de loterie chargé
de ma fortune. Je te ferai grâce de mes premières
visites chez Fœdora, pour arriver promptement au
drame. Tout en tâchant de m'adresser à l'âme de
cette femme, j'essayai de gagner son esprit, d'avoir
sa vanité pour moi ; afin d'être sûrement aimé, je lui
donnai mille raisons de mieux s'aimer elle-même ;
jamais je ne la laissai dans un état d'indifférence ; les
femmes veulent des émotions à tout prix, je les lui
prodiguai ; je l'eusse mise en colère plutôt que de la
voir insouciante avec moi. Si d'abord, animé d'une
volonté ferme et du désir de me faire aimer, je pris
un peu d'ascendant sur elle, bientôt ma passion grandit,
je ne fus plus maître de moi, je tombai dans le vrai,
je me perdis et devins éperdument amoureux. Je ne

sais pas bien ce que nous appelons, en poésie ou dans
la conversation, *amour ;* mais le sentiment qui se
développa tout à coup dans ma double nature, je ne
l'ai trouvé peint nulle part, ni dans les phrases
rhétoriques et apprêtées de Jean-Jacques Rousseau,
de qui j'occupais peut-être le logis, ni dans les froides
conceptions de nos deux siècles littéraires, ni dans les
tableaux de l'Italie. La vue du lac de Bienne, quelques
motifs de Rossini, la *Madone* de Murillo que possède
le maréchal Soult, les lettres de la Lescombat, certains
mots épars dans les recueils d'anecdotes, mais surtout
les prières des extatiques et quelques passages de nos
fabliaux, ont pu seuls me transporter dans les divines
régions de mon premier amour. Rien dans les langages
humains, aucune traduction de la pensée faite à l'aide
des couleurs, des marbres, des mots ou des sons, ne
saurait rendre le nerf, la vérité, le fini, la soudaineté
du sentiment dans l'âme ! Oui ! qui dit art dit mensonge. L'amour passe par des transformations infinies
avant de se mêler pour toujours à notre vie et de la
teindre à jamais de sa couleur de flamme. Le secret
de cette infusion imperceptible échappe à l'analyse de
l'artiste. La vraie passion s'exprime par des cris, par
des soupirs ennuyeux pour un homme froid. Il faut
aimer sincèrement pour être de moitié dans les
rugissements de Lovelace, en lisant *Clarisse Harlowe.*
L'amour est une source naïve, partie de son lit de
cresson, de fleurs, de gravier, qui, rivière, qui, fleuve,
change de nature et d'aspect à chaque flot, et se jette
dans un incommensurable océan où les esprits in-

complets voient la monotonie, où les grandes âmes
s'abîment en de perpétuelles contemplations. Comment
oser décrire ces teintes transitoires du sentiment, ces
riens qui ont tant de prix, ces mots dont l'accent
épuise les trésors du langage, ces regards plus féconds
que les plus riches poèmes ? Dans chacune des scènes
mystiques par lesquelles nous nous éprenons insensiblement d'une femme s'ouvre un abîme à engloutir toutes
les poésies humaines. Eh ! comment pourrions-nous
reproduire par des gloses les vives et mystérieuses
agitations de l'âme, quand les paroles nous manquent
pour peindre les mystères visibles de la beauté ?
Quelles fascinations ! Combien d'heures ne suis-je pas
resté plongé dans une extase ineffable occupé à *la
voir !* Heureux, de quoi ? je ne sais. Dans ces moments,
si son visage était inondé de lumière, il s'y opérait une
sorte de phénomène qui le faisait resplendir ; l'imperceptible duvet qui dore sa peau délicate et fine en
dessinait mollement les contours avec la grâce que
nous admirons dans les lignes lointaines de l'horizon
quand elles se perdent dans le soleil. Il semblait que
le jour la caressât en s'unissant à elle, ou qu'il s'échap-
pât de sa rayonnante figure une lumière plus vive que
la lumière même ; puis une ombre, passant sur cette
douce figure, y produisait une sorte de couleur qui
en variait les expressions en en changeant les teintes.
Souvent une pensée semblait se peindre sur son front
de marbre ; son œil paraissait rougir, sa paupière
vacillait, ses traits ondulaient, agités par un sourire ;
le corail intelligent de ses lèvres s'animait, se dépliait,

se repliait ; je ne sais quel reflet de ses cheveux jetait des tons bruns sur ses tempes fraîches ; à chaque accident, elle avait parlé. Chaque nuance de beauté donnait des fêtes nouvelles à mes yeux, révélait des grâces inconnues à mon cœur. Je voulais lire un sentiment, un espoir, dans toutes ces phases du visage. Ces discours muets pénétraient d'âme à âme comme un son dans l'écho, et me prodiguaient des joies passagères qui me laissaient des impressions profondes. Sa voix me causait un délire que j'avais peine à comprimer. Imitant je ne me rappelle plus quel prince de Lorraine, j'aurais pu ne pas sentir un charbon ardent au creux de ma main pendant qu'elle aurait passé dans ma chevelure ses doigts chatouilleux. Ce n'était plus une admiration, un désir, mais un charme, une fatalité. Souvent, rentré sous mon toit, je voyais indistinctement Fœdora chez elle, et participais vaguement à sa vie ; si elle souffrait, je souffrais, et je lui disais le lendemain :

« — Vous avez souffert !

« Combien de fois n'est-elle pas venue au milieu des silences de la nuit, évoquée par la puissance de mon extase ! Tantôt, soudaine comme une lumière qui jaillit, elle abattait ma plume, elle effarouchait la science et l'étude, qui s'enfuyaient désolées ; elle me forçait à l'admirer en reprenant la pose attrayante où je l'avais vue naguère. Tantôt j'allais moi-même au-devant d'elle dans le monde des apparitions, et la saluais comme une espérance en lui demandant de me faire entendre sa voix argentine ; puis je me réveillais en pleurant. Un jour, après m'avoir promis de venir au spectacle avec moi, tout à coup elle refusa capricieusement de sortir et me pria de la laisser seule. Désespéré d'une contradiction qui me coûtait une journée de travail, et, le dirai-je? mon dernier écu, je me rendis là où elle aurait dû être, voulant voir la pièce qu'elle avait désiré voir. A peine placé, je reçus un coup électrique dans le cœur. Une voix me dit : « Elle est là ! » Je me retourne, j'aperçois la comtesse au fond de sa loge, cachée dans l'ombre, au rez-de-chaussée. Mon regard n'hésita pas, mes yeux la trouvèrent tout d'abord avec une lucidité fabuleuse, mon âme avait volé vers sa vie comme un insecte vole à sa fleur. Par quoi mes sens avaient-ils été avertis ? Il est de ces tressaillements intimes qui peuvent surprendre les gens superficiels, mais ces effets de notre nature intérieure sont aussi simples que les phénomènes habituels de notre vision extérieure ; aussi ne fus-je pas étonné, mais fâché. Mes études sur notre puissance morale, si peu connue, servaient au moins à me faire rencontrer dans ma passion quelques preuves vivantes de mon système. Cette alliance du savant et de l'amoureux, d'une véritable idolâtrie et d'un amour scientifique, avait je ne sais quoi de bizarre. La science était souvent contente de ce qui désespérait l'amant, et, quand il croyait triompher, l'amant chassait loin de lui la science avec bonheur. Fœdora me vit et devint sérieuse, je la gênais. Au premier entr'acte, j'allai lui faire une visite ; elle était seule, je restai. Quoique nous n'eus-

sions jamais parlé d'amour, je pressentis une explication. Je ne lui avais point encore dit mon secret, et
cependant il existait entre nous une sorte d'attente :
elle me confiait ses projets d'amusements et me
demandait la veille, avec une sorte d'inquiétude
amicale, si je viendrais le lendemain ; elle me consultait
par un regard quand elle disait un mot spirituel,
comme si elle eût voulu me plaire exclusivement ; si
je boudais, elle devenait caressante ; si elle faisait la
fâchée, j'avais en quelque sorte le droit de l'interroger ;
si je me rendais coupable d'une faute, elle se laissait
longtemps supplier avant de me pardonner. Ces
querelles, auxquelles nous avions pris goût, étaient
pleines d'amour. Elle y déployait tant de grâce et de
coquetterie, et moi, j'y trouvais tant de bonheur !
En ce moment, notre intimité fut tout à fait suspendue,
et nous restâmes l'un devant l'autre comme deux
étrangers. La comtesse était glaciale ; moi, j'appréhen-
dais un malheur.

« — Vous allez m'accompagner, me dit-elle quand
la pièce fut finie.

« Le temps avait changé subitement. Lorsque nous
sortîmes, il tombait une neige mêlée de pluie. La
voiture de Fœdora ne put arriver jusqu'à la porte
du théâtre. En voyant une femme bien mise obligée
de traverser le boulevard, un commissionnaire étendit
son parapluie au-dessus de nos têtes et réclama le
prix de son service quand nous fûmes montés. Je
n'avais rien, j'eusse alors vendu dix ans de ma vie
pour avoir deux sous. Tout ce qui fait l'homme et ses

mille vanités fut écrasé en moi par une douleur infernale. Ces mots : « Je n'ai pas de monnaie, mon cher ! » furent dits d'un ton dur qui parut venir de ma passion contrariée, dits par moi, frère de cet homme, moi qui connaissais si bien le malheur ! moi qui jadis avais donné sept cent mille francs avec tant de facilité ! Le valet repoussa le commissionnaire, et les chevaux fendirent l'air. En revenant à son hôtel, Fœdora, distraite, ou affectant d'être préoccupée, répondit par de dédaigneux monosyllabes à mes questions. Je gardai le silence. Ce fut un horrible moment. Arrivés chez elle, nous nous assîmes devant la cheminée.

« Quand le valet de chambre se fut retiré après avoir attisé le feu, la comtesse se tourna vers moi d'un air indéfinissable et me dit avec une sorte de solennité :

« — Depuis mon retour en France, ma fortune a tenté quelques jeunes gens ; j'ai reçu des déclarations d'amour qui auraient pu satisfaire mon orgueil ; j'ai rencontré des hommes dont l'attachement était si sincère et si profond qu'ils m'eussent encore épousée, même quand ils n'auraient trouvé en moi qu'une fille pauvre comme je l'étais jadis. Enfin, sachez, monsieur de Valentin, que de nouvelles richesses et des titres nouveaux m'ont été offerts ; mais apprenez aussi que je n'ai jamais revu les personnes assez mal inspirées pour m'avoir parlé d'amour. Si mon affection pour vous était légère, je ne vous donnerais pas un avertissement dans lequel il entre plus d'amitié que d'orgueil.

Une femme s'expose à recevoir une sorte d'affront lorsque, en se supposant aimée, elle se refuse par avance à un sentiment toujours flatteur. Je connais les scènes d'Arsinoé, d'Araminte, ainsi je me suis familiarisée avec les réponses que je puis entendre en pareille circonstance ; mais j'espère aujourd'hui ne pas être mal jugée par un homme supérieur pour lui avoir montré franchement mon âme.

« Elle s'exprimait avec le sang-froid d'un avoué, d'un notaire, expliquant à leurs clients les moyens d'un procès ou les articles d'un contrat. Le timbre clair et séducteur de sa voix n'accusait pas la moindre émotion ; seulement sa figure et son maintien, toujours nobles et décents, me semblèrent avoir une froideur, une sécheresse diplomatiques. Elle avait sans doute médité ses paroles et fait le programme de cette scène. Oh ! mon cher ami, quand certaines femmes trouvent du plaisir à nous déchirer le cœur, quand elles se sont promis d'y enfoncer un poignard et de le retourner dans la plaie, ces femmes-là sont adorables, elles aiment ou veulent être aimées ! Un jour, elles nous récompenseront de nos douleurs, comme Dieu doit, dit-on, rémunérer nos bonnes œuvres ; elles nous rendront en plaisir le centuple du mal dont la violence est appréciée par elles : leur méchanceté n'est-elle pas pleine de passion ? Mais être torturé par une femme qui nous tue avec indifférence, n'est-ce pas un atroce supplice ? En ce moment Fœdora marchait, sans le savoir, sur toutes mes espérances, brisait ma vie et détruisait mon avenir avec la froide insouciance et l'innocente cruauté d'un enfant qui, par curiosité, déchire les ailes d'un papillon.

« — Plus tard, ajouta Fœdora, vous reconnaîtrez, je l'espère, la solidité de l'affection que j'offre à mes amis. Pour eux, vous me trouverez toujours bonne et dévouée. Je saurais leur donner ma vie, mais vous me mépriseriez si je subissais leur amour sans le partager. Je m'arrête. Vous êtes le seul homme auquel j'aie encore dit ces derniers mots.

« D'abord les paroles me manquèrent, et j'eus peine à maîtriser l'ouragan qui s'élevait en moi ; mais bientôt je refoulai mes sensations au fond de mon âme et me mis à sourire.

« — Si je vous dis que je vous aime, répondis-je, vous me bannirez ; si je m'accuse d'indifférence, vous m'en punirez. Les prêtres, les magistrats et les femmes ne dépouillent jamais leur robe entièrement. Le silence ne préjuge rien ; trouvez bon, madame, que je me taise. Pour m'avoir adressé de si fraternels avertissements, il faut que vous ayez craint de me perdre, et cette pensée pourrait satisfaire mon orgueil. Mais laissons la personnalité loin de nous. Vous êtes peut-être la seule femme avec laquelle je puisse discuter en philosophe une résolution si contraire aux lois de la nature. Relativement aux autres sujets de votre espèce, vous êtes un phénomène. Eh bien ! cherchons ensemble, de bonne foi, la cause de cette anomalie psychologique. Existe-t-il en vous, comme chez beaucoup de femmes fières d'elles-mêmes, amoureuses de leurs perfections, un sentiment d'égoïsme raffiné qui vous fasse prendre en horreur l'idée d'appartenir à un homme, d'abdiquer votre vouloir et d'être soumise à une supériorité de convention qui vous offense ? vous me sembleriez mille fois plus belle ! Auriez-vous été maltraitée une première fois par l'amour ? Peut-être le prix que vous devez attacher à l'élégance de votre taille, à votre délicieux corsage, vous fait-il craindre les dégâts de la maternité : ne serait-ce pas une de vos meilleures raisons secrètes pour vous refuser à être trop bien aimée ? Avez-vous des imperfections qui vous rendent vertueuse malgré vous ?... Ne vous fâchez pas, je discute, j'étudie, je suis à mille lieues de la passion. La nature, qui fait des aveugles de naissance, peut bien créer des femmes sourdes, muettes et aveugles en amour. Vraiment, vous êtes un sujet précieux pour l'observation médicale ! Vous ne savez pas tout ce que vous valez. Vous pouvez avoir un dégoût fort légitime pour les hommes ; je vous approuve, ils me paraissent tous laids et odieux. Mais vous avez raison, ajoutai-je en sentant mon cœur se gonfler, vous devez nous mépriser ; il n'existe pas d'homme qui soit digne de vous !

« Je ne te dirai pas tous les sarcasmes que je lui débitai en riant. Eh bien ! la parole la plus acérée, l'ironie la plus aiguë, ne lui arrachèrent ni un mouvement ni un geste de dépit. Elle m'écoutait en gardant sur ses lèvres, dans ses yeux, son sourire d'habitude, ce sourire qu'elle prenait comme un vêtement, et toujours le même pour ses amis, pour ses simples connaissances, pour les étrangers.

« — Ne suis-je pas bien bonne de me laisser mettre ainsi sur un amphithéâtre ? dit-elle en saisissant un moment pendant lequel je la regardais en silence. Vous le voyez, continua-t-elle en riant, je n'ai pas de sottes susceptibilités en amitié. Beaucoup de femmes puniraient votre impertinence en vous faisant fermer leur porte.

« — Vous pouvez me bannir de chez vous sans être tenue de donner la raison de vos sévérités.

« En disant cela, je me sentais prêt à la tuer si elle m'avait congédié.

« — Vous êtes fou, s'écria-t-elle en souriant.

« — Avez-vous jamais songé, repris-je, aux effets d'un violent amour ? Un homme au désespoir a souvent assassiné sa maîtresse.

« — Il vaut mieux être morte que malheureuse, répondit-elle froidement. Un homme si passionné doit, un jour, abandonner sa femme et la laisser sur la paille après lui avoir mangé sa fortune.

« Cette arithmétique m'abasourdit. Je vis clairement un abîme entre cette femme et moi. Nous ne pouvions jamais nous comprendre.

« — Adieu, lui dis-je froidement.

« — Adieu, répondit-elle en inclinant la tête d'un air amical. A demain.

« Je la regardai pendant un moment en lui dardant tout l'amour auquel je renonçais. Elle était debout et me jetait son sourire banal, le détestable sourire d'une statue de marbre, paraissant exprimer l'amour, mais froid. Concevras-tu bien, mon cher, toutes les

douleurs qui m'assaillirent en revenant chez moi par
la pluie et la neige, en marchant sur le verglas des
quais pendant une lieue, ayant tout perdu ? Oh !
savoir qu'elle ne pensait seulement pas à ma misère
et me croyait, comme elle, riche et doucement voituré !
Combien de ruines et de déceptions ! Il ne s'agissait
plus d'argent, mais de toutes les fortunes de mon âme.
J'allais au hasard, en discutant avec moi-même les
mots de cette étrange conversation ; je m'égarais si
bien dans mes commentaires que je finissais par douter
de la valeur nominale des paroles et des idées ! Et
j'aimais toujours, j'aimais cette femme froide dont
le cœur voulait être conquis à tout moment, et qui, en
effaçant toujours les promesses de la veille, se produisait le lendemain comme une maîtresse nouvelle.
En tournant sous les guichets de l'Institut, un mouvement fiévreux me saisit. Je me souvins alors que j'étais
à jeun. Je ne possédais pas un denier. Pour comble de
malheur, la pluie déformait mon chapeau. Comment
pouvoir aborder désormais une femme élégante et me
présenter dans un salon sans un chapeau mettable !
Grâce à des soins extrêmes, et tout en maudissant la
mode niaise et sotte qui nous condamne à exhiber la
coiffe de nos chapeaux en les gardant constamment
à la main, j'avais maintenu le mien jusque-là dans un
état douteux. Sans être curieusement neuf ou sèchement vieux, dénué de barbe ou très soyeux, il pouvait
passer pour le chapeau d'un homme soigneux ; mais
son existence artificielle arrivait à son dernier période,
il était blessé, déjeté, fini, véritable haillon, digne re-

présentant de son maître. Faute de trente sous, je
perdais mon industrieuse élégance. Ah ! combien de
sacrifices ignorés n'avais-je pas faits à Fœdora depuis
trois mois ! Souvent je consacrais l'argent nécessaire
au pain d'une semaine pour aller la voir un moment.
Quitter mes travaux et jeûner, ce n'était rien ! mais
traverser les rues de Paris sans se laisser éclabousser,
courir pour éviter la pluie, arriver chez elle aussi bien
mis que les fats qui l'entouraient, ah ! pour un poète
amoureux et distrait, cette tâche avait d'innombrables
difficultés. Mon bonheur, mon amour, dépendaient
d'une moucheture de l'ange sur mon seul gilet blanc !
Renoncer à la voir si je me crottais, si je me mouillais !
Ne pas posséder cinq sous pour faire effacer par un
décrotteur la plus légère tache de boue sur ma botte !
Ma passion s'était augmentée de tous ces petits supplices inconnus, immenses chez un homme irritable.
Les malheureux ont des dévouements desquels il ne
leur est point permis de parler aux femmes qui vivent
dans une sphère de luxe et d'élégance ; elles voient le
monde à travers un prisme qui teint en or les hommes
et les choses. Optimistes par égoïsme, cruelles par bon
ton, ces femmes s'exemptent de réfléchir au nom de
leurs jouissances et s'absolvent de leur indifférence
au malheur par l'entraînement du plaisir. Pour elles,
un denier n'est jamais un million, c'est le million qui
leur semble être un denier. Si l'amour doit plaider
sa cause par de grands sacrifices, il doit aussi les couvrir délicatement d'un voile, les ensevelir dans le
silence ; mais, en prodiguant leur fortune et leur vie,

en se dévouant, les hommes riches profitent des préjugés mondains qui donnent toujours un certain éclat à leurs amoureuses folies ; pour eux, le silence parle et le voile est une grâce, tandis que mon affreuse détresse me condamnait à d'épouvantables souffrances sans qu'il me fût permis de dire : « J'aime ! » ou : « Je meurs ! » Était-ce du dévouement, après tout ? N'étais-je pas richement récompensé par le plaisir que j'éprouvais à tout immoler pour elle ? La comtesse avait donné d'extrêmes valeurs, attaché d'excessives jouissances aux accidents les plus vulgaires de ma vie. Naguère insouciant en fait de toilette, je respectais maintenant mon habit comme un autre moi-même. Entre une blessure à recevoir et la déchirure de mon frac, je n'aurais pas hésité ! Tu dois alors épouser ma situation et comprendre les rages de pensée, la frénésie croissante qui m'agitaient en marchant, et que peut-être la marche animait encore ! J'éprouvais je ne sais quelle joie infernale à me trouver au faîte du malheur. Je voulais voir un présage de fortune dans cette dernière crise ; mais le mal a des trésors sans fond. La porte de mon hôtel était entr'ouverte. A travers les découpures en forme de cœur pratiquées dans le volet, j'aperçus une lumière projetée dans la rue. Pauline et sa mère causaient en m'attendant. J'entendis prononcer mon nom, j'écoutai.

« — Raphaël, disait Pauline, est bien mieux que l'étudiant du numéro sept ! Ses cheveux blonds sont d'une si jolie couleur ! Ne trouves-tu pas quelque chose dans sa voix, je ne sais, mais quelque chose qui

vous remue le cœur ? Et puis, quoiqu'il ait l'air un
peu fier, il est si bon, il a des manières si distinguées !
Oh ! il est vraiment très bien ! Je suis sûre que toutes
les femmes doivent être folles de lui.

« — Tu en parles comme si tu l'aimais, observa
Mme Gaudin.

« — Oh ! je l'aime comme un frère, répondit-elle en
riant. Je serais joliment ingrate si je n'avais pas de
l'amitié pour lui ! Ne m'a-t-il pas appris la musique,
le dessin, la grammaire, enfin tout ce que je sais ?
Tu ne fais pas grande attention à mes progrès, ma
bonne mère ; mais je deviens si instruite que, dans
quelque temps, je serai assez forte pour donner des
leçons, et alors nous pourrons avoir une domestique.

« Je me retirai doucement ; et, après avoir fait
quelque bruit, j'entrai dans la salle pour y prendre
ma lampe, que Pauline voulut allumer. La pauvre
enfant venait de jeter un baume délicieux sur mes
plaies. Ce naïf éloge de ma personne me rendit un peu
de courage. J'avais besoin de croire en moi-même et
de recueillir un jugement impartial sur la véritable
valeur de mes avantages. Mes espérances, ainsi rani-
mées, se reflétèrent peut-être sur les choses que je
voyais. Peut-être aussi n'avais-je point encore bien
sérieusement examiné la scène assez souvent offerte
à mes regards par ces deux femmes au milieu de cette
salle ; mais alors j'admirai dans sa réalité le plus
délicieux tableau de cette nature modeste, si naïvement reproduite par les peintres flamands. La mère,
assise au coin d'un foyer à demi éteint, tricotait des

bas et laissait errer sur ses lèvres un bon sourire.
Pauline coloriait des écrans ; ses couleurs, ses pinceaux
étalés sur une petite table parlaient aux yeux par de
piquants effets ; mais, ayant quitté sa place et se
tenant debout pour allumer ma lampe, sa blanche
figure en recevait toute la lumière ; il fallait être sub-
jugué par une bien terrible passion pour ne pas admirer
ses mains transparentes et roses, l'idéal de sa tête et
sa virginale attitude ! La nuit et le silence prêtaient
leur charme à cette laborieuse veillée, à ce paisible
intérieur. Ces travaux continus et gaiement supportés
attestaient une résignation religieuse pleine de sentiments élevés. Une indéfinissable harmonie existait là
entre les choses et les personnes. Chez Fœdora, le luxe
était sec, il éveillait en moi de mauvaises pensées ;
tandis que cette humble misère et ce bon naturel me
rafraîchissaient l'âme. Peut-être étais-je humilié en
présence du luxe ; près de ces deux femmes, au milieu
de cette salle brune où la vie simplifiée semblait se
réfugier dans les émotions du cœur, peut-être me récon-
ciliai-je avec moi-même en trouvant à exercer la protection que l'homme est si jaloux de faire sentir.
Quand je fus près de Pauline, elle me jeta un regard
presque maternel et s'écria, les mains tremblantes, en
posant vivement la lampe :

« — Dieu ! comme vous êtes pâle ! — Ah ! il est tout
mouillé ! — Ma mère va vous essuyer... Monsieur
Raphaël, reprit-elle après une légère pause, vous êtes
friand de lait : nous avons eu ce soir de la crème, tenez,
voulez-vous y goûter ?

« Elle sauta comme un petit chat sur un bol de porcelaine plein de lait, et me le présenta si vivement, me le mit sous le nez d'une si gentille façon que j'hésitai.

« — Vous me refuseriez ? dit-elle d'une voix altérée.

« Nos deux fiertés se comprenaient : Pauline paraissait souffrir de sa pauvreté et me reprocher ma hauteur. Je fus attendri. Cette crème était peut-être son déjeuner du lendemain, j'acceptai cependant. La pauvre fille essaya de cacher sa joie, mais elle pétillait dans ses yeux.

« — J'en avais besoin, lui dis-je en m'asseyant. (Une expression soucieuse passa sur son front.) Vous souvenez-vous, Pauline, de ce passage où Bossuet nous peint Dieu récompensant un verre d'eau plus richement qu'une victoire ?

« — Oui, répondit-elle.

« Et son sein battait comme celui d'une jeune fauvette entre les mains d'un enfant.

« — Eh bien ! comme nous nous quitterons bientôt, ajoutai-je d'une voix mal assurée, laissez-moi vous témoigner ma reconnaissance pour tous les soins que vous et votre mère, vous avez eus de moi.

« — Oh ! ne comptons pas, dit-elle en riant.

« Son rire cachait une émotion qui me fit mal.

« — Mon piano, repris-je sans paraître avoir entendu ses paroles, est un des meilleurs instruments d'Érard : acceptez-le. Prenez-le sans scrupule, je ne saurais vraiment l'emporter dans le voyage que je compte entreprendre.

« Éclairées peut-être par l'accent de mélancolie avec lequel je prononçai ces mots, les deux femmes semblèrent m'avoir compris et me regardèrent avec une curiosité mêlée d'effroi. L'affection que je cherchais au milieu des froides régions du grand monde était donc là, vraie, sans faste, mais onctueuse et peut-être durable.

« — Il ne faut pas prendre tant de souci, me dit la mère. Restez ici. Mon mari est en route à cette heure, reprit-elle. Ce soir, j'ai lu l'Évangile de saint Jean pendant que Pauline tenait suspendue entre ses doigts notre clef attachée dans une Bible, la clef a tourné. Ce présage annonce que Gaudin se porte bien et prospère. Pauline a recommencé pour vous et pour le jeune homme du numéro sept ; mais la clef n'a tourné que pour vous. Nous serons tous riches. Gaudin reviendra millionnaire : je l'ai vu en rêve sur un vaisseau plein de serpents ; heureusement, l'eau était trouble, ce qui signifie or et pierreries d'outremer.

« Ces paroles amicales et vides, semblables aux vagues chansons avec lesquelles une mère endort les douleurs de son enfant, me rendirent une sorte de calme. L'accent et le regard de la bonne femme exhalaient cette douce cordialité qui n'efface pas le chagrin, mais qui l'apaise, qui le berce et l'émousse. Plus perspicace que sa mère, Pauline m'examinait avec inquiétude, ses yeux intelligents semblaient deviner ma vie et mon avenir. Je remerciai par une inclination de tête la mère et la fille ; puis je me sauvai, craignant de m'attendrir. Quand je me trouvai

seul sous mon toit, je me couchai dans mon malheur.
Ma fatale imagination me dessina mille projets sans
base et me dicta des résolutions impossibles. Quand
un homme se traîne dans les décombres de sa fortune,
il y rencontre encore quelques ressources ; mais j'étais
dans le néant. Ah ! mon cher, nous accusons trop
facilement la misère. Soyons indulgents pour les effets
du plus actif de tous les dissolvants sociaux. Là où
règne la misère, il n'existe plus ni pudeur, ni crimes,
ni vertus, ni esprit. J'étais alors sans idées, sans force,
comme une jeune fille tombée à genoux devant un tigre.
Un homme sans passion et sans argent reste maître de
sa personne ; mais un malheureux qui aime ne s'appartient plus et ne peut pas se tuer. L'amour nous donne
une sorte de religion pour nous-mêmes, nous respectons
en nous une autre vie ; il devient alors le plus horrible
des malheurs, le malheur avec une espérance, une
espérance qui vous fait accepter des tortures. Je
m'endormis avec l'idée d'aller le lendemain confier à
Rastignac la singulière détermination de Fœdora.

« — Ah ! ah ! me dit Rastignac en me voyant entrer
chez lui dès neuf heures du matin, je sais ce qui
t'amène, tu dois être congédié par Fœdora. Quelques
bonnes âmes, jalouses de ton empire sur la comtesse,
ont annoncé votre mariage. Dieu sait les folies que
tes rivaux t'ont prêtées et les calomnies dont tu as
été l'objet !

« — Tout s'explique ! m'écriai-je.

« Je me souvins de toutes mes impertinences et
trouvai la comtesse sublime. A mon gré, j'étais un

infâme qui n'avait pas encore assez souffert, et je ne vis plus dans son indulgence que la patiente charité de l'amour.

« — N'allons pas si vite, me dit le prudent Gascon. Fœdora possède la pénétration naturelle aux femmes profondément égoïstes, elle t'aura jugé peut-être au moment où tu ne voyais encore en elle que sa fortune et son luxe ; en dépit de ton adresse, elle aura lu dans ton âme. Elle est assez dissimulée pour qu'aucune dissimulation ne trouve grâce devant elle. Je crois, ajouta-t-il, t'avoir mis dans une mauvais voie. Malgré la finesse de son esprit et de ses manières, cette créature me semble impérieuse, comme toutes les femmes qui ne prennent de plaisir que par la tête. Pour elle, le bonheur gît tout entier dans le bien-être de la vie, dans les jouissances sociales ; chez elle, le sentiment est un rôle ; elle te rendrait malheureux et ferait de toi son premier valet...

« Rastignac parlait à un sourd. Je l'interrompis, en lui exposant avec une apparente gaieté ma situation financière.

« — Hier au soir, me répondit-il, une veine contraire m'a emporté tout l'argent dont je pouvais disposer. Sans cette vulgaire infortune, j'eusse partagé volontiers ma bourse avec toi. Mais allons déjeuner au cabaret, les huîtres nous donneront peut-être un bon conseil.

« Il s'habilla, fit atteler son tilbury ; puis, semblables à deux millionnaires, nous arrivâmes au *Café de Paris* avec l'impertinence de ces audacieux spéculateurs qui

vivent sur des capitaux imaginaires. Ce diable de
Gascon me confondait par l'aisance de ses manières
et par son aplomb imperturbable. Au moment où
nous prenions le café, après avoir fini un repas fort
délicat et très bien entendu, Rastignac, qui distribuait
des coups de tête à une foule de jeunes gens également
recommandables par les grâces de leur personne et
par l'élégance de leur mise, me dit en voyant entrer
un de ces dandys :

« — Voici ton affaire.

« Et il fit signe à un gentilhomme bien cravaté, qui
semblait chercher une table à sa convenance, de venir
lui parler.

« — Ce gaillard-là, me dit Rastignac à l'oreille, est
décoré pour avoir publié des ouvrages qu'il ne comprend pas ; il est chimiste, historien, romancier,
publiciste ; il possède des quarts, des tiers, des moitiés
dans je ne sais combien de pièces de théâtre, et il est
ignorant comme la mule de dom Miguel. Ce n'est pas
un homme, c'est un nom, une étiquette familière au
public. Aussi se garderait-il bien d'entrer dans ces
cabinets sur lesquels il y a cette inscription : *Ici l'on
peut écrire soi-même*. Il est fin à jouer tout un congrès.
En deux mots, c'est un métis en morale, ni tout à fait
probe, ni complètement fripon. Mais chut ! il s'est
déjà battu, le monde n'en demande pas davantage
et dit de lui : « C'est un homme honorable. »

« — Eh bien, mon excellent ami, mon honorable ami,
comment se porte Votre Intelligence ? lui dit Rastignac
au moment où l'inconnu s'assit à la table voisine.

« — Mais ni bien, ni mal... Je suis accablé de travail. J'ai entre les mains tous les matériaux nécessaires pour faire des mémoires historiques très curieux, et je ne sais à qui les attribuer. Cela me tourmente ; il faut se hâter, les mémoires vont passer de mode.

« — Sont-ce des mémoires contemporains, anciens, sur la cour ?... sur quoi ?

« — Sur l'affaire du Collier.

« — N'est-ce pas un miracle ? me dit Rastignac en riant.

« Puis, se retournant vers le spéculateur :

« — M. de Valentin, reprit-il en me désignant, est un de mes amis, que je vous présente comme l'une de nos futures célébrités littéraires. Il avait jadis une tante fort bien en cour, marquise, et, depuis deux ans, il travaille à une histoire royaliste de la Révolution.

« Alors, se penchant à l'oreille de ce singulier négociant, il lui dit :

« — C'est un homme de talent, mais un niais qui peut vous faire vos mémoires, au nom de sa tante, pour cent écus par volume.

« — Le marché me va, répondit l'autre en haussant sa cravate. — Garçon, mes huîtres, donc !

« — Oui, mais vous me donnerez vingt-cinq louis de commission et lui payerez un volume d'avance, reprit Rastignac.

« — Non, non. Je n'avancerai que cinquante écus pour être plus sûr d'avoir promptement mon manuscrit.

« Rastignac me répéta cette conversation mercantile à voix basse. Puis, sans me consulter :

« — Nous sommes d'accord, lui répondit-il. Quand pouvons-nous aller vous voir pour terminer cette affaire ?

« — Eh bien, venez dîner ici, demain soir, à sept heures.

« Nous nous levâmes. Rastignac jeta de la monnaie au garçon, mit la carte à payer dans sa poche, et nous sortîmes. J'étais stupéfait de la légèreté, de l'insouciance avec laquelle il avait vendu ma respectable tante, la marquise de Montbauron.

« — J'aime mieux m'embarquer pour le Brésil et y enseigner aux Indiens l'algèbre, dont je ne sais pas un mot, que de salir le nom de ma famille !

« Rastignac m'interrompit par un éclat de rire.

« — Es-tu bête ! Prends d'abord les cinquante écus et fais les mémoires. Quand ils seront achevés, tu refuseras de les mettre sous le nom de la tante, imbécile ! Mme de Montbauron, morte sur l'échafaud, ses paniers, sa considération, sa beauté, son fard, ses mules valent bien plus de six cents francs. Si le libraire ne veut pas alors payer ta tante ce qu'elle vaut, il trouvera quelque vieux chevalier d'industrie ou je ne sais quelle fangeuse comtesse pour signer les mémoires.

« — Oh ! m'écriai-je, pourquoi suis-je sorti de ma vertueuse mansarde ? Le monde a des envers bien salement ignobles !

« — Bon, répondit Rastignac, voilà de la poésie, et

il s'agit d'affaires ! Tu es un enfant. Écoute : quant aux mémoires, le public les jugera ; quant à mon proxénète littéraire, n'a-t-il pas dépensé huit ans de sa vie et payé ses relations avec la librairie par de cruelles expériences ? En partageant inégalement avec lui le travail du livre, ta part d'argent n'est-elle pas aussi la plus belle ? Vingt-cinq louis sont une bien plus grande somme pour toi que mille francs pour lui. Va, tu peux écrire des mémoires historiques, œuvre d'art si jamais il en fut, quand Diderot a fait six sermons pour cent écus.

« — Enfin, lui dis-je tout ému, c'est pour moi une nécessité : ainsi, mon pauvre ami, je te dois des remerciements. Vingt-cinq louis me rendront bien riche...

« — Et plus riche que tu ne penses, répliqua-t-il en riant. Si Finot me donne une commission dans l'affaire, ne devines-tu pas qu'elle sera pour toi ? Allons au bois de Boulogne, dit-il ; nous y verrons ta comtesse, et je te montrerai la jolie petite veuve que je dois épouser, une charmante personne, Alsacienne un peu grasse. Elle lit Kant, Schiller, Jean-Paul, et une foule de livres hydrauliques. Elle a la manie de toujours me demander mon opinion : il faut que j'aie l'air de comprendre cette sensiblerie allemande, de connaître un tas de ballades, toutes drogues qui me sont défendues par le médecin. Je n'ai pas encore pu la déshabituer de son enthousiasme littéraire, elle pleure des averses à la lecture de Gœthe, et je suis obligé de pleurer un peu, par complaisance, car il y

a cinquante mille livres de rente, mon cher, et le
plus joli petit pied, la plus jolie petite main de la
terre !... Ah ! si elle ne disait pas *mon anche* et *proulier*
pour mon *ange* et *brouiller*, ce serait une femme
accomplie !

« Nous vîmes la comtesse, brillante dans un brillant
équipage. La coquette nous salua fort affectueusement
en me jetant un sourire qui me parut alors divin et
plein d'amour. Ah ! j'étais bien heureux, je me croyais
aimé, j'avais de l'argent et des trésors de passion, plus
de misère ! Léger, gai, content de tout, je trouvai la
maîtresse de mon ami charmante. Les arbres, l'air,
le ciel, toute la nature semblait me répéter le sourire
de Fœdora. En revenant des Champs-Élysées, nous
allâmes chez le chapelier et chez le tailleur de Rastignac. L'affaire du Collier me permit de quitter mon
misérable pied de paix pour passer à un formidable
pied de guerre. Désormais je pouvais sans crainte
lutter de grâce et d'élégance avec les jeunes gens qui
tourbillonnaient autour de Fœdora. Je revins chez
moi ; je m'y enfermai, restant tranquille en apparence,
près de ma lucarne ; mais disant d'éternels adieux à
mes toits, vivant dans l'avenir, dramatisant ma vie,
escomptant l'amour et ses joies. Ah ! comme une
existence peut devenir orageuse entre les quatre murs
d'une mansarde ! L'âme humaine est une fée, elle
métamorphose une paille en diamants ; sous sa
baguette, les palais enchantés éclosent comme les
fleurs des champs sous les chaudes inspirations du
soleil... Le lendemain, vers midi, Pauline frappa

doucement à ma porte et m'apporta, devine quoi ?
une lettre de Fœdora. La comtesse me priait de venir
la prendre au Luxembourg pour aller, de là, voir
ensemble le Muséum et le Jardin des plantes.

« — Le commissionnaire attend la réponse, me dit-
elle après un moment de silence.

« Je griffonnai promptement une lettre de remer-
ciement, que Pauline emporta. Je m'habillai. Au
moment où, assez content de moi-même, j'achevais
ma toilette, un frisson glacial me saisit à cette pensée :

« — Fœdora est-elle venue en voiture ou à pied ?
Pleuvra-t-il, fera-t-il beau ?... Mais, me dis-je, qu'elle
soit à pied ou en voiture, est-on jamais certain de
l'esprit fantasque d'une femme ? Elle sera sans argent
et voudra donner cent sous à un petit Savoyard parce
qu'il aura de jolies guenilles.

« J'étais sans un rouge liard et ne devais avoir de
l'argent que le soir. Oh ! combien, dans ces crises de
notre jeunesse, un poète paye cher la puissance intellectuelle dont il est investi par le régime et par le
travail ! En un instant mille pensées vives et douloureuses me piquèrent comme autant de dards. Je
regardai le ciel par ma lucarne, le temps était fort
incertain. En cas de malheur, je pouvais bien prendre
une voiture pour la journée ; mais aussi, ne trem-
blerais-je pas à tout moment, au milieu de mon
bonheur, de ne pas rencontrer Finot le soir ? Je ne me
sentis pas assez fort pour supporter tant de craintes
au sein de ma joie. Malgré la certitude de ne rien

trouver, j'entrepris une grande exploration à travers ma chambre, je cherchai des écus imaginaires jusque dans la profondeur de ma paillasse, je fouillai tout, je secouai même de vieilles bottes. En proie à une fièvre nerveuse, je regardais mes meubles d'un œil hagard après les avoir renversés tous. Comprendras-tu le délire qui m'anima, lorsqu'en ouvrant pour la septième fois le tiroir de ma table à écrire que je visitais avec cette espèce d'indolence dans laquelle nous plonge le désespoir, j'aperçus, collée contre une planche latérale, tapie sournoisement, mais propre, brillante, lucide comme une étoile à son lever, une belle et noble pièce de cent sous ? Ne lui demandant compte ni de son silence ni de la cruauté dont elle était coupable en se tenant ainsi cachée, je la baisai comme un ami fidèle au malheur et la saluai par un cri qui trouva de l'écho. Je me retournai brusquement et vis Pauline devenue pâle.

« — J'ai cru, dit-elle d'une voix émue, que vous vous faisiez mal ! Le commissionnaire... (Elle s'interrompit comme si elle étouffait.) Mais ma mère l'a payé, ajouta-t-elle.

« Puis elle s'enfuit, enfantine et follette comme un caprice. Pauvre petite ! je lui souhaitai mon bonheur. En ce moment, il me semblait avoir dans l'âme tout le plaisir de la terre, et j'aurais voulu restituer aux malheureux la part que je croyais leur voler. Nous avons presque toujours raison dans nos pressentiments d'adversité, la comtesse avait renvoyé sa voiture. Par un de ces caprices que les jolies femmes ne s'expliquent

pas toujours à elles-mêmes, elle voulait aller au Jardin
des plantes par les boulevards et à pied.

« — Mais il va pleuvoir, lui dis-je.

« Elle prit plaisir à me contredire. Par hasard, il fit
beau pendant tout le temps que nous mîmes à traverser le Luxembourg. Quand nous en sortîmes, un
gros nuage dont la marche excitait mon inquiétude
ayant laissé tomber quelques gouttes d'eau, nous
montâmes dans un fiacre. Lorsque nous cûmes atteint
les boulevards, la pluie cessa, le ciel reprit sa sérénité.
En arrivant au Muséum, je voulus renvoyer la voiture,
Fœdora me pria de la garder. Que de tortures ! Mais
causer avec elle en comprimant un secret délire qui
sans doute se formulait sur mon visage par quelque
sourire niais et arrêté ; errer dans le Jardin des plantes,
en parcourir les allées bocagères et sentir son bras
appuyé sur le mien, il y eut dans tout cela je ne sais
quoi de fantastique : c'était un rêve en plein jour.
Cependant, ses mouvements, soit en marchant, soit
en nous arrêtant, n'avaient rien de doux ni d'amoureux
malgré leur apparente volupté. Quand je cherchais à
m'associer en quelque sorte à l'action de sa vie, je
rencontrais en elle une intime et secrète vivacité, je
ne sais quoi de saccadé, d'excentrique. Les femmes
sans âme n'ont rien de moelleux dans leurs gestes.
Aussi n'étions-nous unis ni par une même volonté
ni par un même pas. Il n'existe point de mots
pour rendre ce désaccord matériel de deux êtres, car
nous ne sommes pas encore habitués à reconnaître
une pensée dans le mouvement. Ce phénomène de

notre nature se sent instinctivement, il ne s'exprime
pas.

« Pendant ces violents paroxysmes de ma passion,
reprit Raphaël après un moment de silence, et comme
s'il répondait à une objection qu'il se fût adressée à
lui-même, je n'ai pas disséqué mes sensations, analysé
mes plaisirs, ni supputé les battements de mon cœur,
comme un avare examine et pèse ses pièces d'or. Oh
non ! l'expérience jette aujourd'hui sa triste lumière
sur les événements passés, et le souvenir m'apporte
ces images, comme par un beau temps les flots de la
mer amènent brin à brin les débris d'un naufrage sur
la grève.

« — Vous pouvez me rendre un service assez important, me dit la comtesse en me regardant d'un air
confus. Après vous avoir confié mon antipathie pour
l'amour, je me sens plus libre en réclamant de vous un
bon office au nom de l'amitié. N'aurez-vous pas, reprit-
elle en riant, beaucoup plus de mérite à m'obliger
aujourd'hui ?

« Je la regardais avec douleur. N'éprouvant rien
près de moi, elle était pateline et non pas affectueuse ;
elle me paraissait jouer un rôle en actrice consommée ;
puis tout à coup son accent, un regard, un mot, réveillaient mes espérances ; mais, si mon amour ranimé
se peignait alors dans mes yeux, elle en soutenait les
rayons sans que la clarté des siens s'en altérât, car ils
semblaient comme ceux des tigres, être doublés par
une feuille de métal. En ces moments-là je la détestais.

« — La protection du duc de Navarreins, dit-elle en

continuant avec des inflexions de voix pleines de câlineries, me serait très utile auprès d'une personne toute-puissante en Russie, et dont l'intervention est nécessaire pour me faire rendre justice dans une affaire qui concerne à la fois ma fortune et mon état dans le monde, la reconnaissance de mon mariage par l'empereur. Le duc de Navarreins n'est-il pas votre cousin ? Une lettre de lui déciderait tout.

« — Je vous appartiens, lui répondis-je, ordonnez.

« — Vous êtes bien aimable, reprit-elle en me serrant la main. Venez dîner avec moi, je vous dirai tout, comme à un confesseur.

« Cette femme si méfiante, si discrète, et à laquelle personne n'avait entendu dire un mot sur ses intérêts, allait donc me consulter.

« — Oh ! combien j'aime maintenant le silence que vous m'avez imposé ! m'écriai-je. Mais j'aurais voulu quelque épreuve plus rude encore.

« En ce moment, elle accueillit l'ivresse de mes regards et ne se refusa point à mon admiration, elle m'aimait donc ! Nous arrivâmes chez elle. Fort heureusement, le fond de ma bourse put satisfaire le cocher. Je passai délicieusement la journée, seul avec elle, chez elle ; c'était la première fois que je pouvais la voir ainsi. Jusqu'à ce jour, le monde, sa gênante politesse et ses façons froides nous avaient toujours séparés, même pendant ses somptueux dîners ; mais alors j'étais chez elle comme si j'eusse vécu sous son toit, je la possédais, pour ainsi dire. Ma vagabonde imagination brisait les entraves, arrangeait les événe-

7

ments de la vie à ma guise, et me plongeait dans les
délices d'un amour heureux. Me croyant son mari, je
l'admirais occupée de petits détails : j'éprouvais même
du bonheur à lui voir ôter son châle et son chapeau.
Elle me laissa seul un moment, et revint les cheveux
arrangés, charmante. Cette jolie toilette avait été
faite pour moi ! Pendant le dîner, elle me prodigua
ses attentions et déploya des grâces infinies dans mille
choses qui semblent des riens et qui cependant sont
la moitié de la vie. Quand nous fûmes tous deux
devant un feu pétillant, assis sur la soie, environnés
des plus désirables créations d'un luxe oriental ; quand
je vis si près de moi cette femme dont la beauté célèbre
faisait palpiter tant de cœurs, cette femme si difficile
à conquérir, me parlant, me rendant l'objet de toutes
ses coquetteries, ma voluptueuse félicité devint presque de la souffrance. Pour mon malheur, je me souvins
de l'importante affaire que je devais conclure, et
voulus aller au rendez-vous qui m'avait été donné
la veille.

« — Quoi ! déjà ? dit-elle en me voyant prendre
mon chapeau.

« Elle m'aimait ! Je le crus du moins, en l'entendant
prononcer ces deux mots d'une voix caressante. Pour
prolonger mon extase, j'aurais alors volontiers troqué
deux années de ma vie contre chacune des heures
qu'elle voulait bien m'accorder. Mon bonheur s'augmenta de tout l'argent que je perdais ! Il était minuit
quand elle me renvoya. Néanmoins, le lendemain, mon
héroïsme me coûta bien des remords, je craignais

d'avoir manqué l'affaire des mémoires, devenue si
capitale pour moi ; je courus chez Rastignac, et nous
allâmes surprendre à son lever le titulaire de mes
travaux futurs. Finot me lut un petit acte où il
n'était point question de ma tante, et après la signature duquel il me compta cinquante écus. Nous
déjeunâmes tous les trois. Quand j'eus payé mon
nouveau chapeau, soixante cachets à trente sous et
mes dettes, il ne me resta plus que trente francs ;
mais toutes les difficultés de la vie s'étaient aplanies
pour quelques jours. Si j'avais voulu écouter Rastignac,
je pouvais avoir des trésors en adoptant avec franchise
le *système anglais*. Il voulait absolument m'établir un
crédit et me faire faire des emprunts, en prétendant
que les emprunts soutiendraient le crédit. Selon lui,
l'avenir était de tous les capitaux du monde le plus
considérable et le plus solide. En hypothéquant ainsi
mes dettes sur des futurs contingents, il donna ma
pratique à son tailleur, un artiste qui comprenait *le
jeune homme* et devait me laisser tranquille jusqu'à
mon mariage. Dès ce jour, je rompis avec la vie
monastique et studieuse que j'avais menée pendant
trois ans. J'allai fort assidûment chez Fœdora, où je
tâchai de surpasser en apparence les impertinents ou
les héros de coterie qui s'y trouvaient. En croyant
avoir échappé pour toujours à la misère, je recouvrai
ma liberté d'esprit, j'écrasai mes rivaux, et passai
pour un homme plein de séductions, prestigieux,
irrésistible. Cependant les gens habiles disaient en
parlant de moi : « Un garçon aussi spirituel ne doit

avoir de passions que dans la tête ! » Ils vantaient
charitablement mon esprit aux dépens de ma sensibilité. « Est-il heureux de ne pas aimer ! s'écriaient-ils.
S'il aimait, aurait-il autant de gaieté, de verve ? »
J'étais cependant bien amoureusement stupide en
présence de Fœdora ! Seul avec elle, je ne savais rien
lui dire, ou, si je parlais, je médisais de l'amour ;
j'étais tristement gai, comme un courtisan qui veut
cacher un cruel dépit. Enfin j'essayai de me rendre
indispensable à sa vie, à son bonheur, à sa vanité :
tous les jours près d'elle, j'étais un esclave, un jouet
sans cesse à ses ordres. Après avoir ainsi dissipé ma
journée, je revenais chez moi pour y travailler pendant
les nuits, ne dormant guère que deux ou trois heures
de la matinée. Mais n'ayant pas, comme Rastignac,
l'habitude du *système anglais*, je me vis bientôt sans
un sou. Dès lors, mon cher ami, fat sans bonnes fortunes, élégant sans argent, amoureux anonyme, je
retombai dans cette vie précaire, dans ce froid et
profond malheur soigneusement caché sous les trom-
peuses apparences de luxe. Je ressentis alors mes
souffrances premières, mais moins aiguës : je m'étais
familiarisé sans doute avec leurs terribles crises.
Souvent, les gâteaux et le thé, si parcimonieusement
offerts dans les salons, étaient ma seule nourriture.
Quelquefois les somptueux dîners de la comtesse me
sustentaient pendant deux jours. J'employai tout
mon temps, mes efforts et ma science d'observation
à pénétrer plus avant dans l'impénétrable caractère
de Fœdora. Jusqu'alors l'espérance ou le désespoir

avait influencé mon opinion, je voyais en elle tour
à tour la femme la plus aimante ou la plus insensible
de son sexe ; mais ces alternatives de joie et de tristesse
devinrent intolérables : je voulus chercher un dénouement à cette lutte affreuse en tuant mon amour. De
sinistres lueurs brillaient parfois dans mon âme et me
faisaient entrevoir des abîmes entre nous. La comtesse
justifiait toutes mes craintes ; je n'avais pas encore
surpris de larmes dans ses yeux ; au théâtre, une scène
attendrissante la trouvait froide et rieuse. Elle
réservait toute sa finesse pour elle, et ne devinait ni
le malheur ni le bonheur d'autrui. Enfin elle m'avait
joué ! Heureux de lui faire un sacrifice, je m'étais
presque avili pour elle en allant voir mon parent le
duc de Navarreins, homme égoïste qui rougissait de
ma misère et qui avait de trop grands torts envers
moi pour ne pas me haïr ; il me reçut donc avec cette
froide politesse qui donne aux gestes et aux paroles
l'apparence de l'insulte ; son regard inquiet excita ma
pitié. J'eus honte pour lui de sa petitesse au milieu
de tant de grandeur, de sa pauvreté au milieu de tant
de luxe. Il me parla des pertes considérables que lui
occasionnait le trois pour cent ; je lui dis alors quel
était l'objet de ma visite. Le changement de ses
manières, qui de glaciales devinrent insensiblement
affectueuses, me dégoûta. Eh bien, mon ami, il vint
chez la comtesse, il m'y écrasa. Fœdora trouva pour
lui des enchantements, des prestiges inconnus ; elle
le séduisit, traita sans moi cette affaire mystérieuse
de laquelle je ne sus pas un mot : j'avais été pour

elle un moyen !... Elle paraissait ne plus m'apercevoir
quand mon cousin était chez elle, elle m'acceptait alors
avec moins de plaisir peut-être que le jour où je lui
fus présenté. Un soir, elle m'humilia devant le duc
par un de ces gestes et par un de ces regards qu'aucune
parole ne saurait peindre. Je sortis pleurant, formant
mille projets de vengeance, combinant d'épouvantables viols... Souvent, je l'accompagnais aux Bouffons:
là, près d'elle, tout entier à mon amour, je la con-
templais en me livrant au charme d'écouter la musique,
épuisant mon âme dans la double jouissance d'aimer
et de retrouver les mouvements de mon cœur bien
rendus par les phrases du musicien. Ma passion était
dans l'air, sur la scène ; elle triomphait partout, excepté
chez ma maîtresse. Je prenais alors la main de Fœdora,
j'étudiais ses traits et ses yeux en sollicitant une fusion
de nos sentiments, une de ces soudaines harmonies
qui, réveillées par les notes, font vibrer les âmes à
l'unisson ; mais sa main était muette et ses yeux ne
disaient rien. Quand le feu de mon cœur émané de
tous mes traits la frappait trop fortement au visage,
elle me jetait ce sourire cherché, phrase convenue qui
se reproduit au salon sur les lèvres de tous les portraits.
Elle n'écoutait pas la musique. Les divines pages de
Rossini, de Cimarosa, de Zingarelli ne lui rappelaient
aucun sentiment, ne lui traduisaient aucune poésie de
sa vie ; son âme était aride. Fœdora se produisait là
comme un spectacle dans le spectacle. Sa lorgnette
voyageait incessamment de loge en loge ; inquiète,
quoique tranquille, elle était victime de la mode : sa

loge, son bonnet, sa voiture, sa personne étaient tout
pour elle. Vous rencontrez souvent des gens de colossale
apparence de qui le cœur est tendre et délicat sous un
corps de bronze ; mais elle cachait un cœur de bronze
sous sa frêle et gracieuse enveloppe. Ma fatale science
me déchirait bien des voiles. Si le bon ton consiste
à s'oublier pour autrui, à mettre dans sa voix et dans
ses gestes une constante douceur, à plaire aux autres
en les rendant contents d'eux-mêmes, malgré sa finesse,
Fœdora n'avait pas effacé tout vestige de sa plébéienne
origine : son oubli d'elle-même était fausseté ; ses
manières, au lieu d'être innées, avaient été laborieuse-
ment conquises ; enfin sa politesse sentait la servitude.
Eh bien, ses paroles emmiellées étaient pour ses favoris
l'expression de la bonté, sa prétentieuse exagération
était un noble enthousiasme. Moi seul, j'avais étudié
ses grimaces, j'avais dépouillé son être intérieur de la
mince écorce qui suffit au monde, et je n'étais plus
la dupe de ses singeries ; je connaissais à fond son
âme de chatte. Quand un niais la complimentait, la
vantait, j'avais honte pour elle. Et je l'aimais toujours !
j'espérais fondre ses glaces sous les ailes d'un amour de
poète. Si je pouvais une fois ouvrir son cœur aux
tendresses de la femme, si je l'initiais à la sublimité
des dévouements, je la voyais alors parfaite, elle
devenait un ange. Je l'aimais en homme, en amant,
en artiste, quand il aurait fallu ne pas l'aimer pour
l'obtenir ; un fat bien gourmé, un froid calculateur,
en auraient triomphé peut-être. Vaine, artificieuse,
elle eût sans doute entendu le langage de la vanité,

se serait laissé entortiller dans les pièges d'une intrigue ; elle eût été dominée par un homme sec et glacé. Des douleurs acérées entraient jusqu'au vif dans mon âme quand elle me révélait naïvement son égoïsme. Je l'apercevais avec douleur seule, un jour, dans la vie et ne sachant à qui tendre la main, ne rencontrant pas de regards amis où reposer les siens. Un soir, j'eus le courage de lui peindre, sous des couleurs animées, sa vieillesse déserte, vide et triste. A l'aspect de cette épouvantable vengeance de la nature trompée, elle dit un mot atroce.

« — J'aurai toujours de la fortune, me répondit-elle. Eh bien ! avec de l'or, nous pouvons toujours créer autour de nous les sentiments qui sont nécessaires à notre bien-être.

« Je sortis foudroyé par la logique de ce luxe, de cette femme, de ce monde, en me blâmant d'en être si sottement idolâtre. Je n'aimais pas Pauline pauvre, Fœdora riche n'avait-elle pas le droit de repousser Raphaël ? Notre conscience est un juge infaillible, quand nous ne l'avons pas encore assassinée. « Fœdora, me criait une voix sophistique, n'aime ni ne repousse personne ; elle est libre, mais elle s'est autrefois donnée pour de l'or. Amant ou époux, le comte russe l'a possédée. Elle aura bien une tentation dans sa vie ! Attends-la. » Ni vertueuse ni fautive, cette femme vivait loin de l'humanité, dans une sphère à elle, enfer ou paradis. Ce mystère femelle vêtu de cachemire et de broderies mettait en jeu dans mon cœur tous les sentiments humains, orgueil, ambition, amour, curio-

sité... Un caprice de la mode ou cette envie de paraître
original qui nous poursuit tous avait amené la manie
de vanter un petit spectacle du boulevard. La comtesse
témoigna le désir de voir la figure enfarinée d'un acteur
qui faisait les délices de quelques gens d'esprit, et
j'obtins l'honneur de la conduire à la première repré-
sentation de je ne sais quelle mauvaise farce. La loge
coûtait à peine cent sous, je ne possédais pas un traître
liard. Ayant encore un demi-volume de mémoires à
écrire, je n'osais pas aller mendier un secours à Finot,
et Rastignac, ma providence, était absent. Cette gêne
constante maléficiait toute ma vie. Une fois, au sortir
des Bouffons, par une horrible pluie, Fœdora m'avait
fait avancer une voiture sans que je pusse me soustraire
à son obligeance de parade : elle n'admit aucune de
mes excuses, ni mon goût pour la pluie, ni mon envie
d'aller au jeu. Elle ne devinait mon indigence ni dans
l'embarras de mon maintien, ni dans mes paroles
tristement plaisantes. Mes yeux rougissaient, mais
comprenait-elle un regard ? La vie des jeunes gens est
soumise à de singuliers caprices ! Pendant le voyage,
chaque tour de roue réveilla des pensées qui me
brûlèrent le cœur ; j'essayai de détacher une planche
du fond de la voiture en espérant glisser sur le pavé ;
mais, rencontrant des obstacles invincibles, je me pris
à rire convulsivement et demeurai dans un calme
morne, hébété comme un homme au carcan. A mon
arrivée au logis, aux premiers mots que je balbutiai,
Pauline m'interrompit en disant :

« — Si vous n'avez pas de monnaie...?

« Ah ! la musique de Rossini n'était rien auprès de ces paroles. Mais revenons aux Funambules. Pour pouvoir y conduire la comtesse, je pensai à mettre en gage le cercle d'or qui entourait le portrait de ma mère. Quoique le mont-de-piété se fût toujours dessiné dans ma pensée comme une des portes du bagne, il valait encore mieux y porter mon lit moi-même que de solliciter une aumône. Le regard d'un homme à qui vous demandez de l'argent fait tant de mal ! Certains emprunts nous coûtent notre honneur, comme certains refus prononcés par une bouche amie nous enlèvent une dernière illusion. Pauline travaillait, sa mère était couchée. Jetant un regard furtif sur le lit, dont les rideaux étaient légèrement relevés, je crus M^{me} Gaudin profondément endormie en apercevant au milieu de l'ombre son profil calme et jaune imprimé sur l'oreiller.

« — Vous avez du chagrin ? me dit Pauline, qui posa son pinceau sur son coloriage.

« — Ma pauvre enfant, vous pouvez me rendre un grand service, lui répondis-je.

« Elle me regarda d'un air si heureux que je tressaillis.

« — M'aimerait-elle ? pensai-je. — Pauline..., repris-je.

« Et je m'assis près d'elle pour la bien étudier. Elle me devina, tant mon accent était interrogateur ; elle baissa les yeux et je l'examinai, croyant pouvoir lire dans son cœur comme dans le mien, tant sa physionomie était naïve et pure.

« — Vous m'aimez ? lui dis-je.

« — Un peu..., passionnément..., pas du tout ! s'é-
cria-t-elle.

« Elle ne m'aimait pas. Son accent moqueur et la
gentillesse du geste qui lui échappa peignaient seulement une folâtre reconnaissance de jeune fille. Je lui
avouai donc ma détresse, l'embarras dans lequel je
me trouvais, et la priai de m'aider.

« — Comment, monsieur Raphaël, dit-elle, vous ne
voulez pas aller au mont-de-piété, et vous m'y envoyez !

« Je rougis, confondu par la logique d'une enfant.
Elle me prit alors la main, comme si elle eût voulu
compenser par une caresse la vérité de son exclamation.

« — Oh ! j'irais bien, dit-elle, mais la course est
inutile. Ce matin, j'ai trouvé derrière le piano deux
pièces de cent sous qui s'étaient glissées à votre insu
entre le mur et la barre, et je les ai mises sur votre
table.

« — Vous devez bientôt recevoir de l'argent, monsieur Raphaël, me dit la bonne mère, qui montra sa
tête entre les rideaux ; je puis bien vous prêter quelques écus en attendant.

« — O Pauline, m'écriai-je en lui serrant la main,
je voudrais être riche !

« — Bah ! pourquoi ? dit-elle d'un air mutin.

« Sa main, tremblant dans la mienne, répondait à
tous les battements de mon cœur ; elle retira vivement
ses doigts, examina les miens :

« — Vous épouserez une femme riche, dit-elle, mais

elle vous donnera bien du chagrin... Ah Dieu ! elle
vous tuera !... J'en suis sûre.

« Il y avait dans son cri une sorte de croyance aux
folles superstitions de sa mère.

« — Vous êtes bien crédule, Pauline !

« — Oh ! bien certainement, dit-elle en me regardant
avec terreur, la femme que vous aimerez vous tuera !

« Elle reprit son pinceau, le trempa dans la couleur
en laissant paraître une vive émotion et ne me
regarda plus. En ce moment, j'aurais bien voulu
croire à des chimères. Un homme n'est pas tout à fait
misérable quand il est superstitieux. Une superstition
est souvent une espérance. Retiré dans ma chambre,
je vis en effet deux nobles écus dont la présence me
parut inexplicable. Au sein des pensées confuses du
premier sommeil, je tâchai de vérifier mes dépenses
pour me justifier cette trouvaille inespérée, mais je
m'endormis perdu dans d'inutiles calculs. Le lendemain, Pauline vint me voir au moment où je sortais
pour aller louer une loge.

« — Vous n'avez peut-être pas assez de dix francs,
me dit en rougissant cette bonne et aimable fille, ma
mère m'a chargée de vous offrir cet argent... Prenez,
prenez !

« Elle mit trois écus sur ma table et voulut se
sauver ; mais je la retins. L'admiration sécha les larmes
qui roulaient dans mes yeux.

« — Pauline, lui dis-je, vous êtes un ange ! Ce prêt
me touche bien moins que la pudeur de sentiment
avec laquelle vous me l'offrez. Je désirais une femme

riche, élégante, titrée ; hélas ! maintenant je voudrais posséder des millions et rencontrer une jeune fille pauvre comme vous et comme vous riche de cœur, je renoncerais à une passion fatale qui me tuera. Vous aurez peut-être raison.

« — Assez ! dit-elle.

« Elle s'enfuit, et sa voix de rossignol, ses roulades fraîches retentirent dans l'escalier.

« — Elle est bien heureuse de ne pas aimer encore ! me dis-je en pensant aux tortures que je souffrais depuis plusieurs mois.

« Les quinze francs de Pauline me furent bien précieux. Fœdora, songeant aux émanations populacières de la salle où nous devions rester pendant quelques heures, regretta de ne pas avoir un bouquet ; j'allai lui chercher des fleurs, je lui apportai ma vie et ma fortune. J'eus à la fois des remords et des plaisirs en lui donnant un bouquet dont le prix me révéla tout ce que la galanterie superficielle en usage dans le monde avait de dispendieux. Bientôt elle se plaignit de l'odeur un peu trop forte d'un jasmin du Mexique, elle éprouva un intolérable dégoût en voyant la salle, en se trouvant assise sur une dure banquette ; elle me reprocha de l'avoir amenée là. Quoiqu'elle fût près de moi, elle voulut s'en aller ; elle s'en alla. M'imposer des nuits sans sommeil, avoir dissipé deux mois de mon existence, et ne pas lui plaire ! Jamais ce démon ne fut ni plus gracieux ni plus insensible. Pendant la route, assis près d'elle dans un étroit coupé, je respirais son souffle, je touchais son gant parfumé,

je voyais distinctement les trésors de sa beauté, je
sentais une vapeur douce comme l'iris : toute la femme
et point de femme. En ce moment, un trait de lumière
me permit de voir les profondeurs de cette vie mystérieuse. Je pensai tout à coup au livre récemment publié
par un poète, une vraie conception d'artiste taillée
dans la statue de Polyclès. Je croyais voir ce monstre
qui, tantôt officier, dompte un cheval fougueux ;
tantôt jeune fille, se met à sa toilette et désespère
ses amants ; amant, désespère une vierge douce et
modeste. Ne pouvant plus résoudre autrement
Fœdora, je lui racontai cette histoire fantastique ;
mais rien ne décela sa ressemblance avec cette poésie
de l'impossible, elle s'en amusa de bonne foi, comme
un enfant d'une fable prise aux *Mille et une Nuits.*

« — Pour résister à l'amour d'un homme de mon
âge, à la chaleur communicative de cette belle contagion de l'âme, Fœdora doit être gardée par quelque
mystère ! me dis-je en revenant chez moi. Peut-être,
semblable à lady Delacour, est-elle dévorée par un
cancer ? Sa vie est sans doute une vie artificielle.

« A cette pensée, j'eus froid. Puis je formai le projet
le plus extravagant et le plus raisonnable en même
temps auquel un amant puisse jamais songer. Pour
examiner cette femme corporellement comme je l'avais
étudiée intellectuellement, pour la connaître enfin
tout entière, je résolus de passer une nuit chez elle,
dans sa chambre, à son insu. Voici comment j'exécutai
cette entreprise, qui me dévorait l'âme, comme un
désir de vengeance mord le cœur d'un moine corse.

Aux jours de réception, Fœdora réunissait une assemblée trop nombreuse pour qu'il fût possible au portier d'établir une balance exacte entre les entrées et les sorties. Sûr de pouvoir rester dans la maison sans y causer de scandale, j'attendis impatiemment la prochaine soirée de la comtesse. En m'habillant, je mis dans la poche de mon gilet un petit canif anglais, à défaut de poignard. Trouvé sur moi, cet instrument littéraire n'avait rien de suspect, et, ne sachant jusqu'où me conduirait ma résolution romanesque, je voulais être armé.

« Lorsque les salons commencèrent à se remplir, j'allai dans la chambre à coucher y examiner les choses, et trouvai les persiennes et les volets fermés ; ce fut un premier bonheur ; comme la femme de chambre pourrait venir pour détacher les rideaux drapés aux fenêtres, je lâchai leurs embrasses ; je risquais beaucoup en me hasardant ainsi à faire le ménage par avance, mais j'étais soumis aux périls de ma situation et les avais froidement calculés. Vers minuit, je vins me cacher dans l'embrasure d'une fenêtre. Afin de ne pas laisser voir mes pieds, j'essayai de grimper sur la plinthe de la boiserie, le dos appuyé contre le mur, en me cramponnant à l'espagnolette. Après avoir étudié mon équilibre, mes points d'appui, mesuré l'espace qui me séparait des rideaux, je parvins à me familiariser avec les difficultés de ma position, de manière à demeurer là sans être découvert, si les crampes, la toux et les éternuements me laissaient tranquille. Pour ne pas me fatiguer inutilement, je me

tins debout en attendant le moment critique pendant
lequel je devais rester suspendu comme une araignée
dans sa toile. La moire blanche et la mousseline des
rideaux formaient devant moi de gros plis semblables
à des tuyaux d'orgue, où je pratiquai des trous avec
mon canif afin de tout voir par ces espèces de meur-
trières. J'entendis vaguement le murmure des salons,
les rires des causeurs, leurs éclats de voix. Ce tumulte
vaporeux, cette sourde agitation diminua par degrés.
Quelques hommes vinrent prendre leurs chapeaux
placés près de moi, sur la commode de la comtesse.
Quand ils froissaient les rideaux, je frissonnais en
pensant aux distractions, aux hasards de ces recherches
faites par des gens pressés de partir et qui furettent
alors partout. J'augurai bien de mon entreprise en
n'éprouvant aucun de ces malheurs. Le dernier
chapeau fut emporté par un vieil amoureux de
Fœdora, qui, se croyant seul, regarda le lit et poussa
un gros soupir suivi de je ne sais quelle exclamation
assez énergique. La comtesse, qui n'avait plus autour
d'elle, dans le boudoir voisin de sa chambre, que cinq
ou six personnes intimes, leur proposa d'y prendre le
thé. Les calomnies, pour lesquelles la société actuelle
a réservé le peu de croyance qui lui reste, se mêlèrent
alors à des épigrammes, à des jugements spirituels,
au bruit des tasses et des cuillers. Sans pitié pour mes
rivaux, Rastignac excitait un rire fou par de mordantes
saillies.

« — M. de Rastignac est un homme avec lequel il
ne faut pas se brouiller, dit la comtesse en riant.

« — Je le crois, répondit-il naïvement. J'ai toujours eu raison dans mes haines... et dans mes amitiés, ajouta-t-il. Mes ennemis me servent autant que mes amis, peut-être. J'ai fait une étude assez spéciale de l'idiome moderne et des artifices naturels dont on se sert pour tout attaquer ou pour tout défendre. L'éloquence ministérielle est un perfectionnement social. Un de vos amis est-il sans esprit, vous parlez de sa probité, de sa franchise. L'ouvrage d'un autre est-il lourd, vous le présentez comme un travail consciencieux. Si le livre est mal écrit, vous en vantez les idées. Tel homme est sans foi, sans constance, vous échappe à tout moment : bah ! il est séduisant, prestigieux, il charme. S'agit-il de vos ennemis, vous leur jetez à la tête les morts et les vivants ; vous renversez pour eux les termes de votre langage, et vous êtes aussi perspicace à découvrir leurs défauts que vous étiez habile à mettre en relief les vertus de vos amis. Cette application de la lorgnette à la vue morale est le secret de nos conversations et tout l'art du courtisan. N'en pas user, c'est vouloir combattre sans armes des gens bardés de fer comme des chevaliers bannerets. Et j'en use ! j'en abuse même quelquefois. Aussi me respecte-t-on, moi et mes amis, car, d'ailleurs, mon épée vaut ma langue.

« Un des plus fervents admirateurs de Fœdora, jeune homme dont l'impertinence était célèbre, et qui s'en faisait même un moyen de parvenir, releva le gant si dédaigneusement jeté par Rastignac. Il se mit, en parlant de moi, à vanter outre mesure mes

talents et ma personne. Rastignac avait oublié ce
genre de médisance. Cet éloge sardonique trompa la
comtesse, qui m'immola sans pitié ; pour amuser ses
amis, elle abusa de mes secrets, de mes prétentions et
de mes espérances.

« — Il a de l'avenir, dit Rastignac. Peut-être sera-
t-il, un jour, homme à prendre de cruelles revanches ;
ses talents égalent au moins son courage ; aussi
regardé-je comme bien hardis ceux qui s'attaquent à
lui, car il a de la mémoire...

« — Et fait des mémoires, ajouta la comtesse, à qui
parut déplaire le profond silence qui régna.

« — Des mémoires de fausse comtesse, madame,
répliqua Rastignac. Pour les écrire, il faut avoir une
autre sorte de courage.

« — Je lui crois beaucoup de courage, répliqua-t-elle,
il m'est fidèle.

« Il me prit une vive tentation de me montrer
soudain aux rieurs, comme l'ombre de Banquo dans
*Macbeth.* Je perdais une maîtresse, mais j'avais un
ami ! Cependant, l'amour me souffla tout à coup un
de ces lâches et subtils paradoxes avec lesquels il sait
endormir toutes nos douleurs.

« — Si Fœdora m'aime, pensé-je, ne doit-elle pas
dissimuler son affection sous une plaisanterie malicieuse ? Combien de fois le cœur n'a-t-il pas démenti
les mensonges de la bouche ?

« Enfin bientôt mon impertinent rival, resté seul
avec la comtesse, voulut partir.

« — Eh quoi ! déjà ? lui dit-elle avec un son de voix

plein de câlinerie et qui me fit palpiter. Ne me donnerez-vous pas encore un moment ? N'avez-vous donc
plus rien à me dire, et ne me sacrifierez-vous point
quelques-uns de vos plaisirs ?

« Il s'en alla.

« — Ah ! s'écria-t-elle en bâillant, ils sont tous bien
ennuyeux !

« Et, tirant avec force un cordon, le bruit d'une
sonnette retentit dans les appartements. La comtesse
rentra dans sa chambre en fredonnant une phrase du
*Pria che spunti*. Jamais personne ne l'avait entendu
chanter, et ce mutisme donnait lieu à de bizarres
interprétations. Elle avait, dit-on, promis à son premier
amant, charmé de ses talents et jaloux d'elle par delà
le tombeau, de ne donner à personne un bonheur qu'il
voulait avoir goûté seul. Je tendis les forces de mon
âme pour aspirer les sons. De note en note, la voix
s'éleva ; Fœdora sembla s'animer, les richesses de son
gosier se déployèrent, et cette mélodie prit alors quelque chose de divin. La comtesse avait dans l'organe
une clarté vive, une justesse de ton, je ne sais quoi
d'harmonique et de vibrant qui pénétrait, remuait et
chatouillait le cœur. Les musiciennes sont presque
toujours amoureuses. Celle qui chantait ainsi devait
savoir bien aimer. La beauté de cette voix fut donc
un mystère de plus dans une femme déjà si mystérieuse.
Je la voyais alors comme je te vois, elle paraissait
s'écouter elle-même et ressentir une volupté qui lui
fût particulière ; elle éprouvait comme une jouissance
d'amour. Elle vint devant la cheminée en achevant

le principal motif de ce *rondo* ; mais, quand elle se tut, sa physionomie changea, ses traits se décomposèrent et sa figure exprima la fatigue. Elle venait d'ôter un masque ; actrice, son rôle était fini. Cependant l'espèce de flétrissure imprimée à sa beauté par son travail d'artiste, ou par la lassitude de la soirée, n'était pas sans charme.

« — La voilà vraie ! me dis-je.

« Elle mit, comme pour se chauffer, un pied sur la barre de bronze qui surmontait le garde-cendre, ôta ses gants, détacha ses bracelets et enleva par-dessus sa tête une chaîne d'or au bout de laquelle était suspendue sa cassolette ornée de pierres précieuses. J'éprouvais un plaisir indicible à voir ses mouvements empreints de la gentillesse dont les chattes font preuve en se toilettant au soleil. Elle se regarda dans la glace et dit tout haut, d'un air de mauvaise humeur :

« — Je n'étais pas jolie ce soir... mon teint se fane avec une effrayante rapidité... Je devrais peut-être me coucher plus tôt, renoncer à cette vie dissipée... Mais Justine se moque-t-elle de moi ?

« Elle sonna de nouveau ; la femme de chambre accourut. Où logeait-elle ? je ne sais. Elle arriva par un escalier dérobé. J'étais curieux de l'examiner. Mon imagination de poète avait souvent incriminé cette invisible servante, grande fille brune, bien faite.

« — Madame a sonné ?

« — Deux fois ! répondit Fœdora. Vas-tu donc maintenant devenir sourde ?

« — J'étais à faire le lait d'amandes de madame.

« Justine s'agenouilla, défit les cothurnes des souliers, déchaussa sa maîtresse, qui, nonchalamment étendue sur un fauteuil à ressorts, au coin du feu, bâillait en se grattant la tête. Il n'y avait rien que de très naturel dans tous ses mouvements, et nul symptôme ne me révéla ni les souffrances secrètes ni les passions que j'avais supposées.

« — Georges est amoureux, dit-elle, je le renverrai. N'a-t-il pas encore défait les rideaux ce soir ? A quoi pense-t-il ?

« A cette observation, tout mon sang reflua vers mon cœur ; mais il ne fut plus question des rideaux.

« — L'existence est bien vide, reprit la comtesse. — Ah çà ! prends garde de m'égratigner comme hier. Tiens, vois-tu, dit-elle en lui montrant un petit genou satiné, je porte encore la marque de tes griffes.

« Elle mit ses pieds nus dans des pantoufles de velours fourrées de cygne, et détacha sa robe pendant que Justine prit un peigne pour lui arranger les cheveux.

« — Il faut vous marier, madame, avoir des enfants.

« — Des enfants ! il ne me manquerait plus que cela pour m'achever ! s'écria-t-elle. Un mari ! Quel est l'homme à qui je pourrais me... ? Étais-je bien coiffée ce soir ?

« — Mais pas très bien.

« — Tu es une sotte.

« — Rien ne vous va plus mal que de trop crêper vos cheveux, reprit Justine. Les grosses boucles bien lisses vous sont plus avantageuses.

« — Vraiment ?

« — Mais oui, madame, les cheveux crêpés clair ne
vont bien qu'aux blondes.

« — Me marier ? non, non ! Le mariage est un trafic
pour lequel je ne suis pas née.

« Quelle épouvantable scène pour un amant ! Cette
femme solitaire, sans parents, sans amis, athée en
amour, ne croyant à aucun sentiment ; et, quelque
faible que fût en elle ce besoin d'épanchement cordial,
naturel à toute créature humaine, réduite pour le
satisfaire à causer avec sa femme de chambre, à dire
des phrases sèches ou des riens !... J'en eus pitié.
Justine la délaça. Je la contemplai curieusement au
moment où le dernier voile s'enleva. Elle avait un
corsage de vierge qui m'éblouit ; à travers sa chemise
et à la lueur des bougies, son corps blanc et rose
étincela comme une statue d'argent qui brille sous
son enveloppe de gaze. Non, nulle imperfection ne
devait lui faire redouter les yeux furtifs de l'amour.
Hélas ! un beau corps triomphera toujours des
résolutions les plus martiales. La maîtresse s'assit
devant le feu, muette et pensive, pendant que la
femme de chambre allumait la bougie de la lampe
d'albâtre suspendue devant le lit. Justine alla chercher
une bassinoire, prépara le lit, aida sa maîtresse à se
coucher ; puis, après un temps assez long employé par
de minutieux services qui accusaient la profonde
vénération de Fœdora pour elle-même, cette fille
partit. La comtesse se retourna plusieurs fois ; elle
était agitée, elle soupirait ; ses lèvres laissaient

échapper un léger bruit perceptible à l'ouïe et qui indiquait des mouvements d'impatience ; elle avança la main vers la table, y prit une fiole, versa dans son lait avant de le boire quatre ou cinq gouttes d'une liqueur brune ; enfin, après quelques soupirs pénibles, elle s'écria :

« — Mon Dieu !

« Cette exclamation et surtout l'accent qu'elle y mit me brisèrent le cœur. Insensiblement elle resta sans mouvement. J'eus peur ; mais bientôt j'entendis retentir la respiration égale et forte d'une personne endormie ; j'écartai la soie criarde des rideaux, quittai ma position et vins me placer au pied de son lit, en la regardant avec un sentiment indéfinissable. Elle était ravissante ainsi. Elle avait la tête sous le bras, comme un enfant ; son tranquille et joli visage enveloppé de dentelles exprimait une suavité qui m'enflamma. Présumant trop de moi-même, je n'avais pas compris mon supplice : être si près et si loin d'elle ! Je fus obligé de subir toutes les tortures que je m'étais préparées. *Mon Dieu !* ce lambeau d'une pensée inconnue, que je devais remporter pour toute lumière, avait tout à coup changé mes idées sur Fœdora. Ce mot, insignifiant ou profond, sans substance ou plein de réalités, pouvait s'interpréter également par le bonheur ou par la souffrance, par une douleur de corps ou par des peines. Était-ce imprécation ou prière, souvenir ou avenir, regret ou crainte ? Il y avait toute une vie dans cette parole, vie d'indigence ou de richesse ; il y tenait même un crime ! L'énigme cachée dans ce

beau semblant de femme renaissait, Fœdora pouvait
être expliquée de tant de manières qu'elle devenait
inexplicable. Les fantaisies du souffle qui passait entre
ses dents, tantôt faible, tantôt accentué, grave ou
léger, formaient une sorte de langage auquel j'attachais
des pensées et des sentiments. Je rêvais avec elle,
j'espérais m'initier à ses secrets en pénétrant dans
son sommeil, je flottais entre mille partis contraires,
entre mille jugements. A voir ce beau visage, calme
et pur, il me fut impossible de refuser un cœur à cette
femme.

« Je résolus de faire encore une tentative. En lui
racontant ma vie, mon amour, mes sacrifices, peut-
être pourrais-je éveiller en elle la pitié, lui arracher
une larme à elle qui ne pleurait jamais. J'avais placé
toutes mes espérances dans cette dernière épreuve,
quand le tapage de la rue m'annonça le jour. Il y eut
un moment où je me représentai Fœdora se réveillant
dans mes bras. Je pouvais me mettre tout doucement
à ses côtés, m'y glisser et l'étreindre. Cette idée me
tyrannisa si cruellement que, voulant y résister, je
me sauvai dans le salon sans prendre aucune précau-
tion pour éviter le bruit ; mais j'arrivai heureusement
à une porte dérobée qui donnait sur un petit escalier.
Ainsi que je le présumai, la clef se trouvait à la serrure ;
je tirai la porte avec force, je descendis hardiment dans
la cour, et, sans regarder si j'étais vu, je sautai vers
la rue en trois bonds. Deux jours après, un auteur
devait lire une comédie chez la comtesse : j'y allai
dans l'intention de rester le dernier pour lui présenter

une requête assez singulière ; je voulais la prier de
m'accorder la soirée du lendemain et de me la consacrer tout entière, en faisant fermer sa porte. Quand
je me trouvai seul avec elle, le cœur me faillit. Chaque
battement de la pendule m'épouvantait. Il était minuit
moins un quart.

« — Si je ne lui parle pas, me dis-je, il faut me·briser
le crâne sur l'angle de la cheminée.

« Je m'accordai trois minutes de délai ; les trois
minutes se passèrent, je ne me brisai pas le crâne
sur le marbre, mon cœur s'était alourdi comme une
éponge dans l'eau.

« — Vous êtes extrêmement aimable, me dit-elle.

« — Ah ! madame, répondis-je, si vous pouviez me
comprendre !

« — Qu'avez-vous ? reprit-elle, vous pâlissez.

« — J'hésite à réclamer de vous une grâce.

« Elle m'encouragea par un geste, et je lui·demandai
le rendez-vous.

« — Volontiers, dit-elle. Mais pourquoi ne me par-
leriez-vous pas en ce moment ?

« — Pour ne pas vous tromper, je dois vous montrer
l'étendue de votre engagement : je désire passer cette
soirée près de vous, comme si nous étions frère ·et
sœur. Soyez sans crainte, je connais vos antipathies ;
vous avez pu m'apprécier assez pour être certaine
que je ne veux rien de vous qui puisse vous déplaire ;
d'ailleurs, les audacieux ne procèdent pas ainsi. Vous
m'avez témoigné de l'amitié, vous êtes bonne, pleine
d'indulgence. Eh bien ! sachez que je dois vous dire

adieu demain... Ne vous **rétractez pas** ! m'écriai-je en
la voyant près de **parler.**

« Et je disparus.

« En mai dernier, vers huit heures du soir, je me
trouvai seul avec Fœdora, dans son boudoir gothique.
Je ne tremblai pas alors, j'étais sûr d'être heureux.
Ma maîtresse devait m'appartenir, ou je me réfugiais
dans les bras de la mort. J'avais condamné mon lâche
amour. Un homme est bien fort quand il s'avoue sa
faiblesse. Vêtue d'une robe de cachemire bleu, la
comtesse était étendue sur un divan, les pieds sur un
coussin. Un béret oriental, coiffure que les peintres
attribuent aux premiers Hébreux, avait ajouté je ne
sais quel piquant attrait d'étrangeté à ses séductions.
Sa figure était empreinte d'un charme fugitif, qui
semblait prouver que nous sommes à chaque instant
des êtres nouveaux, uniques, sans aucune similitude
avec le *nous* de l'avenir et le *nous* du passé. Je ne
l'avais jamais vue aussi éclatante.

« — Savez-vous, dit-elle en riant, que vous avez
piqué ma curiosité ?

« — Je ne la tromperai pas, répondis-je froidement
en m'asseyant près d'elle et lui prenant une main
qu'elle m'abandonna. Vous avez une bien belle voix !

« — Vous ne m'avez jamais entendue, s'écria-t-elle
en laissant échapper un mouvement de surprise.

« — Je vous prouverai le contraire quand cela sera
nécessaire. Votre chant délicieux serait-il donc encore
un mystère ? Rassurez-vous, je ne veux pas le pénétrer.

« Nous restâmes environ une heure à causer familière-

ment. Si je pris le ton, les manières et les gestes d'un
homme auquel Fœdora ne devait rien refuser, j'eus
aussi tout le respect d'un amant. En jouant ainsi, j'obtins la faveur de lui baiser la main ; elle se déganta par
un mouvement mignon, et j'étais alors si voluptueusement enfoncé dans l'illusion à laquelle j'essayais de
croire que mon âme se fondit et s'épancha dans ce
baiser. Fœdora se laissa flatter, caresser avec un incroyable abandon. Mais ne m'accuse pas de niaiserie :
si j'avais voulu faire un pas de plus au delà de cette
câlinerie fraternelle, j'eusse senti les griffes de la
chatte. Nous restâmes dix minutes environ plongés
dans un profond silence. Je l'admirais, lui prêtant des
charmes auxquels elle mentait. En ce moment, elle
était à moi, à moi seul... Je possédais cette ravissante
créature, comme il était permis de la posséder intuitivement ; je l'enveloppai dans mon désir, la tins, la serrai,
mon imagination l'épousa. Je vainquis alors la comtesse par la puissance d'une fascination magnétique.
Aussi ai-je toujours regretté de ne pas m'être entièrement soumis cette femme ; mais, en ce moment, je
n'en voulais pas à son corps, je souhaitais une âme,
une vie, ce bonheur idéal et complet, beau rêve auquel
nous ne croyons pas longtemps.

« — Madame, lui dis-je enfin, sentant que la dernière
heure de mon ivresse était arrivée, écoutez-moi. Je
vous aime, vous le savez, je vous l'ai dit mille fois,
vous auriez dû m'entendre. Ne voulant devoir votre
amour ni à des grâces de fat, ni à des flatteries ou à
des importunités de niais, je n'ai pas été compris.

Combien de maux n'ai-je pas soufferts pour vous, et dont cependant vous êtes innocente ! Mais, dans quelques instants, vous me jugerez. Il y a deux misères, madame. Celle qui va par les rues effrontément en haillons, qui, sans le savoir, recommence Diogène, se nourrissant de peu, réduisant la vie au simple ; heureuse plus que la richesse peut-être, insouciante du moins, elle prend le monde là où les puissants n'en veulent plus. Puis la misère du luxe, une misère espagnole, qui cache la mendicité sous un titre ; fière, emplumée, cette misère en gilet blanc, en gants jaunes, a des carrosses et perd une fortune faute d'un centime. L'une est la misère du peuple ; l'autre, celle des escrocs, des rois et des gens de talent. Je ne suis ni peuple, ni roi, ni escroc ; peut-être n'ai-je pas de talent : je suis une exception. Mon nom m'ordonne de mourir plutôt que de mendier... Rassurez-vous, madame, je suis riche aujourd'hui, je possède de la terre tout ce qu'il m'en faut, lui dis-je en voyant sa physionomie prendre la froide expression qui se peint dans nos traits quand nous sommes surpris par des quêteuses de bonne compagnie. Vous souvenez-vous du jour où vous avez voulu venir au Gymnase sans moi, croyant que je ne m'y trouverais point ?

« Elle fit un signe de tête affirmatif.

« — J'avais employé mon dernier écu pour aller vous y voir... Vous rappelez-vous la promenade que nous fîmes au Jardin des plantes ? Votre voiture me coûta toute ma fortune.

« Je lui racontai mes sacrifices, je lui peignis ma

vie, non pas comme je te la raconte aujourd'hui, dans l'ivresse du vin, mais dans la noble ivresse du cœur. Ma passion déborda par des mots flamboyants, par des traits de sentiment oubliés depuis, et que ni l'art ni le souvenir ne sauraient reproduire. Ce ne fut pas la narration sans chaleur d'un amour détesté : mon amour, dans sa force et dans la beauté de son espérance, m'inspira ces paroles qui projettent toute une vie en répétant les cris d'une âme déchirée. Mon accent fut celui des dernières prières faites par un mourant sur le champ de bataille. Elle pleura. Je m'arrêtai. Grand Dieu ! ses larmes étaient le fruit de cette émotion factice achetée cent sous à la porte d'un théâtre, j'avais eu le succès d'un bon acteur.

« — Si j'avais su..., dit-elle.

« — N'achevez pas, m'écriai-je. Je vous aime encore assez en ce moment pour vous tuer...

« Elle voulut saisir le cordon de la sonnette. J'éclatai de rire.

« — N'appelez pas, repris-je. Je vous laisserai paisiblement achever votre vie. Ce serait mal entendre la haine que de vous tuer ! Ne craignez aucune violence : j'ai passé toute une nuit au pied de votre lit, sans...

« — Monsieur..., dit-elle en rougissant.

« Mais, après ce premier mouvement donné à la pudeur que doit posséder toute femme, même la plus insensible, elle me jeta un regard méprisant et me dit :

« — Vous avez dû avoir bien froid !

« — Croyez-vous, madame, que votre beauté me

soit si précieuse ? lui répondis-je en devinant les pensées qui l'agitaient. Votre figure est pour moi la promesse d'une âme plus belle encore que vous n'êtes belle. Eh ! madame, les hommes qui ne voient que la femme dans une femme peuvent acheter tous les soirs des odalisques dignes du sérail et se rendre heureux à bas prix... Mais j'étais ambitieux, je voulais vivre cœur à cœur avec vous, avec vous qui n'avez pas de cœur. Je le sais maintenant. Si vous deviez être à un homme, je l'assassinerais. Mais non, vous l'aimeriez, et sa mort vous ferait peut-être de la peine... Combien je souffre ! m'écriai-je.

« — Si cette promesse peut vous consoler, dit-elle gaiement, je puis vous assurer que je n'appartiendrai à personne...

« — Eh bien ! repris-je en l'interrompant, vous insultez à Dieu même, et vous en serez punie ! Un jour, couchée sur un divan, ne pouvant supporter ni le bruit ni la lumière, condamnée à vivre dans une sorte de tombe, vous souffrirez des maux inouïs. Quand vous chercherez la cause de ces lentes et vengeresses douleurs, souvenez-vous alors des malheurs que vous avez si largement jetés sur votre passage ! Ayant semé partout des imprécations, vous trouverez la haine en retour. Nous sommes les propres juges, les bourreaux d'une justice qui règne ici-bas et marche au-dessus de celle des hommes, au-dessous de celle de Dieu.

« — Ah ! dit-elle en riant, je suis sans doute bien criminelle de ne pas vous aimer ? Est-ce ma faute ?

« — Tu as le présent, m'écriai-je, et moi l'avenir !
Je ne perds qu'une femme, et tu perds un nom, une
famille. Le temps est gros de ma vengeance : il t'ap-
portera la laideur et une mort solitaire ; à moi la
gloire !

« — Merci de la péroraison ! dit-elle en retenant un
bâillement et témoignant par son attitude le désir de
ne plus me voir.

« Ce mot m'imposa silence. Je lui jetai ma haine
dans un regard et je m'enfuis. Il fallait oublier Fœdora,
me guérir de ma folie, reprendre ma studieuse solitude
ou mourir. Je m'imposai donc des travaux exorbitants,
je voulus achever mes ouvrages. Pendant quinze jours,
je ne sortis pas de ma mansarde et consumai toutes
mes nuits en de pâles études. Malgré mon courage et
les inspirations de mon désespoir, je travaillais difficilement et par saccades. La muse avait fui. Je ne
pouvais chasser le fantôme brillant et moqueur de
Fœdora. Chacune de mes pensées couvait une autre
pensée maladive, je ne sais quel désir, terrible comme
un remords. J'imitai les anachorètes de la Thébaïde.
Sans prier comme eux, comme eux je vivais dans un
désert, creusant mon âme au lieu de creuser des
rochers. Je me serais au besoin serré les reins avec
une ceinture armée de pointes, pour dompter la douleur
morale par la douleur physique.

« Un soir, Pauline pénétra dans ma chambre.

« — Vous vous tuez, me dit-elle d'une voix sup-
pliante ; vous devriez sortir, aller voir vos amis...

« — Ah ! Pauline, votre prédiction était vraie.

Fœdora me tue, je veux mourir. La vie m'est insupportable.

« — Il n'y a donc qu'une femme dans le monde ? dit-elle en souriant. Pourquoi mettez-vous des peines infinies dans une vie si courte ?

« Je regardai Pauline avec stupeur. Elle me laissa seul. Je ne m'étais pas aperçu de sa retraite, j'avais entendu sa voix sans comprendre le sens de ses paroles. Bientôt je fus obligé de porter le manuscrit de mes mémoires à mon entrepreneur de littérature. Préoccupé par ma passion, j'ignorais comment j'avais pu vivre sans argent, je savais seulement que les quatre cent cinquante francs qui m'étaient dus suffiraient à payer mes dettes ; j'allai donc chercher mon salaire, et je rencontrai Rastignac, qui me trouva changé, maigri.

« — De quel hôpital sors-tu ? me dit-il.

« — Cette femme me tue, répliquai-je. Je ne puis ni la mépriser, ni l'oublier.

« — Il vaut mieux la tuer, tu n'y songeras peut-être plus, s'écria-t-il en riant.

« — J'y ai bien pensé, répondis-je. Mais, si parfois je rafraîchis mon âme par l'idée d'un crime, viol ou assassinat, et les deux ensemble, je me trouve incapable de le commettre en réalité. La comtesse est un admirable monstre qui demanderait grâce, et n'est pas Othello qui veut !

« — Elle est comme toutes les femmes que nous ne pouvons pas avoir, dit Rastignac en m'interrompant.

« — Je suis fou ! m'écriai-je. Je sens la folie rugir par moments dans mon cerveau. Mes idées sont comme des fantômes, elles dansent devant moi sans que je puisse les saisir. Je préfère la mort à cette vie. Aussi cherché-je avec conscience le meilleur moyen de terminer cette lutte. Il ne s'agit plus de la Fœdora vivante, de la Fœdora du faubourg Saint-Honoré, mais de ma Fœdora, de celle qui est là ! dis-je en me frappant le front. Que penses-tu de l'opium ?

« — Bah ! des souffrances atroces, répondit Rastignac.

« — L'asphyxie ?

« — Canaille !

« — La Seine ?

« — Les filets et la Morgue sont bien sales.

« — Un coup de pistolet ?

« — Et si tu te manques, tu restes défiguré. Écoute, ajouta-t-il, j'ai, comme tous les jeunes gens, médité sur le suicide. Qui de nous, à trente ans, ne s'est pas tué deux ou trois fois ? Je n'ai rien trouvé de mieux que d'user l'existence par le plaisir. Plonge-toi dans une dissolution profonde, ta passion ou toi, vous y périrez. L'intempérance, mon cher, est la reine de toutes les morts. Ne commande-t-elle pas à l'apoplexie foudroyante ? L'apoplexie est un coup de pistolet qui ne nous manque point. Les orgies nous prodiguent tous les plaisirs physiques ; n'est-ce pas l'opium en petite monnaie ? En nous forçant de boire à outrance, la débauche porte de mortels défis au vin. Le tonneau de malvoisie du duc de Clarence n'a-t-il pas meilleur goût que les bourbes de la Seine ? Quand nous tombons noblement sous la table, n'est-ce pas une petite asphyxie périodique ? Si la patrouille nous ramasse, en restant étendus sur les lits froids des corps de garde, ne jouissons-nous pas des plaisirs de la Morgue, moins les ventres enflés, turgides, bleus, verts, plus l'intelligence de la crise ? Ah ! reprit-il, ce long suicide n'est pas une mort d'épicier en faillite. Les négociants ont déshonoré la rivière, ils se jettent à l'eau pour attendrir leurs créanciers. A ta place, je tâcherais de mourir avec élégance. Si tu veux créer un nouveau genre de mort en te débattant ainsi contre la vie, je suis ton second. Je m'ennuie, je suis désappointé. L'Alsacienne qu'on m'a proposée pour femme a six doigts au pied gauche, je ne puis pas vivre avec une femme qui a six doigts ! cela se saurait, je deviendrais ridicule. Elle n'a que dix-huit mille francs de rente, sa fortune diminue et ses doigts augmentent. Au diable !... En menant une vie enragée, peut-être trouverons-nous le bonheur par hasard !

« Rastignac m'entraîna. Ce projet faisait briller de trop fortes séductions, il rallumait trop d'espérances, enfin il avait une couleur trop poétique pour ne pas plaire à un poète.

« — Et de l'argent ? lui dis-je.

« — N'as-tu pas quatre cent cinquante francs ?

« — Oui, mais je dois à mon tailleur, à mon hôtesse...

« — Tu payes ton tailleur ? Tu ne seras jamais rien, pas même ministre.

« — Mais que pouvons-nous avec vingt louis ?

« — Aller au jeu.

« Je frissonnai.

« — Ah ! reprit-il en s'apercevant de ma pruderie, tu veux te lancer dans ce que je nomme le *système dissipationnel*, et tu as peur d'un tapis vert !

« — Écoute, lui répondis-je, j'ai promis à mon père de ne jamais mettre le pied dans une maison de jeu. Non seulement cette promesse est sacrée, mais encore j'éprouve une horreur invincible en passant devant un tripot ; prends ces cent écus, et vas-y seul. Pendant que tu risqueras notre fortune, j'irai mettre mes affaires en ordre et reviendrai t'attendre chez toi.

« Voilà, mon cher, comment je me perdis. Il suffit à un jeune homme de rencontrer une femme qui ne l'aime pas, ou une femme qui l'aime trop, pour que toute sa vie soit dérangée. Le bonheur engloutit nos forces, comme le malheur éteint nos vertus. Revenu à mon *Hôtel de Saint-Quentin*, je contemplai longtemps la mansarde où j'avais mené la chaste vie d'un savant, une vie qui peut-être aurait été honorable, longue, et que je n'aurais pas dû quitter pour la vie passionnée qui m'entraînait dans un gouffre. Pauline me surprit dans une attitude mélancolique.

« — Eh bien ! qu'avez-vous ? dit-elle.

« Je me levai froidement et comptai l'argent que je devais à sa mère en y ajoutant le prix de mon loyer pour six mois. Elle m'examina avec une sorte de terreur.

« — Je vous quitte, ma chère Pauline.

« — Je l'ai deviné ! s'écria-t-elle.

« — Écoutez, mon enfant, je ne renonce pas à revenir ici. Gardez-moi ma cellule pendant une demi-

année. Si je ne suis pas de retour vers le 15 novembre,
vous hériterez de moi. Ce manuscrit cacheté, dis-je en
lui montrant un paquet de papiers, est la copie de mon
grand ouvrage sur *la Volonté :* vous le déposerez à la
Bibliothèque du roi. Quant à tout ce que je laisse ici,
vous en ferez ce que vous voudrez.

« Elle me jetait des regards qui pesaient sur mon
cœur. Pauline était là comme une conscience vivante.

« — Je n'aurai plus de leçons ? dit-elle en me
montrant le piano.

« Je ne répondis pas.

« — M'écrirez-vous ?

« — Adieu, Pauline.

« Je l'attirai doucement à moi, puis sur son front
d'amour, vierge comme la neige qui n'a pas touché
terre, je mis un baiser de frère, un baiser de vieillard.
Elle se sauva. Je ne voulus pas voir M^{me} Gaudin. Je
mis ma clef à sa place habituelle et partis. En quittant la rue de Cluny, j'entendis derrière moi le pas
léger d'une femme.

« — Je vous avais brodé cette bourse, la refuserez-
vous aussi ? me dit Pauline.

« Je crus apercevoir à la lueur du réverbère une
larme dans les yeux de Pauline, et je soupirai. Poussés
tous deux par la même pensée peut-être, nous nous
séparâmes avec l'empressement de gens qui auraient
voulu fuir la peste. La vie de dissipation à laquelle je
me vouais apparut devant moi bizarrement exprimée
par la chambre où j'attendais avec une noble insouciance le retour de Rastignac. Au milieu de la cheminée

s'élevait une pendule surmontée d'une Vénus accroupie
sur sa tortue, et qui tenait entre ses bras un cigare à
demi consumé. Des meubles élégants, présents de
l'amour, étaient épars. De vieilles chaussettes traînaient sur un voluptueux divan. Le confortable fauteuil à ressorts dans lequel j'étais plongé portait des
cicatrices comme un vieux soldat, il offrait aux regards
ses bras déchirés et montrait incrustées sur son dossier
la pommade et l'huile antique apportées par toutes les
têtes d'amis. L'opulence et la misère s'accouplaient
naïvement dans le lit, sur les murs, partout. Vous
eussiez dit les palais de Naples bordés de lazzaroni.
C'était une chambre de joueur ou de mauvais sujet
dont le luxe est tout personnel, qui vit de sensations,
et des incohérences ne se soucie guère. Ce tableau ne
manquait pas d'ailleurs de poésie. La vie s'y dressait
avec ses paillettes et ses haillons, soudaine, incomplète
comme elle est réellement, mais vive, mais fantasque
comme dans une halte où le maraudeur a pillé tout
ce qui fait sa joie. Un Byron, auquel manquaient des
pages, avait allumé la falourde du jeune homme qui
risque au jeu mille francs et n'a pas une bûche, qui
court en tilbury sans posséder une chemise saine et
valide. Le lendemain, une comtesse, une actrice ou
l'écarté lui donnent un trousseau de roi. Ici, la bougie
était fichée dans le fourreau vert d'un briquet phos-
phorique ; là gisait un portrait de femme dépouillé
de sa monture d'or ciselé. Comment un jeune homme
naturellement avide d'émotions renoncerait-il aux
attraits d'une vie aussi riche d'oppositions et qui lui

donne les plaisirs de la guerre en temps de paix ?
J'étais presque assoupi quand, d'un coup de pied,
Rastignac enfonça la porte de sa chambre, et s'écria :

« — Victoire ! nous pourrons mourir à notre aise...

« Il me montra son chapeau plein d'or, le mit sur la
table, et nous dansâmes autour comme deux canni-
bales ayant une proie à manger, hurlant, trépignant,
sautant, nous donnant des coups de poing à tuer un
rhinocéros, et chantant à l'aspect de tous les plaisirs
du monde contenus pour nous dans ce chapeau.

« — Vingt-sept mille francs, répétait Rastignac en
ajoutant quelques billets de banque au tas d'or. A
d'autres, cet argent suffirait pour vivre, mais nous
suffira-t-il pour mourir ? Oh oui ! nous expirerons dans
un bain d'or... Hourra !

« Et nous cabriolâmes derechef. Nous partageâmes
en héritiers, pièce à pièce, commençant par les doubles
napoléons, allant des grosses pièces aux petites, et
distillant notre joie en disant longtemps : « A toi !...
A moi !... »

« — Nous ne dormirons pas, s'écria Rastignac. —
Joseph, du punch !

« Il jeta de l'or à son fidèle domestique :

« — Voilà ta part, dit-il ; enterre-toi si tu peux.

« Le lendemain, j'achetai des meubles chez Lesage,
je louai l'appartement où tu m'as connu, rue Taitbout,
et chargeai le meilleur tapissier de le décorer. J'eus
des chevaux. Je me lançai dans un tourbillon de
plaisirs creux et réels tout à la fois. Je jouais, gagnais
et perdais tour à tour d'énormes sommes, mais au bal,

chez nos amis ; jamais dans les maisons de jeu, pour
lesquelles je conservai ma sainte et primitive horreur.
Insensiblement je me fis des amis. Je dus leur attachement à des querelles ou à cette facilité confiante avec
laquelle nous nous livrons nos secrets en nous avilissant
de compagnie ; mais peut-être aussi ne nous accrochons-
nous bien que par nos vices. Je hasardai quelques com-
positions littéraires qui me valurent des compliments.
Les grands hommes de la littérature marchande, ne
voyant point en moi de rival à craindre, me vantèrent,
moins sans doute pour mon mérite personnel que pour
chagriner celui de leurs camarades. Je devins un *viveur*,
pour me servir de l'expression pittoresque consacrée
par votre langage d'orgie. Je mettais de l'amour-
propre à me tuer promptement, à écraser les plus
gais compagnons par ma verve et par ma puissance.
J'étais toujours frais, élégant. Je passais pour spirituel.
Rien ne trahissait en moi cette épouvantable existence
qui fait d'un homme un entonnoir, un appareil à chyle,
un cheval de luxe. Bientôt la débauche m'apparut
dans toute la majesté de son horreur, et je la compris !
Certes, les hommes sages et rangés qui étiquètent des
bouteilles pour leurs héritiers ne peuvent guère concevoir ni la théorie de cette large vie, ni son état normal ;
en inculquerez-vous la poésie aux gens de province
pour qui l'opium et le thé, si prodigues de délices, ne
sont encore que deux médicaments ? A Paris même,
dans cette capitale de la pensée, ne se rencontre-t-il
pas des sybarites incomplets ? Inhabiles à supporter
l'excès du plaisir, ne s'en vont-ils pas fatigués après

une orgie, comme le sont ces bons bourgeois qui, après avoir entendu quelque nouvel opéra de Rossini, condamnent la musique ? Ne renoncent-ils pas à cette vie, comme un homme sobre ne veut plus manger de pâtes de Ruffec, parce que le premier lui a donné une indigestion ? La débauche est certainement un art comme la poésie et veut des âmes fortes. Pour en saisir les mystères, pour en savourer les beautés, un homme doit en quelque sorte s'adonner à de consciencieuses études. Comme toutes les sciences, elle est d'abord repoussante, épineuse. D'immenses obstacles environnent les grands plaisirs de l'homme, non ses jouissances de détail, mais les systèmes qui érigent en habitude les sensations les plus rares, les résument, les lui fertilisent en lui créant une vie dramatique dans sa vie, en nécessitant une exorbitante, une prompte dissipation de ses forces. La guerre, le pouvoir, les arts sont des corruptions mises aussi loin de la portée humaine, aussi profondes que l'est la débauche, et toutes sont de difficile accès. Mais, quand une fois l'homme est monté à l'assaut de ces grands mystères, ne marche-t-il pas dans un monde nouveau ? Les généraux, les ministres, les artistes sont tous plus ou moins portés vers la dissolution par le besoin d'opposer de violentes distractions à leur existence, si fort en dehors de la vie commune. Après tout, la guerre est la débauche du sang, comme la politique est celle des intérêts. Tous les excès sont frères. Ces monstruosités sociales possèdent la puissance des abîmes, elles nous attirent comme Sainte-Hélène appelait Napo-

léon ; elles donnent des vertiges, elles fascinent, et nous
voulons en voir le fond sans savoir pourquoi. La pensée
de l'infini existe peut-être dans ces précipices, peut-
être renferment-ils quelque grande flatterie pour
l'homme ; n'intéresse-t-il pas alors tout à lui-même ?
Pour contraster avec le paradis de ses heures studieuses,
avec les délices de la conception, l'artiste fatigué demande soit, comme Dieu, le repos du dimanche, soit,
comme le diable, les voluptés de l'enfer, afin d'opposer
le travail des sens au travail de ses facultés. Le dé-
lassement de lord Byron ne pouvait pas être le boston
babillard qui charme un rentier ; poète, il voulait la
Grèce à jouer contre Mahmoud. En guerre, l'homme
ne devient-il pas un ange exterminateur, une espèce
de bourreau, mais gigantesque ? Ne faut-il pas des
enchantements bien extraordinaires pour nous faire
accepter ces atroces douleurs, ennemies de notre frêle
enveloppe, qui entourent les passions comme d'une
enceinte épineuse ? S'il se roule convulsivement et
souffre une sorte d'agonie après avoir abusé du tabac,
le fumeur n'a-t-il pas assisté, je ne sais en quelles
régions, à de délicieuses fêtes ? Sans se donner le
temps d'essuyer ses pieds, qui trempent dans le sang
jusqu'à la cheville, l'Europe n'a-t-elle pas sans cesse
recommencé la guerre ? L'homme en masse a-t-il donc
aussi son ivresse, comme la nature a ses accès d'amour ?
Pour l'homme privé, pour le Mirabeau qui végète sous
un règne paisible et rêve des tempêtes, la débauche
comprend tout, elle est une perpétuelle étreinte de
toute la vie, ou mieux, un duel avec une puissance

inconnue, avec un monstre : d'abord le monstre
épouvante, il faut l'attaquer par les cornes ; c'est des
fatigues inouïes. La nature vous a donné je ne sais
quel estomac étroit ou paresseux ; vous le domptez,
vous l'élargissez, vous apprenez à porter le vin, vous
apprivoisez l'ivresse, vous passez les nuits sans sommeil, vous vous faites enfin un tempérament de colonel
de cuirassiers, en vous créant vous-même une seconde
fois, comme pour fronder Dieu ! Quand l'homme s'est
ainsi métamorphosé, quand, vieux soldat, le néophyte
a façonné son âme à l'artillerie, ses jambes à la marche,
sans encore appartenir au monstre, mais sans savoir
entre eux quel est le maître, ils se roulent l'un sur
l'autre, tantôt vainqueurs, tantôt vaincus, dans une
sphère où tout est merveilleux, où s'endorment les
douleurs de l'âme, où revivent seulement des fantômes
d'idées. Déjà cette lutte atroce est devenue nécessaire.
Réalisant ces fabuleux personnages qui, selon les
légendes, ont vendu leur âme au diable pour en obtenir
la puissance de mal faire, le dissipateur a troqué sa
mort contre toutes les jouissances de la vie, mais
abondantes, mais fécondes ! Au lieu de couler longtemps entre deux rives monotones, au fond d'un
comptoir ou d'une étude, l'existence bouillonne et fuit
comme un torrent. Enfin la débauche est sans doute
au corps ce que sont à l'âme les plaisirs mystiques.
L'ivresse vous plonge en des rêves dont les fantasmagories sont aussi curieuses que peuvent l'être celles
de l'extase. Vous avez des heures ravissantes comme
les caprices d'une jeune fille, des causeries délicieuses

avec des amis, des mots qui peignent toute une vie, des joies franches et sans arrière-pensée, des voyages sans fatigue, des poèmes déroulés en quelques phrases. La brutale satisfaction de la bête, au fond de laquelle la science a été chercher une âme, est suivie de torpeurs enchanteresses après lesquelles soupirent les hommes ennuyés de leur intelligence. Ne sentent-ils pas tous la nécessité d'un repos complet, et la débauche n'est-elle pas une sorte d'impôt que le génie paye au mal ? Vois tous les grands hommes : s'ils ne sont pas voluptueux, la nature les crée chétifs. Moqueuse ou jalouse, une puissance leur vicie l'âme ou le corps pour neutraliser les efforts de leurs talents. Pendant ces heures avinées, les hommes et les choses comparaissent devant vous, vêtus de vos livrées. Roi de la création, vous la transformez à vos souhaits. A travers ce délire perpétuel, le jeu vous verse, à votre gré, son plomb fondu dans les veines. Un jour, vous appartenez au monstre ; vous avez alors, comme je l'eus, un réveil enragé ; l'impuissance est assise à votre chevet. Vieux guerrier, une phtisie vous dévore ; diplomate, un anévrisme suspend dans votre cœur la mort à un fil ; moi, peut-être une pulmonie va me dire : « Partons ! » comme elle a dit jadis à Raphaël d'Urbin, tué par un excès d'amour. Voilà comment j'ai vécu ! J'arrivais ou trop tôt ou trop tard dans la vie du monde ; sans doute, ma force y eût été dangereuse si je ne l'avais amortie ainsi ; l'univers n'a-t-il pas été guéri d'Alexandre par la coupe d'Hercule, à la fin d'une orgie ! Enfin à certaines destinées trompées il faut le ciel ou l'enfer,

la débauche ou l'hospice du mont Saint-Bernard.
Tout à l'heure je n'avais pas le courage de moraliser
ces deux créatures, dit-il en montrant Euphrasie et
Aquilina. N'étaient-elles pas mon histoire personnifiée,
une image de ma vie. Je ne pouvais guère les accuser,
elles m'apparaissaient comme des juges. Au milieu
de ce poème vivant, au sein de cette étourdissante
maladie, j'eus cependant deux crises bien fertiles en
âcres douleurs. D'abord, quelques jours après m'être
jeté, comme Sardanapale, dans mon bûcher, je rencontrai Fœdora sous le péristyle des Bouffons. Nous
attendions nos voitures.

« — Ah ! je vous retrouve encore en vie.

« Ce mot était la traduction de son sourire, des
malicieuses et sourdes paroles qu'elle dit à son sigis-
bée en lui racontant sans doute mon histoire, et
jugeant mon amour comme un amour vulgaire. Elle
applaudissait à sa fausse perspicacité. Oh ! mourir
pour elle, l'adorer encore, la voir dans mes excès, dans
mes ivresses, dans le lit des courtisanes, et me sentir
victime de sa plaisanterie ! Ne pouvoir déchirer ma
poitrine et y fouiller mon amour pour le jeter à ses
pieds ! Enfin j'épuisai facilement mon trésor ; mais
trois années de régime m'avaient constitué la plus
robuste de toutes les santés, et, le jour où je me trouvai
sans argent, je me portais à merveille. Pour continuer
de mourir, je signai des lettres de change à courte
échéance, et le jour du payement arriva. Cruelles
émotions ! et comme elles font vivre de jeunes cœurs !
Je n'étais pas fait pour vieillir encore ; mon âme était

toujours jeune, vivace et verte. Ma première dette
ranima toutes mes vertus, qui vinrent à pas lents et
m'apparurent désolées. Je sus transiger avec elles,
comme avec ces vieilles tantes qui commencent par
nous gronder et finissent en nous donnant des larmes
et de l'argent. Plus sévère, mon imagination me
montrait mon nom voyageant, de ville en ville, dans
les places de l'Europe. *Notre nom, c'est nous-mêmes*,
a dit Eusèbe Salverte. Après des courses vagabondes,
j'allais, comme le double d'un Allemand, revenir à
mon logis d'où je n'étais pas sorti, pour me réveiller
moi-même en sursaut. Ces hommes de la Banque, ces
remords commerciaux, vêtus de gris, portant la livrée
de leur maître, une plaque d'argent, jadis je les voyais
avec indifférence quand ils allaient par les rues de
Paris ; mais, aujourd'hui, je les haïssais par avance.
Un matin, l'un d'eux ne viendrait-il pas me demander
raison des onze lettres de change que j'avais griffon-
nées ? Ma signature valait trois mille francs, je ne les
valais pas moi-même ! Les huissiers, aux faces insou-
ciantes à tous les désespoirs, même à la mort, se
levaient devant moi, comme les bourreaux qui disent
à un condamné : « Voici trois heures et demie qui
sonnent. » Leurs clercs avaient le droit de s'emparer
de moi, de griffonner mon nom, de le salir, de s'en
moquer. Je devais ! Devoir, est-ce donc s'appartenir ?
D'autres hommes ne pouvaient-ils pas me demander
compte de ma vie ? pourquoi j'avais mangé des
puddings à la *chipolata ?* pourquoi je buvais à la
glace ? pourquoi je dormais, marchais, pensais,

m'amusais sans les payer ? Au milieu d'une poésie, au
sein d'une idée, ou à déjeuner, entouré d'amis, de joie,
de douces railleries, je pouvais voir entrer un monsieur
en habit marron, tenant à la main un chapeau râpé.
Ce monsieur sera ma dette, ce sera ma lettre de change,
un spectre qui flétrira ma joie, me forcera de quitter
la table pour lui parler ; il m'enlèvera ma gaieté, ma
maîtresse, tout, jusqu'à mon lit. Le remords est plus
tolérable, il ne nous met ni dans la rue ni à Sainte-
Pélagie, il ne nous plonge pas dans cette exécrable
sentine du vice ; il ne nous jette qu'à l'échafaud, où
le bourreau ennoblit : au moment de notre supplice,
tout le monde croit à notre innocence ; tandis que la
société ne laisse pas une vertu au débauché sans
argent. Puis ces dettes à deux pattes, habillées de
drap vert, portant des lunettes bleues ou des para-
pluies multicolores ; ces dettes incarnées avec lesquelles nous nous trouvons face à face au coin d'une
rue, au moment où nous sourions, ces gens allaient
avoir l'horrible privilège de dire : « M. de Valentin me
doit et ne me paye pas. Je le tiens. Ah ! qu'il n'ait
pas l'air de me faire mauvaise mine ! » Il faut saluer
nos créanciers, les saluer avec grâce. « Quand me
payerez-vous ? » disent-ils. Et nous sommes dans
l'obligation de mentir, d'implorer un autre homme
pour de l'argent, de nous courber devant un sot assis
sur sa caisse, de recevoir son froid regard, son regard
de sangsue plus odieux qu'un soufflet, de subir sa
morale de Barrême et sa crasse ignorance. Une dette
est une œuvre d'imagination qu'ils ne comprennent

pas. Des élans de l'âme entraînent, subjuguent
souvent un emprunteur, tandis que rien de grand ne
subjugue, rien de généreux ne guide ceux qui vivent
dans l'argent et ne connaissent que l'argent. J'avais
horreur de l'argent. Enfin la lettre de change peut se
métamorphoser en vieillard chargé de famille, flanqué
de vertus. Je devrais peut-être à un vivant tableau
de Greuze, à un paralytique environné d'enfants, à la
veuve d'un soldat, qui tous me tendront des mains
suppliantes. Terribles créanciers avec lesquels il faut
pleurer, et, quand nous les avons payés, nous leur
devons encore des secours. La veille de l'échéance, je
m'étais couché dans ce calme faux des gens qui
dorment avant leur exécution, avant un duel : ils se
laissent toujours bercer par une menteuse espérance.
Mais, en me réveillant, quand je fus de sang-froid,
quand je sentis mon âme emprisonnée dans le porte-
feuille d'un banquier, couchée sur des états, écrite à
l'encre rouge, mes dettes jaillirent partout comme des
sauterelles ; elles étaient dans ma pendule, sur mes
fauteuils, ou incrustées dans les meubles desquels je
me servais avec le plus de plaisir. Devenus la proie
des harpies du Châlet, ces doux esclaves matériels
allaient donc être enlevés par des recors et brutalement jetés sur la place. Ah ! ma dépouille était encore
moi-même. La sonnette de mon appartement retentissait dans mon cœur, elle me frappait où l'on doit frapper
les rois, à la tête. C'était un martyre, sans le ciel pour
récompense. Oui, pour un homme généreux, une dette
est l'enfer, mais l'enfer avec des huissiers et des

agents d'affaires. Une dette impayée est la bassesse,
un commencement de friponnerie, et, pis que tout
cela, un mensonge ! elle ébauche des crimes, elle
assemble les madriers de l'échafaud. Mes lettres de
change furent protestées. Trois jours après, je les
payai ; voici comment. Un spéculateur vint me
proposer de lui vendre l'île que je possédais dans la
Loire et où était le tombeau de ma mère. J'acceptai.
En signant le contrat chez le notaire de mon acquéreur,
je sentis au fond de l'étude obscure une fraîcheur
semblable à celle d'une cave. Je frissonnai en reconnaissant le même froid humide qui m'avait saisi sur
le bord de la fosse où gisait mon père. J'accueillis ce
hasard comme un funeste présage. Il me semblait
entendre la voix de ma mère et voir son ombre ; je
ne sais quelle puissance faisait retentir vaguement
mon propre nom dans mon oreille, au milieu d'un
bruit de cloches ! Le prix de mon île me laissa, toutes
dettes payées, deux mille francs. Certes, j'eusse pu
revenir à la paisible existence du savant, retourner à
ma mansarde après avoir expérimenté la vie, y revenir la tête pleine d'observations immenses et jouissant déjà d'une espèce de réputation. Mais Fœdora
n'avait pas lâché sa proie. Nous nous étions souvent
trouvés en présence. Je lui faisais corner mon nom
aux oreilles par ses amants, étonnés de mon esprit,
de mes chevaux, de mes succès, de mes équipages.
Elle restait froide et insensible à tout, même à cette
horrible phrase : « Il se tue pour vous ! » dite par
Rastignac. Je chargeais le monde entier de ma

vengeance, mais je n'étais pas heureux ! En creusant ainsi la vie jusqu'à la fange, j'avais toujours senti davantage les délices d'un amour partagé, j'en poursuivais le fantôme à travers les hasards de mes dissipations, au sein des orgies. Pour mon malheur, j'étais trompé dans mes belles croyances, j'étais puni de mes bienfaits par l'ingratitude, récompensé de mes fautes par mille plaisirs. Sinistre philosophie, mais vraie pour le débauché ! Enfin Fœdora m'avait communiqué la lèpre de sa vanité. En sondant mon âme, je la trouvai gangrenée, pourrie. Le démon m'avait imprimé son ergot au front. Il m'était désormais impossible de me passer des tressaillements continuels d'une vie à tout moment risquée et des exécrables raffinements de la richesse. Riche à millions, j'aurais toujours joué, mangé, couru. Je ne voulais plus rester seul avec moi-même. J'avais besoin de courtisanes, de faux amis, de vin, de bonne chère pour m'étourdir. Les liens qui attachent un homme à la famille étaient brisés en moi pour toujours. Galérien du plaisir, je devais accomplir ma destinée de suicide. Pendant les derniers jours de ma fortune, je fis chaque soir des excès incroyables ; mais, chaque matin, la mort me rejetait dans la vie. Semblable à un rentier viager, j'aurais pu passer tranquillement dans un incendie. Enfin je me trouvai seul avec une pièce de vingt francs, je me souvins alors du bonheur de Rastignac... »

— Eh ! eh !... s'écria Raphaël en pensant tout à coup à son talisman, qu'il tira de sa poche.

Soit que, fatigué des luttes de cette longue journée, il n'eût plus la force de gouverner son intelligence dans les flots de vin et de punch ; soit que, exaspéré par l'image de sa vie, il se fût insensiblement enivré par le torrent de ses paroles, Raphaël s'anima, s'exalta comme un homme complètement privé de raison.

— Au diable la mort ! s'écria-t-il en brandissant la peau. Je veux vivre maintenant ! Je suis riche, j'ai toutes les vertus. Rien ne me résistera. Qui ne serait pas bon, quand il peut tout ? — Hé ! hé ! ohé ! J'ai souhaité deux cent mille livres de rente, je les aurai. Saluez-moi, pourceaux qui vous vautrez sur ces tapis comme sur du fumier ! Vous m'appartenez, fameuse propriété ! Je suis riche, je peux vous acheter tous, même le député qui ronfle là. Allons, canaille de la haute société, bénissez-moi ! Je suis pape.

En ce moment, les exclamations de Raphaël, jusque-là couvertes par la basse continue des ronflements, furent entendues soudain. La plupart des dormeurs se réveillèrent en criant, ils virent l'interrupteur mal assuré sur ses jambes et maudirent sa bruyante ivresse par un concert de jurements.

— Taisez-vous ! cria Raphaël. Chiens, à vos niches ! — Émile, j'ai des trésors, je te donnerai des cigares de la Havane.

— Je t'entends, répondit le poète, *Fœdora ou la mort !* Va ton train ! Cette sucrée de Fœdora t'a trompé. Toutes les femmes sont filles d'Ève. Ton histoire n'est pas du tout dramatique.

— Ah ! tu dormais, sournois ?

— Non... Fœdora ou la mort ! j'y suis.

— Réveille-toi, s'écria Raphaël en frappant Émile avec la peau de chagrin comme s'il voulait en tirer du fluide électrique.

— Tonnerre ! dit Émile en se levant et en saisissant Raphaël à bras-le-corps, mon ami, songe donc que tu es avec des femmes de mauvaise vie.

— Je suis millionnaire !

— Si tu n'es pas millionnaire, tu es bien certainement ivre.

— Ivre du pouvoir. Je peux te tuer !... Silence, je suis Néron ! je suis Nabuchodonosor !

— Mais, Raphaël, nous sommes en méchante compagnie, tu devrais rester silencieux, par dignité.

— Ma vie a été un trop long silence. Maintenant, je vais me venger du monde entier. Je ne m'amuserai pas à dissiper de vils écus, j'imiterai, je résumerai mon époque en consommant des vies humaines, et des intelligences, des âmes. Voilà un luxe qui n'est pas mesquin, n'est-ce pas ? l'opulence de la peste ! Je lutterai avec la fièvre jaune, bleue, verte, avec les armées, avec les échafauds. Je puis avoir Fœdora... Mais non, je ne veux pas de Fœdora, c'est ma maladie, je meurs de Fœdora ! Je veux oublier Fœdora.

— Si tu continues à crier, je t'emporte dans la salle à manger.

— Vois-tu cette peau ? c'est le testament de Salomon. Il est à moi, Salomon, ce petit cuistre de roi ! J'ai l'Arabie, Pétrée encore. L'univers est à moi. Tu es à moi, si je veux. Ah ! si je veux, prends garde !

Je peux acheter toute ta boutique de journaliste, tu
seras mon valet. Tu me feras des couplets, tu régleras
mon papier. Valet ! *valet*, cela veut dire : « Il se porte
bien, parce qu'il ne pense à rien. »

A ce mot, Émile emporta Raphaël dans la salle
à manger.

— Eh bien ! oui, mon ami, lui dit-il, je suis ton
valet. Mais tu vas être rédacteur en chef d'un journal,
tais-toi ! sois décent, par considération pour moi !
M'aimes-tu ?

— Si je t'aime ! Tu auras des cigares de la Havane,
avec cette peau. Toujours la peau, mon ami, la peau
souveraine ! Excellent topique, je peux guérir les
cors. As-tu des cors ? je te les ôte.

— Jamais je ne t'ai vu si stupide.

— Stupide, mon ami ? Non. Cette peau se rétrécit
quand j'ai un désir... c'est une antiphrase. Le brahmane, — il se trouve un brahmane là-dessous ! — le
brahmane donc était un goguenard, parce que les
désirs, vois-tu, doivent étend :...

— Eh bien ! oui.

— Je te dis...

— Oui, cela est très vrai, je pense comme toi. Le
désir étend...

— Je te dis, la peau !

— Oui.

— Tu ne me crois pas. Je te connais, mon ami, tu
es menteur comme un nouveau roi.

— Comment veux-tu que j'adopte les divagations
de ton ivresse ?

— Je te parie, je peux te le prouver. Prenons la mesure...

— Allons, il ne s'endormira pas, s'écria Émile en voyant Raphaël occupé à fureter dans la salle à manger.

Valentin, animé d'une adresse de singe, grâce à cette singulière lucidité dont les phénomènes contrastent parfois chez les ivrognes avec les obtuses visions de l'ivresse, sut trouver une écritoire et une serviette, en répétant toujours :

— Prenons la mesure ! prenons la mesure !

— Eh bien ! oui, dit Émile, prenons la mesure !

Les deux amis étendirent la serviette et y superposèrent la peau de chagrin. Émile, dont la main semblait être plus assurée que celle de Raphaël, décrivit à la plume, par une ligne d'encre, les contours du talisman, pendant que son ami lui disait :

— J'ai souhaité deux cent mille livres de rente, n'est-il pas vrai ? Eh bien ! quand je les aurai, tu verras la diminution de tout mon chagrin.

— Oui... Maintenant, dors. Veux-tu que je t'arrange sur ce canapé ? Allons, es-tu bien ?

— Oui, mon nourrisson de la presse. Tu m'amuseras, tu chasseras mes mouches. L'ami du malheur a droit d'être l'ami du pouvoir. Aussi te donnerai-je des ci... ga... res de la Hav...

— Allons, cuve ton or, millionnaire.

— Toi, cuve tes articles. Bonsoir. Dis donc bonsoir à Nabuchodonosor !... Amour ! A boire ! France..., gloire et riche..., riche...

Bientôt les deux amis unirent leurs ronflements à la musique qui retentissait dans les salons. Concert inutile ! Les bougies s'éteignirent une à une en faisant éclater leurs bobèches de cristal. La nuit enveloppa d'un crêpe cette longue orgie dans laquelle le récit de Raphaël avait été comme une orgie de paroles, de mots sans idées, et d'idées auxquelles les expressions avaient souvent manqué.

Le lendemain, vers midi, la belle Aquilina se leva, bâillant, fatiguée, et les joues marbrées par les empreintes du tabouret en velours peint sur lequel sa tête avait reposé. Euphrasie, réveillée par le mouvement de sa compagne, se dressa tout à coup en jetant un cri rauque ; sa jolie figure blanche, si fraîche la veille, était jaune et pâle comme celle d'une fille allant à l'hôpital. Insensiblement les convives se remuèrent en poussant des gémissements sinistres, ils se sentirent les bras et les jambes raidis, mille fatigues diverses les accablèrent à leur réveil. Un valet vint ouvrir les persiennes et les fenêtres des salons. L'assemblée se trouva sur pied, rappelée à la vie par les chauds rayons du soleil qui pétilla sur les têtes des dormeurs. Les mouvements du sommeil ayant brisé l'élégant édifice de leurs coiffures et fané leurs toilettes, les femmes, frappées par l'éclat du jour, présentèrent un hideux spectacle : leurs cheveux pendaient sans grâce, leurs physionomies avaient changé d'expression, leurs yeux si brillants étaient ternis par la lassitude. Les teints bilieux, qui jettent tant d'éclat aux lumières, faisaient horreur ; les figures lymphatiques, si blanches, si molles quand elles sont reposées, étaient devenues vertes ; les bouches, naguère délicieuses et rouges, maintenant sèches et blanches, portaient les honteux stigmates de l'ivresse. Les hommes reniaient leurs maîtresses nocturnes, à les voir ainsi décolorées, cadavéreuses comme des fleurs écrasées dans une rue après le passage des processions. Ces hommes dédaigneux étaient plus horribles encore. Vous eussiez frémi de voir ces faces humaines, aux yeux caves et cernés qui semblaient ne rien voir, engourdies par le vin, hébétées par un sommeil gêné plus fatigant que réparateur. Ces visages hâves où paraissaient à nu les appétits physiques sans la poésie dont les décore notre âme, avaient je ne sais quoi de féroce et de froidement bestial. Ce réveil du vice sans vêtements ni fard, ce squelette du mal déguenillé, froid, vide et privé des sophismes de l'esprit ou des enchantements du luxe, épouvanta ces intrépides athlètes, quelque habitués qu'ils fussent à lutter avec la débauche. Artistes et courtisanes gardèrent le silence en examinant d'un œil hagard le désordre de l'appartement, où tout avait été dévasté, ravagé par le feu des passions. Un rire satanique s'éleva tout à coup lorsque Taillefer, entendant le râle sourd de ses hôtes, essaya de les saluer par une grimace ; son visage en sueur et sanguinolent fit planer sur cette scène infernale l'image du crime sans remords. (Voir *l'Auberge rouge.*) Le tableau fut complet. C'était la vie fangeuse au sein du luxe, un horrible mélange des pompes et des misères humaines, le réveil de la

débauche, quand de ses mains fortes elle a pressé
tous les fruits de la vie, pour ne laisser autour d'elle
que d'ignobles débris ou des mensonges auxquels elle
ne croit plus. Vous eussiez dit la Mort souriant au
milieu d'une famille pestiférée : plus de parfums ni de
lumières étourdissantes, plus de gaieté ni de désirs ;
mais le dégoût avec ses odeurs nauséabondes et sa
poignante philosophie, mais le soleil éclatant comme
la vérité, mais un air pur comme la vertu, qui contrastaient avec une atmosphère chaude, chargée de
miasmes, les miasmes d'une orgie ! Malgré leur
habitude du vice, plusieurs de ces jeunes filles pensèrent à leur réveil d'autrefois, quand, innocentes et
pures, elles entrevoyaient par leurs croisées champêtres,
ornées de chèvrefeuilles et de roses, un frais paysage
enchanté par les joyeuses roulades de l'alouette,
vaporeusement illuminé par les lueurs de l'aurore et
paré des fantaisies de la rosée. D'autres se peignirent
le déjeuner de la famille, la table autour de laquelle
riaient innocemment les enfants et le père, où tout
respirait un charme indéfinissable, où les mets étaient
simples comme les cœurs. Un artiste songeait à la
paix de son atelier, à sa chaste statue, au gracieux
modèle qui l'attendait. Un jeune homme, se souvenant du procès d'où dépendait le sort d'une famille,
pensait à la transaction importante qui réclamait sa
présence. Le savant regrettait son cabinet où l'appelait
un noble ouvrage. Presque tous se plaignaient d'eux-
mêmes.

En ce moment, Émile, frais et rose comme le plus

joli des commis marchands d'une boutique en vogue, apparut en riant.

— Vous êtes plus laids que des recors ! s'écria-t-il. Vous ne pourrez rien faire aujourd'hui, la journée est perdue ; m'est avis de déjeuner.

A ces mots, Taillefer sortit pour donner des ordres. Les femmes allèrent languissamment rétablir le désordre de leurs toilettes devant les glaces. Chacun se secoua. Les plus vicieux prêchèrent les plus sages. Les courtisanes se moquèrent de ceux qui paraissaient ne pas se trouver de force à continuer ce rude festin. En un moment, ces spectres s'animèrent, formèrent des groupes, s'interrogèrent et sourirent. Quelques valets, habiles et lestes, remirent promptement les meubles et chaque chose en leur place. Un déjeuner splendide fut servi. Les convives se ruèrent alors dans la salle à manger. Là, si tout porta l'empreinte ineffaçable des excès de la veille, au moins y eut-il trace d'existence et de pensée, comme dans les dernières convulsions d'un mourant. Semblable au convoi du mardi gras, la saturnale était enterrée par des masques fatigués de leurs danses, ivres de l'ivresse et voulant convaincre le plaisir d'impuissance pour ne pas s'avouer la leur.

Au moment où cette intrépide assemblée borda la table du capitaliste, Cardot, qui, la veille, avait disparu prudemment après le dîner pour finir son orgie dans le lit conjugal, montra sa figure officieuse sur laquelle errait un doux sourire. Il semblait avoir deviné quelque succession à déguster, à partager, à inventorier, à grossoyer, une succession pleine d'actes à faire, grosse d'honoraires, aussi juteuse que le filet tremblant dans lequel l'amphitryon plongeait alors son couteau.

— Oh ! oh ! nous allons déjeuner par-devant notaire, s'écria de Cursy.

— Vous arrivez à propos pour coter et parafer toutes ces pièces, lui dit le banquier en lui montrant le festin.

— Il n'y a pas de testament à faire, mais pour des contrats de mariage, peut-être ! dit le savant, qui pour la première fois depuis un an s'était supérieurement marié.

— Oh ! oh !

— Ah ! ah !

— Un instant, répliqua Cardot, assourdi par un chœur de mauvaises plaisanteries, je viens ici pour affaire sérieuse. J'apporte six millions à l'un de vous. (Silence profond.) — Monsieur, dit-il en s'adressant à Raphaël, qui, dans ce moment, s'occupait sans cérémonie à s'essuyer les yeux avec un coin de sa serviette, madame votre mère n'était-elle pas une demoiselle O'Flaharty ?

— Oui, répondit Raphaël assez machinalement : *Barbe-Marie.*

— Avez-vous **ici,** reprit Cardot, votre acte de naissance et celui de M<sup>me</sup> de Valentin ?

— Je le crois.

— Eh bien ! monsieur, vous êtes seul et unique héritier du major O'Flaharty, décédé en août 1828, à Calcutta.

— C'est une fortune *incalcuttable !* s'écria le jugeur.

— Le major ayant disposé par son testament de plusieurs sommes en faveur de quelques établissements publics, sa succession a été réclamée à la Compagnie des Indes par le gouvernement français, reprit le notaire. Elle est en ce moment liquide et palpable. Depuis quinze jours, je cherchais infructueusement les ayants cause de la demoiselle Barbe-Marie O'Flaharty, lorsque, hier, à table...

En ce moment, Raphaël se leva soudain en laissant échapper le mouvement brusque d'un homme qui reçoit une blessure. Il se fit comme une acclamation silencieuse ; le premier sentiment des convives fut dicté par une sourde envie, tous les yeux se tournèrent vers lui comme autant de flammes. Puis un murmure, semblable à celui d'un parterre qui se courrouce, une rumeur d'émeute commença, grossit, et chacun dit un mot pour saluer cette fortune immense apportée par le notaire. Rendu à toute sa raison par la brusque obéissance du sort, Raphaël étendit promptement sur la table la serviette avec laquelle il avait mesuré naguère la peau de chagrin. Sans rien écouter, il y superposa le talisman, et frissonna involontairement en voyant une petite distance entre le contour tracé sur le linge et celui de la peau.

— Eh bien ! qu'a-t-il donc ? s'écria Taillefer, il a sa fortune à bon compte.

— *Soutiens-le, Châtillon !* dit Bixiou à Émile, la joie va le tuer.

Une horrible pâleur dessina tous les muscles de la figure flétrie de cet héritier, ses traits se contractèrent, les saillies de son visage blanchirent, les creux devinrent sombres, le masque fut livide, et les yeux se fixèrent. Il voyait la MORT. Ce banquier splendide entouré de courtisanes fanées, de visages rassasiés, cette agonie de la joie était une vivante image de sa vie. Raphaël regarda trois fois le talisman, qui jouait à l'aise dans les impitoyables lignes imprimées sur la serviette : il essayait de douter, mais un clair pressentiment anéantissait son incrédulité. Le monde lui appartenait, il pouvait tout et ne voulait plus rien. Comme un voyageur au milieu du désert, il avait un peu d'eau pour la soif et devait mesurer sa vie au nombre des gorgées. Il voyait ce que chaque désir devait lui coûter de jours. Puis il croyait à la peau de chagrin, il s'écoutait respirer, il se sentait déjà malade, il se demandait :

— Ne suis-je pas pulmonique ? Ma mère n'est-elle pas morte de la poitrine ?

— Ah ! ah ! Raphaël, vous allez bien vous amuser ! Que me donnerez-vous ? disait Aquilina.

— Buvons à la mort de son oncle, le major O'Flaharty ! Voilà un homme !

— Il sera pair de France.

— Bah ! qu'est-ce qu'un pair de France après Juillet ! dit le jugeur.

— Auras-tu loge aux Bouffons ?

— J'espère que vous nous régalerez tous ? dit Bixiou.

— Un homme comme lui sait faire grandement les choses, dit Émile.

Le hourra de cette assemblée rieuse résonnait aux oreilles de Valentin sans qu'il pût saisir le sens d'un seul mot ; il pensait vaguement à l'existence mécanique et sans désirs d'un paysan de la Bretagne, chargé d'enfants, labourant son champ, mangeant du sarrasin, buvant du cidre à même son *pichet*, croyant à la Vierge et au roi, communiant à Pâques, dansant le dimanche sur une pelouse verte, et ne comprenant pas le sermon de son *recteur*. Le spectacle offert en ce moment à ses regards, ces lambris dorés, ces courtisanes, ce repas, ce luxe, le prenaient à la gorge et le faisaient tousser.

— Désirez-vous des asperges ? lui cria le banquier.

— *Je ne désire rien !* lui répondit Raphaël d'une voix tonnante.

— Bravo ! répliqua Taillefer. Vous comprenez la fortune, elle est un brevet d'impertinence. Vous êtes des nôtres ! — Messieurs, buvons à la puissance de l'or. M. de Valentin devenu six fois millionnaire arrive au pouvoir. Il est roi, il peut tout, il est au-dessus de tout, comme sont tous les riches. Pour lui, désormais, LES FRANÇAIS SONT ÉGAUX DEVANT LA LOI est un mensonge inscrit en tête de la charte. Il n'obéira pas aux lois, les lois lui obéiront. Il n'y a pas d'échafaud, pas de bourreaux pour les millionnaires !

— Oui, répliqua Raphaël, ils sont eux-mêmes leurs bourreaux !

— Encore un préjugé ! cria le banquier.

— Buvons ! dit Raphaël en mettant le talisman dans sa poche.

— Que fais-tu là ? dit Émile en lui arrêtant la main.

— Messieurs, ajouta-t-il en s'adressant à l'assemblée, assez surprise des manières de Raphaël, apprenez que notre ami de Valentin, que dis-je ? Monsieur le marquis de Valentin, possède un secret pour faire fortune. Ses souhaits sont accomplis au moment même où il les forme. A moins de passer pour un laquais, pour un homme sans cœur, il va nous enrichir tous.

— Ah ! mon petit Raphaël, je veux une parure de perles, s'écria Euphrasie.

— S'il est reconnaissant, il me donnera deux voitures attelées de beaux chevaux et qui aillent vite ! dit Aquilina.

— Souhaitez cent mille livres de rente pour moi !

— Des cachemires !

— Payez mes dettes !

— Envoie une apoplexie à mon oncle, le grand sec !

— Raphaël, je te tiens quitte à dix mille livres de rente.

— Voilà bien des donations ! s'écria le notaire.

— Il devrait bien me guérir de la goutte !

— Faites baisser les rentes ! s'écria le banquier.

Toutes ces phrases partirent comme les gerbes du bouquet qui termine un feu d'artifice. Ces furieux désirs étaient peut-être plus sérieux que plaisants.

— Mon cher ami, dit Émile d'un air grave, je me contenterai de deux cent mille livres de rente ; exécute-toi de bonne grâce, allons !

— Émile, dit Raphaël, tu ne sais donc pas à quel prix ?

— Belle excuse ! s'écria le poète. Ne devons-nous pas nous sacrifier pour nos amis ?

— J'ai presque envie de souhaiter votre mort à tous, répondit Valentin en jetant un regard sombre et profond sur les convives.

— Les mourants sont furieusement cruels, dit Émile en riant. Te voilà riche, ajouta-t-il sérieusement, eh bien, je ne te donne pas deux mois pour devenir fangeusement égoïste. Tu es déjà stupide, tu ne comprends pas une plaisanterie. Il ne te manque plus que de croire à ta peau de chagrin...

Raphaël, qui craignit les moqueries de cette assemblée, garda le silence, but outre mesure et s'enivra pour oublier un moment sa funeste puissance.


### III

#### L'AGONIE

DANS les premiers jours du mois de décembre, un vieillard septuagénaire allait, malgré la pluie, par la rue de Varenne en levant le nez à la porte de chaque hôtel et cherchant l'adresse de M. le marquis Raphaël de Valentin avec la naïveté d'un enfant et l'air absorbé des philosophes. L'empreinte d'un violent chagrin aux prises avec un caractère despotique éclatait sur cette figure accompagnée de longs cheveux gris en désordre, desséchée comme un vieux parchemin qui se tord dans le feu. Si quelque peintre eût rencontré ce singulier personnage, vêtu de noir, maigre et ossu, sans doute il l'aurait, de retour à l'atelier, transfiguré sur son album, en inscrivant au-dessous du portrait : *Poète classique en quête d'une rime.* Après avoir vérifié le numéro qui lui avait été indiqué, cette vivante palingénésie de Rollin frappa doucement à la porte d'un magnifique hôtel.

— M. Raphaël y est-il ? demanda le bonhomme à un suisse en livrée.

— M. le marquis ne reçoit personne, répondit le valet en avalant une énorme mouillette qu'il retirait d'un large bol de café.

— Sa voiture est là, répondit le vieil inconnu en montrant un brillant équipage arrêté sous le dais de bois qui représentait une tente de coutil et par lequel les marches du perron étaient abritées. Il va sortir, je l'attendrai.

— Ah ! mon ancien, vous pourriez bien rester ici jusqu'à demain matin, reprit le suisse. Il y a toujours une voiture prête pour monsieur. Mais sortez, je vous prie ; je perdrais six cents francs de rente viagère si je laissais une seule fois entrer sans ordre une personne étrangère à l'hôtel.

En ce moment un grand vieillard, dont le costume ressemblait assez à celui d'un huissier ministériel, sortit du vestibule et descendit précipitamment quelques marches en examinant le vieux solliciteur ébahi.

— Au surplus, voici M. Jonathas, dit le suisse ; parlez-lui.

Les deux vieillards, attirés l'un vers l'autre par une sympathie ou par une curiosité mutuelle, se rencontrèrent au milieu de la vaste cour d'honneur, à un rond-point où croissaient quelques touffes d'herbe entre les pavés. Un silence effrayant régnait dans cet hôtel. En voyant Jonathas, vous eussiez voulu pénétrer le mystère qui planait sur sa figure, et dont parlaient les moindres choses dans cette maison morne. Le premier soin de Raphaël, en recueillant l'immense succession de son oncle, avait été de découvrir où vivait le vieux serviteur dévoué sur l'affection duquel il pouvait compter. Jonathas pleura de joie en revoyant son jeune maître, auquel il croyait avoir dit un éternel adieu ; mais rien n'égala son bonheur quand le marquis le promut aux éminentes fonctions d'intendant. Le vieux Jonathas devint une puissance intermédiaire placée entre Raphaël et le monde entier. Ordonnateur suprême de la fortune de son maître, exécuteur aveugle d'une pensée inconnue, il était comme un sixième sens à travers lequel les émotions de la vie arrivaient à Raphaël.

— Monsieur, je désirerais parler à M. Raphaël, dit le vieillard à Jonathas en montant quelques marches du perron pour se mettre à l'abri de la pluie.

— Parler à M. le marquis ?... s'écria l'intendant. A peine m'adresse-t-il la parole, à moi, son père nourricier !

— Mais je suis aussi son père nourricier, s'écria le vieil homme. Si votre femme l'a jadis allaité, je lui ai fait sucer moi-même le sein des Muses. Il est mon

nourrisson, mon enfant, *carus alumnus !* J'ai façonné
sa cervelle, cultivé son entendement, développé son
génie, et j'ose le dire à mon honneur et gloire. N'est-il
pas un des hommes les plus remarquables de notre
époque ? Je l'ai eu, sous moi, en sixième, en troisième
et en rhétorique. Je suis son professeur.

— Ah ! monsieur est M. Porriquet ?

— Précisément. Mais, monsieur...

— Chut ! chut ! fit Jonathas à deux marmitons dont
les voix rompaient le silence claustral dans lequel la
maison était ensevelie.

— Mais, monsieur, reprit le professeur, M. le marquis serait-il malade ?

— Mon cher monsieur, répondit Jonathas, Dieu seul
sait ce qui tient mon maître. Voyez-vous, il n'existe
pas à Paris deux maisons semblables à la nôtre.
Entendez-vous ? deux maisons. Ma foi, non. M. le
marquis a fait acheter cet hôtel, qui appartenait
précédemment à un duc et pair. Il a dépensé trois
cent mille francs pour le meubler. Voyez-vous, c'est
une somme, trois cent mille francs ! Mais chaque pièce
de notre maison est un vrai miracle. Bon ! me suis-je
dit en voyant cette magnificence, c'est comme chez
défunt monsieur son grand-père : le jeune marquis va
recevoir la ville et la cour ! Point. Monsieur n'a voulu
voir personne. I mène une drôle de vie, monsieur
Porriquet, entendez-vous ? une vie *inconciliable*.
Monsieur se lève tous les jours à la même heure. Il
n'y a que moi, moi seul, voyez-vous, qui puisse entrer
dans sa chambre. J'ouvre à sept heures, été comme

hiver. Cela est convenu singulièrement. Étant entré, je lui dis :

« — Monsieur le marquis, il faut vous réveiller et vous habiller.

« Il se réveille et s'habille. Je dois lui donner sa robe de chambre, toujours faite de la même façon et de la même étoffe. Je suis obligé de la remplacer quand elle ne pourra plus servir, rien que pour lui éviter la peine d'en demander une neuve. C'te imagination ! Au fait, il a mille francs à manger par jour, il fait ce qu'il veut, ce cher enfant. D'ailleurs je l'aime tant, qu'il me donnerait un soufflet sur la joue droite je lui tendrais la gauche ! Il me dirait de faire des choses plus difficiles, je les ferais encore, entendez-vous ? Au reste, il m'a chargé de tant de vétilles que j'ai de quoi m'occuper. Il lit les journaux, pas vrai ? Ordre de les mettre au même endroit, sur la même table.

« Je viens aussi, à la même heure, lui faire moi-même la barbe et je ne tremble pas. Le cuisinier perdrait mille écus de rente viagère qui l'attendent après la mort de monsieur, si le déjeuner ne se trouvait pas *inconciliablement* servi devant monsieur, à dix heures, tous les matins, et le dîner à cinq heures précises. Le menu est dressé pour l'année entière, jour par jour. M. le marquis n'a rien à souhaiter. Il a des fraises quand il y a des fraises, et le premier maquereau qui arrive à Paris, il le mange. Le programme est imprimé, il sait le matin son dîner par cœur. Pour lors, il s'habille à la même heure, avec les mêmes

habits, le même linge, posés toujours par moi, entendez-
vous ? sur le même fauteuil. Je dois encore veiller à ce
qu'il ait toujours le même drap : en cas de besoin, si
sa redingote s'abîme, une supposition, la remplacer
par une autre sans lui en dire un mot. S'il fait beau,
j'entre et je dis à mon maître :

« — Vous devriez sortir, monsieur ?

« Il me répond oui, ou non. S'il a l'idée de se
promener, il n'attend pas ses chevaux, ils sont toujours attelés : le cocher reste *inconciliablement*, fouet
en main, comme vous le voyez là. Le soir, après le
dîner, monsieur va un jour à l'Opéra et l'autre jour
aux Ital..., mais non, il n'est pas encore allé aux
Italiens, je n'ai pu me procurer une loge qu'hier. Puis
il rentre à onze heures précises pour se coucher.
Pendant les intervalles de la journée où il ne fait
rien, il lit, il lit toujours, voyez-vous ! une idée qu'il a.
J'ai ordre de lire avant lui le *Journal de la Librairie*,
afin d'acheter les livres nouveaux, pour qu'il les trouve
le jour même de leur vente sur sa cheminée. J'ai la
consigne d'entrer d'heure en heure chez lui, pour
veiller au feu, à tout, pour voir à ce que rien ne lui
manque. Il m'a donné, monsieur, un petit livre à
apprendre par cœur, et où sont écrits tous mes devoirs,
un vrai catéchisme ! En été, je dois, avec des tas de
glace, maintenir la température au même degré de
fraîcheur, et mettre en tout temps des fleurs nouvelles
partout. Il est riche ! il a mille francs à manger par
jour, il peut satisfaire ses fantaisies. Il a été privé
assez longtemps du nécessaire, le pauvre enfant ! Il

ne tourmente personne, il est bon comme le bon pain, jamais il ne dit mot, mais, par exemple, silence complet à l'hôtel et dans le jardin ! Enfin, mon maître n'a pas un seul désir à former, tout marche au doigt et à l'œil, et *recta !* Et il a raison : si l'on ne tient pas les domestiques, tout va à la débandade. Je lui dis tout ce qu'il doit faire, et il m'écoute. Vous ne sauriez croire à quel point il a poussé la chose. Ses appartements sont en... en... comment donc ? ah ! en enfilade. Eh bien ! il ouvre, une supposition, la porte de sa chambre ou de son cabinet, crac ! toutes les portes s'ouvrent d'elles-mêmes par un mécanisme. Pour lors, il peut aller d'un bout à l'autre de sa maison sans trouver une seule porte fermée. C'est gentil et commode, et agréable pour nous autres ! Ça nous a coûté gros, par exemple !... Enfin, finalement, monsieur Porriquet, il m'a dit :

« — Jonathas, tu auras soin de moi comme d'un enfant au maillot.

« Au maillot, oui, monsieur, au maillot qu'il a dit !

« — Tu penseras à mes besoins pour moi...

« Je suis le maître, entendez-vous ? et il est quasiment le domestique. Le pourquoi ? Ah ! par exemple, voilà ce que personne au monde ne sait, que lui et le bon Dieu. C'est *inconciliable !*

— Il fait un poème, s'écria le vieux professeur.

— Vous croyez, monsieur, qu'il fait un poème ? C'est donc bien assujettissant, ça ! Mais, voyez-vous, je ne crois pas. Il me répète souvent qu'il veut vivre comme une *vergétation*, en *vergétant*. Et pas plus tard qu'hier, monsieur Porriquet, il regardait une tulipe, et il disait en s'habillant :

« — Voilà ma vie... Je *vergète*, mon pauvre Jonathas !

« A cette heure, d'autres prétendent qu'il est *monomane*. C'est *inconciliable !*

— Tout me prouve, Jonathas, reprit le professeur avec une gravité magistrale qui imprima un profond respect au vieux valet de chambre, que votre maître s'occupe d'un grand ouvrage. Il est plongé dans de vastes méditations et ne veut pas en être distrait par les préoccupations de la vie vulgaire. Au milieu de ses travaux intellectuels, un homme de génie oublie tout. Un jour, le célèbre Newton...

— Ah ! Newton, bien..., dit Jonathas. Je ne le connais pas.

— Newton, un grand géomètre, poursuivit Porriquet, passa vingt-quatre heures, le coude appuyé sur une table ; quand il sortit de sa rêverie, il croyait le lendemain être encore à la veille, comme s'il eût dormi... Je vais aller le voir, ce cher enfant, je peux lui être utile.

— Minute ! s'écria Jonathas. Vous seriez le roi de France, l'ancien, s'entend ! que vous n'entreriez pas, à moins de forcer les portes et de me marcher sur le corps. Mais, monsieur Porriquet, je cours lui dire que vous êtes là, et je lui demanderai comme ça : « Faut-il le faire monter ? » Il répondra oui, ou non. Jamais je ne lui dis : *Souhaitez-vous ? voulez-vous ? désirez-vous ?* Ces mots-là sont rayés de la conversation. Une fois

il m'en est échappé un : « Veux-tu me faire mourir ? »
m'a-t-il dit tout en colère.

Jonathas laissa le vieux professeur dans le vestibule,
en lui faisant signe de ne pas avancer ; mais il revint
promptement avec une réponse favorable et conduisit
le vieil émérite à travers de somptueux appartements
dont toutes les portes étaient ouvertes. Porriquet
aperçut de loin son élève au coin d'une cheminée.
Enveloppé d'une robe de chambre à grands dessins
et plongé dans un fauteuil à ressorts, Raphaël lisait
le journal. L'extrême mélancolie à laquelle il paraissait
être en proie était exprimée par l'attitude maladive
de son corps affaissé ; elle était peinte sur son front,
sur son visage pâle comme une fleur étiolée. Une sorte
de grâce efféminée et les bizarreries particulières aux
malades riches distinguaient sa personne. Ses mains,
semblables à celles d'une jolie femme, avaient une
blancheur molle et délicate. Ses cheveux blonds,
devenus rares, se bouclaient autour de ses tempes par
une coquetterie recherchée. Une calotte grecque,
entraînée par un gland trop lourd pour le léger
cachemire dont elle était faite, pendait sur un côté
de sa tête. Il avait laissé tomber à ses pieds le couteau
de malachite enrichi d'or dont il s'était servi pour
couper les feuillets d'un livre. Sur ses genoux était
le bec d'ambre d'un magnifique houka de l'Inde dont
les spirales émaillées gisaient comme un serpent dans
sa chambre, et il oubliait d'en sucer les frais parfums.
Cependant la faiblesse générale de son jeune corps
était démentie par des yeux bleus où toute la vie

semblait s'être retirée, où brillait un sentiment extraordinaire qui saisissait tout d'abord. Ce regard faisait
mal à voir. Les uns pouvaient y lire du désespoir ;
d'autres, y deviner un combat intérieur, aussi terrible
qu'un remords. C'était le coup d'œil profond de
l'impuissant qui refoule ses désirs au fond de son
cœur, ou celui de l'avare jouissant par la pensée de
tous les plaisirs que son argent pourrait lui procurer
et s'y refusant pour ne pas amoindrir son trésor ; ou
le regard du Prométhée enchaîné, de Napoléon déchu
qui apprend à l'Élysée, en 1815, la faute stratégique
commise par ses ennemis, qui demande le commande-
ment pour vingt-quatre heures et ne l'obtient pas.
Véritable regard de conquérant et de damné ! et,
mieux encore, le regard que, plusieurs mois auparavant,
Raphaël avait jeté sur la Seine ou sur sa dernière pièce
d'or mise au jeu. Il soumettait sa volonté, son intelligence au grossier bon sens d'un vieux paysan à peine
civilisé par une domesticité de cinquante années.
Presque joyeux de devenir une sorte d'automate, il
abdiquait la vie pour vivre et dépouillait son âme de
toutes les poésies du désir. Pour mieux lutter avec
la cruelle puissance dont il avait accepté le défi, il
s'était fait chaste à la manière d'Origène, en châtrant
son imagination. Le lendemain du jour où, soudainement enrichi par un testament, il avait vu décroître
la peau de chagrin, il s'était trouvé chez son notaire.
Là, un médecin assez en vogue avait raconté sérieusement, au dessert, la manière dont un Suisse attaqué
de pulmonie s'en était guéri. Cet homme n'avait pas

dit un mot pendant dix ans et s'était soumis à ne respirer que six fois par minute dans l'air épais d'une vacherie, en suivant un régime alimentaire extrême-ment doux. « Je serai cet homme ! » se dit en lui-même Raphaël, qui voulait vivre à tout prix. Au sein du luxe, il mena la vie d'une machine à vapeur. Quand le vieux professeur envisagea ce jeune cadavre, il tressaillit ; tout lui semblait artificiel dans ce corps fluet et débile. En apercevant le marquis à l'œil dévorant, au front chargé de pensées, il ne put recon-naître l'élève au teint frais et rose, aux membres juvéniles, dont il avait gardé le souvenir. Si le classique bonhomme, critique sagace et conservateur du bon goût, avait lu lord Byron, il aurait cru voir Manfred là où il eût voulu voir Childe-Harold.

— Bonjour, père Porriquet, dit Raphaël à son professeur en pressant les doigts glacés du vieillard dans une main brûlante et moite. Comment vous portez-vous ?

— Mais, moi, je vais bien, répondit le vieillard effrayé par le contact de cette main fiévreuse. Et vous ?

— Oh ! j'espère me maintenir en bonne santé.

— Vous travaillez sans doute à quelque bel ouvrage?

— Non, répondit Raphaël. *Exegi monumentum*, père Porriquet, j'ai achevé une grande page, et j'ai dit adieu pour toujours à la science. A peine sais-je où se trouve mon manuscrit.

— Le style en est pur, sans doute ? demanda le professeur. Vous n'aurez pas, j'espère, adopté la

langue barbare de cette nouvelle école qui croit
faire merveille en inventant Ronsard !

— Mon ouvrage est une œuvre purement physiologique.

— Oh ! tout est dit, reprit le professeur. Dans les
sciences, la grammaire doit se prêter aux exigences
des découvertes. Néanmoins, mon enfant, un style
clair, harmonieux, la langue de Massillon, de M. de
Buffon, du grand Racine, un style classique, enfin,
ne gâte jamais rien... Mais, mon ami, reprit le professeur en s'interrompant, j'oubliais l'objet de ma
visite. C'est une visite intéressée.

Se rappelant trop tard la verbeuse élégance et les
éloquentes périphrases auxquelles un long professorat
avait habitué son maître, Raphaël se repentit presque
de l'avoir reçu ; mais, au moment où il allait souhaiter
de le voir dehors, il comprima promptement son secret
désir en jetant un furtif coup d'œil à la peau de chagrin,
suspendue devant lui et appliquée sur une étoffe
blanche où ses contours fatidiques étaient soigneusement dessinés par une ligne rouge qui l'encadrait
exactement. Depuis la fatale orgie, Raphaël étouffait
le plus léger de ses caprices et vivait de manière à ne
pas causer le moindre tressaillement à ce terrible
talisman. La peau de chagrin était comme un tigre
avec lequel il lui fallait vivre, sans en réveiller la
férocité. Il écouta donc patiemment les amplifications
du vieux professeur. Le père Porriquet mit une heure
à lui raconter les persécutions dont il était devenu
l'objet depuis la révolution de Juillet. Le bonhomme,

voulant un gouvernement fort, avait émis le vœu
patriotique de laisser les épiciers à leurs comptoirs,
les hommes d'État au maniement des affaires publiques, les avocats au Palais, les pairs de France au
Luxembourg ; mais un des ministres populaires du
roi-citoyen l'avait banni de sa chaire en l'accusant de
carlisme. Le vieillard se trouvait sans place, sans
retraite et sans pain. Étant la providence d'un pauvre
neveu dont il payait la pension au séminaire de Saint-
Sulpice, il venait, moins pour lui-même que pour son
enfant adoptif, prier son ancien élève de réclamer
auprès du nouveau ministre, non sa réintégration,
mais l'emploi de proviseur dans quelque collège de
province. Raphaël était en proie à une somnolence
invincible, lorsque la voix monotone du bonhomme
cessa de retentir à ses oreilles. Obligé par politesse
de regarder les yeux blancs et presque immobiles de
ce vieillard au débit lent et lourd, il avait été stupéfié,
magnétisé par une inexplicable force d'inertie.

— Eh bien ! mon bon père Porriquet, répliqua-t-il
sans savoir précisément à quelle interrogation il
répondait, je n'y puis rien, rien du tout. *Je souhaite
bien vivement* que vous réussissiez...

En ce moment, sans apercevoir l'effet que pro-
duisirent sur le front jaune et ridé du vieillard ces
banales paroles, pleines d'égoïsme et d'insouciance,
Raphaël se dressa comme un jeune chevreuil effrayé.
Il vit une légère ligne blanche entre le bord de la peau
noire et le dessin rouge ; il poussa un cri si terrible
que le pauvre professeur en fut épouvanté.

— Allez, vieille bête ! s'écria-t-il, vous serez nommé proviseur ! Ne pouviez-vous pas me demander une rente viagère de mille écus plutôt qu'un souhait homicide ? Votre visite ne m'aurait rien coûté. Il y a cent mille emplois en France, et je n'ai qu'une vie ! Une vie d'homme vaut plus que tous les emplois du monde... — Jonathas !

Jonathas parut.

— Voilà de tes œuvres, triple sot ! Pourquoi m'as-tu proposé de recevoir monsieur ? dit-il en lui montrant le vieillard pétrifié. T'ai-je remis mon âme entre les mains pour la déchirer ? Tu m'arraches en ce moment dix années d'existence ! Encore une faute comme celle-ci, et tu me conduiras à la demeure où j'ai conduit mon père. N'aurais-je pas mieux aimé posséder la belle Fœdora que d'obliger cette vieille carcasse, espèce de haillon humain ? J'ai de l'or pour lui... D'ailleurs, quand tous les Porriquets du monde mourraient de faim, qu'est-ce que cela me ferait ?

La colère avait blanchi le visage de Raphaël ; une légère écume sillonnait ses lèvres tremblantes, et l'expression de ses yeux était sanguinaire. A cet aspect, les deux vieillards furent saisis d'un tressaillement convulsif, comme deux enfants en présence d'un serpent. Le jeune homme tomba sur son fauteuil ; il se fit une sorte de réaction dans son âme, des larmes coulèrent abondamment de ses yeux flamboyants.

— Oh ! ma vie ! ma belle vie !... dit-il. Plus de bienfaisantes pensées ! plus d'amour ! plus rien !

Il se tourna vers le professeur.

— Le mal est fait, mon vieil ami, reprit-il d'une voix douce. Je vous aurai largement récompensé de vos soins ; et mon malheur aura, du moins, produit le bien d'un bon et digne homme.

Il y avait tant d'âme dans l'accent qui nuança ces paroles presque inintelligibles, que les deux vieillards pleurèrent comme on pleure en entendant un air attendrissant chanté dans une langue étrangère.

— Il est épileptique ! dit Porriquet à voix basse.

— Je reconnais votre bonté, mon ami, reprit doucement Raphaël, vous voulez m'excuser. La maladie est un accident, l'inhumanité serait un vice. Laissez-moi maintenant, ajouta-t-il. Vous recevrez demain ou après-demain, peut-être même ce soir, votre nomination, car la *résistance* a triomphé du *mouvement*... Adieu.

Le vieillard se retira, pénétré d'horreur et en proie à de vives inquiétudes sur la santé morale de Valentin. Cette scène avait eu pour lui quelque chose de surnaturel. Il doutait de lui-même et s'interrogeait comme s'il se fût réveillé après un songe pénible.

— Écoute, Jonathas, dit le jeune homme en s'adressant à son vieux serviteur. Tâche de comprendre la mission que je t'ai confiée !

— Oui, monsieur le marquis.

— Je suis comme un homme mis hors la loi commune.

— Oui, monsieur le marquis.

— Toutes les jouissances de la vie se jouent autour de mon lit de mort et dansent comme de belles femmes

devant moi ; si je les appelle, je meurs. Toujours la
mort ! Tu dois être une barrière entre le monde et moi.

— Oui, monsieur le marquis, dit le vieux valet en
essuyant les gouttes de sueur qui chargeaient son
front ridé. Mais, si vous ne voulez pas voir de belles
femmes, comment ferez-vous ce soir aux Italiens ?
Une famille anglaise qui repart pour Londres m'a
cédé le reste de son abonnement, et vous avez une
belle loge... oh ! une loge superbe, aux premières.

Tombé dans une profonde rêverie, Raphaël n'écoutait plus.

Voyez-vous cette fastueuse voiture, ce coupé simple
en dehors, de couleur brune, mais sur les panneaux
duquel brille l'écusson d'une antique et noble famille ?
Quand ce coupé passe rapidement, les grisettes
l'admirent, en convoitent le satin jaune, le tapis de
la Savonnerie, la passementerie fraîche comme une
paille de riz, les moelleux coussins et les glaces muettes.
Deux laquais en livrée se tiennent derrière cette voiture
aristocratique ; mais au fond, sur la soie, gît une tête
brûlante aux yeux cernés, la tête de Raphaël, triste
et pensif. Fatale image de la richesse ! Il court à travers
Paris comme une fusée, arrive au péristyle du théâtre
Favart, le marchepied se déploie, ses deux valets le
soutiennent, une foule envieuse le regarde.

— Qu'a-t-il fait, celui-là, pour être si riche ? dit un
pauvre étudiant en droit qui, faute d'un écu, ne
pouvait entendre les magiques accords de Rossini.

Raphaël marchait lentement dans les corridors de
la salle ; il ne se promettait aucune jouissance de ces

plaisirs si fort enviés jadis. En attendant le second acte de la *Sémiramide*, il se promenait au foyer, errait à travers les galeries, insouciant de sa loge, dans laquelle il n'était pas encore entré. Le sentiment de la propriété n'existait déjà plus au fond de son cœur. Semblable à tous les malades, il ne songeait qu'à son mal. Appuyé sur le manteau de la cheminée, autour de laquelle abondaient, au milieu du foyer, les jeunes et les vieux élégants, d'anciens et de nouveaux ministres, des pairs sans pairies, et des pairies sans pairs, telles que les a faites la révolution de Juillet, enfin tout un monde de spéculateurs et de journalistes, Raphaël vit à quelques pas de lui, parmi toutes les têtes, une figure étrange et surnaturelle. Il s'avança en clignant les yeux fort insolemment vers cet être bizarre, afin de le contempler de plus près. « Quelle admirable peinture ! » se dit-il. Les sourcils, les cheveux, la virgule à la Mazarin que montrait vaniteusement l'inconnu, étaient teints en noir ; mais, appliqué sur une chevelure sans doute trop blanche, le cosmétique avait produit une couleur violâtre et fausse dont les teintes changeaient suivant les reflets plus ou moins vifs des lumières. Son visage étroit et plat, dont les rides étaient comblées par d'épaisses couches de rouge et de blanc, exprimait à la fois la ruse et l'inquiétude. Cette enluminure manquait à quelques endroits de la face et faisait singulièrement ressortir sa décrépitude et son teint plombé ; aussi était-il impossible de ne pas rire en voyant cette tête au menton pointu, au front proéminent, assez semblable à ces grotesques figures de bois sculptées en Allemagne par les bergers pendant leurs loisirs. En examinant tour à tour ce vieil Adonis et Raphaël, un observateur aurait cru reconnaître dans le marquis les yeux d'un jeune homme sous le masque d'un vieillard, et dans l'inconnu les yeux ternes d'un vieillard sous le masque d'un jeune homme. Valentin cherchait à se rappeler en quelle circonstance il avait vu ce petit vieux, sec, bien cravaté, botté en adulte, qui faisait sonner ses éperons et se croisait les bras comme s'il avait toutes les forces d'une pétulante jeunesse à dépenser. Sa démarche n'accusait rien de gêné ni d'artificiel. Son élégant habit, soigneusement boutonné, déguisait une antique et forte charpente, en lui donnant la tournure d'un vieux fat qui suit encore les modes. Cette espèce de poupée pleine de vie avait pour Raphaël tous les charmes d'une apparition, et il la contemplait comme un vieux Rembrandt enfumé, récemment restauré, verni, mis dans un cadre neuf. Cette comparaison lui fit retrouver la trace de la vérité dans ses confus souvenirs : il reconnut le marchand de curiosités, l'homme auquel il devait son malheur. En ce moment, un rire muet échappait à ce fantastique personnage et se dessinait sur ses lèvres froides, tendues par un faux râtelier. A ce rire, la vive imagination de Raphaël lui montra dans cet homme de frappantes ressemblances avec la tête idéale que les peintres ont donnée au Méphistophélès de Gœthe. Mille superstitions s'emparèrent de l'âme forte de Raphaël, il crut alors à la puissance du démon, à tous les sortilèges rapportés

dans les légendes du moyen âge et mis en œuvre par
les poètes. Se refusant avec horreur au sort de Faust,
il invoqua soudain le ciel, ayant, comme les mourants,
une foi fervente en Dieu, en la Vierge Marie. Une
radieuse et fraîche lumière lui permit d'apercevoir le
ciel de Michel-Ange et de Sanzio d'Urbin : des nuages,
un vieillard à barbe blanche, des têtes ailées, une
belle femme assise dans une auréole. Maintenant il
comprenait, il adoptait ces admirables créations dont
les fantaisies, presque humaines, lui expliquaient son
aventure et lui permettaient encore un espoir, Mais,
quand ses yeux retombèrent sur le foyer des Italiens,
au lieu de la Vierge il vit une ravissante fille, la
détestable Euphrasie, cette danseuse au corps souple
et léger, qui, vêtue d'une robe éclatante, couverte de
perles orientales, arrivait impatiente de son vieillard
impatient, et venait se montrer, insolente, le front
hardi, les yeux pétillants, à ce monde envieux et
spéculateur pour témoigner de la richesse sans bornes
du marchand dont elle dissipait les trésors. Raphaël
se souvint du souhait goguenard par lequel il avait
accueilli le fatal présent du vieux homme, et savoura
tous les plaisirs de la vengeance en contemplant
l'humiliation profonde de cette sagesse sublime, dont
naguère la chute semblait impossible. Le funèbre
sourire du centenaire s'adressait à Euphrasie, qui
répondit par un mot d'amour ; il lui offrit son bras
desséché, fit deux ou trois fois le tour du foyer,
recueillit avec délices les regards de passion et les
compliments jetés par la foule à sa maîtresse, sans

voir les rires dédaigneux, sans entendre les railleries
mordantes dont il était l'objet.

— Dans quel cimetière cette jeune goule a-t-elle
déterré ce cadavre ? s'écria le plus élégant de tous les
romantiques.

Euphrasie se prit à sourire. Le railleur était un
jeune homme aux cheveux blonds, aux yeux bleus
et brillants, svelte, portant moustache, ayant un frac
écourté, le chapeau sur l'oreille, la repartie vive, tout
le langage du genre.

— Combien de vieillards, se dit Raphaël en lui-
même, couronnent une vie de probité, de travail, de
vertu par une folie ! Celui-ci a les pieds froids et fait
l'amour... — Eh bien ! monsieur, s'écria Valentin
en arrêtant le marchand et lançant une œillade à
Euphrasie, ne vous souvenez-vous plus des sévères
maximes de votre philosophie ?

— Ah ! répondit le marchand d'une voix déjà cassée,
je suis maintenant heureux comme un jeune homme.
J'avais pris l'existence au rebours. Il y a toute une
vie dans une heure d'amour.

En ce moment, les spectateurs entendirent la
sonnette de rappel et quittèrent le foyer pour se
rendre à leurs places. Le vieillard et Raphaël se
séparèrent. En entrant dans sa loge, le marquis
aperçut Fœdora, placée à l'autre côté de la salle,
précisément en face de lui. Sans doute arrivée depuis
peu, la comtesse rejetait son écharpe en arrière, se
découvrait le cou, faisait les petits mouvements indescriptibles d'une coquette occupée à se poser ; tous

les regards étaient concentrés sur elle. Un jeune pair
de France l'accompagnait, elle lui demanda la lorgnette qu'elle lui avait donnée à porter. A son geste,
à la manière dont elle regarda ce nouveau partenaire,
Raphaël devina la tyrannie à laquelle son successeur
était soumis. Fasciné sans doute comme il l'avait été
jadis, dupé comme lui, comme lui luttant avec toute
la puissance d'un amour vrai contre les froids calculs
de cette femme, ce jeune homme devait souffrir les
tourments auxquels Valentin avait heureusement
renoncé. Une joie inexprimable anima la figure de
Fœdora quand, après avoir braqué sa lorgnette sur
toutes les loges, et rapidement examiné les toilettes,
elle eut la conscience d'écraser par sa parure et par
sa beauté les plus jolies, les plus élégantes femmes
de Paris ; elle se mit à rire pour montrer ses dents
blanches, agita sa tête ornée de fleurs pour se faire
admirer, son regard alla de loge en loge, se moquant
d'un béret gauchement posé sur le front d'une princesse russe, ou d'un chapeau manqué qui coiffait
horriblement mal la fille d'un banquier. Tout à coup
elle pâlit en rencontrant les yeux fixes de Raphaël ;
son amant dédaigné la foudroya par un intolérable
coup d'œil de mépris. Quand aucun de ses amants
bannis ne méconnaissait sa puissance, Valentin, seul
dans le monde, était à l'abri de ses séductions. Un
pouvoir impunément bravé touche à sa ruine. Cette
maxime est gravée plus profondément au cœur d'une
femme que dans la tête des rois. Aussi Fœdora voyait-
elle en Raphaël la mort de ses prestiges et de sa

coquetterie. Un mot, dit par lui la veille à l'Opéra,
était déjà devenu célèbre dans les salons de Paris.
Le tranchant de cette terrible épigramme avait fait
à la comtesse une blessure incurable. En France, nous
savons cautériser une plaie, mais nous n'y connaissons
pas encore de remède au mal que produit une phrase.
Au moment où toutes les femmes regardèrent alternativement le marquis et la comtesse, Fœdora aurait
voulu l'abîmer dans les oubliettes de quelque Bastille,
car, malgré son talent pour la dissimulation, ses
rivales devinèrent sa souffrance. Enfin sa dernière
consolation lui échappa. Ces mots délicieux : « Je suis
la plus belle ! » cette phrase éternelle qui calmait tous
les chagrins de sa vanité devint un mensonge. A
l'ouverture du second acte, une femme vint se placer
près de Raphaël, dans une loge qui jusqu'alors était
restée vide. Le parterre entier laissa échapper un
murmure d'admiration. Cette mer de faces humaines
agita ses lames intelligentes et tous les yeux regardèrent l'inconnue. Jeunes et vieux firent un tumulte si
prolongé que, pendant le lever du rideau, les musiciens
de l'orchestre se tournèrent d'abord pour réclamer le
silence ; mais ils s'unirent aux applaudissements et en
accrurent les confuses rumeurs. Des conversations
animées s'établirent dans chaque loge. Les femmes
s'étaient toutes armées de leurs jumelles, les vieillards
rajeunis nettoyaient avec la peau de leurs gants le
verre de leurs lorgnettes. L'enthousiasme se calma par
degrés, les chants retentirent sur la scène, tout rentra
dans l'ordre. La bonne compagnie, honteuse d'avoir

cédé à un mouvement naturel, reprit la froideur aristocratique de ses manières polies. Les riches veulent ne s'étonner de rien, ils doivent reconnaître au premier aspect d'une belle œuvre le défaut qui les dispensera de l'admiration, sentiment vulgaire. Cependant quelques hommes restèrent immobiles sans écouter la musique, perdus dans un ravissement naïf, occupés à contempler la voisine de Raphaël. Valentin aperçut dans une baignoire, et près d'Aquilina, l'ignoble et sanglante figure de Taillefer, qui lui adressait une grimace approbative. Puis il vit Émile, qui, debout à l'orchestre, semblait lui dire : « Mais regarde donc la belle créature qui est près de toi ! » Enfin Rastignac, assis près de M^{me} de Nucigen et de sa fille, tortillait ses gants comme un homme au désespoir d'être enchaîné là, sans pouvoir aller près de la divine inconnue. La vie de Raphaël dépendait d'un pacte encore inviolé qu'il avait fait avec lui-même, il s'était promis de ne jamais regarder attentivement aucune femme, et, pour se mettre à l'abri d'une tentation, il portait un lorgnon dont le verre microscopique, artistement disposé, détruisait l'harmonie des plus beaux traits en leur donnant un hideux aspect. Encore en proie à la terreur qui l'avait saisi le matin quand, pour un simple vœu de politesse, le talisman s'était si promptement resserré, Raphaël résolut fermement de ne pas se retourner vers sa voisine. Assis comme une duchesse, il présentait le dos au coin de sa loge, et dérobait avec impertinence la moitié de la scène à l'inconnue, ayant l'air de la

mépriser, d'ignorer même qu'une jolie femme se
trouvât derrière lui. La voisine copiait avec exactitude
la posture de Valentin : elle avait appuyé son coude
sur le bord de la loge et se mettait la tête de trois
quarts, en regardant les chanteurs, comme si elle se
fût posée devant un peintre. Ces deux personnes
ressemblaient à deux amants brouillés qui se boudent,
se tournent le dos et vont s'embrasser au premier
mot d'amour. Par moments, les légers marabouts ou
les cheveux de l'inconnue effleuraient la tête de
Raphaël et lui causaient une sensation voluptueuse
contre laquelle il luttait courageusement ; bientôt il
sentit le doux contact des ruches de blonde qui
garnissaient le tour de la robe, la robe elle-même fit
entendre le murmure efféminé de ses plis, frissonnement plein de molles sorcelleries ; enfin le mouvement
imperceptible imprimé par la respiration à la poitrine,
au dos, aux vêtements de cette jolie femme, toute sa
vie suave se communiqua soudain à Raphaël comme
une étincelle électrique ; le tulle et la dentelle trans-
mirent fidèlement à son épaule chatouillée la délicieuse
chaleur de ce dos blanc et nu. Par un caprice de la
nature, ces deux êtres, désunis par le bon ton, séparés
par les abîmes de la mort, respirèrent ensemble et
pensèrent peut-être l'un à l'autre. Les pénétrants
parfums de l'aloès achevèrent d'enivrer Raphaël. Son
imagination, irritée par un obstacle et que les entraves
rendaient encore plus fantasque, lui dessina rapidement une femme en traits de feu. Il se retourna brusquement. Choquée sans doute de se trouver en contact

avec un étranger, l'inconnue fit un mouvement semblable ; leurs visages, animés par la même pensée,
restèrent en présence.

— Pauline !

— Monsieur Raphaël !

Pétrifiés l'un et l'autre, ils se regardèrent un instant
en silence. Raphaël voyait Pauline dans une toilette
simple et de bon goût. A travers la gaze qui couvrait
chastement son corsage, des yeux habiles pouvaient
apercevoir une blancheur de lys et deviner des formes
qu'une femme eût admirées. Puis c'était toujours sa
modestie virginale, sa céleste candeur, sa gracieuse attitude. L'étoffe de sa manche accusait le tremblement
qui faisait palpiter le corps comme palpitait le cœur.

— Oh ! venez demain, dit-elle, venez à l'*Hôtel de
Saint-Quentin*, y reprendre vos papiers. J'y serai à
midi. Soyez exact.

Elle se leva précipitamment et disparut. Raphaël
voulut suivre Pauline, il craignit de la compromettre,
resta, regarda Fœdora, la trouva laide ; mais, ne
pouvant comprendre une seule phrase de musique,
étouffant dans cette salle, le cœur plein, il sortit et
revint chez lui.

— Jonathas, dit-il à son vieux domestique au
moment où il fut dans son lit, donne-moi une demi-
goutte de laudanum sur un morceau de sucre, et
demain ne me réveille qu'à midi moins vingt minutes...

— Je veux être aimé de Pauline ! s'écria-t-il le lendemain en regardant le talisman avec une indéfinissable
angoisse.

La peau ne fit aucun mouvement, elle semblait avoir perdu sa force contractile, elle ne pouvait sans doute pas réaliser un désir accompli déjà.

— Ah ! s'écria Raphaël, en se sentant délivré comme d'un manteau de plomb qu'il aurait porté depuis le jour où le talisman lui avait été donné, tu mens, tu ne m'obéis pas, le pacte est rompu ! Je suis libre, je vivrai. C'était donc une mauvaise plaisanterie !...

En disant ces paroles, il n'osait pas croire à sa propre pensée. Il se mit aussi simplement qu'il l'était jadis et voulut aller à pied à son ancienne demeure, en essayant de se reporter en idée à ces jours heureux où il se livrait sans danger à la furie de ses désirs, où il n'avait point encore jugé toutes les jouissances humaines. Il marchait, voyant, non plus la Pauline de l'*Hôtel de Saint-Quentin*, mais la Pauline de la veille, cette maîtresse accomplie, si souvent rêvée, jeune fille spirituelle, aimante, artiste, comprenant les poètes, comprenant la poésie et vivant au sein du luxe ; en un mot, Fœdora douée d'une belle âme, ou Pauline comtesse et deux fois millionnaire comme l'était Fœdora.

Quand il se trouva sur le seuil usé, sur la dalle cassée de cette porte où, tant de fois, il avait eu des pensées de désespoir, une vieille femme sortit de la salle et lui dit :

— N'êtes-vous pas M. Raphaël de Valentin ?

— Oui, ma bonne mère, répondit-il.

— Vous connaissez votre ancien logement, reprit-elle, vous y êtes attendu.

— Cet hôtel est-il toujours tenu par M^{me} Gaudin ?
demanda Raphaël.

— Oh ! non, monsieur. Maintenant M^{me} Gaudin est
baronne. Elle est dans une belle maison à elle, de
l'autre côté de l'eau. Son mari est revenu. Dame ! il
a rapporté des mille et des cents... On dit qu'elle
pourrait acheter tout le quartier Saint-Jacques, si elle
le voulait. Elle m'a donné *gratis* son fonds et son
restant de bail. Ah ! c'est une bonne femme tout de
même ! Elle n'est pas plus fière aujourd'hui qu'elle ne
l'était hier.

Raphaël monta lestement à sa mansarde, et, quand
il atteignit les dernières marches de l'escalier, il entendit les sons du piano. Pauline était là, modestement
vêtue d'une robe de percaline ; mais la façon de la
robe, les gants, le chapeau, le châle, négligemment
jetés sur le lit, révélaient toute une fortune.

— Ah ! vous voilà donc ! s'écria Pauline en tournant
la tête et se levant par un naïf mouvement de joie.

Raphaël vint s'asseoir près d'elle, rougissant, honteux, heureux ; il la regarda sans rien dire.

— Pourquoi nous avez-vous donc quittées ? reprit-
elle en baissant les yeux au moment où son visage
s'empourpra. Qu'êtes-vous devenu ?

— Ah ! Pauline, j'ai été, je suis bien malheureux
encore !

— Las ! s'écria-t-elle tout attendrie. J'ai deviné
votre sort hier en vous voyant bien mis, riche en
apparence, mais, en réalité, hein ! monsieur Raphaël,
est-ce toujours comme autrefois ?

Valentin ne put retenir quelques larmes, elles roulèrent dans ses yeux, il s'écria :

— Pauline !... je...

Il n'acheva pas, ses yeux étincelèrent d'amour et son cœur déborda dans son regard.

— Oh ! il m'aime ! il m'aime ! s'écria Pauline.

Raphaël fit un signe de tête, car il se sentit hors d'état de prononcer une seule parole. A ce geste, la jeune fille lui prit la main, la serra et lui dit, tantôt riant, tantôt sanglotant :

— Riches, riches, heureux, riches ! ta Pauline est riche... Mais, moi, je devrais être bien pauvre aujourd'hui. J'ai mille fois dit que je payerais ce mot : *Il m'aime !* de tous les trésors de la terre. O mon Raphaël ! j'ai des millions. Tu aimes le luxe, tu seras content ; mais tu dois aimer mon cœur aussi, il y a tant d'amour pour toi dans ce cœur ! Tu ne sais pas ? mon père est revenu. Je suis une riche héritière. Ma mère et lui me laissent entièrement maîtresse de mon sort : je suis libre, comprends-tu ?

En proie à une sorte de délire, Raphaël tenait les mains de Pauline et les baisait si ardemment, si avidement, que son baiser semblait être une sorte de convulsion. Pauline se dégagea les mains, les jeta sur les épaules de Raphaël et le saisit ; ils se comprirent, se serrèrent et s'embrassèrent avec cette sainte et délicieuse ferveur, dégagée de toute arrière-pensée, dont se trouve empreint un seul baiser, le premier baiser par lequel deux âmes prennent possession d'elles-mêmes.

— Ah ! s'écria Pauline en retombant sur la chaise, je ne veux plus te quitter... Je ne sais d'où me vient tant de hardiesse ! reprit-elle en rougissant.

— De la hardiesse, ma Pauline ? Oh ! ne crains rien, c'est de l'amour, de l'amour vrai, profond, éternel comme le mien, n'est-ce pas ?

— Oh ! parle, parle, parle ! dit-elle. Ta bouche a été si longtemps muette pour moi...

— Tu m'aimais donc ?

— Oh ! Dieu, si je t'aimais ! Combien de fois j'ai pleuré, là, tiens, en faisant ta chambre, déplorant ta misère et la mienne. Je me serais vendue au démon pour t'épargner un chagrin ! Aujourd'hui, *mon* Raphaël, car tu es bien à moi : à moi cette belle tête, à moi ton cœur ! oh oui ! ton cœur surtout, éternelle richesse !... Eh bien, où en suis-je ? reprit-elle après une pause. Ah ! m'y voici : Nous avons trois, quatre, cinq millions, je crois. Si j'étais pauvre, je tiendrais peut-être à porter ton nom, à être nommée ta femme ; mais, en ce moment, je voudrais te sacrifier le monde entier, je voudrais être encore et toujours ta servante. Va, Raphaël, en t'offrant mon cœur, ma personne, ma fortune, je ne te donnerai rien de plus aujourd'hui que le jour où j'ai mis là, dit-elle en montrant le tiroir de la table, certaine pièce de cent sous. Oh ! comme alors ta joie m'a fait mal !

— Pourquoi es-tu riche ? s'écria Raphaël, pourquoi n'as-tu pas de vanité ? je ne puis rien pour toi !

Il se tordit les mains de bonheur, de désespoir, d'amour.

— Quand tu seras M^me la marquise de Valentin, je te connais, âme céleste, ce titre et ma fortune ne vaudront pas...

— Un seul de tes cheveux ! s'écria-t-elle.

— Moi aussi, j'ai des millions ; mais que sont maintenant les richesses pour nous ? Ah ! j'ai ma vie, je puis te l'offrir, prends-la.

— Oh ! ton amour, Raphaël, ton amour vaut le monde. Comment ! ta pensée est à moi ? mais je suis la plus heureuse des heureuses.

— On va nous entendre, dit Raphaël.

— Eh ! il n'y a personne, répondit-elle en laissant échapper un geste mutin.

— Eh bien ! viens, s'écria Valentin en lui tendant les bras.

Elle sauta sur ses genoux et joignit ses mains autour du cou de Raphaël :

— Embrassez-moi, dit-elle, pour tous les chagrins que vous m'avez donnés, pour effacer la peine que vos joies m'ont faite, pour toutes les nuits que j'ai passées à peindre mes écrans...

— Tes écrans ?

— Puisque nous sommes riches, mon trésor, je puis te dire tout. Pauvre enfant ! combien il est facile de tromper les hommes d'esprit ! Est-ce que tu pouvais avoir des gilets blancs et des chemises propres deux fois par semaine, pour trois francs de blanchissage par mois ? Mais tu buvais deux fois plus de lait qu'il ne t'en revenait pour ton argent ! Je t'attrapais sur tout : le feu, l'huile, et l'argent donc ! O mon Raphaël,

ne me prends pas pour femme, dit-elle en riant, je
suis une personne trop astucieuse.

— Mais comment faisais-tu donc ?

— Je travaillais jusqu'à deux heures du matin, et
je donnais à ma mère une moitié du prix de mes
écrans, à toi l'autre.

Ils se regardèrent pendant un moment, tous deux
hébétés de joie et d'amour.

— Oh ! s'écria Raphaël, nous payerons sans doute,
un jour, ce bonheur par quelque effroyable chagrin.

— Serais-tu marié ? s'écria Pauline. Ah ! je ne veux
te céder à aucune femme.

— Je suis libre, ma chérie.

— Libre ! répéta-t-elle. Libre, et à moi !

Elle se laissa glisser sur ses genoux, joignit les
mains et regarda Raphaël avec une dévotieuse
ardeur.

— J'ai peur de devenir folle. Combien tu es gentil !
reprit-elle en passant une main dans la blonde chevelure de son amant. Est-elle bête, ta comtesse Fœdora !
Quel plaisir j'ai ressenti hier en me voyant saluée par
tous ces hommes ! Elle n'a jamais été applaudie, elle !
Dis, cher, quand mon dos a touché ton bras, j'ai entendu en moi je ne sais quelle voix qui m'a crié :
« Il est là ! » Je me suis retournée et je t'ai vu. Oh ! je
me suis sauvée, je me sentais l'envie de te sauter au
cou devant tout le monde.

— Tu es bien heureuse de pouvoir parler ! s'écria
Raphaël. Moi, j'ai le cœur serré. Je voudrais pleurer,
je ne puis. Ne me retire pas ta main. Il me semble que

je resterais pendant toute ma vie à te regarder ainsi,
heureux, content.

— Oh ! répète-moi cela, mon amour !

— Eh ! que sont les paroles ? répondit Valentin en
laissant tomber une larme chaude sur les mains de
Pauline. Plus tard, j'essayerai de te dire mon amour ;
en ce moment je ne puis que le sentir...

— Oh ! s'écria-t-elle, cette belle âme, ce beau génie,
ce cœur que je connais si bien, tout est à moi, comme
je suis à toi ?

— Pour toujours, ma douce créature, dit Raphaël
d'une voix émue. Tu seras ma femme, mon bon génie.
Ta présence a toujours dissipé mes chagrins et ra-
fraîchi mon âme ; en ce moment ton sourire angélique
m'a pour ainsi dire purifié. Je crois commencer une
nouvelle vie. Le passé cruel et mes tristes folies me
semblent n'être plus que de mauvais songes. Je suis
pur, près de toi. Je sens l'air du bonheur. Oh ! sois là
toujours, ajouta-t-il en la pressant saintement sur
son cœur palpitant.

— Vienne la mort quand elle voudra, s'écria Pauline
en extase, j'ai vécu.

Heureux qui devinera leurs joies, il les aura connues!

— O mon Raphaël, dit Pauline après deux heures de
silence, je voudrais qu'à l'avenir personne n'entrât
dans cette chère mansarde.

— Il faut murer la porte, mettre une grille à la
lucarne et acheter la maison, répondit le marquis.

— C'est cela, dit-elle.

Puis, après un moment de silence :

— Nous avons un peu oublié de chercher tes manuscrits.

Ils se prirent à rire avec une douce innocence.

— Bah ! je me moque de toutes les sciences ! s'écria Raphaël.

— Ah ! monsieur, et la gloire ?

— Tu es ma seule gloire.

— Tu étais bien malheureux en faisant ces petits pieds de mouche, dit-elle en feuilletant les papiers.

— Ma Pauline...

— Oh ! oui, je suis ta Pauline... Eh bien ?

— Où demeures-tu donc ?

— Rue Saint-Lazare. Et toi ?

— Rue de Varenne.

— Comme nous serons loin l'un de l'autre, jusqu'à ce que...

Elle s'arrêta en regardant son ami d'un air coquet et malicieux.

— Mais, répondit Raphaël, nous avons tout au plus une quinzaine de jours à rester séparés.

— Vrai ! dans quinze jours, nous serons mariés !

Elle sauta comme un enfant.

— Oh ! je suis une fille dénaturée, reprit-elle, je ne pense plus ni à père, ni à mère, ni à rien dans le monde ! Tu ne sais pas, pauvre chéri ? mon père est bien malade. Il est revenu des Indes, bien souffrant. Il a manqué mourir au Havre, où nous l'avons été chercher. Ah ! Dieu, s'écria-t-elle en regardant l'heure à sa montre, déjà trois heures ! Je dois me trouver à son réveil, à quatre heures. Je suis la maîtresse au

logis : ma mère fait toutes mes volontés, mon père
m'adore, mais je ne veux pas abuser de leur bonté, ce
serait mal ! Le pauvre père, c'est lui qui m'a envoyée
aux Italiens hier... Tu viendras le voir demain, n'est-
ce pas ?

— Madame la marquise de Valentin veut-elle me
faire l'honneur d'accepter mon bras ?

— Ah ! je vais emporter la clef de cette chambre,
reprit-elle. N'est-ce pas un palais, notre trésor ?

— Pauline, encore un baiser ?

— Mille ! Mon Dieu, dit-elle en regardant Raphaël,
ce sera toujours ainsi ? je crois rêver.

Ils descendirent lentement l'escalier ; puis, bien
unis, marchant du même pas, tressaillant ensemble
sous le poids du même bonheur, se serrant comme
deux colombes, ils arrivèrent sur la place de la Sor-
bonne, où la voiture de Pauline attendait.

— Je veux aller chez toi, s'écria-t-elle. Je veux voir
ta chambre, ton cabinet, et m'asseoir à la table sur
laquelle tu travailles. Ce sera comme autrefois, ajouta-
t-elle en rougissant. — Joseph, dit-elle à un valet, je
vais rue de Varenne avant de retourner à la maison.
Il est trois heures un quart, et je dois être revenue à
quatre. Georges pressera les chevaux.

Et les deux amants furent en peu d'instants menés
à l'hôtel de Valentin.

— Oh ! que je suis contente d'avoir examiné tout
cela, s'écria Pauline en chiffonnant la soie des rideaux
qui drapaient le lit de Raphaël. Quand je m'endor-
mirai, je serai là, en pensée. Je me figurerai ta chère

tête sur cet oreiller. Dis-moi, Raphaël, tu n'as pris conseil de personne pour meubler ton hôtel ?

— De personne.

— Bien vrai ? Ce n'est pas une femme qui... ?

— Pauline !

— Oh ! je me sens une affreuse jalousie ! Tu as bon goût. Je veux avoir demain un lit pareil au tien.

Raphaël, ivre de bonheur, saisit Pauline.

— Oh ! mon père... mon père !... dit-elle.

— Je vais donc te reconduire, car je veux te quitter le moins possible, s'écria Valentin.

— Combien tu es aimant ! je n'osais pas te le proposer...

— N'es-tu donc pas ma vie ?

Il serait fastidieux de consigner fidèlement ces adorables bavardages de l'amour auxquels l'accent, le regard, un geste intraduisible, donnent seuls du prix. Valentin reconduisit Pauline jusque chez elle, et revint ayant au cœur autant de plaisir que l'homme peut en ressentir et en porter ici-bas. Quand il fut assis dans son fauteuil, près de son feu, pensant à la soudaine et complète réalisation de toutes ses espérances, une idée froide lui traversa l'âme comme l'acier d'un poignard perce une poitrine : il regarda la peau de chagrin, elle s'était légèrement rétrécie. Il prononça le grand juron français, sans y mettre les jésuitiques réticences de l'abbesse des Andouillettes, pencha la tête sur son fauteuil et resta sans mouvement, les yeux arrêtés sur une patère, sans la voir.

— Grand Dieu ! s'écria-t-il, quoi ! tous mes désirs, tous ! Pauvre Pauline !...

Il prit un compas, mesura ce que la matinée lui avait coûté d'existence.

— Je n'en ai pas pour deux mois ! dit-il.

Une sueur glacée sortit de ses pores ; tout à coup il obéit à un inexprimable mouvement de rage et saisit la peau de chagrin en s'écriant :

— Je suis bien bête !

Il sortit, courut, traversa les jardins et jeta le talisman au fond d'un puits.

— Vogue la galère !... dit-il. Au diable toutes ces sottises !

Raphaël se laissa donc aller au bonheur d'aimer et vécut cœur à cœur avec Pauline. Leur mariage, retardé par des difficultés peu intéressantes à raconter, devait se célébrer dans les premiers jours de mars. Ils s'étaient éprouvés, ne doutaient point d'eux-mêmes, et, le bonheur leur ayant révélé toute la puissance de leur affection, jamais deux âmes, deux caractères ne s'étaient aussi parfaitement unis qu'ils le furent par la passion. En s'étudiant, ils s'aimèrent davantage : de part et d'autre même délicatesse, même pudeur, même volupté, la plus douce de toutes les voluptés, celle des anges ; point de nuages dans leur ciel ; tour à tour les désirs de l'un faisaient la loi de l'autre. Riches tous deux, ils ne connaissaient point de caprices qu'ils ne pussent satisfaire et, partant, n'avaient point de caprices. Un goût exquis, le sentiment du beau, une vraie poésie animait l'âme de l'épouse ; dédaignant les colifichets de la femme, un sourire de son ami lui semblait plus beau que toutes les perles d'Ormus, la mousseline ou les fleurs formaient ses plus riches parures. Pauline et Raphaël fuyaient d'ailleurs le monde, la solitude leur était si belle, si féconde ! Les oisifs voyaient exactement tous les soirs ce joli ménage de contrebande aux Italiens ou à l'Opéra. Si d'abord quelques médisances égayèrent les salons, bientôt le torrent d'événements qui passa sur Paris fit oublier deux amants inoffensifs ; enfin, espèce d'excuse auprès des prudes, leur mariage était annoncé, et par hasard leurs gens se trouvaient discrets ; donc aucune méchanceté trop vive ne les punit de leur bonheur.

Vers la fin du mois de février, époque à laquelle d'assez beaux jours firent croire aux joies du printemps, un matin, Pauline et Raphaël déjeunaient ensemble dans une petite serre, espèce de salon rempli de fleurs et de plain-pied avec le jardin. Le doux et pâle soleil de l'hiver, dont les rayons se brisaient à travers des arbustes rares, tiédissait alors la température. Les yeux étaient égayés par les vigoureux contrastes des divers feuillages, par les couleurs des touffes fleuries et par toutes les fantaisies de la lumière et de l'ombre. Quand tout Paris se chauffait encore devant les tristes foyers, les deux jeunes époux riaient sous un berceau de camélias, de lilas, de bruyères. Leurs têtes joyeuses s'élevaient au-dessus des narcisses, des muguets et des roses du Bengale. Dans cette serre voluptueuse et riche, les pieds foulaient une natte africaine colorée comme un tapis.

Les parois tendues en coutil vert n'offraient pas la moindre trace d'humidité. L'ameublement était de bois en apparence grossier, mais dont l'écorce polie brillait de propreté. Un jeune chat accroupi sur la table où l'avait attiré l'odeur du lait se laissait barbouiller de café par Pauline ; elle folâtrait avec lui, défendait la crème qu'elle lui permettait à peine de flairer afin d'exercer sa patience et d'entretenir le combat ; elle éclatait de rire à chacune de ses grimaces et débitait mille plaisanteries pour empêcher Raphaël de lire le journal, qui dix fois déjà lui était tombé des mains. Il abondait dans cette scène matinale un bonheur inexprimable, comme tout ce qui est naturel et vrai. Raphaël feignait toujours de lire sa feuille et contemplait à la dérobée Pauline aux prises avec le chat, sa Pauline enveloppée d'un long peignoir qui la lui voilait imparfaitement, sa Pauline les cheveux en désordre et montrant un petit pied blanc veiné de bleu dans une pantoufle de velours noir. Charmante à voir en déshabillé, délicieuse comme les fantastiques figures de Westhall, elle semblait être tout à la fois jeune fille et femme ; peut-être plus jeune fille que femme, elle jouissait d'une félicité sans mélange et ne connaissait de l'amour que ses premières joies. Au moment où, tout à fait absorbé par sa douce rêverie, Raphaël avait oublié son journal, Pauline le saisit, le chiffonna, en fit une boule, le lança dans le jardin, et le chat courut après la politique qui tournait, comme toujours, sur elle-même. Quand Raphaël, distrait par cette scène enfantine, voulut continuer à lire et fit le geste de lever la feuille qu'il n'avait plus, éclatèrent des rires francs, joyeux, renaissant d'eux-mêmes comme les chants d'un oiseau.

— Je suis jalouse du journal, dit-elle en essuyant les larmes que son rire d'enfant avait fait couler. N'est-ce pas une félonie, reprit-elle, redevenant femme tout à coup, que de lire des proclamations russes en ma présence et de préférer la prose de l'empereur Nicolas à des paroles, à des regards d'amour ?

— Je ne lisais pas, mon ange aimé, je te regardais.

En ce moment le pas lourd du jardinier, dont les souliers ferrés faisaient crier le sable des allées, retentit près de la serre.

— Excusez, monsieur le marquis, si je vous interromps, ainsi que madame, mais je vous apporte une curiosité comme je n'en ai jamais vu. En tirant tout à l'heure, sauf votre respect, un seau d'eau, j'ai amené cette singulière plante marine ! La voilà ! Faut, tout de même, que ce soit bien accoutumé à l'eau, car ce n'était point mouillé, ni humide. C'était sec comme du bois et point gras du tout. Comme monsieur le marquis est plus savant que moi certainement, j'ai pensé qu'il fallait la lui apporter, et que ça l'intéresserait.

Et le jardinier montrait à Raphaël l'inexorable peau de chagrin, qui n'avait pas six pouces carrés de superficie.

— Merci, Vanière, dit Raphaël. Cette chose est très curieuse.

— Qu'as-tu, mon ange ? tu pâlis ! s'écria Pauline.

— Laissez-nous, Vanière.

— Ta voix m'effraye, reprit la jeune fille, elle est singulièrement altérée... Qu'as-tu donc! Que te sens-tu? Où as-tu mal? Tu as mal! — Un médecin! cria-t-elle. Jonathas, au secours!

— Ma Pauline, tais-toi, répondit Raphaël, qui recouvra son sang-froid. Sortons. Il y a près de moi une fleur dont le parfum m'incommode. Peut-être est-ce cette verveine?

Pauline s'élança sur l'innocent arbuste, le saisit par la tige et le jeta dans le jardin.

— O ange! s'écria-t-elle en serrant Raphaël par une étreinte aussi forte que leur amour et en lui apportant avec une langoureuse coquetterie ses lèvres vermeilles à baiser, en te voyant pâlir, j'ai compris que je ne te survivrais pas : ta vie est ma vie. Mon Raphaël, passe-moi ta main sur le dos! J'y sens encore *la petite mort*, j'y ai froid. Tes lèvres sont brûlantes. Et ta main?... elle est glacée, ajouta-t-elle.

— Folle! s'écria Raphaël.

— Pourquoi cette larme? Laisse-la-moi boire.

— O Pauline, Pauline, tu m'aimes trop!

— Il se passe en toi quelque chose d'extraordinaire, Raphaël!... Sois vrai, je saurai bientôt ton secret. Donne-moi cela, dit-elle en prenant la peau de chagrin.

— Tu es mon bourreau! cria le jeune homme en jetant un regard d'horreur sur le talisman.

— Quel changement de voix! fit Pauline, qui laissa tomber le fatal symbole du destin.

— M'aimes-tu? reprit-il.

— Si je t'aime, est-ce une question?

— Eh bien ! laisse-moi, va-t'en !

La pauvre petite sortit.

— Quoi ! s'écria Raphaël quand il fut seul, dans un siècle de lumières où nous avons appris que les diamants sont les cristaux du carbone, à une époque où tout s'explique, où la police traduirait un nouveau Messie devant les tribunaux et soumettrait ses miracles à l'Académie des sciences, dans un temps où nous ne croyons plus qu'aux parafes des notaires, je croirais, moi ! à une espèce de *mane, thecel, pharès ?*... Non, de par Dieu ! je ne penserai pas que l'Être suprême puisse trouver du plaisir à tourmenter une honnête créature... Allons voir les savants.

Il arriva bientôt, entre la Halle aux vins, immense recueil de tonneaux, et la Salpêtrière, immense séminaire d'ivrognerie, devant une petite mare où s'ébaudissaient des canards remarquables par la rareté des espèces et dont les ondoyantes couleurs, semblables aux vitraux d'une cathédrale, pétillaient sous les rayons du soleil. Tous les canards du monde étaient là, criant, barbotant, grouillant, et formant une espèce de chambre canarde rassemblée contre son gré, mais heureusement sans charte ni principes politiques, et vivant, sans rencontrer de chasseurs, sous l'œil des naturalistes qui les regardaient par hasard.

— Voilà M. Lavrille, dit un porte-clefs à Raphaël, qui avait demandé ce grand pontife de la zoologie.

Le marquis vit un petit homme profondément enfoncé dans quelques sages méditations à l'aspect de

deux canards. Ce savant, entre deux âges, avait une
physionomie douce, encore adoucie par un air obli-
geant ; mais il régnait dans toute sa personne une
préoccupation scientifique : sa perruque, incessamment grattée et fantasquement retroussée, laissait
voir une ligne de cheveux blancs et accusait la fureur
des découvertes que, semblable à toutes les passions,
nous arrache si puissamment aux choses de ce monde,
que nous perdons la conscience du *moi*. Raphaël,
homme de science et d'étude, admira ce naturaliste,
dont les veilles étaient consacrées à l'agrandissement
des connaissances humaines, dont les erreurs servaient
encore la gloire de la France ; mais une petite-maîtresse
aurait ri, sans doute, de la solution de continuité qui
se trouvait entre la culotte et le gilet rayé du savant,
interstice d'ailleurs chastement rempli par une chemise
qu'il avait copieusement froncée en se baissant et se
levant tour à tour, au gré de ses observations zoo-
génésiques.

Après quelques premières phrases de politesse,
Raphaël crut nécessaire d'adresser à M. Lavrille un
compliment banal sur ses canards.

— Oh ! nous sommes riches en canards, répondit le
naturaliste. Ce genre est d'ailleurs, comme vous le
savez sans doute, le plus fécond de l'ordre des pal-
mipèdes. Il commence au *cygne* et finit au *canard
zinzin*, en comprenant cent trente-sept variétés
d'individus bien distincts, ayant leur nom, leurs
mœurs, leur patrie, leur physionomie, et qui ne se
ressemblent pas plus entre eux qu'un blanc ne res-

semble à un nègre. En vérité, monsieur, quand nous mangeons un canard, la plupart du temps nous ne nous doutons guère de l'étendue...

Il s'interrompit à l'aspect d'un joli petit canard qui remontait le talus de la mare.

— Vous voyez là le cygne à cravate, pauvre enfant du Canada, venu de bien loin pour nous montrer son plumage brun et gris, sa petite cravate noire ! Tenez, il se gratte... Voici la fameuse oie à duvet ou canard *eider*, sous l'édredon de laquelle dorment nos petites-maîtresses ; est-elle jolie ! qui n'admirerait ce petit ventre d'un blanc rougeâtre, ce bec vert ? Je viens, monsieur, reprit-il, d'être témoin d'un accouplement dont j'avais jusqu'alors désespéré. Le mariage s'est fait assez heureusement, et j'en attendrai fort impatiemment le résultat. Je me flatte d'obtenir une cent trente-huitième espèce, à laquelle peut-être mon nom sera donné ! Voici les nouveaux époux, dit-il en montrant deux canards. C'est d'une part une oie rieuse (*anas albifrons*), de l'autre le grand canard siffleur (*anas ruffina* de Buffon). J'avais longtemps hésité entre le canard siffleur, le canard à sourcils blancs et le canard souchet (*anas clypeata*) : tenez, voici le souchet, ce gros scélérat brun noir dont le col est verdâtre et si coquettement irisé. Mais, monsieur, le canard siffleur était huppé, vous comprenez alors que je n'ai plus balancé. Il ne nous manque ici que le canard varié à calotte noire. Ces messieurs prétendent unanimement que ce canard fait double emploi avec le canard sarcelle à bec recourbé ; quant à moi...

Il fit un geste admirable qui peignit à la fois la modestie et l'orgueil des savants, orgueil plein d'entêtement, modestie pleine de suffisance.

— Je ne le pense pas, ajouta-t-il. Vous voyez, mon cher monsieur, que nous ne nous amusons pas ici. Je m'occupe en ce moment de la monographie du genre canard... Mais je suis à vos ordres.

En se dirigeant vers une assez jolie maison de la rue Buffon, Raphaël soumit la peau de chagrin aux investigations de M. Lavrille.

— Je connais ce produit, dit enfin le savant après avoir braqué sa loupe sur le talisman ; il a servi à quelque dessus de boîte. Le chagrin est fort ancien ! Aujourd'hui les gainiers préfèrent se servir de galuchat. Le galuchat est, comme vous le savez sans doute, la dépouille du *raja sephen*, un poisson de la mer Rouge.

— Mais ceci, monsieur, puisque vous avez l'extrême bonté... ?

— Ceci, reprit le savant en interrompant, est autre chose : entre le galuchat et le chagrin, il y a, monsieur, toute la différence de l'océan à la terre, du poisson à un quadrupède. Cependant la peau du poisson est plus dure que la peau de l'animal terrestre. Ceci, dit-il en montrant le talisman, est, comme vous le savez sans doute, un des produits les plus curieux de la zoologie.

— Voyons ! s'écria Raphaël.

— Monsieur, répondit le savant en s'enfonçant dans son fauteuil, ceci est une peau d'âne.

— Je le sais, dit le jeune homme.

— Il existe en Perse, reprit le naturaliste, un âne extrêmement rare, l'onagre des anciens, *equus asinus*, le *koulan* des Tartars ; Pallas est allé l'observer et l'a rendu à la science. En effet, cet animal avait longtemps passé pour fantastique. Il est, comme vous le savez, célèbre dans l'Écriture sainte ; Moïse avait défendu de l'accoupler avec ses congénères. Mais l'onagre est encore plus fameux par les prostitutions dont il a été l'objet et dont parlent souvent les prophètes bibliques. Pallas, comme vous le savez sans doute, déclare, dans ses *Act. Petrop.*, tome II, que ces excès bizarres sont encore religieusement accrédités chez les Persans et les Nogaïs comme un remède souverain contre les maux de reins et la goutte sciatique. Nous ne nous doutons guère de cela, nous autres, pauvres Parisiens. Le Muséum ne possède pas d'onagre. Quel superbe animal ! continua le savant. Il est plein de mystères ; son œil est muni d'une espèce de tapis réflecteur auquel les Orientaux attribuent le pouvoir de la fascination ; sa robe est plus élégante et plus polie que ne l'est celle de nos plus beaux chevaux : elle est sillonnée de bandes plus ou moins fauves et ressemble beaucoup à la peau du zèbre. Son lainage a quelque chose de moelleux, d'ondoyant, de gras au toucher ; sa vue égale en justesse et en précision la vue de l'homme ; un peu plus grand que nos plus beaux ânes domestiques, il est doué d'un courage extraordinaire. Si, par hasard, il est surpris, il se défend avec une supériorité remarquable contre les bêtes les plus féroces ; quant à la

rapidité de sa marche, elle ne peut se comparer qu'au
vol des oiseaux ; un onagre, monsieur, tuerait à la
course les meilleurs chevaux arabes ou persans.
D'après le père du consciencieux docteur Niebuhr, de
qui, vous le savez sans doute, nous déplorons la perte
récente, le terme moyen du pas ordinaire de ces
admirables créatures est de sept mille pas géométriques
par heure. Nos ânes dégénérés ne sauraient donner une
idée de cet âne indépendant et fier. Il a le port leste,
animé, l'air spirituel, fin, une physionomie gracieuse,
des mouvements pleins de coquetterie ! C'est le roi
zoologique de l'Orient. Les superstitions turques et
persanes lui donnent même une mystérieuse origine,
et le nom de Salomon se mêle aux récits que les
conteurs du Thibet et de la Tartarie font sur les
prouesses attribuées à ces nobles animaux. Enfin un
onagre apprivoisé vaut des sommes immenses ; il est
presque impossible de le saisir dans les montagnes,
où il bondit comme un chevreuil et semble voler
comme un oiseau. La fable des chevaux ailés, notre
Pégase, a sans doute pris naissance dans ces pays,
où les bergers ont pu voir souvent un onagre sautant
d'un rocher à un autre. Les ânes de selle, obtenus en
Perse par l'accouplement d'une ânesse avec un onagre
apprivoisé, sont peints en rouge, suivant une immé-
moriale tradition. Cet usage a donné lieu peut-être
à notre proverbe : « Méchant comme un âne rouge. »
A une époque où l'histoire naturelle était très négligée
en France, un voyageur aura, je pense, amené un de
ces animaux curieux qui supportent fort impatiem-

ment l'esclavage. De là le dicton ! La peau que vous
me présentez, reprit le savant, est la peau d'un
onagre. Nous varions sur l'origine du nom. Les uns
prétendent que *Chagri* est un mot turc, d'autres veulent
que *Chagri* soit la ville où cette dépouille zoologique
subit une préparation chimique assez bien décrite par
Pallas, et qui lui donne le grain particulier que nous
admirons ; Martellens m'a écrit que *Châagri* est un
ruisseau...

— Monsieur, je vous remercie de m'avoir donné des
renseignements qui fourniraient une admirable note
à quelque dom Calmet, si les bénédictins existaient
encore ; mais j'ai eu l'honneur de vous faire observer
que ce fragment était primitivement d'un volume
égal... à cette carte géographique, dit Raphaël en
montrant à Lavrille un atlas ouvert : or, depuis trois
mois, elle s'est sensiblement contractée...

— Bien, répondit le savant, je comprends. Monsieur,
toutes les dépouilles d'êtres primitivement organisés
sont sujettes à un dépérissement naturel, facile à
concevoir, et dont les progrès sont soumis aux in-
fluences atmosphériques. Les métaux eux-mêmes se
dilatent ou se resserrent d'une manière sensible, car
les ingénieurs ont observé des espaces assez considérables entre de grandes pierres primitivement main-
tenues par des barres de fer. La science est vaste, la
vie humaine est bien courte. Aussi n'avons-nous pas
la prétention de connaître tous les phénomènes de
la nature.

— Monsieur, reprit Raphaël presque confus, excusez

la demande que je vais vous faire. Êtes-vous bien sûr
que cette peau soit soumise aux lois ordinaires de la
zoologie, qu'elle puisse s'étendre ?

— Oh ! certes !... Ah ! peste !... dit M. Lavrille en
essayant de tirer le talisman. Mais, monsieur, ajouta-
t-il, si vous voulez aller voir Planchette, le célèbre
professeur de mécanique, il trouvera certainement un
moyen d'agir sur cette peau, de l'amollir, de la dis-
tendre.

— Ah ! monsieur, vous me sauvez la vie !

Raphaël salua le savant naturaliste et courut chez
Planchette en laissant le bon Lavrille au milieu de
son cabinet rempli de bocaux et de plantes séchées.
Il remportait de cette visite, sans le savoir, toute la
science humaine : une nomenclature ! Le bonhomme
Lavrille ressemblait à Sancho Pança racontant à don
Quichotte l'histoire des chèvres, il s'amusait à compter
des animaux et à les numéroter. Arrivé sur le bord
de la tombe, il connaissait à peine une petite fraction
des incommensurables nombres du grand troupeau
jeté par Dieu à travers l'océan des mondes, dans un
but ignoré. Raphaël était content.

— Je vais tenir mon âne en bride, s'écriait-il.

Sterne avait dit avant lui : « Ménageons notre âne,
si nous voulons vivre vieux. » Mais la bête est si
fantasque !

Planchette était un grand homme sec, véritable
poète perdu dans une perpétuelle contemplation,
occupé à regarder toujours un abîme sans fond, LE
MOUVEMENT. Le vulgaire taxe de folie ces esprits

sublimes, gens incompris qui vivent dans une admirable insouciance du luxe et du monde, restant des journées entières à fumer un cigare éteint, ou venant dans un salon sans avoir toujours bien exactement marié les boutons de leurs vêtements avec les boutonnières. Un jour, après avoir longtemps mesuré le vide, ou entassé des X sous des Aa-Gg, ils ont analysé quelque loi naturelle et décomposé le plus simple des principes ; tout à coup la foule admire une nouvelle machine ou quelque haquet dont la facile structure nous étonne et nous confond ! Le savant modeste sourit en disant à ses admirateurs : « Qu'ai-je donc créé ? rien. L'homme n'invente pas une force, il la dirige, et la science consiste à imiter la nature. »

Raphaël surprit le mécanicien planté sur ses deux jambes, comme un pendu tombé droit sous sa potence. Planchette examinait une bille d'agate qui roulait sur un cadran solaire, en attendant qu'elle s'y arrêtât. Le pauvre homme n'était ni décoré, ni pensionné, car il ne savait pas enluminer ses calculs. Heureux de vivre à l'affût d'une découverte, il ne pensait ni à la gloire, ni au monde, ni à lui-même, et vivait dans la science pour la science.

— Cela est indéfinissable, s'écria-t-il. — Ah ! monsieur, reprit-il en apercevant Raphaël, je suis votre serviteur. Comment va la maman ?... Allez voir ma femme.

— J'aurais cependant pu vivre ainsi ! pensa Raphaël, qui tira le savant de sa rêverie en lui demandant le moyen d'agir sur le talisman qu'il lui présenta.

— Dussiez-vous rire de ma crédulité, monsieur, dit le marquis en terminant, je ne vous cacherai rien. Cette peau me semble posséder une force de résistance contre laquelle rien ne peut prévaloir.

— Monsieur, dit Planchette, les gens du monde traitent toujours la science assez cavalièrement, tous nous disent à peu près ce qu'un incroyable disait à Lalande en lui amenant des dames après l'éclipse : « Ayez la bonté de recommencer. » Quel effet voulez-vous produire ? La mécanique a pour but d'appliquer les lois du mouvement ou de les neutraliser. Quant au mouvement en lui-même, je vous le déclare avec humilité, nous sommes impuissants à le définir. Cela posé, nous avons remarqué quelques phénomènes constants qui régissent l'action des solides et des fluides. En reproduisant les causes génératrices de ces phénomènes, nous pouvons transporter les corps, leur transmettre une force locomotive dans des rapports de vitesse déterminée, les lancer, les diviser simplement ou à l'infini, soit que nous les cassions ou les pulvérisions ; puis les tordre, leur imprimer une rotation, les modifier, les comprimer, les dilater, les étendre. Cette science, monsieur, repose sur un seul fait. Vous voyez cette bille, reprit-il. Elle est ici sur cette pierre. La voici maintenant là. De quel nom appellerons-nous cet acte si physiquement naturel et si moralement extraordinaire ? Mouvement, locomotion, changement de lieu ? Quelle immense vanité cachée sous les mots ! Un nom, est-ce donc une solution ? Voilà pourtant toute la science. Nos machines

emploient ou décomposent cet acte, ce fait. Ce léger
phénomène adapté à des masses va faire sauter Paris.
Nous pouvons augmenter la vitesse aux dépens de la
force, et la force aux dépens de la vitesse. Qu'est-ce
que la force et la vitesse ? Notre science est inhabile
à le dire, comme elle l'est à créer un mouvement. Un
mouvement, quel qu'il soit, est un immense pouvoir,
et l'homme n'invente pas de pouvoirs. Le pouvoir
est un, comme le mouvement, l'essence même du
pouvoir. Tout est mouvement. La pensée est un
mouvement. La nature est établie sur le mouvement.
La mort est un mouvement dont les fins nous sont
peu connues. Si Dieu est éternel, croyez qu'il est
toujours en mouvement. Dieu est le mouvement, peut-
être. Voilà pourquoi le mouvement est inexplicable
comme lui ; comme lui profond, sans bornes, incom-
préhensible, intangible. Qui jamais a touché, compris,
mesuré le mouvement ? Nous en sentons les effets sans
les voir. Nous pouvons même les nier comme nous
nions Dieu. Où est-il ? où n'est-il pas ? D'où part-il ?
Où en est le principe ? où en est la fin ? Il nous enveloppe, nous presse et nous échappe. Il est évident
comme un fait, obscur comme une abstraction, tout
à la fois effet et cause. Il lui faut, comme à nous,
l'espace, et qu'est-ce que l'espace ? Le mouvement
seul nous le révèle ; sans le mouvement, il n'est plus
qu'un mot vide de sens. Problème insoluble, semblable
au vide, semblable à la création, à l'infini, le mouvement confond la pensée humaine, et tout ce qu'il
est permis à l'homme de concevoir, c'est qu'il ne le

concevra jamais. Entre chacun des points successivement occupés par cette bille dans l'espace, continua
le savant, il se rencontre un abîme pour la raison
humaine, un abîme où est tombé Pascal. Pour agir
sur la substance inconnue, que vous voulez soumettre
à une force inconnue, nous devons d'abord étudier
cette substance ; d'après sa nature, ou elle se brisera
sous un choc, ou elle y résistera ; si elle se divise et
que votre intention ne soit pas de la partager, nous
n'atteindrons pas le but proposé. Voulez-vous la
comprimer ? Il faut transmettre un mouvement égal
à toutes les parties de la substance, de manière à
diminuer uniformément l'intervalle qui les sépare.
Désirez-vous l'étendre ? Nous devrons tâcher d'imprimer à chaque molécule une force excentrique égale ;
car, sans l'observation exacte de cette loi, nous y
produirions des solutions de continuité. Il existe,
monsieur, des modes infinis, des combinaisons sans
bornes dans le mouvement. A quel effet vous arrêtez-
vous ?

— Monsieur, dit Raphaël impatienté, je désire une
pression quelconque assez forte pour étendre indéfiniment cette peau...

— La substance étant finie, répondit le mathématicien, ne saurait être indéfiniment distendue, mais
la compression multipliera nécessairement l'étendue
de sa surface aux dépens de l'épaisseur ; elle s'amincira
jusqu'à ce que la matière manque...

— Obtenez ce résultat, monsieur, s'écria Raphaël,
et vous aurez gagné des millions.

— Je vous volerais votre argent, répondit le professeur avec le flegme d'un Hollandais. Je vais vous démontrer en deux mots l'existence d'une machine sous laquelle Dieu lui-même serait écrasé comme une mouche. Elle réduirait un homme à l'état de papier brouillard, un homme botté, éperonné, cravaté, chapeau, or, bijoux, tout...

— Quelle horrible machine !

— Au lieu de jeter leurs enfants à l'eau, les Chinois devraient les utiliser ainsi, reprit le savant, sans penser au respect de l'homme pour sa progéniture.

Tout entier à son idée, Planchette prit un pot à fleurs vide, troué dans le fond, et l'apporta sur la dalle du gnomon ; puis il alla chercher un peu de terre glaise dans un coin du jardin. Raphaël resta charmé comme un enfant auquel sa nourrice conte une histoire merveilleuse. Après avoir posé sa terre glaise sur la dalle, Planchette tira de sa poche une serpette, coupa deux branches de sureau et se mit à les vider en sifflant comme si Raphaël n'eût pas été là.

— Voilà les éléments de la machine, dit-il.

Il attacha par un coude en terre glaise un de ces tuyaux de bois au fond du pot, de manière que le trou du sureau correspondît à celui du vase. Vous eussiez dit une énorme pipe. Il étala sur la dalle un lit de glaise en lui donnant la forme d'une pelle, assit le pot à fleurs dans la partie la plus large et fixa la branche de sureau sur la portion qui représentait le manche. Enfin il mit un pâté de terre glaise à

l'extrémité du tube en sureau, il y planta l'autre
branche creuse, tout droit, en pratiquant un autre
coude pour la joindre à la branche horizontale, en
sorte que l'air, ou tel fluide ambiant donné, pût
circuler dans cette machine improvisée et courir
depuis l'embouchure du tube vertical, à travers le
canal intermédiaire, jusque dans le grand pot à fleurs
vide.

— Monsieur, cet appareil, dit-il à Raphaël avec le
sérieux d'un académicien prononçant son discours de
réception, est un des plus beaux titres du grand Pascal
à notre admiration.

— Je ne comprends pas...

Le savant sourit. Il alla détacher d'un arbre fruitier
une petite bouteille dans laquelle son pharmacien lui
avait envoyé une liqueur où se prenaient les fourmis ;
il en cassa le fond, se fit un entonnoir, l'adapta soigneusement au trou de la branche creuse qu'il avait
fixée verticalement dans l'argile, en opposition au
grand réservoir figuré par le pot à fleurs ; puis, au
moyen d'un arrosoir, il y versa la quantité d'eau
nécessaire pour qu'elle se trouvât également bord à
bord et dans le grand vase et dans la petite embouchure
circulaire du sureau... Raphaël pensait à sa peau de
chagrin.

— Monsieur, dit le mécanicien, l'eau passe encore
aujourd'hui pour un corps incompressible, n'oubliez
pas ce principe fondamental ; néanmoins, elle se comprime, mais si légèrement, que nous devons compter
sa faculté contractile comme zéro. Vous voyez la

surface que présente l'eau arrivée à la superficie du pot à fleurs ?

— Oui, monsieur.

— Eh bien ! supposez cette surface mille fois plus étendue que ne l'est l'orifice du bâton de sureau par lequel j'ai versé le liquide. Tenez, j'ôte l'entonnoir...

— D'accord.

— Eh bien, monsieur, si par un moyen quelconque j'augmente le volume de cette masse en introduisant encore de l'eau par l'orifice du petit tuyau, le fluide, contraint d'y descendre, montera dans le réservoir figuré par le pot à fleurs jusqu'à ce que le liquide arrive à un même niveau dans l'un et dans l'autre...

— Cela est évident ! s'écria Raphaël.

— Mais il y a cette différence, reprit le savant, que si la mince colonne d'eau ajoutée dans le petit tube vertical y présente une force égale au poids d'une livre par exemple, comme son action se transmettra fidèlement à la masse liquide et viendra réagir sur tous les points de la surface qu'elle présente dans le pot à fleurs, il s'y trouvera mille colonnes d'eau qui, tendant toutes à s'élever comme si elles étaient poussées par une force égale à celle qui fait descendre le liquide dans le bâton de sureau vertical, produiront nécessairement ici, dit Planchette en montrant à Raphaël l'ouverture du pot à fleurs, une puissance mille fois plus considérable que la puissance introduite là.

Et le savant indiquait du doigt au marquis le tuyau de bois planté droit dans la glaise.

— Cela est tout simple, dit Raphaël.

Planchette sourit.

— En d'autres termes, reprit-il avec cette ténacité de logique naturelle aux mathématiciens, il faudrait, pour repousser l'irruption de l'eau, déployer, sur chaque partie de la grande surface, une force égale à la force agissant dans le conduit vertical ; mais, à cette différence près, que, si la colonne liquide y est haute d'un pied, les mille petites colonnes de la grande surface n'y auront qu'une très faible élévation. Maintenant, dit Planchette en donnant une chiquenaude à ses bâtons, remplaçons ce petit appareil grotesque par des tubes métalliques d'une force et d'une dimension convenables, si vous couvrez d'une forte platine mobile la surface fluide du grand réservoir, et qu'à cette platine vous en opposiez une autre dont la résistance et la solidité soient à toute épreuve, si de plus vous m'accordez la puissance d'ajouter sans cesse de l'eau par le petit tube vertical à la masse liquide, l'objet, pris entre les deux plans solides, doit nécessairement céder à l'immense action qui le comprime indéfiniment. Le moyen d'introduire constamment de l'eau par le petit tube est une niaiserie en mécanique, ainsi que le mode de transmettre la puissance de la masse liquide à une platine. Deux pistons et quelques soupapes suffisent. Concevez-vous alors, mon cher monsieur, dit-il en prenant le bras de Valentin, qu'il n'existe guère de subtance qui, mise entre ces deux résistances indéfinies, ne soit contrainte à s'étaler ?

— Quoi ! l'auteur des *Lettres provinciales* a inventé...? s'écria Raphaël.

— Lui seul, monsieur. La mécanique ne connaît rien de plus simple ni de plus beau. Le principe contraire, l'expansibilité de l'eau, a créé la machine à vapeur. Mais l'eau n'est expansible qu'à un certain degré, tandis que son incompressibilité, étant une force en quelque sorte négative, se trouve nécessairement infinie.

— Si cette peau s'étend, dit Raphaël, je vous promets d'élever une statue colossale à Blaise Pascal, de fonder un prix de cent mille francs pour le plus beau problème de mécanique résolu dans chaque période de dix ans, de doter vos cousines, arrière-cousines, enfin de bâtir un hospice destiné aux mathématiciens devenus fous ou pauvres.

— Ce serait fort utile, répliqua Planchette. Monsieur, reprit-il avec le calme d'un homme vivant dans une sphère tout intellectuelle, nous irons demain chez Spieghalter. Ce mécanicien distingué vient de fabriquer, d'après mes plans, une machine perfectionnée avec laquelle un enfant pourrait faire tenir mille bottes de foin dans son chapeau.

— A demain, monsieur.

— A demain.

— Parlez-moi de la mécanique ! s'écria Raphaël. N'est-ce pas la plus belle de toutes les sciences ? L'autre, avec ses onagres, ses classements, ses canards,

ses genres et ses bocaux pleins de monstres, est tout
au plus bon à marquer les points dans un billard public.

Le lendemain, Raphaël, tout joyeux, vint chercher
Planchette, et ils allèrent ensemble dans la rue de la
Santé, nom de favorable augure. Chez Spieghalter, le
jeune homme se trouva dans un établissement immense, ses regards tombèrent sur une multitude de
forges rouges et rugissantes. C'était une pluie de feu,
un déluge de clous, un océan de pistons, de vis, de
leviers, de traverses, de limes, d'écrous, une mer de
fontes, de bois, de soupapes et d'aciers en barres. La
limaille prenait à la gorge. Il y avait du fer dans la
température, les hommes étaient couverts de fer, tout
puait le fer, le fer avait une vie, il était organisé, il se
fluidifiait, marchait, pensait en prenant toutes les
formes, en obéissant à tous les caprices. A travers les
hurlements des soufflets, les *crescendo* des marteaux,
les sifflements des tours qui faisaient grogner le fer,
Raphaël arriva dans une grande pièce, propre et bien
aérée, où il put contempler à son aise la presse immense dont lui avait parlé Planchette. Il admira des
espèces de madriers en fonte, et des jumelles en fer
unies par un indestructible noyau.

— Si vous tourniez sept fois cette manivelle avec
promptitude, lui dit Spieghalter en lui montrant un
balancier de fer poli, vous feriez jaillir une planche
d'acier en milliers de jets qui vous entreraient dans
les jambes comme des aiguilles.

— Peste ! s'écria Raphaël.

Planchette glissa lui-même la peau de chagrin entre

les deux platines de la presse souveraine, et, plein de cette sécurité que donnent les convictions scientifiques, il manœuvra vivement le balancier.

— Couchez-vous tous, nous sommes morts ! cria Spieghalter d'une voix tonnante en se laissant tomber lui-même par terre.

Un sifflement horrible retentit dans les ateliers. L'eau contenue dans la machine brisa la fonte, produisit un jet d'une puissance incommensurable et se dirigea heureusement sur une vieille forge qu'elle renversa, bouleversa, tordit comme une trombe entortille une maison et l'emporte avec elle.

— Oh ! dit tranquillement Planchette, le chagrin est sain comme mon œil ! Maître Spieghalter, il y avait une paille dans votre fonte, ou quelque interstice dans le grand tube...

— Non, non, je connais ma fonte. Monsieur peut remporter son outil, le diable est logé dedans.

L'Allemand saisit un marteau de forgeron, jeta la peau sur une enclume, et, de toute la force que donne la colère, déchargea sur le talisman le plus terrible coup qui jamais eût mugi dans ses ateliers.

— Il n'y paraît seulement pas, s'écria Planchette en caressant le chagrin rebelle.

Les ouvriers accoururent. Le contremaître prit la peau et la plongea dans le charbon de terre d'une forge. Tous, rangés en demi-cercle autour du feu, attendirent avec impatience le jeu d'un énorme soufflet. Raphaël, Spieghalter, le professeur Planchette, occupaient le centre de cette foule noire et attentive.

En voyant tous ces yeux blancs, ces têtes poudrées de fer, ces vêtements noirs et luisants, ces poitrines poilues, Raphaël se crut transporté dans le monde nocturne et fantastique des ballades allemandes. Le contremaître saisit la peau avec des pinces après l'avoir laissée dans le foyer pendant dix minutes.

— Rendez-la-moi, dit Raphaël.

Le contremaître la présenta par plaisanterie à Raphaël. Le marquis mania facilement la peau, froide et souple sous ses doigts. Un cri d'horreur s'éleva, les ouvriers s'enfuirent.

Valentin resta seul avec Planchette dans l'atelier désert.

— Il y a décidément quelque chose de diabolique là dedans ! s'écria Raphaël au désespoir. Aucune puissance humaine ne saurait donc me donner un jour de plus ?

— Monsieur, j'ai tort, répondit le mathématicien d'un air contrit, nous devions soumettre cette peau singulière à l'action d'un laminoir. Où avais-je les yeux en vous proposant une pression !

— C'est moi qui l'ai demandée, répliqua Raphaël.

Le savant respira comme un coupable acquitté par douze jurés. Cependant, intéressé par le problème étrange que lui offrait cette peau, il réfléchit un moment et dit :

— Il faut traiter cette substance inconnue par des réactifs. Allons voir Japhet, la chimie sera peut-être plus heureuse que la mécanique.

Valentin mit son cheval au grand trot, dans l'espoir

de rencontrer le fameux chimiste Japhet à son laboratoire.

— Eh bien ! mon vieil ami, dit Planchette en apercevant Japhet assis dans un fauteuil et contemplant un précipité, comment va la chimie ?

— Elle s'endort. Rien de neuf. L'Académie a cependant reconnu l'existence de la salicine, mais la salicine, l'asparagine, la vauqueline, la digitaline, ne sont pas des découvertes...

— Faute de pouvoir inventer des choses, dit Raphaël, il paraît que vous en êtes réduits à inventer des noms.

— Cela est pardieu vrai, jeune homme !

— Tiens, dit le professeur Planchette au chimiste, essaye de nous décomposer cette substance ; si tu en extrais un principe quelconque, je le nomme d'avance *la diaboline*, car, en voulant la comprimer, nous venons de briser une presse hydraulique.

— Voyons, voyons cela ! s'écria joyeusement le chimiste ; ce sera peut-être un nouveau corps simple.

— Monsieur, dit Raphaël, c'est tout bonnement un morceau de peau d'âne.

— Monsieur..., fit gravement le célèbre chimiste.

— Je ne plaisante pas, répliqua le marquis en lui présentant la peau de chagrin.

Le baron Japhet appliqua sur la peau les houppes nerveuses de sa langue, si habile à déguster les sels, les acides, les alcalis, les gaz, et dit, après quelques essais :

— Point de goût ! Voyons, nous allons lui faire boire un peu d'acide phthorique.

Soumise à l'action de ce principe, si prompt à désorganiser les tissus animaux, la peau ne subit aucune altération.

— Ce n'est pas du chagrin ! s'écria le chimiste. Nous allons traiter ce mystérieux inconnu comme un minéral et lui donner sur le nez en le mettant dans un creuset infusible où j'ai précisément de la potasse rouge.

Japhet sortit et revint bientôt.

— Monsieur, dit-il à Raphaël, laissez-moi prendre un morceau de cette singulière substance, elle est si extraordinaire...

— Un morceau ? s'écria Raphaël ; pas seulement la valeur d'un cheveu. D'ailleurs, essayez ! ajouta-t-il d'un air tout à la fois triste et goguenard.

Le savant cassa un rasoir en voulant entamer la peau, il tenta de la briser par une forte décharge d'électricité, puis il la soumit à l'action de la pile voltaïque, enfin les foudres de sa science échouèrent sur le terrible talisman. Il était sept heures du soir. Planchette, Japhet et Raphaël, ne s'apercevant pas de la fuite du temps, attendaient le résultat d'une dernière expérience. Le chagrin sortit victorieux d'un épouvantable choc auquel il avait été soumis, grâce à une quantité raisonnable de chlorure d'azote.

— Je suis perdu ! s'écria Raphaël. Dieu est là. Je vais mourir...

Il laissa les deux savants stupéfaits.

— Gardons-nous bien de raconter cette aventure à l'Académie, nos collègues s'y moqueraient de nous, dit

Planchette au chimiste après une longue pause pendant laquelle ils se regardèrent sans oser se communiquer leurs pensées.

Les deux savants étaient comme des chrétiens sortant de leurs tombes sans trouver un Dieu dans le ciel. La science ? impuissante ! Les acides ? eau claire ! La potasse rouge ? déshonorée ! La pile voltaïque et la foudre ? deux bilboquets !

Une presse hydraulique fendue comme une mouillette ! ajouta Planchette.

— Je crois au diable, dit le baron Japhet après un moment de silence.

— Et moi à Dieu, répondit Planchette.

Tous deux étaient dans leur rôle. Pour un mécanicien, l'univers est une machine qui veut un ouvrier ; pour la chimie, cette œuvre d'un démon qui va décomposant tout, le monde est un gaz doué de mouvement.

— Nous ne pouvons pas nier le fait, reprit le chimiste.

— Bah ! pour nous consoler, MM. les doctrinaires ont créé ce nébuleux axiome : Bête comme un fait.

— Ton axiome, répliqua le chimiste, me semble, à moi, fait comme une bête.

Ils se prirent à rire et dînèrent en gens qui ne voyaient plus qu'un phénomène dans un miracle.

En rentrant chez lui, Valentin était en proie à une rage froide ; il ne croyait plus à rien, ses idées se brouillaient dans sa cervelle, tournoyaient et vacillaient comme celles de tout homme en présence d'un fait impossible. Il avait cru volontiers à quelque défaut

secret dans la machine de Spieghalter, l'impuissance
de la science et du feu ne l'étonnait pas ; mais la sou-
plesse de la peau quand il la maniait, mais sa dureté
lorsque les moyens de destruction mis à la disposition de l'homme étaient dirigés sur elle l'épouvan-
taient. Ce fait incontestable lui donnait le vertige.

— Je suis fou, se dit-il. Quoique depuis ce matin je
sois à jeun, je n'ai ni faim ni soif, et je sens dans ma
poitrine un foyer qui me brûle...

Il remit la peau de chagrin dans le cadre où elle
avait été naguère enfermée ; et, après avoir décrit
par une ligne d'encre rouge le contour actuel du
talisman, il s'assit dans son fauteuil.

— Déjà huit heures ! s'écria-t-il. Cette journée a
passé comme un songe.

Il s'accouda sur le bras du fauteuil, s'appuya la
tête dans sa main gauche, et resta perdu dans une de
ces méditations funèbres, dans ces pensées dévorantes
dont le secret est emporté par les condamnés à mort.

— Ah ! Pauline, s'écria-t-il, pauvre enfant ! il y a
des abîmes que l'amour ne saurait franchir, malgré
la force de ses ailes.

En ce moment il entendit très distinctement un
soupir étouffé et reconnut, par un des plus touchants
privilèges de la passion, le souffle de sa Pauline.

— Oh ! se dit-il, voilà mon arrêt. Si elle était là, je
voudrais mourir dans ses bras.

Un éclat de rire bien franc, bien joyeux, lui fit
tourner la tête vers son lit, il vit à travers les rideaux
diaphanes la figure de Pauline souriant comme un

enfant heureux d'une malice qui réussit ; ses beaux cheveux formaient des milliers de boucles sur ses épaules ; elle était là semblable à une rose du Bengale sur un monceau de roses blanches.

— J'ai séduit Jonathas, dit-elle. Ce lit ne m'appartient-il pas, à moi qui suis ta femme ? Ne me gronde pas, chéri, je ne voulais que dormir près de toi, te surprendre. Pardonne-moi cette folie.

Elle sauta hors du lit par un mouvement de chatte, se montra radieuse dans ses mousselines et s'assit sur les genoux de Raphaël.

— De quel abîme parlais-tu donc, mon amour ? dit-elle en laissant voir sur son front une expression soucieuse.

— De la mort.

— Tu me fais mal, répondit-elle. Il y a certaines idées auxquelles nous autres, pauvres femmes, nous ne pouvons nous arrêter, elles nous tuent. Est-ce force d'amour ou manque de courage ? je ne sais. La mort ne m'effraye pas, reprit-elle en riant. Mourir avec toi, demain matin, ensemble, dans un dernier baiser, ce serait un bonheur. Il me semble que j'aurais encore vécu plus de cent ans. Qu'importe le nombre de jours, si, dans une nuit, dans une heure, nous avons épuisé toute une vie de paix et d'amour ?

— Tu as raison, le ciel parle par ta jolie bouche. Donne que je la baise, et mourons, dit Raphaël.

— Mourons donc, répondit-elle en riant.

Vers les neuf heures du matin, le jour passait à travers les fentes des persiennes ; amoindri par la

11

mousseline des rideaux, il permettait encore de voir les riches couleurs du tapis et les meubles soyeux de la chambre où reposaient les deux amants. Quelques dorures étincelaient. Un rayon de soleil venait mourir sur le mol édredon que les jeux de l'amour avaient jeté à terre. Suspendue à une grande psyché, la robe de Pauline se dessinait comme une vaporeuse apparition. Les souliers mignons avaient été laissés loin du lit. Un rossignol vint se poser sur l'appui de la fenêtre ; ses gazouillements répétés, le bruit de ses ailes soudainement déployées quand il s'envola, réveillèrent Raphaël.

— Pour mourir, dit-il, en achevant une pensée commencée dans son rêve, il faut que mon organisation, ce mécanisme de chair et d'os animé par ma volonté, et qui fait de moi un individu *homme*, présente une lésion sensible. Les médecins doivent connaître les symptômes de la vitalité attaquée et pouvoir me dire si je suis en santé ou malade.

Il contempla sa femme endormie qui lui tenait la tête, exprimant ainsi pendant le sommeil les tendres sollicitudes de l'amour. Gracieusement étendue comme un jeune enfant et le visage tourné vers lui, Pauline semblait le regarder encore en lui tendant une jolie bouche entr'ouverte par un souffle égal et pur. Ses petites dents de porcelaine relevaient la rougeur de ses lèvres fraîches, sur lesquelles errait un sourire ; l'incarnat de son teint était plus vif, et la blancheur en était, pour ainsi dire, plus blanche en ce moment qu'aux heures les plus amoureuses de la journée. Son

gracieux abandon, si plein de confiance, mêlait au
charme de l'amour les adorables attraits de l'enfance
endormie. Les femmes, même les plus naturelles, obéissent encore pendant le jour à certaines conventions
sociales qui enchaînent les naïves expansions de leur
âme ; mais le sommeil semble les rendre à la soudaineté
de vie qui décore le premier âge : Pauline ne rougissait de rien, comme une de ces chères et célestes
créatures chez qui la raison n'a encore jeté ni pensées
dans les gestes, ni secrets dans le regard. Son profil
se détachait vivement sur la fine batiste des oreillers,
de grosses ruches de dentelle mêlées à ses cheveux en
désordre lui donnaient un petit air mutin ; mais elle
s'était endormie dans le plaisir, ses longs cils étaient
appliqués sur sa joue comme pour garantir sa vue
d'une lueur trop forte ou pour aider à ce recueillement
de l'âme quand elle essaye de retenir une volupté
parfaite mais fugitive ; son oreille mignonne, blanche
et rouge, encadrée par une touffe de cheveux et dessi-
née dans une coque de malines, eût rendu fou d'amour
un artiste, un peintre, un vieillard, eût peut-être
restitué la raison à quelque insensé. Voir votre maîtresse endormie, rieuse dans un songe paisible sous
votre protection, vous aimant même en rêve, au
moment où la créature semble cesser d'être, et vous
offrant encore une bouche muette qui dans le sommeil
vous parle du dernier baiser ! voir une femme confiante,
demi-nue, mais enveloppée dans son amour comme
dans un manteau, et chaste au sein du désordre ;
admirer ses vêtements épars, un bas de soie rapide-

ment quitté la veille pour vous plaire, une ceinture
dénouée qui vous accuse une foi infinie, n'est-ce pas
une joie sans nom ? Cette ceinture est un poème entier ;
la femme qu'elle protégeait n'existe plus, elle vous
appartient, elle est devenue *vous ;* désormais la trahir,
c'est se blesser soi-même. Raphaël attendri contempla
cette chambre chargée d'amour, pleine de souvenirs,
où le jour prenait des teintes voluptueuses, et revint
à cette femme aux formes pures, jeunes, aimante encore, dont surtout les sentiments étaient à lui sans
partage. Il désira vivre toujours. Quand son regard
tomba sur Pauline, elle ouvrit aussitôt les yeux comme
si un rayon de soleil l'eût frappée.

— Bonjour, ami, dit-elle en souriant. Es-tu beau,
méchant !

Ces deux têtes, empreintes d'une grâce due à l'a-
mour, à la jeunesse, au demi-jour et au silence, formaient une de ces divines scènes dont la magie pas-
sagère n'appartient qu'aux premiers jours de la passion,
comme la naïveté, la candeur, sont les attributs de
l'enfance. Hélas ! ces joies printanières de l'amour, de
même que les rires de notre jeune âge, doivent s'enfuir et ne plus vivre que dans notre souvenir pour nous
désespérer ou nous jeter quelque parfum consolateur,
selon les caprices de nos méditations secrètes.

— Pourquoi t'es-tu réveillée ? dit Raphaël. J'avais
tant de plaisir à te voir endormie, j'en pleurais...

— Et moi aussi, répondit-elle, j'ai pleuré cette nuit
en te contemplant dans ton repos, mais non pas de
joie. Écoute, mon Raphaël, écoute-moi. Lorsque tu

dors, ta respiration n'est pas franche, il y a dans ta poitrine quelque chose qui résonne et qui m'a fait peur. Tu as pendant ton sommeil une petite toux sèche, absolument semblable à celle de mon père, qui meurt d'une phtisie. J'ai reconnu dans le bruit de tes poumons quelques-uns des effets bizarres de cette maladie. Puis tu avais la fièvre, j'en suis sûre, ta main était moite et brûlante... Chéri ! tu es jeune, ajouta-t-elle en frissonnant, tu pourrais te guérir encore, si, par malheur... Mais non, s'écria-t-elle joyeusement, il n'y a pas de malheur, la maladie se gagne, disent les médecins.

De ses deux bras elle enlaça Raphaël, saisit sa respiration par un de ces baisers dans lesquels l'âme arrive.

— Je ne désire pas vivre vieille, dit-elle. Mourons jeunes tous deux, et allons dans le ciel les mains pleines de fleurs.

— Ces projets-là se font toujours quand nous sommes en bonne santé, répondit Raphaël en plongeant ses mains dans la chevelure de Pauline.

Mais il eut alors un horrible accès de toux, de ces toux graves et sonores qui semblent sortir d'un cercueil, qui font pâlir le front des malades et les laissent tremblants, tout en sueur, après avoir remué leurs nerfs, ébranlé leurs côtes, fatigué leur moelle épinière et imprimé je ne sais quelle lourdeur à leurs veines. Raphaël, abattu, pâle, se coucha lentement, affaissé comme un homme dont toute la force s'est dissipée dans un dernier effort. Pauline le regarda d'un œil fixe, agrandi par la peur, et resta immobile, blanche, silencieuse.

— Ne faisons plus de folies, mon ange, dit-elle en voulant cacher à Raphaël les horribles pressentiments qui l'agitaient.

Elle se voila la figure de ses mains, car elle apercevait le hideux squelette de la MORT. La tête de Raphaël était devenue livide et creuse comme un crâne arraché aux profondeurs d'un cimetière pour servir aux études de quelque savant. Pauline se souvenait de l'exclamation échappée la veille à Valentin, et se dit à elle-même : « Oui, il y a des abîmes que l'amour ne peut pas traverser, mais il doit s'y ensevelir. »

Quelques jours après cette scène de désolation, Raphaël se trouva, par une matinée du mois de mars, assis dans un fauteuil, entouré de quatre médecins qui l'avaient fait placer au jour devant la fenêtre de sa chambre, et tour à tour lui tâtaient le pouls, le palpaient, l'interrogeaient avec une apparence d'intérêt. Le malade épiait leurs pensées en interprétant et leurs gestes et les moindres plis qui se formaient sur leurs fronts. Cette consultation était sa dernière espérance. Ces juges suprêmes allaient lui prononcer un arrêt de vie ou de mort. Aussi, pour arracher à la science humaine son dernier mot, Valentin avait-il convoqué les oracles de la médecine moderne. Grâce à sa fortune et à son nom, les trois systèmes entre lesquels flottent les connaissances humaines étaient là, devant lui. Trois de ces docteurs portaient avec eux toute la philosophie médicale, en représentant le

combat que se livrent la spiritualité, l'analyse et je ne
sais quel éclectisme railleur. Le quatrième médecin
était Horace Bianchon, homme plein d'avenir et de
science, le plus distingué peut-être des nouveaux
médecins, sage et modeste député de la studieuse
jeunesse qui s'apprête à recueillir l'héritage des trésors
amassés depuis cinquante ans par l'École de Paris, et
qui bâtira peut-être le monument pour lequel les
siècles précédents ont apporté tant de matériaux
divers. Ami du marquis et de Rastignac, il lui avait
donné ses soins depuis quelques jours et l'aidait à
répondre aux interrogations des trois professeurs, auxquels il expliquait parfois, avec une sorte d'insistance,
les diagnostics qui lui semblaient révéler une phtisie
pulmonaire.

— Vous avez sans doute fait beaucoup d'excès, mené
une vie dissipée ? vous vous êtes livré à de grands
travaux d'intelligence ? dit à Raphaël celui des trois
célèbres docteurs dont la tête carrée, la figure large,
l'énergique organisation, paraissaient annoncer un
génie supérieur à celui de ses deux antagonistes.

— J'ai voulu me tuer par la débauche, après avoir
travaillé pendant trois ans à un vaste ouvrage dont
vous vous occuperez peut-être un jour, lui répondit
Raphaël.

Le grand docteur hocha la tête en signe de contentement, et comme s'il se fût dit en lui-même :
« J'en étais sûr ! » Ce docteur était l'illustre Brisset, le
chef des organistes, le successeur des Cabanis et des
Bichat, le médecin des esprits positifs et matérialistes,

qui voient en l'homme un être fini, uniquement sujet aux lois de sa propre organisation, et dont l'état normal ou les anomalies délétères s'expliquent par des causes évidentes.

A cette réponse, Brisset regarda silencieusement un homme de moyenne taille dont le visage empourpré, l'œil ardent, semblaient appartenir à quelque satyre antique, et qui, le dos appuyé sur le coin de l'embrasure, contemplait attentivement Raphaël sans mot dire. Homme d'exaltation et de croyance, le docteur Caméristus, chef des vitalistes, poétique défenseur des doctrines abstraites de Van Helmont, voyait dans la vie humaine un principe élevé, secret, un phénomène inexplicable qui se joue des bistouris, trompe la chirurgie, échappe aux médicaments de la pharmaceutique, aux X de l'algèbre, aux démonstrations de l'anatomie, et se rit de nos efforts ; une espèce de flamme intangible, invisible, soumise à quelque loi divine, et qui reste souvent au milieu d'un corps condamné par nos arrêts, comme elle déserte aussi les organisations les plus viables.

Un sourire sardonique errait sur les lèvres du troisième, le docteur Maugredie, esprit distingué, mais pyrrhonien et moqueur, qui ne croyait qu'au scalpel, concédait à Brisset la mort d'un homme qui se portait à merveille, et reconnaissait, avec Caméristus, qu'un homme pouvait vivre encore après sa mort. Il trouvait du bon dans toutes les théories, n'en adoptait aucune, prétendait que le meilleur système médical était de n'en point avoir et de s'en tenir aux faits. Panurge de l'école, roi de l'observation, ce grand explorateur, ce grand railleur, l'homme des tentatives désespérées examinait la peau de chagrin.

— Je voudrais bien être témoin de la coïncidence qui existe entre vos désirs et son rétrécissement, dit-il au marquis.

— A quoi bon ? s'écria Brisset.

— A quoi bon ? répéta Caméristus.

— Ah ! vous êtes d'accord, répondit Maugredie.

— Cette contraction est toute simple, ajouta Brisset.

— Elle est surnaturelle, dit Caméristus.

— En effet, répliqua Maugredie en affectant un air grave et rendant à Raphaël sa peau de chagrin, le racornissement du cuir est un fait inexplicable et cependant naturel, qui, depuis l'origine du monde, fait le désespoir de la médecine et des jolies femmes.

A force d'examiner les trois docteurs, Valentin ne découvrit en eux aucune sympathie pour ses maux. Tous trois, silencieux à chaque réponse, le toisaient avec indifférence et le questionnaient sans le plaindre. La nonchalance perçait à travers leur politesse. Soit certitude, soit réflexion, leurs paroles étaient si rares, si indolentes, que par moments Raphaël les crut distraits. De temps à autre, Brisset seul répondait : « Bon ! bien ! » à tous les symptômes désespérants dont l'existence était démontrée par Bianchon. Caméristus demeurait plongé dans une profonde rêverie ; Maugredie ressemblait à un auteur comique étudiant deux originaux pour les transporter fidèlement sur la scène. La figure d'Horace trahissait une peine profonde, un attendrissement plein de tristesse. Il était médecin depuis trop peu de temps pour être insensible devant la douleur et impassible près d'un lit funèbre ; il ne savait pas éteindre dans ses yeux les larmes amies qui empêchent un homme de voir clair et de saisir, comme un général d'armée, le moment propice à la victoire, sans écouter les cris des moribonds. Après être restés pendant une demi-heure environ à prendre, en quelque sorte, la mesure de la maladie et du malade, comme un tailleur prend la mesure d'un habit à un jeune homme qui lui commande ses vêtements de noces, ils dirent quelques lieux communs, parlèrent même des affaires publiques ; puis ils voulurent passer dans le cabinet de Raphaël pour se communiquer leurs idées et rédiger la sentence.

— Messieurs, leur demanda Valentin, ne puis-je donc assister au débat ?

A ce mot, Brisset et Maugredie se récrièrent vivement, et, malgré les instances de leur malade, ils se refusèrent à délibérer en sa présence. Raphaël se soumit à l'usage, en pensant qu'il pouvait se glisser dans un couloir d'où il entendrait facilement les discussions médicales auxquelles les trois professeurs allaient se livrer.

— Messieurs, dit Brisset en entrant, permettez-moi de vous donner promptement mon avis. Je ne veux ni vous l'imposer, ni le voir controversé : d'abord il est net, précis, et résulte d'une similitude complète entre un de mes malades et le *sujet* que nous avons été appelés à examiner ; puis je suis attendu à mon hôpital. L'importance du fait qui y réclame ma présence m'excusera de prendre le premier la parole. Le *sujet* qui nous occupe est également fatigué par des travaux intellectuels... — Qu'a-t-il donc fait, Horace ? dit-il en s'adressant au jeune médecin.

— Une *Théorie sur la volonté.*

— Ah ! diable ! mais c'est un vaste sujet. — Il est fatigué, dis-je, par des excès de pensée, par des écarts de régime, par l'emploi répété de stimulants trop énergiques. L'action violente du corps et du cerveau a donc vicié le jeu de tout l'organisme. Il est facile, messieurs, de reconnaître, dans les symptômes de la face et du corps, une irritation prodigieuse à l'estomac, la névrose du grand sympathique, la vive sensibilité de l'épigastre et le resserrement des hypocondres. Vous avez remarqué la grosseur et la saillie du foie. Enfin, M. Bianchon a constamment observé les digestions de son malade et nous a dit qu'elles étaient difficiles, laborieuses. A proprement parler, il n'existe plus d'estomac ; l'homme a disparu. L'intellect est atrophié, parce que l'homme ne digère plus. L'altération progressive de l'épigastre, centre de la vie, a vicié tout le système. De là partent des irradiations constantes et flagrantes, le désordre a gagné le cerveau par le plexus nerveux, d'où l'irritation excessive de cet organe. Il y a monomanie. Le malade est sous le poids d'une idée fixe. Pour lui, cette peau de chagrin se rétrécit réellement, peut-être a-t-elle toujours été comme nous l'avons vue ; mais qu'il se contracte ou non, ce *chagrin* est pour lui la mouche que certain grand vizir avait sur le nez. Mettez promptement des sangsues à l'épigastre, calmez l'irritation de cet organe où l'homme tout entier réside, tenez le malade au régime, la monomanie cessera. Je n'en dirai pas davantage au docteur Bianchon ; il doit saisir l'ensemble et les détails du traitement. Peut-être y a-t-il complication de maladie, peut-être les voies respiratoires sont-elles également irritées ; mais je crois le traitement de l'appareil intestinal beaucoup plus important, plus nécessaire, plus urgent que ne l'est celui des poumons. L'étude tenace de matières abstraites et quelques passions violentes ont produit de graves perturbations dans ce mécanisme vital ; cependant, il est temps encore d'en redresser les ressorts, rien n'y est trop fortement adultéré. Vous pouvez donc facilement sauver votre ami, dit-il à Bianchon.

— Notre savant collègue prend l'effet pour la cause, répondit Caméristus. Oui, les altérations si bien observées par lui existent chez le malade, mais l'estomac n'a pas graduellement établi des irradiations dans l'organisme et vers le cerveau comme une fêlure étend autour d'elle des rayons, dans une vitre. Il a fallu un coup pour trouer le vitrail ; ce coup, qui l'a porté ? le savons-nous ? avons-nous suffisamment observé le malade ? connaissons-nous tous les accidents de sa vie ? Messieurs, le principe vital, l'*archée* de Van Helmont, est atteint en lui, la vitalité même est attaquée dans son essence ; l'étincelle divine, l'intelligence transitoire qui sert comme de lien à la machine et qui produit la volonté, la science de la

vie, a cessé de régulariser les phénomènes journaliers
du mécanisme et les fonctions de chaque organe :
de là proviennent les désordres si bien appréciés par
mon docte confrère. Le mouvement n'est pas venu de
l'épigastre au cerveau, mais du cerveau vers l'épigastre.
Non, dit-il en se frappant avec force la poitrine, non,
je ne suis pas un estomac fait homme ! Non, tout
n'est pas là. Je ne me sens pas le courage de dire que,
si j'ai un bon épigastre, le reste est de forme... Nous
ne pouvons pas, reprit-il plus doucement, soumettre
à une même cause physique et à un traitement uniforme les troubles graves qui surviennent chez les
différents sujets plus ou moins sérieusement atteints.
Aucun homme ne ressemble à un autre. Nous avons
tous des organes particuliers, diversement affectés,
diversement nourris, propres à remplir des missions
différentes et à développer des thèmes nécessaires
à l'accomplissement d'un ordre de choses qui nous
est inconnu. La portion du grand tout, qui, par une
haute volonté, vient opérer, entretenir en nous le
phénomène de l'animation, se formule d'une manière
distincte dans chaque homme et fait de lui un être
en apparence fini, mais qui par un point coexiste avec
une cause infinie. Aussi devons-nous étudier chaque
sujet séparément, le pénétrer, reconnaître en quoi
consiste sa vie, quelle en est la puissance. Depuis la
mollesse d'une éponge mouillée jusqu'à la dureté d'une
pierre ponce, il y a des nuances infinies. Voilà l'homme.
Entre les organisations spongieuses des lymphatiques
et la vigueur métallique des muscles de quelques

hommes destinés à une longue vie, que d'erreurs ne commettra pas le système unique, implacable, de la guérison par l'abattement, par la prostration des forces humaines que vous supposez toujours irritées ! Ici donc je voudrais un traitement tout moral, un examen approfondi de l'être intime. Allons chercher la cause du mal dans les entrailles de l'âme et non dans les entrailles du corps ! Un médecin est un être inspiré, doué d'un génie particulier, à qui Dieu concède le pouvoir de lire dans la vitalité, comme il donne au prophète des yeux pour contempler l'avenir, au poète la faculté d'évoquer la nature, au musicien celle d'arranger les sons dans un ordre harmonieux dont le type est en haut, peut-être !...

— Toujours sa médecine absolutiste, monarchique et religieuse, dit Brisset en murmurant.

— Messieurs, interrompit Maugredie en couvrant avec promptitude l'exclamation de Brisset, ne perdons pas de vue le malade...

— Voilà donc où en est la science ! s'écria tristement Raphaël. Ma guérison flotte entre un rosaire et un chapelet de sangsues, entre le bistouri de Dupuytren et la prière du prince de Hohenlohe ! Sur la ligne qui sépare le fait de la parole, la matière de l'esprit, Maugredie est là, doutant. Le *oui* et *non* humain me poursuit partout ! Toujours le *Carymary*, *Carymara* de Rabelais : je suis spirituellement malade, carymary ! ou matériellement malade, carymara ! Dois-je vivre ? ils l'ignorent. Au moins Planchette était-il plus franc en me disant : « Je ne sais pas. »

En ce moment Valentin entendit la voix du docteur Maugredie :

— Le malade est monomane, eh bien, d'accord ! s'écria-t-il ; mais il a deux cent mille livres de rente : ces monomanes-là sont fort rares, et nous leur devons au moins un avis. Quant à savoir si son épigastre a réagi sur le cerveau, ou le cerveau sur son épigastre, nous pourrons peut-être vérifier le fait, quand il sera mort. Résumons-nous donc. Il est malade, le fait est incontestable. Il lui faut un traitement quelconque. Laissons les doctrines. Mettons-lui des sangsues pour calmer l'irritation intestinale et la névrose sur l'existence desquelles nous sommes d'accord, puis envoyons-le aux eaux : nous agirons à la fois d'après les deux systèmes. S'il est pulmonique, nous ne pouvons guère le sauver ; ainsi...

Raphaël quitta promptement le couloir et vint se remettre dans son fauteuil. Bientôt les quatre médecins sortirent du cabinet ; Horace porta la parole et lui dit :

— Ces messieurs ont unanimement reconnu la nécessité d'une application immédiate de sangsues à l'estomac, et l'urgence d'un traitement à la fois physique et moral. D'abord un régime diététique, afin de calmer l'irritation de votre organisme...

Ici Brisset fit un signe d'approbation.

— Puis un régime hygiénique pour régir votre moral. Ainsi nous vous conseillons unanimement d'aller aux eaux d'Aix, en Savoie, ou à celles du mont Dore, en Auvergne, si vous les préférez ; l'air et les sites de la

Savoie sont plus agréables que ceux du Cantal, mais vous suivrez votre goût.

Là, le docteur Caméristus laissa échapper un geste d'assentiment.

— Ces messieurs, reprit Bianchon, ayant reconnu de légères altérations dans l'appareil respiratoire, sont tombés d'accord sur l'utilité de mes prescriptions antérieures. Ils pensent que votre guérison est facile et dépendra de l'emploi sagement alternatif de ces divers moyens... Et...

— Et voilà pourquoi votre fille est muette ! dit Raphaël en souriant et en attirant Horace dans son cabinet pour lui remettre le prix de cette inutile consultation.

— Ils sont logiques, lui répondit le jeune médecin. Caméristus sent, Brisset examine, Maugredie doute. L'homme n'a-t-il pas une âme, un corps et une raison ? L'une de ces trois causes premières agit en nous d'une manière plus ou moins forte, et il y aura toujours de l'homme dans la science humaine. Crois-moi, Raphaël, nous ne guérissons pas, nous aidons à guérir. Entre la médecine de Brisset et celle de Caméristus se trouve encore la médecine expectante ; mais, pour pratiquer celle-ci avec succès, il faudrait connaître son malade depuis dix ans. Il y a au fond de la médecine négation, comme dans toutes les sciences. Tâche donc de vivre sagement, essaye d'un voyage en Savoie ; le mieux est et sera toujours de se confier à la nature.

Un mois après, au retour de la promenade et par une belle soirée d'été, quelques-unes des personnes

venues aux eaux d'Aix se trouvèrent réunies dans les
salons du Cercle. Assis près d'une fenêtre et tournant
le dos à l'assemblée, Raphaël resta longtemps seul,
plongé dans une de ces rêveries machinales durant
lesquelles nos pensées naissent, s'enchaînent, s'éva-
nouissent sans revêtir de formes, et passent en nous
comme de légers nuages à peine colorés. La tristesse
est alors douce, la joie est vaporeuse, et l'âme est
presque endormie. Se laissant aller à cette vie sensuelle,
Valentin se baignait dans la tiède atmosphère du soir
en savourant l'air pur et parfumé des montagnes, heureux de ne sentir aucune douleur et d'avoir enfin
réduit au silence sa menaçante peau de chagrin. Au
moment où les teintes rouges du couchant s'éteignirent
sur les cimes, la température fraîchit, il quitta sa place
en poussant la fenêtre.

— Monsieur, lui dit une vieille dame, auriez-vous
la complaisance de ne pas fermer la croisée ? Nous
étouffons...

Cette phrase déchira le tympan de Raphaël par des
dissonances d'une aigreur singulière ; elle fut comme
le mot que lâche imprudemment un homme à l'amitié
duquel nous voulions croire, et qui détruit quelque
douce illusion de sentiment en trahissant un abîme
d'égoïsme. Le marquis jeta sur la vieille femme le
froid regard d'un diplomate impassible, il appela un
valet et lui dit sèchement quand il arriva :

— Ouvrez cette fenêtre !

A ces mots, une vive surprise éclata sur tous les
visages. L'assemblée se mit à chuchoter, en regardant

le malade d'un air plus ou moins expressif, comme s'il
eût commis quelque grave impertinence. Raphaël, qui
n'avait pas entièrement dépouillé sa primitive timidité
de jeune homme, eut un mouvement de honte ; mais
il secoua sa torpeur, reprit son énergie et se demanda
compte à lui-même de cette scène étrange. Soudain
un rapide nouvement anima son cerveau, le passé lui
apparut dans une vision distincte où les causes du
sentiment qu'il inspirait saillirent en relief comme les
veines d'un cadavre chez lequel, par quelque savante
injection, les naturalistes colorent les moindres rami-
fications ; il se reconnut lui-même dans ce tableau
fugitif, y suivit son existence, jour par jour, pensée
à pensée ; il s'y vit, non sans surprise, sombre et
distrait au sein de ce monde rieur ; toujours songeant
à sa destinée, préoccupé de son mal, paraissant dédaigner la causerie la plus insignifiante, fuyant ces intimi-
tés éphémères qui s'établissent promptement entre les
voyageurs, parce qu'ils comptent sans doute ne plus
se rencontrer ; peu soucieux des autres, et semblable
enfin à ces rochers insensibles aux caresses comme à la
furie des vagues. Puis, par un rare privilège d'intuition,
il lut dans toutes les âmes : en découvrant sous la
lueur d'un flambeau le crâne jaune, le profil sardonique
d'un vieillard, il se rappela lui avoir gagné son argent
sans lui avoir proposé de prendre sa revanche ; plus
loin, il aperçut une jolie femme dont les agaceries
l'avaient trouvé froid ; chaque visage lui reprochait
un de ces torts inexplicables en apparence, mais dont
le crime gît toujours dans une invisible blessure faite

à l'amour-propre. Il avait involontairement froissé toutes les petites vanités qui gravitaient autour de lui. Les convives de ses fêtes ou ceux auxquels il avait offert ses chevaux s'étaient irrités de son luxe ; surpris de leur ingratitude, il leur avait épargné cette espèce d'humiliation : dès lors ils s'étaient crus méprisés et l'accusaient d'aristocratie. En sondant ainsi les cœurs, il put en déchiffrer les pensées les plus secrètes ; il eut horreur de la société, de sa politesse, de son vernis. Riche et d'un esprit supérieur, il était envié, haï ; son silence trompait la curiosité, sa modestie semblait de la hauteur à ces gens mesquins et superficiels. Il devina le crime latent, irrémissible, dont il était coupable envers eux : il échappait à la juridiction de leur médiocrité. Rebelle à leur despotisme inquisiteur, il savait se passer d'eux ; pour se venger de cette royauté clandestine tous s'étaient instinctivement ligués pour lui faire sentir leur pouvoir, le soumettre à quelque ostracisme et lui apprendre qu'eux aussi pouvaient se passer de lui. Pris de pitié d'abord à cette vue du monde, il frémit bientôt en pensant à la souple puissance qui lui soulevait ainsi le voile de chair sous lequel est ensevelie la nature morale, et ferma les yeux comme pour ne plus rien voir. Tout à coup un rideau noir fut tiré sur cette sinistre fantasmagorie de vérité, mais il se trouva dans l'horrible isolement qui attend les puissances et les dominations. En ce moment il eut un violent accès de toux. Loin de recueillir une seule de ces paroles indifférentes et banales, mais qui du moins simulent une espèce de compassion polie

chez les personnes de bonne compagnie rassemblées
par hasard, il entendit des interjections hostiles et
des plaintes murmurées à voix basse. La société ne
daignait même plus se grimer pour lui, parce qu'il la
devinait peut-être.

— Sa maladie est contagieuse...

— Le président du Cercle devrait lui interdire
l'entrée du salon.

— En bonne police, il est vraiment défendu de
tousser ainsi !

— Quand un homme est aussi malade, il ne doit
pas venir aux eaux...

— Il me chassera d'ici !

Raphaël se leva pour se dérober à la malédiction
générale et se promena dans l'appartement. Il voulut
trouver une protection et revint près d'une jeune
femme inoccupée à laquelle il médita d'adresser quelques flatteries ; mais, à son approche, elle lui tourna
le dos et feignit de regarder les danseurs. Raphaël
craignit d'avoir déjà pendant cette soirée usé de son
talisman ; il ne se sentit ni la volonté ni le courage
d'entamer la conversation, quitta le salon et se réfugia
dans la salle de billard. Là, personne ne lui parla, ne
le salua, ne lui jeta le plus léger regard de bienveillance.
Son esprit naturellement méditatif lui révéla, par
intuition, la cause générale et rationnelle de l'aversion
qu'il avait excitée. Ce petit monde obéissait, sans le
savoir peut-être, à la grande loi qui régit la haute
société, dont la morale implacable se développa tout
entière aux yeux de Raphaël. Un regard rétrograde

lui en montra le type complet en Fœdora. Il ne devait pas rencontrer plus de sympathie pour ses maux chez celle-ci que, pour ses misères de cœur, chez celle-là. Le beau monde bannit de son sein les malheureux, comme un homme de santé vigoureuse expulse de son corps un principe morbifique. Le monde abhorre les douleurs et les infortunes, il les redoute à l'égal des contagions, il n'hésite jamais entre elles et les vices : le vice est un luxe. Quelque majestueux que soit un malheur, la société sait l'amoindrir, le ridiculiser par une épigramme ; elle dessine des caricatures pour jeter à la tête des rois déchus les affronts qu'elle croit avoir reçus d'eux ; semblable aux jeunes Romaines du Cirque, elle ne fait jamais grâce au gladiateur qui tombe ; elle vit d'or et de moquerie... *Mort aux faibles !* est le vœu de cette espèce d'ordre équestre institué chez toutes les nations de la terre, car il s'élève partout des riches, et cette sentence est écrite au fond des cœurs pétris par l'opulence ou nourris par l'aristocratie. Rassemblez-vous des enfants dans un collège ? Cette image en raccourci de la société, mais image d'autant plus vraie qu'elle est plus naïve et plus franche, vous offre toujours de pauvres ilotes, créatures de souffrance et de douleur incessamment placées entre le mépris et la pitié : l'Évangile leur promet le ciel. Descendez-vous plus bas sur l'échelle des êtres organisés ? Si quelque volatile est endolori parmi ceux d'une basse-cour, les autres le poursuivent à coups de bec, le plument et l'assassinent. Fidèle à cette charte de l'égoïsme, le monde prodigue ses rigueurs aux misères assez hardies

pour venir affronter ses fêtes, pour chagriner ses
plaisirs. Quiconque souffre de corps ou d'âme, manque
d'argent ou de pouvoir, est un paria. Qu'il reste dans
son désert ! S'il en franchit les limites, il trouve partout
l'hiver : froideur de regards, froideur de manières, de
paroles, de cœur ; heureux s'il ne récolte pas l'insulte
là où pour lui devait éclore une consolation ! —
Mourants, restez sur vos lits désertés. Vieillards,
soyez seuls à vos froids foyers. Pauvres filles sans dot,
gelez et brûlez dans vos greniers solitaires. Si le monde
tolère un malheur, n'est-ce pas pour le façonner à son
usage, en tirer profit, le bâter, lui mettre un mors,
une housse, le monter, en faire une joie ? Quinteuses
demoiselles de compagnie, composez-vous de gais
visages ; endurez les vapeurs de votre prétendue
bienfaitrice ; portez ses chiens ; rivales de ces griffons
anglais, amusez-la, devinez-la, puis taisez-vous ! Et
toi, roi des valets sans livrée, parasite effronté, laisse
ton caractère à la maison ; digère comme digère ton
amphitryon, pleure de ses pleurs, ris de son rire,
tiens ses épigrammes pour agréables ; si tu veux en
médire, attends sa chute. Ainsi le monde honore-t-il
le malheur : il le tue ou le chasse, l'avilit ou le
châtre.

Ces réflexions sourdirent au cœur de Raphaël avec
la promptitude d'une inspiration poétique ; il regarda
autour de lui, et sentit ce froid sinistre que la société
distille pour éloigner les misères, et qui saisit l'âme
encore plus vivement que la bise de décembre ne glace
le corps. Il se croisa les bras sur la poitrine, s'appuya

le dos à la muraille et tomba dans une mélancolie profonde. Il songeait au peu de bonheur que cette épouvantable police procure au monde. Qu'était-ce ? des amusements sans plaisir, de la gaieté sans joie, des fêtes sans jouissance, du délire sans volupté, enfin le bois ou les cendres d'un foyer, mais sans une étincelle de flamme. Quand il releva la tête, il se vit seul, les joueurs avaient fui.

« Pour leur faire adorer ma toux, il me suffirait de leur révéler mon pouvoir ! » se dit-il.

A cette pensée il jeta le mépris comme un manteau entre le monde et lui.

Le lendemain, le médecin des eaux vint le voir d'un air affectueux et s'inquiéta de sa santé. Raphaël éprouva un mouvement de joie en entendant les paroles amies qui lui furent adressées. Il trouva la physionomie du docteur empreinte de douceur et de bonté, les boucles de sa perruque blonde respiraient la philanthropie, la coupe de son habit carré, les plis de son pantalon, ses souliers larges comme ceux d'un quaker, tout, jusqu'à la poudre circulairement semée par sa petite queue sur son dos légèrement voûté, trahissait un caractère apostolique, exprimait la charité chrétienne et le dévouement d'un homme qui, par zèle pour ses malades, s'était astreint à jouer le whist et le trictrac assez bien pour toujours gagner leur argent.

— Monsieur le marquis, dit-il après avoir causé longtemps avec Raphaël, je vais sans doute dissiper votre tristesse. Maintenant je connais assez votre

constitution pour affirmer que les médecins de Paris,
dont les grands talents me sont connus, se sont
trompés sur la nature de votre maladie. A moins
d'accident, monsieur le marquis, vous pouvez vivre
la vie de Mathusalem. Vos poumons sont aussi forts
que des soufflets de forge, et votre estomac ferait honte
à celui d'une autruche ; mais, si vous restez dans une
température élevée, vous risquez d'être très proprement et promptement mis en terre sainte. Monsieur le
marquis va me comprendre en deux mots. La chimie
a démontré que la respiration constitue chez l'homme
une véritable combustion, dont le plus ou moins
d'intensité dépend de l'affluence ou de la rareté des
principes phlogistiques amassés par l'organisme particulier à chaque individu. Chez vous, le phlogistique
abonde ; vous êtes, s'il m'est permis de m'exprimer
ainsi, suroxygéné par la complexion ardente des
hommes destinés aux grandes passions. En respirant
l'air vif et pur qui accélère la vie chez les hommes à
fibre molle, vous aidez encore à une combustion déjà
trop rapide. Une des conditions de votre existence est
donc l'atmosphère épaisse des étables, des vallées.
Oui, l'air vital de l'homme dévoré par le génie se trouve
dans les gras pâturages de l'Allemagne, à Baden-
Baden, à Tœplitz. Si vous n'avez pas d'horreur de
l'Angleterre, sa sphère brumeuse calmera votre incan-
descence ; mais nos eaux, situées à mille pieds au-
dessus du niveau de la Méditerranée, vous sont fu-
nestes. Tel est mon avis, dit-il en laissant échapper un
geste de modestie ; je le donne contre nos intérêts,

puisque, si vous le suivez, nous aurons le malheur de
vous perdre.

Sans ces derniers mots, Raphaël eût été séduit par
la fausse bonhomie du mielleux médecin ; mais il était
trop profond observateur pour ne pas deviner à l'accent,
au geste et au regard qui accompagnèrent cette
phrase doucement railleuse, la mission dont le petit
homme avait sans doute été chargé par l'assemblée de
ses joyeux malades. Ces oisifs au teint fleuri, ces
vieilles femmes ennuyées, ces Anglais nomades, ces
petites-maîtresses échappées à leurs maris et conduites
aux eaux par leurs amants entreprenaient donc d'en
chasser un pauvre moribond débile, chétif, en apparence incapable de résister à une persécution journa-
lière ! Raphaël accepta le combat en voyant un amuse-
ment dans cette intrigue.

— Puisque vous seriez désolé de mon départ, répondit-il au docteur, je vais essayer de mettre à
profit votre bon conseil, tout en restant ici. Dès demain, j'y ferai construire une maison où nous modi-
fierons l'air suivant votre ordonnance.

Interprétant le sourire amèrement goguenard qui
vint errer sur les lèvres de Raphaël, le médecin se contenta de le saluer, sans trouver un mot à lui dire.

Le lac du Bourget est une vaste coupe de montagnes tout ébréchée où brille, à sept ou huit cents
pieds au-dessus de la Méditerranée, une goutte d'eau
bleue comme ne l'est aucune eau dans le monde. Vu
du haut de la Dent-du-Chat, ce lac est là comme une
turquoise égarée. Cette jolie goutte d'eau a neuf lieues

de contour et, dans certains endroits, près de cinq
cents pieds de profondeur. Être là, dans une barque
au milieu de cette nappe, par un beau ciel, n'entendre
que le bruit des rames, ne voir à l'horizon que des
montagnes nuageuses, admirer les neiges étincelantes
de la Maurienne française ; passer tour à tour des blocs
de granit vêtus de velours par des fougères ou par des
arbustes nains à de riantes collines ; d'un côté le
désert, de l'autre une riche nature ; un pauvre assistant
au dîner d'un riche : ces harmonies et ces discordances
composent un spectacle où tout est grand, où tout est
petit. L'aspect des montagnes change les conditions
de l'optique et de la perspective : un sapin de cent
pieds vous semble un roseau, de larges vallées vous
apparaissent étroites autant que des sentiers. Ce lac
est le seul où l'on puisse faire une confidence de cœur
à cœur. On y pense et on y aime. En aucun endroit
vous ne rencontreriez une plus belle entente entre
l'eau, le ciel, les montagnes et la terre. Il s'y trouve
des baumes pour toutes les crises de la vie. Ce lieu
garde le secret des douleurs, il les console, les amoin-
drit et jette dans l'amour je ne sais quoi de grave, de
recueilli, qui rend la passion plus profonde, plus pure.
Un baiser s'y agrandit. Mais c'est surtout le lac des
souvenirs ; il les favorise en leur donnant la teinte de
ses ondes, miroir où tout vient se réfléchir. Raphaël ne
supportait son fardeau qu'au milieu de ce beau
paysage, il y pouvait rester indolent, songeur, et sans
désirs. Après la visite du docteur, il alla se promener
et se fit débarquer à la pointe déserte d'une jolie col-

line sur laquelle est situé le village de Saint-Innocent.
De cette espèce de promontoire, la vue embrasse les
monts de Bugey, au pied desquels coule le Rhône, et
le fond du lac ; mais, de là, Raphaël aimait à contempler, sur la rive opposée, l'abbaye mélancolique de
Haute-Combe, sépulture des rois de Sardaigne pros-
ternés devant les montagnes comme des pèlerins
arrivés au terme de leur voyage. Un frissonnement
égal et cadencé de rames troubla le silence de ce
paysage et lui prêta une voix monotone, semblable
aux psalmodies des moines. Étonné de rencontrer des
promeneurs dans cette partie du lac, ordinairement
solitaire, le marquis examina, sans sortir de sa rêverie,
les personnes assises dans la barque et reconnut à
l'arrière la vieille dame qui l'avait si durement inter-
pellé la veille. Quand le bateau passa devant Raphaël,
il ne fut salué que par la demoiselle de compagnie de
cette dame, pauvre fille noble qu'il lui semblait voir
pour la première fois. Déjà, depuis quelques instants,
il avait oublié les promeneurs, promptement disparus
derrière le promontoire, lorsqu'il entendit près de lui
le frôlement d'une robe et le bruit de pas légers. En
se retournant, il aperçut la demoiselle de compagnie ;
à son air contraint, il devina qu'elle voulait lui parler,
et s'avança vers elle. Agée d'environ trente-six ans,
grande et mince, sèche et froide, elle était, comme
toutes les vieilles filles, assez embarrassée de son regard, qui ne s'accordait plus avec une démarche
indécise, gênée, sans élasticité. Tout à la fois vieille et
jeune, elle exprimait par une certaine dignité de main-

tien le haut prix qu'elle attachait à ses trésors et à
ses perfections. Elle avait, d'ailleurs, les gestes discrets
et monastiques des femmes habituées à se chérir elles-
mêmes, sans doute pour ne pas faillir à leur destinée
d'amour.

— Monsieur, votre vie est en danger, ne venez plus
au Cercle, dit-elle à Raphaël en faisant quelques pas
en arrière, comme si déjà sa vertu se trouvait com-
promise.

— Mais, mademoiselle, répondit Valentin en souriant, de grâce, expliquez-vous plus clairement, puisque vous avez daigné venir jusqu'ici...

— Ah ! reprit-elle, sans le puissant motif qui m'a-
mène, je n'aurais pas risqué d'encourir la disgrâce de
M^{me} la comtesse, car si elle savait jamais que je vous
ai prévenu...

— Et qui le lui dirait, mademoiselle ? s'écria Raphaël.

— C'est vrai, répondit la vieille fille en lui jetant le
regard tremblotant d'une chouette mise au soleil.
Mais pensez à vous, ajouta-t-elle ; plusieurs jeunes
gens qui veulent vous chasser des eaux se sont promis
de vous provoquer, de vous forcer à vous battre en
duel.

La voix de la vieille dame retentit dans le lointain.

— Mademoiselle, dit le marquis, ma reconnaissance...

Sa protectrice s'était déjà sauvée en entendant la
voix de sa maîtresse, qui derechef glapissait dans les
rochers.

« Pauvre fille ! les misères s'entendent et se secourent toujours», pensa Raphaël en s'asseyant au pied d'un arbre.

La clef de toutes les sciences est, sans contredit, le point d'interrogation ; nous devons la plupart des grandes découvertes au *Comment ?* et la sagesse dans la vie consiste peut-être à se demander à tout propos : *Pourquoi ?* Mais aussi cette factice prescience détruit-elle nos illusions. Ainsi Valentin, ayant pris, sans préméditation de philosophie, la bonne action de la vieille fille pour texte de ses pensées vagabondes, la trouva pleine de fiel.

— Que je sois aimé d'une demoiselle de compagnie, se dit-il, il n'y a rien là d'extraordinaire : j'ai vingt-sept ans, un titre et deux cent mille livres de rente ! Mais que sa maîtresse, qui dispute aux chattes la palme de l'hydrophobie, l'ait menée en bateau, près de moi, n'est-ce pas chose étrange et merveilleuse ? Ces deux femmes venues en Savoie pour y dormir comme des marmottes, et qui demandent à midi s'il est jour, se seraient levées avant huit heures aujourd'hui pour faire du hasard en se mettant à ma poursuite ?

Bientôt cette vieille fille et son ingénuité quadragénaire furent à ses yeux une nouvelle transformation de ce monde artificieux et taquin, une ruse mesquine, un complot maladroit, une pointillerie de prêtre ou de femme. Le duel était-il une fable, ou voulait-on seulement lui faire peur ? Insolentes et tracassières comme des mouches, ces âmes étroites avaient réussi à piquer sa vanité, à réveiller son orgueil, à exciter sa curiosité.

Ne voulant ni devenir leur dupe, ni passer pour un lâche, et amusé peut-être par ce petit drame, il vint au Cercle le soir même. Il se tint debout, appuyé sur le marbre de la cheminée et resta tranquille au milieu du salon principal, en s'étudiant à ne donner aucune prise sur lui ; mais il examinait les visages et défiait en quelque sorte l'assemblée par sa circonspection. Comme un dogue sûr de sa force, il attendait le combat chez lui, sans aboyer inutilement. Vers la fin de la soirée, il se promena dans le salon de jeu, en allant de la porte d'entrée à celle du billard, où il jetait de temps à autre un coup d'œil aux jeunes gens qui y faisaient une partie. Après quelques tours, il s'entendit nommer par eux. Quoiqu'ils parlassent à voix basse, Raphaël devina facilement qu'il était devenu l'objet d'un débat et finit par saisir quelques phrases dites à haute voix :

— Toi ?

— Oui, moi !

— Je t'en défie !

— Parions ?

— Oh ! il ira.

Au moment où Valentin, curieux de connaître le sujet du pari, s'avançait pour écouter attentivement la conversation, un jeune homme grand et fort, de bonne mine, mais ayant le regard fixe et impertinent des gens appuyés sur quelque pouvoir matériel, sortit du billard.

— Monsieur, dit-il d'un ton calme en s'adressant à Raphaël, je me suis chargé de vous apprendre une chose que vous semblez ignorer : votre figure et votre personne déplaisent ici à tout le monde, et à moi en particulier... Vous êtes trop poli pour ne pas vous sacrifier au bien général, et je vous prie de ne plus vous présenter au Cercle.

— Monsieur, cette plaisanterie, déjà faite sous l'Empire dans plusieurs garnisons, est devenue aujourd'hui de fort mauvais ton, répondit froidement Raphaël.

— Je ne plaisante pas, répondit le jeune homme. Je vous le répète : votre santé souffrirait beaucoup de votre séjour ici ; la chaleur, les lumières, l'air du salon, la compagnie, nuisent à votre maladie.

— Où avez-vous étudié la médecine ? demanda Raphaël.

— Monsieur, j'ai été reçu bachelier au tir de Lepage, à Paris, et docteur chez Cérisier, le roi du fleuret.

— Il vous reste un dernier grade à prendre, répliqua Valentin, étudiez le code de la politesse, vous serez un parfait gentilhomme.

En ce moment, les jeunes gens, souriants ou silencieux, sortirent du billard. Les autres joueurs, devenus attentifs, quittèrent leurs cartes pour écouter une querelle qui réjouissait leurs passions. Seul au milieu de ce monde ennemi, Raphaël tâcha de conserver son sang-froid et de ne pas se donner le moindre tort ; mais, son antagoniste s'étant permis un sarcasme où l'outrage s'enveloppait dans une forme éminemment incisive et spirituelle, il lui répondit gravement :

— Monsieur, il n'est plus permis aujourd'hui de

donner un soufflet à un homme, mais je ne sais de quel
mot flétrir une conduite aussi lâche que l'est la vôtre.

— Assez ! assez ! vous vous expliquerez demain,
dirent plusieurs jeunes gens qui se jetèrent entre les
deux champions.

Raphaël sortit du salon, passant pour l'offenseur,
ayant accepté un rendez-vous près du château de
Bordeau, dans une petite prairie en pente, non loin
d'une route nouvellement percée par où le vainqueur
pouvait gagner Lyon. Raphaël devait nécessairement
ou garder le lit ou quitter les eaux d'Aix. La société
triomphait. Le lendemain, sur les huit heures du
matin, l'adversaire de Raphaël, suivi de deux témoins
et d'un chirurgien, arriva le premier sur le terrain.

— Nous serons très bien ici ; il fait un temps superbe
pour se battre ! s'écria-t-il gaiement en regardant la
voûte bleue du ciel, les eaux du lac et les rochers, sans
la moindre arrière-pensée de doute ni de deuil. — Si
je le touche à l'épaule, dit-il en continuant, le mettrai-
je bien au lit pour un mois, hein, docteur ?

— Au moins, répondit le chirurgien. Mais laissez ce
petit saule tranquille ; autrement, vous vous fatigueriez
la main et ne seriez plus maître de votre coup. Vous
pourriez tuer votre homme au lieu de le blesser.

Le bruit d'une voiture se fit entendre.

— Le voici, dirent les témoins, qui bientôt aperçurent dans la route une calèche de voyage attelée de
quatre chevaux et menée par deux postillons.

— Quel singulier genre ! s'écria l'adversaire de Valentin, il vient se faire tuer en poste...

A un duel comme au jeu, les plus légers incidents
influent sur l'imagination des acteurs fortement inté-
ressés au succès d'un coup ; aussi le jeune homme
attendit-il avec une sorte d'inquiétude l'arrivée de
cette voiture, qui resta sur la route. Le vieux Jonathas
en descendit lourdement le premier pour aider Raphaël
à sortir ; il le soutint de ses bras débiles, en déployant
pour lui les soins minutieux qu'un amant prodigue à
sa maîtresse. Tous deux se perdirent dans les sentiers
qui séparaient la grande route de l'endroit désigné
pour le combat et ne reparurent que longtemps après :
ils allaient lentement. Les quatre spectateurs de cette
scène singulière éprouvèrent une émotion profonde à
l'aspect de Valentin appuyé sur le bras de son serviteur :
pâle et défait, il marchait en goutteux, baissait la tête
et ne disait mot. Vous eussiez dit deux vieillards
également détruits, l'un par le temps, l'autre par la
pensée ; le premier avait son âge écrit sur ses cheveux
blancs, le jeune n'avait plus d'âge.

— Monsieur, je n'ai pas dormi ! dit Raphaël à son
adversaire.

Cette parole glaciale et le regard terrible qui l'accompagna firent tressaillir le véritable provocateur, il eut
la conscience de son tort et une honte secrète de sa
conduite. Il y avait dans l'attitude, dans le son de
voix et le geste de Raphaël quelque chose d'étrange.
Le marquis fit une pause, et chacun imita son silence.
L'inquiétude et l'attention étaient au comble.

— Il est encore temps, reprit-il, de me donner une
légère satisfaction ; mais donnez-la-moi, monsieur,

sinon vous allez mourir. Vous comptez encore en ce moment sur votre habileté, sans reculer à l'idée d'un combat où vous croyez avoir tout l'avantage. Eh bien, monsieur, je suis généreux, je vous préviens de ma supériorité. Je possède une terrible puissance. Pour anéantir votre adresse, pour voiler vos regards, faire trembler votre main et palpiter votre cœur, pour vous tuer même, il me suffit de le désirer. Je ne veux pas être obligé d'exercer mon pouvoir, il me coûte trop cher d'en user. Vous ne seriez pas le seul à mourir. Si donc vous vous refusez à me présenter des excuses, votre balle ira dans l'eau de cette cascade malgré votre habitude de l'assassinat, et la mienne droit à votre cœur sans que je le vise.

En ce moment des voix confuses interrompirent Raphaël. En prononçant ces paroles, le marquis avait constamment dirigé sur son adversaire l'insupportable clarté de son regard fixe, il s'était redressé en montrant un visage impassible, semblable à celui d'un fou méchant.

— Fais-le taire, avait dit le jeune homme à l'un de ses témoins, sa voix me tord les entrailles !

— Monsieur, cessez... Vos discours sont inutiles, crièrent à Raphaël le chirurgien et les témoins.

— Messieurs, je remplis un devoir. Ce jeune homme a-t-il des dispositions à prendre ?

— Assez ! assez !

Le marquis resta debout, immobile, sans perdre un instant de vue Charles, son adversaire, qui, dominé par une puissance presque magique, était comme un oiseau devant un serpent : contraint de subir ce regard homicide, il le fuyait, il revenait sans cesse.

— Donne-moi de l'eau, j'ai soif..., dit-il au même témoin.

— As-tu peur ?

— Oui, répondit-il. L'œil de cet homme est brûlant et me fascine.

— Veux-tu lui faire des excuses ?

— Il n'est plus temps.

Les deux adversaires furent placés à quinze pas l'un de l'autre. Ils avaient, chacun, près d'eux une paire de pistolets, et, suivant le programme de cette cérémonie, ils devaient tirer deux coups à volonté, mais après le signal donné par les témoins.

— Que fais-tu, Charles ? cria le jeune homme qui servait de second à l'adversaire de Raphaël, tu prends la balle avant la poudre !

— Je suis mort ! répondit-il en murmurant, vous m'avez mis en face du soleil...

— Il est derrière vous, lui dit Valentin d'une voix grave et solennelle en chargeant son pistolet lentement, sans s'inquiéter ni du signal déjà donné ni du soin avec lequel l'ajustait son adversaire.

Cette sécurité surnaturelle avait quelque chose de terrible qui saisit même les deux postillons amenés là par une curiosité cruelle. Jouant avec son pouvoir ou voulant l'éprouver, Raphaël parlait à Jonathas et le regardait au moment où il essuya le feu de son ennemi. La balle de Charles alla briser une branche de saule et ricocha sur l'eau. En tirant au hasard,

Raphaël atteignit son adversaire au cœur, et sans faire attention à la chute de ce jeune homme il chercha promptement la peau de chagrin pour voir ce que lui coûtait une vie humaine. Le talisman n'était plus grand que comme une petite feuille de chêne.

— Eh bien! que regardez-vous donc là, postillons? En route! dit le marquis.

Arrivé le soir même en France, il prit aussitôt la route d'Auvergne et se rendit aux eaux du mont Dore. Pendant ce voyage il lui surgit au cœur une de ces pensées soudaines qui tombent dans notre âme comme un rayon de soleil à travers d'épais nuages sur quelque obscure vallée. Tristes lueurs, sagesses implacables! elles illuminent les événements accomplis, nous dévoilent nos fautes et nous laissent sans pardon devant nous-mêmes. Il pensa tout à coup que la possession du pouvoir, quelque immense qu'il pût être, ne donnait pas la science de s'en servir. Le sceptre est un jouet pour un enfant, une hache pour Richelieu, et pour Napoléon un levier à faire pencher le monde. Le pouvoir nous laisse tels que nous sommes et ne grandit que les grands. Raphaël avait pu tout faire, il n'avait rien fait.

Aux eaux du mont Dore, il retrouva ce monde qui toujours s'éloignait de lui avec l'empressement que les animaux mettent à fuir un des leurs, étendu mort après l'avoir flairé de loin. Cette haine était réciproque. Sa dernière aventure lui avait donné une aversion profonde pour la société. Aussi son premier soin fut-il de chercher un asile écarté aux environs des eaux.

Il sentait instinctivement le besoin de se rapprocher de la nature, des émotions vraies et de cette vie végétative à laquelle nous nous laissons si complaisamment aller au milieu des champs. Le lendemain de son arrivée, il gravit, non sans peine, le pic de Sancy et visita les vallées supérieures, les sites aériens, les lacs ignorés, les rustiques chaumières des monts Dore, dont les âpres et sauvages attraits commencent à tenter les pinceaux de nos artistes. Parfois il se rencontre là d'admirables paysages pleins de grâce et de fraîcheur qui constrastent vigoureusement avec l'aspect sinistre de ces montagnes désolées. A peu près à une demi-lieue du village, Raphaël se trouva dans un endroit où, coquette et joueuse comme un enfant, la nature semblait avoir pris plaisir à cacher des trésors ; en voyant cette retraite pittoresque et naïve, il résolut d'y vivre. La vie devait y être tranquille, spontanée, frugiforme comme celle d'une plante.

Figurez-vous un cône renversé, mais un cône de granit largement évasé, espèce de cuvette dont les bords étaient morcelés par des anfractuosités bizarres : ici, des tables droites sans végétation, unies, bleuâtres, et sur lesquelles les rayons solaires glissaient comme sur un miroir ; là, des rochers entamés par des cassures, ridés par des ravins, d'où pendaient des quartiers de lave dont la chute était lentement préparée par les eaux pluviales, et souvent couronnés de quelques arbres rabougris que torturaient les vents ; puis, çà et là, des redans obscurs et frais d'où s'élevait un bouquet de châtaigniers hauts comme des cèdres, ou

des grottes jaunâtres qui ouvraient une bouche noire
et profonde, palissée de ronces, de fleurs et garnie
d'une langue de verdure. Au fond de cette coupe,
peut-être l'ancien cratère d'un volcan, se trouvait un
étang dont l'eau pure avait l'éclat du diamant. Autour
de ce bassin profond, bordé de granit, de saules, de
glaïeuls, de frênes et de mille plantes aromatiques alors
en fleur, régnait une prairie verte comme un boulingrin
anglais ; son herbe fine et jolie était arrosée par les
infiltrations qui ruisselaient entre les fentes des
rochers, et engraissée par les dépouilles végétales que
les orages entraînaient sans cesse des hautes cimes
vers le fond. Irrégulièrement taillé en dents de loup
comme le bas d'une robe, l'étang pouvait avoir trois
arpents d'étendue ; selon les rapprochements des rochers et de l'eau, la prairie avait un arpent ou deux
de largeur ; en quelques endroits à peine restait-il
assez de place pour le passage des vaches. A une
certaine hauteur la végétation cessait. Le granit
affectait dans les airs les formes les plus bizarres et
contractait ces teintes vaporeuses qui donnent aux
montagnes élevées de vagues ressemblances avec les
nuages du ciel. Au doux aspect du vallon, ces rochers
nus et pelés opposaient les sauvages et stériles images
de la désolation, des éboulements à craindre, des
formes si capricieuses que l'une de ces roches est
nommée *le Capucin*, tant elle ressemble à un moine.
Parfois ces aiguilles pointues, ces piles audacieuses,
ces cavernes aériennes s'illuminaient tour à tour,
suivant le cours du soleil ou les fantaisies de l'atmo-

sphère, et prenaient les nuances de l'or, se teignaient
de pourpre, devenaient d'un rose vif, ou ternes ou
grises. Ces hauteurs offraient un spectacle continuel
et changeant comme les reflets irisés de la gorge des
pigeons. Souvent, entre deux lames de lave que vous
eussiez dit séparées par un coup de hache, un beau
rayon de lumière pénétrait, à l'aurore ou au coucher
du soleil, jusqu'au fond de cette riante corbeille où
il se jouait dans les eaux du bassin, semblable à la
raie d'or qui perce la fente d'un volet et traverse une
chambre espagnole, soigneusement close pour la sieste.
Quand le soleil planait au-dessus du vieux cratère,
rempli d'eau par quelque révolution antédiluvienne,
les flancs rocailleux s'échauffaient, l'ancien volcan
s'allumait, et sa rapide chaleur réveillait les germes,
fécondait la végétation, colorait les fleurs et mûrissait
les fruits de ce petit coin de terre ignoré. Lorsque
Raphaël y parvint, il aperçut plusieurs vaches paissant
dans la prairie ; après avoir fait quelques pas vers
l'étang, il vit, à l'endroit où le terrain avait le plus
de largeur, une modeste maison bâtie en granit et
couverte en bois. Le toit de cette espèce de chaumière,
en harmonie avec le site, était orné de mousses, de
lierres et de fleurs qui trahissaient une haute antiquité.
Une fumée grêle, dont les oiseaux ne s'effrayaient plus,
s'échappait de la cheminée en ruine. A la porte, un
grand banc était placé entre deux chèvrefeuilles
énormes, rouges de fleurs et qui embaumaient. A peine
voyait-on les murs sous les pampres de la vigne et
sous les guirlandes de roses et de jasmin qui croissaient

à l'aventure et sans gêne. Insouciants de cette parure champêtre, les habitants n'en avaient nul soin et laissaient à la nature sa grâce vierge et lutine. Des langes accrochés à un groseillier séchaient au soleil. Il y avait un chat accroupi sur une machine à teiller le chanvre, et dessous, un chaudron jaune, récemment récuré, gisait au milieu de quelques pelures de pommes de terre. De l'autre côté de la maison, Raphaël aperçut une clôture d'épines sèches, destinée sans doute à empêcher les poules de dévaster les fruits et le potager. Le monde paraissait finir là. Cette habitation ressemblait à ces nids d'oiseaux ingénieusement fixés au creux d'un rocher, pleins d'art et de négligence tout ensemble. C'était une nature naïve et bonne, une rusticité vraie, mais poétique, parce qu'elle florissait à mille lieues de nos poésies peignées, n'avait d'analogie avec aucune idée, ne procédait que d'elle-même, vrai triomphe du hasard. Au moment où Raphaël arriva, le soleil jetait ses rayons de droite à gauche et faisait resplendir les couleurs de la végétation, mettait en relief ou décorait des prestiges de la lumière, des oppositions de l'ombre, les fonds jaunes et grisâtres des rochers, les différents verts des feuillages, les masses bleues, rouges ou blanches des fleurs, les plantes grimpantes et leurs cloches, le velours chatoyant des mousses, les grappes purpurines de la bruyère, mais surtout la nappe d'eau claire où se réfléchissaient fidèlement les cimes granitiques, les arbres, la maison et le ciel. Dans ce tableau délicieux, tout avait son lustre, depuis le mica brillant jusqu'à la touffe d'herbes

blondes cachée dans un doux clair-obscur ; tout y était
harmonieux à voir : et la vache tachetée au poil
luisant, et les fragiles fleurs aquatiques étendues
comme des franges qui pendaient au-dessus de l'eau
dans un enfoncement où bourdonnaient des insectes
vêtus d'azur et d'émeraude, et les racines d'arbres,
espèces de chevelures sablonneuses qui couronnaient
une informe figure en cailloux. Les tièdes senteurs des
eaux, des fleurs et des grottes qui parfumaient ce
réduit solitaire causèrent à Raphaël une sensation
presque voluptueuse. Le silence majestueux qui
régnait dans ce bocage, oublié peut-être sur les rôles
du percepteur, fut interrompu tout à coup par les
aboiements de deux chiens. Les vaches tournèrent la
tête vers l'entrée du vallon, montrèrent à Raphaël
leurs mufles humides et se mirent à brouter après
l'avoir stupidement contemplé. Suspendus dans les
rochers comme par magie, une chèvre et son chevreau
cabriolèrent et vinrent se poser sur une table de granit
près de Raphaël, en paraissant l'interroger. Les jappe-
ments des chiens attirèrent au dehors un gros enfant
qui resta béant, puis vint un vieillard à cheveux
blancs et de moyenne taille. Ces deux êtres étaient
en rapport avec le paysage, avec l'air, les fleurs et
la maison. La santé débordait dans cette nature
plantureuse, la vieillesse et l'enfance y étaient belles ;
enfin il y avait dans tous ces types d'existence un
laisser aller primordial, une routine de bonheur qui
donnait un démenti à nos capucinades philosophiques
et guérissait le cœur de ses passions boursouflées. Le

vieillard appartenait aux modèles affectionnés par les mâles pinceaux de Schnetz : c'était un visage brun dont les rides nombreuses paraissaient rudes au toucher, un nez droit, des pommettes saillantes et veinées de rouge comme une vieille feuille de vigne, des contours anguleux, tous les caractères de la force, même là où la force avait disparu ; ses mains calleuses, quoiqu'elles ne travaillassent plus, conservaient un poil blanc et rare ; son attitude d'homme vraiment libre faisait pressentir qu'en Italie il serait peut-être devenu brigand par amour pour sa précieuse liberté. L'enfant, véritable montagnard, avait des yeux noirs qui pouvaient envisager le soleil sans cligner, un teint de bistre, des cheveux bruns en désordre. Il était leste et décidé, naturel dans ses mouvements comme un oiseau ; mal vêtu, il laissait voir une peau blanche et fraîche à travers les déchirures de ses habits. Tous deux restèrent debout en silence, l'un près de l'autre, mus par le même sentiment, offrant sur leur physionomie la preuve d'une identité parfaite dans leur vie également oisive. Le vieillard avait épousé les jeux de l'enfant et l'enfant l'humeur du vieillard, par une espèce de pacte entre deux faiblesses, entre une force près de finir et une force près de se déployer. Bientôt une femme âgée d'environ trente ans apparut sur le seuil de la porte. Elle filait en marchant. C'était une Auvergnate, haute en couleur, l'air réjoui, franche, à dents blanches, figure de l'Auvergne, taille de l'Auvergne, coiffure, robe de l'Auvergne, seins rebondis de l'Auvergne, et son parler ; une idéalisation complète du pays, mœurs laborieuses, ignorance, économie, cordialité, tout y était.

Elle salua Raphaël ; ils entrèrent en conversation. Les chiens s'apaisèrent, le vieillard s'assit sur un banc au soleil, et l'enfant suivit sa mère partout où elle alla, silencieux, mais écoutant, examinant l'étranger.

— Vous n'avez pas peur ici, ma bonne femme ?

— Et d'où que nous aurions peur, monsieur ? Quand nous barrons l'entrée, qui donc pourrait venir ici ? Oh ! nous n'avons point peur ! D'ailleurs, dit-elle en faisant entrer le marquis dans la grande chambre de la maison, qu'est-ce que les voleurs viendraient donc prendre chez nous ?

Elle montrait des murs noircis par la fumée, sur lesquels étaient pour tout ornement ces images enluminées de bleu, de rouge et de vert qui représentent la *Mort de Crédit*, la *Passion de Jésus-Christ* et les *Grenadiers de la garde impériale* ; puis, çà et là, dans la chambre, un vieux lit de noyer à colonnes, une table à pieds tordus, des escabeaux, la huche au pain, du lard pendu au plafond, du sel dans un pot, une poêle ; et sur la cheminée, des plâtres jaunis et coloriés. En sortant de la maison, Raphaël aperçut, au milieu des rochers, un homme qui tenait une houe à la main, et qui, penché, curieux, regardait la maison.

— Monsieur, c'est l'homme, dit l'Auvergnate en laissant échapper ce sourire familier aux paysannes ; il laboure là-haut.

— Et ce vieillard est votre père ?

— Faites excuse, monsieur, c'est le grand-père de

notre homme. Tel que vous le voyez, il a cent deux ans. Eh bien, dernièrement il a mené à pied notre petit gars à Clermont ! C'a été un homme fort ; maintenant il ne fait plus que dormir, boire et manger. Il s'amuse toujours avec le petit gars. Quelquefois le petit l'emmène dans les hauts, il y va tout de même.

Aussitôt Valentin se résolut à vivre entre ce vieillard et cet enfant, à respirer dans leur atmosphère, à manger de leur pain, à boire de leur eau, à dormir de leur sommeil, à se faire de leur sang dans les veines. Caprice de mourant ! Devenir une des huîtres de ce rocher, sauver son écaille pour quelques jours de plus en engourdissant la mort fut pour lui l'archétype de la morale individuelle, la véritable formule de l'existence humaine, le beau idéal de la vie, la seule vie, la vraie vie. Il lui vint au cœur une profonde pensée d'égoïsme où s'engloutit l'univers. A ses yeux, il n'y eut plus d'univers, l'univers passa tout en lui. Pour les malades, le monde commence au chevet et finit au pied de leur lit. Ce paysage fut le lit de Raphaël.

Qui n'a pas, une fois dans sa vie, espionné les pas et démarches d'une fourmi, glissé des pailles dans l'unique orifice par lequel respire une limace blonde, étudié les fantaisies d'une demoiselle fluette, admiré les mille veines, colorées comme une rose de cathédrale gothique, qui se détachent sur le fond rougeâtre des feuilles d'un chêne ? Qui n'a délicieusement regardé pendant longtemps l'effet de la pluie et du soleil sur un toit de tuiles brunes, ou contemplé les gouttes de la rosée, les pétales des fleurs, les découpures variées

de leurs calices ? Qui ne s'est plongé dans ces rêveries
matérielles, indolentes et occupées, sans but et conduisant néanmoins à quelque pensée ? Qui n'a pas,
enfin, mené la vie de l'enfance, la vie paresseuse, la
vie du sauvage, moins ses travaux ? Ainsi vécut
Raphaël pendant plusieurs jours, sans soins, sans désirs,
éprouvant un mieux sensible, un bien-être extraordinaire, qui calma ses inquiétudes, apaisa ses
souffrances. Il gravissait les rochers, et allait s'asseoir
sur un pic d'où ses yeux embrassaient quelque paysage
d'immense étendue. Là il restait des journées entières
comme une plante au soleil, comme un lièvre au gîte.
Ou bien, se familiarisant avec les phénomènes de la
végétation, avec les vicissitudes du ciel, il épiait le
progrès de toutes les œuvres, sur la terre, dans les
eaux ou dans l'air. Il tenta de s'associer au mouvement
intime de cette nature et de s'identifier assez complètement à sa passive obéissance pour tomber sous la loi
despotique et conservatrice qui régit les existences
instinctives. Il ne voulait plus être chargé de lui-même.
Semblable à ces criminels d'autrefois, qui, poursuivis
par la justice, étaient sauvés s'ils atteignaient l'ombre
d'un autel, il essayait de se glisser dans le sanctuaire
de la vie. Il réussit à devenir partie intégrante de cette
large et puissante fructification : il avait épousé les
intempéries de l'air, habité tous les creux de rochers,
appris les mœurs et les habitudes de toutes les plantes,
étudié le régime des eaux, leurs gisements et fait
connaissance avec les animaux ; enfin il s'était si
parfaitement uni à cette terre animée, qu'il en avait

en quelque sorte saisi l'âme et pénétré les secrets.
Pour lui, les formes infinies de tous les règnes étaient
les développements d'une même substance, les combinaisons d'un même mouvement, vaste respiration
d'un être immense qui agissait, pensait, marchait,
grandissait, et avec lequel il voulait grandir, marcher,
penser, agir. Il avait fantastiquement mêlé sa vie à la
vie de ce rocher, il s'y était implanté. Grâce à ce
mystérieux illuminisme, convalescence factice, semblable à ces bienfaisants délires accordés par la nature
comme autant de haltes dans la douleur, Valentin
goûta les plaisirs d'une seconde enfance durant les
premiers moments de son séjour au milieu de ce riant
paysage. Il y allait dénichant des riens, entreprenant
mille choses sans en achever aucune, oubliant le
lendemain les projets de la veille ; insouciant, il fut
heureux, il se crut sauvé. Un matin, il était resté par
hasard au lit jusqu'à midi, plongé dans cette rêverie
mêlée de veille et de sommeil qui prête aux réalités
les apparences de la fantaisie et donne aux chimères
le relief de l'existence, quand tout à coup, sans savoir
d'abord s'il ne continuait pas un rêve, il entendit,
pour la première fois, le bulletin de sa santé donné
par son hôtesse à Jonathas, venu, comme chaque jour,
le lui demander. L'Auvergnate croyait sans doute
Valentin encore endormi et n'avait pas baissé le
diapason de sa voix montagnarde.

— Ça ne va pas mieux, ça ne va pas pis, disait-elle.
Il a encore toussé pendant toute cette nuit à rendre
l'âme. Il tousse, il crache, ce cher monsieur, que c'est

une pitié. Je me demandons, moi et mon homme, où
il prend la force de tousser comme ça. Ça fend le
cœur. Quelle damnée maladie qu'il a ! C'est qu'il n'est
point ben du tout ! J'avons toujours peur de le trouver
crevé dans son lit, un matin. Il est vraiment pâle
comme un Jésus de cire ! Dame, je le vois quand il
se lève, eh ben, son pauvre corps est maigre comme
un cent de clous. Et il ne sent déjà pas bon, tout de
même ! Ça lui est égal, il se consume à courir comme
s'il avait de la santé à vendre. Il a ben du courage
tout de même de ne pas se plaindre ! Mais, vraiment,
il serait mieux en terre qu'en pré, car il souffre la
passion de Dieu ! Je ne le désirons pas, monsieur, ce
n'est point notre intérêt. Mais il ne nous donnerait
pas ce qu'il nous donne, que je l'aimerions tout de
même : ce n'est point l'intérêt qui nous pousse. Ah !
mon Dieu, reprit-elle, il n'y a que les Parisiens pour
avoir de ces chiennes de maladies-là ! Où qui prennent
ça, donc ? Pauvre jeune homme ! il est sûr qu'il ne
peut guère ben finir. C'te fièvre, voyez-vous, ça vous
le mine, ça le creuse, ça le ruine ! Il ne s'en doute
point ; il ne le sait point, monsieur. Il ne s'aperçoit
de rien... Faut pas pleurer pour ça, monsieur Jonathas !
Il faut se dire qu'il sera heureux de ne plus souffrir.
Vous devriez faire une neuvaine pour lui. J'avons vu
de belles guérisons par les neuvaines, et je payerions
ben un cierge pour sauver une si douce créature, si
bonne, un agneau pascal...

La voix de Raphaël était devenue trop faible pour
qu'il pût se faire entendre, il fut donc obligé de subir

cet épouvantable bavardage. Cependant l'impatience
le chassa de son lit, il se montra sur le seuil de la porte.

— Vieux scélérat, cria-t-il à Jonathas, tu veux donc
être mon bourreau ?

La paysanne crut voir un spectre et s'enfuit.

— Je te défends, dit Raphaël en continuant, d'avoir
la moindre inquiétude sur ma santé.

— Oui, monsieur le marquis, répondit le vieux
serviteur en essuyant ses larmes.

— Et tu feras même fort bien, dorénavant, de ne
pas venir ici sans mon ordre.

Jonathas voulut obéir ; mais, avant de se retirer,
il jeta sur le marquis un regard fidèle et compatissant
où Raphaël lut son arrêt de mort. Découragé, rendu
tout à coup au sentiment vrai de sa situation, Valentin
s'assit sur le seuil de la porte, se croisa les bras sur la
poitrine et baissa la tête. Jonathas, effrayé, s'approcha
de son maître :

— Monsieur...

— Va-t'en ! va-t'en ! lui cria le malade.

Pendant la matinée du lendemain, Raphaël, ayant
gravi les rochers, s'était assis dans une crevasse pleine
de mousse d'où il pouvait voir le chemin étroit par
lequel on venait des eaux à son habitation. Au bas
du pic, il aperçut Jonathas conversant derechef avec
l'Auvergnate. Une malicieuse puissance lui interpréta
les hochements de tête, les gestes désespérants, la
sinistre naïveté de cette femme, et lui en jeta même
les fatales paroles dans le vent et dans le silence.
Pénétré d'horreur, il se réfugia sur les plus hautes

cimes des montagnes et y resta jusqu'au soir, sans avoir pu chasser les sinistres pensées si malheureusement révélées dans son cœur par le cruel intérêt dont il était devenu l'objet. Tout à coup l'Auvergnate elle-même se dressa soudain devant lui comme une ombre dans l'ombre du soir ; par une bizarrerie de poète, il voulut trouver, dans son jupon rayé de noir et de blanc, une vague ressemblance avec les côtes desséchées d'un spectre.

— Voilà le serein qui tombe, mon cher monsieur, lui dit-elle. Si vous restiez là, vous vous avanceriez ni plus ni moins qu'un fruit patrouillé. Faut rentrer. Ça n'est pas sain de humer la rosée, avec ça que vous n'avez rien pris depuis ce matin.

— Par le tonnerre de Dieu ! s'écria-t-il, vieille sorcière, je vous ordonne de me laisser vivre à ma guise, ou je décampe d'ici ! C'est bien assez de me creuser ma fosse tous les matins, au moins ne la fouillez pas le soir...

— Votre fosse, monsieur ! Creuser votre fosse !... Où qu'elle est donc, votre fosse ? Je voudrions vous voir bastant comme notre père, et point dans la fosse ! La fosse ! nous y sommes toujours assez tôt, dans la fosse...

— Assez ! dit Raphaël.

— Prenez mon bras, monsieur.

— Non.

Le sentiment que l'homme supporte le plus difficilement est la pitié, surtout quand il la mérite. La haine est un tonique, elle fait vivre, elle inspire la vengeance ; mais la pitié tue, elle affaiblit encore notre faiblesse. C'est le mal devenu patelin, c'est le mépris dans la tendresse, ou la tendresse dans l'offense. Raphaël trouva chez le centenaire une pitié triomphante, chez l'enfant une pitié curieuse, chez la femme une pitié tracassière, chez le mari une pitié intéressée ; mais, sous quelque forme que ce sentiment se montrât, il était toujours gros de mort. Un poète fait de tout un poème, terrible ou joyeux, suivant les images qui le frappent ; son âme exaltée rejette les nuances douces, et choisit toujours les couleurs vives et tranchées. Cette pitié produisit au cœur de Raphaël un horrible poème de deuil et de mélancolie. Il n'avait pas songé sans doute à la franchise des sentiments naturels, quand il désira se rapprocher de la nature. Lorsqu'il se croyait seul sous un arbre, aux prises avec une quinte opiniâtre dont il ne triomphait jamais sans sortir abattu par cette terrible lutte, il voyait les yeux brillants et fluides du petit garçon, placé en vedette sous une touffe d'herbes, comme un sauvage, et qui l'examinait avec cette enfantine curiosité dans laquelle il y a autant de raillerie que de plaisir, et je ne sais quel intérêt mêlé d'insensibilité. Le terrible *Frère, il faut mourir* des trappistes, semblait constamment écrit dans les yeux des paysans avec lesquels vivait Raphaël ; il ne savait ce qu'il craignait le plus, de leurs paroles naïves ou de leur silence ; tout en eux le gênait. Un matin, il vit deux hommes vêtus de noir qui rôdèrent autour de lui, le flairèrent et l'étudièrent à la dérobée ; puis, feignant d'être venus là pour se promener, ils lui adressèrent des questions banales auxquelles il répondit brièvement. Il reconnut en eux le médecin et le curé des eaux, sans doute envoyés par Jonathas, consultés par ses hôtes ou attirés par l'odeur d'une mort prochaine. Il entrevit alors son propre convoi, il entendit le chant des prêtres, il compta les cierges, et ne vit plus qu'à travers un crêpe les beautés de cette riche nature, au sein de laquelle il croyait avoir rencontré la vie. Tout ce qui naguère lui annonçait une longue existence lui prophétisait maintenant une fin prochaine. Le lendemain, il partit pour Paris, non sans avoir été abreuvé des souhaits mélancoliques et cordialement plaintifs que ses hôtes lui adressèrent.

Après avoir voyagé durant toute la nuit, il s'éveilla dans l'une des plus riantes vallées du Bourbonnais, dont les sites et les points de vue tourbillonnaient devant lui, rapidement emportés comme les images vaporeuses d'un songe. La nature s'étalait à ses yeux avec une cruelle coquetterie. Tantôt l'Allier déroulait sur une riche perspective son ruban liquide et brillant, puis des hameaux modestement cachés au fond d'une gorge de rochers jaunâtres montraient la pointe de leurs clochers ; tantôt les moulins d'un petit vallon se découvraient soudain après des vignobles monotones, et toujours apparaissaient de riants châteaux, des villages suspendus, ou quelques routes bordées de peupliers majestueux ; enfin la Loire et ses longues nappes diamantées reluisirent au milieu de ses sables dorés. Séductions sans fin ! La nature, agitée, vivace comme un enfant, contenant à peine l'amour et la

sève du mois de juin, attirait fatalement les regards
éteints du malade. Il leva les persiennes de sa voiture
et se remit à dormir. Vers le soir, après avoir passé
Cosne, il fut réveillé par une joyeuse musique et se
trouva devant une tête de village. La poste était
située près de la place. Pendant le temps que les postillons mirent à relayer sa voiture, il vit les danses de
cette population joyeuse, les filles parées de fleurs,
jolies, agaçantes, les jeunes gens animés, puis les
trognes des vieux paysans gaillardement rougies par
le vin. Les petits enfants se rigolaient, les vieilles
femmes parlaient en riant ; tout avait une voix, et le
plaisir enjolivait même les habits et les tables dres-
sées. La place et l'église offraient une physionomie de
bonheur ; les toits, les fenêtres, les portes même du
village semblaient s'être endimanchés aussi. Semblable
aux moribonds impatients du moindre bruit, Raphaël
ne put réprimer une sinistre interjection, ni le désir
d'imposer silence à ces violons, d'anéantir ce mouvement, d'assourdir ces clameurs, de dissiper cette fête
insolente. Il monta tout chagrin dans sa voiture.
Quand il regarda sur la place, il vit la joie effarouchée,
les paysannes en fuite et les bancs déserts. Sur l'échafaud de l'orchestre, un ménétrier aveugle continuait à
jouer sur sa clarinette une ronde criarde. Cette musique
sans danseurs, ce vieillard solitaire au profil grimaud,
en haillons, les cheveux épars, et caché dans l'ombre
d'un tilleul, étaient comme une image fantastique du
souhait de Raphaël. Il tombait à torrents une de ces
fortes pluies que les nuages électriques du mois de

juin versent brusquement et qui finissent de même.
C'était chose si naturelle que Raphaël, après avoir
regardé dans le ciel quelques nuages blanchâtres emportés par un grain de vent, ne songea pas à regarder
sa peau de chagrin. Il se remit dans le coin de sa voiture,
qui bientôt roula sur la route.

Le lendemain, il se trouva chez lui, dans sa chambre,
au coin de sa cheminée. Il s'était fait allumer un
grand feu, il avait froid. Jonathas lui apporta des
lettres. Elles étaient toutes de Pauline. Il ouvrit la
première sans empressement, et la déplia comme si
c'eût été le papier grisâtre d'une sommation sans frais,
envoyée par le percepteur. Il lut la première phrase :

« Parti ! mais c'est une fuite, mon Raphaël... Comment ! personne ne peut me dire où tu es ? Et, si je
ne le sais pas, qui donc le saurait ? »

Sans vouloir en apprendre davantage, il prit froidement les lettres et les jeta dans le foyer, en regardant
d'un œil terne et sans chaleur les jeux de la flamme qui
tordait le papier parfumé, le racornissait, le retournait,
le morcelait.

Des fragments roulèrent sur les cendres en lui laissant voir des commencements de phrases, des mots,
des pensées à demi brûlées et qu'il se plut à saisir
dans la flamme par un divertissement machinal.

...Assise à ta porte... attendu... Caprice... j'obéis...
Des rivales... moi, non !... ta Pauline... aime... plus de

Pauline donc ?... Si tu avais voulu me quitter, tu ne m'aurais pas abandonnée... Amour éternel... Mourir... »

Ces mots lui donnèrent une sorte de remords : il saisit les pincettes et sauva des flammes un dernier lambeau de lettre.

« J'ai murmuré, écrivait Pauline, mais je ne me suis pas plainte, Raphaël ! En me laissant loin de toi, tu as sans doute voulu me dérober le poids de quelque chagrin. Un jour, tu me tueras peut-être, mais tu es trop bon pour me faire souffrir. Eh bien ! ne pars plus ainsi. Va, je puis affronter les plus grands supplices, mais près de toi. Le chagrin que tu m'imposerais ne serait plus un chagrin : j'ai dans le cœur encore bien plus d'amour que je ne t'en ai montré. Je puis tout supporter, hors de pleurer loin de toi et de ne pas savoir ce que tu... »

Raphaël posa sur la cheminée ce débris de lettre noirci par le feu, puis il le rejeta tout à coup dans le foyer. Ce papier était une image trop vive de son amour et de sa fatale vie.

— Va chercher M. Bianchon, dit-il à Jonathas.

Horace vint et trouva Raphaël au lit.

— Mon ami, peux-tu me composer une boisson légèrement opiacée qui m'entretienne dans une somnolence continuelle, sans que l'emploi constant de ce breuvage me fasse mal ?

— Rien n'est plus aisé, répondit le jeune docteur ;

mais il faudra cependant rester debout quelques
heures de la journée, pour manger.

— Quelques heures ? dit Raphaël en l'interrompant ; non, non ! je ne veux être levé que durant une
heure au plus.

— Quel est donc ton dessein ? demanda Bianchon.

— Dormir, c'est encore vivre, répondit le malade. —
Ne laisse entrer personne, fût-ce même M^{lle} Pauline
de Vitschnau, dit Valentin à Jonathas pendant que le
médecin écrivait son ordonnance.

— Eh bien ! monsieur Horace, y a-t-il de la ressource ? demanda le vieux domestique au jeune docteur
qu'il avait reconduit jusqu'au perron.

— Il peut aller encore longtemps, ou mourir ce soir.
Chez lui, les chances de vie et de mort sont égales.
Je n'y comprends rien, répondit le médecin en laissant
échapper un geste de doute. Il faut le distraire.

— Le distraire ! monsieur, vous ne le connaissez
pas. Il a tué l'autre jour un homme sans dire ouf !...
Rien ne le distrait.

Raphaël demeura pendant quelques jours plongé
dans le néant de son sommeil factice. Grâce à la
puissance matérielle exercée par l'opium sur notre
âme immatérielle, cet homme d'imagination si puissamment active s'abaissa jusqu'à la hauteur de ces
animaux paresseux qui croupissent au sein des forêts,
sous la forme d'une dépouille végétale, sans faire un
pas pour saisir une proie facile. Il avait même éteint la
lumière du ciel, le jour n'entrait plus chez lui. Vers
les huit heures du soir, il sortait de son lit : sans avoir

une conscience lucide de son existence, il satisfaisait sa faim, puis se recouchait aussitôt. Ses heures, froides et ridées, ne lui apportaient que de confuses images, des apparences, des clairs-obscurs sur un fond noir. Il s'était enseveli dans un profond silence, dans une négation de mouvement et d'intelligence. Un soir, il se réveilla beaucoup plus tard que de coutume et ne trouva pas son dîner servi. Il sonna Jonathas.

— Tu peux partir, lui dit-il. Je t'ai fait riche, tu seras heureux dans tes vieux jours ; mais je ne veux plus te laisser jouer ma vie... Comment ! misérable, je sens la faim. Où est mon dîner ? réponds !

Jonathas laissa échapper un sourire de contentement, prit une bougie dont la lumière tremblotait dans l'obscurité profonde des immenses appartements de l'hôtel ; il conduisit son maître, redevenu machine, à une vaste galerie et en ouvrit brusquement la porte. Aussitôt Raphaël, inondé de lumière, fut ébloui, surpris par un spectacle inouï. C'étaient ses lustres chargés de bougies, les fleurs les plus rares de sa serre artistement disposées, une table étincelante d'argenterie, d'or, de nacre, de porcelaines ; un repas royal, fumant, et dont les mets appétissants irritaient les houppes nerveuses du palais. Il vit ses amis convoqués, mêlés à des femmes parées et ravissantes, la gorge nue, les épaules découvertes, les chevelures pleines de fleurs, les yeux brillants, toutes de beautés diverses, agaçantes sous de voluptueux travestissements : l'une avait dessiné ses formes attrayantes par une jaquette irlandaise, l'autre portait la basquina lascive des

Andalouses ; celle-ci, à demi nue en Diane chasseresse, celle-là, modeste et amoureuse sous le costume de M^lle de la Vallière, étaient également vouées à l'ivresse. Dans les regards de tous les convives brillaient la joie, l'amour, le plaisir. Au moment où la morte figure de Raphaël se montra dans l'ouverture de la porte, une acclamation soudaine éclata, rapide, rutilante comme les rayons de cette fête improvisée. Les voix, les parfums, la lumière, ces femmes d'une pénétrante beauté frappèrent tous ses sens, réveillèrent son appétit. Une délicieuse musique, cachée dans un salon voisin, couvrit par un torrent d'harmonie ce tumulte enivrant et compléta cette étrange vision. Raphaël se sentit la main pressée par une main chatouilleuse, une main de femme dont les bras frais et blancs se levaient pour le serrer, la main d'Aquilina. Il comprit que ce tableau n'était pas vague et fantastique comme les fugitives images de ses rêves décolorés, il poussa un cri sinistre, ferma brusquement la porte et flétrit son vieux serviteur en le frappant au visage.

— Monstre, tu as donc juré de me faire mourir ! s'écria-t-il.

Puis, tout palpitant du danger qu'il venait de courir, il trouva des forces pour regagner sa chambre, but une forte dose de sommeil et se coucha.

— Que diable ! dit Jonathas en se relevant, M. Bianchon m'avait cependant bien ordonné de le distraire...

Il était environ minuit. A cette heure, Raphaël, par un de ces caprices physiologiques, l'étonnement et le désespoir des sciences médicales, resplendissait de

beauté pendant son sommeil. Un rose vif colorait ses
joues blanches. Son front, gracieux comme celui d'une
jeune fille, exprimait le génie. La vie était en fleur sur
ce visage tranquille et reposé. Vous eussiez dit un jeune
enfant endormi sous la protection de sa mère. Son
sommeil était un bon sommeil, sa bouche vermeille
laissait passer un souffle égal et pur, il souriait, transporté sans doute par un rêve dans une belle vie. Peut-
être était-il centenaire, peut-être ses petits-enfants lui
souhaitaient-ils de longs jours ; peut-être, de son banc
rustique, sous le soleil, assis sous le feuillage, aper-
cevait-il, comme le prophète, en haut de la montagne,
la terre promise, dans un bienfaisant lointain !...

— Te voilà donc ?

Ces mots, prononcés d'une voix argentine, dissi-
pèrent les figures nuageuses de son sommeil. A la
lueur de la lampe, il vit assise sur son lit sa Pauline,
mais Pauline embellie par l'absence et par la douleur.
Raphaël resta stupéfait à l'aspect de cette figure
blanche comme les pétales d'une fleur des eaux, et qui,
accompagnée de longs cheveux noirs, semblait encore
plus blanche dans l'ombre. Des larmes avaient tracé
leur route brillante sur ses joues et y restaient sus-
pendues, près de tomber au moindre effort. Vêtue de
blanc, la tête penchée et foulant à peine le lit, elle
était là comme un ange descendu des cieux, comme
une apparition qu'un souffle pouvait faire disparaître.

— Ah ! j'ai tout oublié ! s'écria-t-elle au moment où
Raphaël ouvrit les yeux. Je n'ai de voix que pour te
dire : « Je suis à toi ! » Oui, mon cœur est tout amour.

Ah ! jamais, ange de ma vie, tu n'as été si beau.
Tes yeux foudroient... Mais je devine tout, va ! Tu
as été chercher la santé sans moi, tu me craignais...
Eh bien !...

— Fuis, fuis ! laisse-moi ! répondit enfin Raphaël
d'une voix sourde. Mais va-t'en donc ! Si tu restes
là, je meurs. Veux-tu me voir mourir ?

— Mourir ! répéta-t-elle. Est-ce que tu peux mourir
sans moi ? Mourir, mais tu es jeune ! Mourir, mais je
t'aime ! Mourir !... ajouta-t-elle d'une voix profonde et
gutturale en lui prenant les mains par un mouvement
de folie. Froides ! dit-elle. Est-ce une illusion ?

Raphaël tira de dessous son chevet le lambeau de
la peau de chagrin, fragile et petit comme la feuille
d'une pervenche, et le lui montrant :

— Pauline, belle image de ma belle vie, disons-nous
adieu ! dit-il.

— Adieu ? répéta-t-elle d'un air surpris.

— Oui. Ceci est un talisman qui accomplit mes
désirs et représente ma vie. Vois ce qu'il m'en reste.
Si tu me regardes encore, je vais mourir...

La jeune fille crut Valentin devenu fou, elle prit
le talisman et alla chercher la lampe. Éclairée par la
lueur vacillante qui se projetait également sur Raphaël
et sur le talisman, elle examina très attentivement et
le visage de son amant et la dernière parcelle de la
peau magique. En voyant Pauline belle de terreur et
d'amour, il ne fut plus maître de sa pensée : les souvenirs des scènes caressantes et des joies délirantes
de sa passion triomphèrent dans son âme depuis

longtemps endormie et s'y réveillèrent comme un
foyer mal éteint.

— Pauline, viens !... Pauline !...

Un cri terrible sortit du gosier de la jeune fille, ses
yeux se dilatèrent ; ses sourcils, violemment tirés par
une douleur inouïe, s'écartèrent avec horreur, elle
lisait dans les yeux de Raphaël un de ces désirs furieux,
jadis sa gloire à elle ; mais, à mesure que grandissait
ce désir, la peau, en se contractant, lui chatouillait la
main. Sans réfléchir, elle s'enfuit dans le salon voisin,
dont elle ferma la porte.

— Pauline ! Pauline ! cria le moribond en courant
après elle, je t'aime, je t'adore, je te veux !... Je te
maudis, si tu ne m'ouvres ! je veux mourir à toi !

Par une force singulière, dernier éclat de vie, il jeta
la porte à terre et vit sa maîtresse à demi nue se
roulant sur un canapé. Pauline avait tenté vainement
de se déchirer le sein, et, pour se donner une prompte
mort, elle cherchait à s'étrangler avec son châle.

— Si je meurs, il vivra ! disait-elle en tâchant de
serrer le nœud qu'elle avait fait.

Ses cheveux étaient épars, ses épaules nues, ses
vêtements en désordre, et, dans cette lutte avec la
mort, les yeux en pleurs, le visage enflammé, se tordant
sous un horrible désespoir, elle présentait à Raphaël,
ivre d'amour, mille beautés qui augmentèrent son
délire ; il se jeta sur elle avec la légèreté d'un oiseau
de proie, brisa le châle et voulut la prendre dans
ses bras.

Le moribond chercha des paroles pour exprimer le

désir qui dévorait toutes ses forces ; mais il ne trouva que les sons étranglés du râle dans sa poitrine, dont chaque respiration, creusée plus avant, semblait partir de ses entrailles. Enfin, ne pouvant bientôt plus former de sons, il mordit Pauline au sein. Jonathas se présenta, tout épouvanté des cris qu'il entendait, et tenta d'arracher à la jeune fille le cadavre sur lequel elle s'était accroupie dans un coin.

— Que demandez-vous ? dit-elle. Il est à moi, je l'ai tué, ne l'avais-je pas prédit !

## ÉPILOGUE

— Et que devint Pauline ?

— Ah ! Pauline ? bien. Êtes-vous quelquefois resté,
par une douce soirée d'hiver, devant votre foyer
domestique, voluptueusement livré à des souvenirs
d'amour ou de jeunesse en contemplant les rayures
produites par le feu sur un morceau de chêne ? Ici,
la combustion dessine les cases rouges d'un damier ;
là, elle fait miroiter des velours ; de petites flammes
bleues courent, bondissent et jouent sur le fond
ardent du brasier. Vient un peintre inconnu qui se
sert de cette flamme ; par un artifice unique, il trace
au sein de ces flamboyantes teintes violettes ou
empourprées une figure supernaturelle et d'une
délicatesse inouïe, phénomène fugitif que le hasard
ne recommencera jamais : c'est une femme aux
cheveux emportés par le vent, et dont le profil respire
une passion délicieuse : du feu dans le feu ! Elle sourit,
elle expire, vous ne la reverrez plus. Adieu, fleur de la
flamme ! adieu, principe incomplet, inattendu, venu
trop tôt ou trop tard pour être quelque beau dimant !

— Mais Pauline ?

— Vous n'y êtes pas ? je recommence. Place ! place !
Elle arrive, la voici, la reine des illusions, la femme
qui passe comme un baiser, la femme vive comme un
éclair, comme lui jaillit brûlante du ciel, l'être incréé,
tout esprit, tout amour ! Elle a revêtu je ne sais quel

corps de flamme, ou pour elle la flamme s'est un
moment animée ! Les lignes de ses formes sont d'une
pureté qui vous dit qu'elle vient du ciel. Ne resplendit-
elle pas comme un ange ? n'entendez-vous pas le
frémissement aérien de ses ailes ? Plus légère que
l'oiseau, elle s'abat près de vous et ses terribles yeux
fascinent ; sa douce mais puissante haleine attire vos
lèvres par une force magique ; elle fuit et vous en-
traîne, vous ne sentez plus la terre. Vous voulez
passer une seule fois votre main chatouillée, votre
main fanatisée sur ce corps de neige, froisser ses
cheveux d'or, baiser ses yeux étincelants. Une vapeur
vous enivre, une musique enchanteresse vous charme.
Vous tressaillez de tous vos nerfs, vous êtes tout
désir, tout souffrance. O bonheur sans nom ! vous
avez touché les lèvres de cette femme ; mais tout à
coup une atroce douleur vous réveille. Ah ! ah ! votre
tête a porté sur l'angle de votre lit, vous en avez
embrassé l'acajou brun, les dorures froides, quelque
bronze, un Amour en cuivre.

— Mais, monsieur, Pauline ?

— Encore ! écoutez. Par une belle matinée, en
partant de Tours, un jeune homme embarqué sur
*la Ville-d'Angers* tenait dans sa main la main d'une
jolie femme. Unis ainsi, tous deux admirèrent longtemps, au-dessus des larges eaux de la Loire, une
blanche figure artificiellement éclose au sein du
brouillard comme un fruit des eaux et du soleil, ou
comme un caprice des nuées et de l'air. Tour à tour
ondine ou sylphide, cette fluide créature voltigeait

dans les airs comme un mot vainement cherché qui court dans la mémoire sans se laisser saisir ; elle se promenait entre les îles, elle agitait sa tête à travers les hauts peupliers ; puis, devenue gigantesque, elle faisait ou resplendir les mille plis de sa robe, ou briller l'auréole décrite par le soleil autour de son visage ; elle planait sur les hameaux, sur les collines, et semblait défendre au bateau à vapeur de passer devant le château d'Ussé. Vous eussiez dit le fantôme de la Dame des belles cousines qui voulait protéger son pays contre les invasions modernes.

— Bien, je comprends, ainsi de Pauline. Mais Fœdora ?

— Oh ! Fœdora, vous la rencontrerez... Elle était hier aux Bouffons, elle ira ce soir à l'Opéra, elle est partout. C'est, si vous voulez, la société.

Paris, 1830–31.

# LE ·CURÉ DE TOURS

AU commencement de l'automne de l'année 1826,
l'abbé Birotteau, principal personnage de cette
histoire, fut surpris par une averse en revenant de
la maison où il était allé passer la soirée. Il traversait
donc aussi promptement que son embonpoint pouvait
le lui permettre, la petite place déserte nommée *le
Cloître*, qui se trouve derrière le chevet de Saint-
Gatien, à Tours.

L'abbé Birotteau, petit homme court, de constitution apoplectique, âgé d'environ soixante ans, avait
déjà subi plusieurs attaques de goutte. Or, entre
toutes les petites misères de la vie humaine, celle
pour laquelle le bon prêtre éprouvait le plus d'aversion était le subit arrosement de ses souliers à larges
agrafes d'argent et l'immersion de leurs semelles. En
effet, malgré les chaussons de flanelle dans lesquels
il empaquetait en tout temps ses pieds avec le soin
que les ecclésiastiques prennent d'eux-mêmes, il y ga-
gnait toujours un peu d'humidité ; puis, le lendemain, la goutte lui donnait infailliblement quelques
preuves de sa constance. Néanmoins, comme le pavé
du Cloître est toujours sec, que l'abbé Birotteau avait
gagné trois livres dix sous au whist chez M^me de
Listomère, il endura la pluie avec résignation depuis
le milieu de la place de l'Archevêché, où elle avait

commencé à tomber en abondance. En ce moment il caressait d'ailleurs sa chimère, un désir déjà vieux de douze ans, un désir de prêtre ! un désir qui, formé tous les soirs, paraissait alors près de s'accomplir ; enfin, il s'enveloppait trop bien dans l'aumusse d'un canonicat pour sentir les intempéries de l'air : pendant la soirée, les personnes habituellement réunies chez Mme de Listomère lui avaient presque garanti sa nomination à la place de chanoine, alors vacante au chapitre métropolitain de Saint-Gatien, en lui prouvant que personne ne la méritait mieux que lui, dont les droits longtemps méconnus étaient incontestables. S'il eût perdu au jeu, s'il eût appris que l'abbé Poirel, son concurrent, passait chanoine, le bonhomme eût alors trouvé la pluie bien froide. Peut-être eût-il médit de l'existence. Mais il se trouvait dans une de ces rares circonstances de la vie où d'heureuses sensations font tout oublier. En hâtant le pas, il obéissait à un mouvement machinal, et la vérité, si essentielle dans une histoire de mœurs, oblige à dire qu'il ne pensait ni à l'averse ni à la goutte.

Jadis il existait dans le Cloître, du côté de la Grand'Rue, plusieurs maisons réunies par une clôture, appartenant à la cathédrale et où logeaient quelques dignitaires du chapitre. Depuis l'aliénation des biens du clergé, la ville a fait du passage qui sépare ces maisons une rue, nommée rue de la *Psalette*, et par laquelle on va du Cloître à la Grand'Rue. Ce nom indique suffisamment que là demeurait autrefois le grand chantre, ses écoles et ceux qui vivaient sous sa dépendance. Le côté gauche de cette rue est rempli par une seule maison dont les murs sont traversés par les arcs-boutants de Saint-Gatien qui sont implantés dans son petit jardin étroit, de manière à laisser en doute si la cathédrale fut bâtie avant ou après cet antique logis. Mais en examinant les arabesques et la forme des fenêtres, le cintre de la porte et l'extérieur de cette maison brunie par le temps, un archéologue voit qu'elle a toujours fait partie du monument magnifique avec lequel elle est mariée. Un antiquaire, s'il y en avait à Tours, une des villes les moins littéraires de France, pourrait même reconnaître, à l'entrée du passage dans le Cloître, quelques vestiges de l'arcade qui formait jadis le portail de ces habitations ecclésiastiques et qui devait s'harmoniser au caractère général de l'édifice. Située au nord de Saint-Gatien, cette maison se trouve continuellement dans les ombres projetées par cette grande cathédrale sur laquelle le temps a jeté son manteau noir, imprimé ses rides, semé son froid humide, ses mousses et ses hautes herbes. Aussi cette habitation est-elle toujours enveloppée dans un profond silence interrompu seulement par le bruit des cloches, par le chant des offices qui franchit les murs de l'église, ou par les cris des choucas nichés dans le sommet des clochers. Cet endroit est un désert de pierres, une solitude pleine de physionomie, et qui ne peut être habitée que par des êtres arrivés à une nullité complète ou doués d'une force d'âme prodigieuse. La maison dont il s'agit avait toujours été occupée par

des abbés, et appartenait à une vieille fille nommée
M^lle Gamard. Quoique ce bien eût été acquis de la
nation, pendant la Terreur, par le père de M^lle Gamard ; comme depuis vingt ans cette vieille fille y
logeait des prêtres, personne ne s'avisait de trouver
mauvais, sous la Restauration, qu'une dévote con-
servât un bien national : peut-être les gens religieux
lui supposaient-ils l'intention de la léguer au chapitre, et les gens du monde n'en voyaient-ils pas la
destination changée.

L'abbé Birotteau se dirigeait donc vers cette maison,
où il demeurait depuis deux ans. Son appartement
avait été, comme l'était alors le canonicat, l'objet de
son envie et son *hoc erat in votis* pendant une douzaine d'années. Être le pensionnaire de M^lle Gamard
et devenir chanoine, furent les deux grandes affaires
de sa vie ; et peut-être résument-elles exactement
l'ambition d'un prêtre, qui, se considérant comme
en voyage vers l'éternité, ne peut souhaiter en ce
monde qu'un bon gîte, une bonne table, des vêtements
propres, des souliers à agrafes d'argent, choses suffisantes pour les besoins de la bête, et un canonicat
pour satisfaire l'amour-propre, ce sentiment indicible
qui nous suivra, dit-on, jusqu'auprès de Dieu, puisqu'il y a des grades parmi les saints. Mais la convoitise
de l'appartement alors habité par l'abbé Birotteau,
ce sentiment minime aux yeux des gens du monde,
avait été pour lui toute une passion, passion pleine
d'obstacles, et, comme les plus criminelles passions,
pleine d'espérances, de plaisirs et de remords.

La distribution intérieure et la contenance de sa maison n'avaient pas permis à M^{lle} Gamard d'avoir plus de deux pensionnaires logés. Or, environ douze ans avant le jour où Birotteau devint le pensionnaire de cette fille, elle s'était chargée d'entretenir en joie et en santé M. l'abbé Troubert et M. l'abbé Chapeloud. L'abbé Troubert vivait. L'abbé Chapeloud était mort, et Birotteau lui avait immédiatement succédé.

Feu M. l'abbé Chapeloud, en son vivant chanoine de Saint-Gatien, avait été l'ami intime de l'abbé Birotteau. Toutes les fois que le vicaire était entré chez le chanoine, il en avait admiré constamment l'appartement, les meubles et la bibliothèque. De cette admiration naquit un jour l'envie de posséder ces belles choses. Il avait été impossible à l'abbé Birotteau d'étouffer ce désir, qui souvent le fit horriblement souffrir quand il venait à penser que la mort de son meilleur ami pouvait seule satisfaire cette cupidité cachée, mais qui allait toujours croissant. L'abbé Chapeloud et son ami Birotteau n'étaient pas riches. Tous deux fils de paysans, ils n'avaient rien autre chose que les faibles émoluments accordés aux prêtres ; et leurs minces économies furent employées à passer les temps malheureux de la Révolution. Quand Napoléon rétablit le culte catholique, l'abbé Chapeloud fut nommé chanoine de Saint-Gatien, et Birotteau devint vicaire de la cathédrale. Chapeloud se mit alors en pension chez M^{lle} Gamard. Lorsque Birotteau vint visiter le chanoine dans sa nouvelle demeure, il trouva l'appartement parfaitement bien distribué ;

mais il n'y vit rien autre chose. Le début de cette concupiscence mobilière fut semblable à celui d'une passion vraie, qui, chez un jeune homme, commence quelquefois par une froide admiration pour la femme que plus tard il aimera toujours.

Cet appartement, desservi par un escalier en pierre, se trouvait dans un corps de logis à l'exposition du midi. L'abbé Troubert occupait le rez-de-chaussée, et M^lle Gamard le premier étage du principal bâtiment situé sur la rue. Lorsque Chapeloud entra dans son logement, les pièces étaient nues et les plafonds noircis par la fumée. Les chambranles des cheminées en pierre assez mal sculptée n'avaient jamais été peints. Pour tout mobilier, le pauvre chanoine y mit d'abord un lit, une table, quelques chaises et le peu de livres qu'il possédait. L'appartement ressemblait à une belle femme en haillons. Mais, deux ou trois ans après, une vieille dame ayant laissé deux mille francs à l'abbé Chapeloud, il employa cette somme à l'emplette d'une bibliothèque en chêne, provenant de la démolition d'un château dépecé par la Bande Noire, et remarquable par des sculptures dignes de l'admiration des artistes. L'abbé fit cette acquisition, séduit moins par le bon marché que par la parfaite concordance qui existait entre les dimensions de ce meuble et celles de la galerie. Ses économies lui permirent alors de restaurer entièrement la galerie jusquelà pauvre et délaissée. Le parquet fut soigneusement frotté, le plafond blanchi, et les boiseries furent peintes de manière à figurer les teintes et les nœuds du chêne.

Une cheminée de marbre remplaça l'ancienne. Le chanoine eut assez de goût pour chercher et pour trouver de vieux fauteuils en bois de noyer sculpté. Puis une longue table en ébène et deux meubles de Boule achevèrent de donner à cette galerie une physionomie pleine de caractère. Dans l'espace de deux ans, les libéralités de plusieurs personnes dévotes, et des legs de ses pieuses pénitentes, quoique légers, remplirent de livres les rayons de la bibliothèque alors vide. Enfin, un oncle de Chapeloud, un ancien oratorien, lui légua sa collection in-folio des Pères de l'Église, et plusieurs autres grands ouvrages précieux pour un ecclésiastique. Birotteau, surpris de plus en plus par les transformations successives de cette galerie jadis nue, arriva par degrés à une involontaire convoitise. Il souhaita posséder ce cabinet, si bien en rapport avec la gravité des mœurs ecclésiastiques. Cette passion s'accrut de jour en jour. Occupé pendant des journées entières à travailler dans cet asile, le vicaire put en apprécier le silence et la paix, après en avoir primitivement admiré l'heureuse distribution. Pendant les années suivantes, l'abbé Chapeloud fit de la cellule un oratoire que ses dévotes amies se plurent à embellir. Plus tard encore, une dame offrit au chanoine pour sa chambre un meuble en tapisserie qu'elle avait faite elle-même pendant longtemps sous les yeux de cet homme aimable sans qu'il en soupçonnât la destination. Il en fut alors de la chambre à coucher comme de la galerie, elle éblouit le vicaire. Enfin, trois ans avant sa mort, l'abbé Chapeloud avait complété le

confortable de son appartement en décorant le salon.
Quoique simplement garni de velours d'Utrecht rouge,
le meuble avait séduit Birotteau. Depuis le jour où
le camarade du chanoine vit les rideaux de lampas
rouge, les meubles d'acajou, le tapis d'Aubusson qui
ornaient cette vaste pièce peinte à neuf, l'appartement de Chapeloud devint pour lui l'objet d'une
monomanie secrète. Y demeurer, se coucher dans le
lit à grands rideaux de soie où couchait le chanoine, et
trouver toutes ses aises autour de lui, comme les
trouvait Chapeloud, fut pour Birotteau le bonheur
complet : il ne voyait rien au delà. Tout ce que les
choses du monde font naître d'envie et d'ambition
dans le cœur des autres hommes se concentra chez
l'abbé Birotteau dans le sentiment secret et profond
avec lequel il désirait un intérieur semblable à celui
que s'était créé l'abbé Chapeloud. Quand son ami tombait malade, il venait certes chez lui conduit par une
sincère affection ; mais, en apprenant l'indisposition
du chanoine, ou en lui tenant compagnie, il s'élevait,
malgré lui, dans le fond de son âme mille pensées dont
la formule la plus simple était toujours : « Si Chapeloud
mourait, je pourrais avoir son logement. » Cependant,
comme Birotteau avait un cœur excellent, des idées
étroites et une intelligence bornée, il n'allait pas jusqu'à
concevoir les moyens de se faire léguer la bibliothèque
et les meubles de son ami.

L'abbé Chapeloud, égoïste aimable et indulgent,
devina la passion de son ami, ce qui n'était pas difficile, et la lui pardonna, ce qui peut sembler moins fa-

cile chez un prêtre. Mais aussi le vicaire, dont l'amitié resta toujours la même, ne cessa-t-il pas de se promener avec son ami tous les jours dans la même allée du Mail de Tours, sans lui faire tort un seul moment du temps consacré depuis vingt années à cette promenade. Birotteau, qui considérait ses vœux involontaires comme des fautes, eût été capable, par contrition, du plus grand dévouement pour l'abbé Chapeloud. Celui-ci paya sa dette envers une fraternité si naïvement sincère, en disant, quelques jours avant sa mort au vicaire, qui lui lisait la *Quotidienne* : « Pour cette fois, tu auras l'appartement. Je sens que tout est fini pour moi. » En effet, par son testament l'abbé Chapeloud légua sa bibliothèque et son mobilier à Birotteau. La possession de ces choses, si vivement désirées, et la perspective d'être pris en pension par Mᶨᶫᵉ Gamard, adoucirent beaucoup la douleur que causait à Birotteau la perte de son ami le chanoine : il ne l'aurait peut-être pas ressuscité, mais il le pleura. Pendant quelques jours il fut comme Gargantua, dont la femme étant morte en accouchant de Pantagruel, ne savait s'il devait se réjouir de la naissance de son fils, ou se chagriner d'avoir enterré sa bonne Badbec, et qui se trompait en se réjouissant de la mort de sa femme, et déplorant la naissance de Pantagruel. L'abbé Birotteau passa les premiers jours de son deuil à vérifier les ouvrages de *sa* bibliothèque, à se servir de *ses* meubles, à les examiner, en disant d'un ton qui, malheureusement, n'a pu être noté : « Pauvre Chapeloud ! » Enfin sa joie et sa douleur l'occupaient tant qu'il ne ressentit aucune peine de voir donner à un autre la place de chanoine, dans laquelle feu Chapeloud espérait avoir Birotteau pour successeur. M<sup>lle</sup> Gamard ayant pris avec plaisir le vicaire en pension, celui-ci participa dès lors à toutes les félicités de la vie matérielle que lui vantait le défunt chanoine. Incalculables avantages ! A entendre feu l'abbé Chapeloud, aucun de tous les prêtres qui habitaient la ville de Tours ne pouvait être, sans en excepter l'archevêque, l'objet de soins aussi délicats, aussi minutieux que ceux prodigués par M<sup>lle</sup> Gamard à ses deux pensionnaires. Les premiers mots que disait le chanoine à son ami, en se promenant sur le Mail, avaient presque toujours trait au succulent dîner qu'il venait de faire, et il était bien rare que, pendant les sept promenades de la semaine, il ne lui arrivât pas de dire au moins quatorze fois : « Cette excellente fille a certes pour vocation le service ecclésiastique. »

— Pensez donc, disait l'abbé Chapeloud à Birotteau, que, pendant douze années consécutives, linge blanc, aubes, surplis, rabats, rien ne m'a jamais manqué. Je trouve toujours chaque chose en place, en nombre suffisant et sentant l'iris. Mes meubles sont frottés et toujours si bien essuyés que, depuis longtemps, je ne connais plus la poussière. En avez-vous vu un seul grain chez moi ? Puis le bois de chauffage est bien choisi, les moindres choses sont excellentes ; bref, il semble que M<sup>lle</sup> Gamard ait sans cesse un œil dans ma chambre. Je ne me souviens pas d'avoir sonné deux fois, en dix ans, pour demander quoi que ce

fût. Voilà vivre ! N'avoir rien à chercher, pas même
ses pantoufles. Trouver toujours bon feu, bonne table.
Enfin, mon soufflet m'impatientait, il avait le larynx
embarrassé, je ne m'en suis pas plaint deux fois.
Bast, le lendemain mademoiselle m'a donné un très
joli soufflet, et cette paire de badines avec lesquelles
vous me voyez tisonnant.

Birotteau, pour toute réponse, disait : « Sentant
l'iris ! » Ce *sentant l'iris* le frappait toujours. Les paroles
du chanoine accusaient un bonheur fantastique pour
le pauvre vicaire, à qui ses rabats et ses aubes faisaient
tourner la tête, car il n'avait aucun ordre et oubliait
assez fréquemment de commander son dîner. Aussi,
soit en quêtant, soit en disant la messe, quand il
apercevait M$^{lle}$ Gamard à Saint-Gatien, ne manquait-
il jamais de lui jeter un regard doux et bienveillant,
comme sainte Thérèse pouvait en jeter au ciel.

Quoique le bien-être que désire toute créature, et
qu'il avait si souvent rêvé, lui fût donc échu, comme
il est difficile à tout le monde, même à un prêtre, de
vivre sans un dada, depuis dix-huit mois l'abbé
Birotteau avait remplacé ses deux passions satisfaites
par le souhait d'un canonicat. Le titre de chanoine
était devenu pour lui ce que doit être la pairie pour
un ministre plébéien. Aussi la probabilité de sa nomination, les espérances qu'on venait de lui donner
chez M$^{me}$ de Listomère lui tournaient-elles si bien la
tête qu'il ne se rappela y avoir oublié son parapluie
qu'en arrivant à son domicile. Peut-être même, sans
la pluie qui tombait alors à torrents, ne s'en serait-il

pas souvenu, tant il était absorbé par le plaisir avec lequel il rabâchait en lui-même tout ce que lui avaient dit, au sujet de sa promotion, les personnes de la société de M^me de Listomère, vieille dame chez laquelle il passait la soirée du mercredi. Le vicaire sonna vivement comme pour dire à la servante de ne pas le faire attendre. Puis il se serra dans le coin de la porte, afin de se laisser arroser le moins possible ; mais l'eau qui tombait du toit coula précisément sur le bout de ses souliers, et le vent poussa par moments sur lui certaines bouffées de pluie assez semblables à des douches. Après avoir calculé le temps nécessaire pour sortir de la cuisine et venir tirer le cordon placé sous la porte, il resonna encore de manière à produire un carillon très significatif. « Ils ne peuvent pas être sortis », se dit-il en n'entendant aucun mouvement dans l'intérieur. Et, pour la troisième fois, il recommença sa sonnerie, qui retentit si aigrement dans la maison et fut si bien répétée par tous les échos de la cathédrale, qu'à ce factieux tapage il était impossible de ne pas se réveiller. Aussi, quelques instants après, n'entendit-il pas, sans un certain plaisir mêlé d'humeur, les sabots de la servante qui claquaient sur le petit pavé caillouteux. Néanmoins le malaise du podagre ne finit pas aussitôt qu'il le croyait. Au lieu de tirer le cordon, Marianne fut obligée d'ouvrir la serrure de la porte avec la grosse clef et de défaire les verrous.

— Comment me laissez-vous sonner trois fois par un temps pareil ? dit-il à Marianne.

— Mais, monsieur, vous voyez bien que la porte

était fermée. Tout le monde est couché depuis longtemps, les trois quarts de dix heures sont sonnés.
Mademoiselle aura cru que vous n'étiez pas sorti.

— Mais vous m'avez bien vu partir, vous ! D'ailleurs mademoiselle sait bien que je vais chez M^{me} de
Listomère tous les mercredis.

— Ma foi ! monsieur, j'ai fait ce que mademoiselle
m'a commandé de faire, répondit Marianne en fermant la porte.

Ces paroles portèrent à l'abbé Birotteau un coup
qui lui fut d'autant plus sensible que sa rêverie l'avait
rendu plus complètement heureux. Il se tut, suivit
Marianne à la cuisine pour prendre son bougeoir, qu'il
supposait y avoir été mis. Mais, au lieu d'entrer dans
la cuisine, Marianne mena l'abbé chez lui, où le vicaire
aperçut son bougeoir sur une table qui se trouvait à
la porte du salon rouge, dans une espèce d'antichambre
formée par le palier de l'escalier auquel le défunt
chanoine avait adapté une grande clôture vitrée. Muet
de surprise, il entra promptement dans sa chambre,
n'y vit pas de feu dans la cheminée, et appela Marianne,
qui n'avait pas encore eu le temps de descendre.

— Vous n'avez donc pas allumé de feu ? dit-il.

— Pardon, monsieur l'abbé, répondit-elle. Il se sera
éteint.

Birotteau regarda de nouveau le foyer et s'assura
que le feu était resté couvert depuis le matin.

— J'ai besoin de me sécher les pieds, reprit-il,
faites-moi du feu.

Marianne obéit avec la promptitude d'une personne

qui avait envie de dormir. Tout en cherchant lui-même ses pantoufles qu'il ne trouvait pas au milieu de son tapis de lit, comme elles y étaient jadis, l'abbé fit, sur la manière dont Marianne était habillée, certaines observations par lesquelles il lui fut démontré qu'elle ne sortait pas de son lit, comme elle le lui avait dit. Il se souvint alors que, depuis environ quinze jours, il était sevré de tous ces petits soins qui, pendant dix-huit mois, lui avaient rendu la vie si douce à porter. Or, comme la nature des esprits étroits les porte à deviner les minuties, il se livra soudain à de très grandes réflexions sur ces quatre événements, imperceptibles pour tout autre, mais qui, pour lui, constituaient quatre catastrophes. Il s'agissait évidemment de la perte entière de son bonheur, dans l'oubli des pantoufles, dans le mensonge de Marianne relativement au feu, dans le transport insolite de son bougeoir sur la table de l'antichambre, et dans la station forcée qu'on lui avait ménagée, par la pluie, sur le seuil de la porte.

Quand la flamme eut brillé dans le foyer, quand la lampe de nuit fut allumée et que Marianne l'eut quitté sans lui demander, comme elle le faisait jadis : « Monsieur a-t-il encore besoin de quelque chose ? » l'abbé Birotteau se laissa doucement aller dans la belle et ample bergère de son défunt ami ; mais le mouvement par lequel il y tomba eut quelque chose de triste. Le bonhomme était accablé sous le pressentiment d'un affreux malheur. Ses yeux se tournèrent successivement sur le beau cartel, sur la commode, sur les sièges, les rideaux, les tapis, le lit en tombeau, le bénitier, le crucifix, sur une Vierge du Valentin, sur un Christ de Lebrun, enfin sur tous les accessoires de cette chambre ; et l'expression de sa physionomie révéla les douleurs du plus tendre adieu qu'un amant ait jamais fait à sa première maîtresse, ou un vieillard à ses derniers arbres plantés. Le vicaire venait de reconnaître, un peu tard à la vérité, les signes d'une persécution sourde exercée sur lui depuis environ trois mois par M<sup>lle</sup> Gamard, dont les mauvaises intentions eussent sans doute été beaucoup plus tôt devinées par un homme d'esprit. Les vieilles filles n'ont-elles pas toutes un certain talent pour accentuer les actions et les mots que la haine leur suggère ? Elles égratignent à la manière des chats. Puis non seulement elles blessent, mais elles éprouvent du plaisir à blesser et à faire voir à leur victime qu'elles l'ont blessée. Là où un homme du monde ne se serait pas laissé griffer deux fois, le bon Birotteau avait besoin de plusieurs coups de patte dans la figure avant de croire à une intention méchante.

Aussitôt, avec cette sagacité questionneuse que contractent les prêtres habitués à diriger les consciences et à creuser des riens au fond du confessionnal, l'abbé Birotteau se mit à établir, comme s'il s'agissait d'une controverse religieuse, la proposition suivante : « En admettant que M<sup>lle</sup> Gamard n'ait plus songé à la soirée de M<sup>me</sup> de Listomère, que Marianne ait oublié de faire mon feu, que l'on m'ait cru rentré ; attendu que j'ai descendu ce matin, et moi-même ! *mon bougeoir ! ! !* il est impossible que M^lle^ Gamard, en le voyant dans son salon, ait pu me supposer couché. *Ergo*, M^lle^ Gamard a voulu me laisser à la porte par la pluie ; et, en faisant remonter mon bougeoir chez moi, elle a eu l'intention de me faire connaître... »

— Quoi ? dit-il tout haut, emporté par la gravité des circonstances, en se levant pour quitter ses habits mouillés, prendre sa robe de chambre et se coiffer de nuit.

Puis il alla de son lit à la cheminée, en gesticulant et lançant sur des tons différents les phrases suivantes, qui toutes furent terminées d'une voix de fausset, comme pour remplacer des points d'interjection.

— Que diantre lui ai-je fait ? Pourquoi m'en veut-elle ? Marianne n'a pas dû oublier mon feu ! C'est mademoiselle qui lui aura dit de ne pas l'allumer ! Il faudrait être un enfant pour ne pas s'apercevoir, au ton et aux manières qu'elle prend avec moi, que j'ai eu le malheur de lui déplaire. Jamais il n'est arrivé rien de pareil à Chapeloud ! Il me sera impossible de vivre au milieu des tourments que... A mon âge...

Il se coucha dans l'espoir d'éclaircir, le lendemain matin, la cause de la haine qui détruisait à jamais ce bonheur dont il avait joui pendant deux ans après l'avoir si longtemps désiré. Hélas ! les secrets motifs du sentiment que M^lle^ Gamard lui portait devaient lui être éternellement inconnus, non qu'ils fussent difficiles à deviner, mais parce que le pauvre homme manquait de cette bonne foi avec laquelle les grandes âmes et les fripons savent réagir sur eux-mêmes et se juger. Un homme de génie ou un intrigant seuls se disent : « J'ai eu tort. » L'intérêt et le talent sont les seuls conseillers consciencieux et lucides. Or, l'abbé Birotteau, dont la bonté allait jusqu'à la bêtise, dont l'instruction n'était en quelque sorte que plaquée à force de travail, qui n'avait aucune expérience du monde ni de ses mœurs, et qui vivait entre la messe et le confessionnal, grandement occupé de décider les cas de conscience les plus légers, en sa qualité de confesseur des pensionnats de la ville et de quelques belles âmes qui l'appréciaient, l'abbé Birotteau pouvait être considéré comme un grand enfant, à qui la majeure partie des pratiques sociales était complètement étrangère. Seulement, l'égoïsme naturel à toutes les créatures humaines, renforcé par l'égoïsme particulier au prêtre, et par celui de la vie étroite que l'on mène en province, s'était insensiblement développé chez lui, sans qu'il s'en doutât. Si quelqu'un eût pu trouver assez d'intérêt à fouiller l'âme du vicaire, pour lui démontrer que, dans les infiniment petits détails de son existence et dans les devoirs minimes de sa vie privée, il manquait essentiellement de ce dévouement dont il croyait faire profession, il se serait puni lui-même et se serait mortifié de bonne foi. Mais ceux que nous offensons, même à notre insu, nous tiennent peu compte de notre innocence, ils veulent et savent se venger. Donc Birotteau, quelque faible qu'il fût, dut être soumis aux effets de cette grande Justice distributive, qui va toujours chargeant le

monde d'exécuter ses arrêts nommés par certains
niais *les malheurs de la vie.*

Il y eut cette différence entre feu l'abbé Chapeloud
et le vicaire, que l'un était un égoïste adroit et spirituel,
et l'autre un franc et maladroit égoïste. Lorsque l'abbé
Chapeloud vint se mettre en pension chez M<sup>lle</sup> Gamard,
il sut parfaitement juger le caractère de son hôtesse.
Le confessionnal lui avait appris à connaître tout ce
que le malheur de se trouver en dehors de la société
met d'amertume au cœur d'une vieille fille, il cal-
cula donc sagement sa conduite chez M<sup>lle</sup> Gamard.
L'hôtesse, n'ayant guère alors que trente-huit ans,
gardait encore quelques prétentions qui, chez ces
discrètes personnes, se changent plus tard en une
haute estime d'elles-mêmes. Le chanoine comprit que
pour bien vivre avec M<sup>lle</sup> Gamard il devait lui toujours accorder les mêmes attentions et les mêmes
soins, être plus infaillible que ne l'est le pape. Pour
obtenir ce résultat, il ne laissa s'établir entre elle et
lui que les points de contact strictement ordonnés par
la politesse, et ceux qui existent nécessairement entre
des personnes vivant sous le même toit. Ainsi, quoique
l'abbé Troubert et lui fissent régulièrement trois repas
par jour, il s'était abstenu de partager le déjeuner
commun, en habituant M<sup>lle</sup> Gamard à lui envoyer
dans son lit une tasse de café à la crème. Puis il
avait évité les ennuis du souper en prenant tous les
soirs du thé dans les maisons où il allait passer ses
soirées. Il voyait ainsi rarement son hôtesse à un
autre moment de la journée que celui du dîner; mais

il venait toujours quelques instants avant l'heure fixée. Durant cette espèce de visite polie, il lui avait adressé, pendant les douze années qu'il passa sous son toit, les mêmes questions, en obtenant d'elle les mêmes réponses. La manière dont avait dormi M<sup>lle</sup> Gamard durant la nuit, son déjeuner, les petits événements domestiques, l'air de son visage, l'hygiène de sa personne, le temps qu'il faisait, la durée des offices, les incidents de la messe, enfin la santé de tel ou tel prêtre, faisaient tous les frais de cette conversation périodique. Pendant le dîner il procédait toujours par des flatteries indirectes, allant sans cesse de la qualité d'un poisson, du bon goût des assaisonnements ou des qualités d'une sauce aux qualités de M<sup>lle</sup> Gamard et à ses vertus de maîtresse de maison. Il était sûr de caresser toutes les vanités de la vieille fille en vantant l'art avec lequel étaient faits ou préparés ses confitures, ses cornichons, ses conserves, ses pâtés et autres inventions gastronomiques. Enfin, jamais le rusé chanoine n'était sorti du salon jaune de son hôtesse sans dire que, dans aucune maison de Tours, on ne prenait du café aussi bon que celui qu'il venait d'y déguster. Grâce à cette parfaite entente du caractère de M<sup>lle</sup> Gamard, et à cette science d'existence professée pendant douze années par le chanoine, il n'y eut jamais entre eux matière à discuter le moindre point de discipline intérieure. L'abbé Chapeloud avait tout d'abord reconnu les angles, les aspérités, le rêche de cette vieille fille, et réglé l'action des tangentes inévitables entre leurs personnes, de manière à obtenir

d'elle toutes les concessions nécessaires au bonheur
et à la tranquillité de sa vie. Aussi M^lle Gamard
disait-elle que l'abbé Chapeloud était un homme très
aimable, extrêmement facile à vivre et de beaucoup
d'esprit. Quant à l'abbé Troubert, la dévote n'en disait
absolument rien. Complètement entré dans le mouvement de sa vie comme un satellite dans l'orbite de
sa planète, Troubert était pour elle une sorte de
créature intermédiaire entre les individus de l'espèce
humaine et ceux de l'espèce canine ; il se trouvait
classé dans son cœur immédiatement avant la place
destinée aux amis et celle occupée par un gros carlin
poussif qu'elle aimait tendrement ; elle le gouvernait
entièrement, et la promiscuité de leurs intérêts devint
si grande que bien des personnes, parmi celles de la
société de M^lle Gamard, pensaient que l'abbé Troubert
avait des vues sur la fortune de la vieille fille, se
l'attachait insensiblement par une continuelle patience, et la dirigeait d'autant mieux qu'il paraissait
lui obéir, sans laisser apercevoir en lui le moindre
désir de la mener. Lorsque l'abbé Chapeloud mourut,
la vieille fille, qui voulait un pensionnaire de mœurs
douces, pensa naturellement au vicaire. Le testament du chanoine n'était pas encore connu que déjà
M^lle Gamard méditait de donner le logement du défunt
à son bon abbé Troubert, qu'elle trouvait fort mal
au rez-de-chaussée. Mais quand l'abbé Birotteau vint
stipuler avec la vieille fille les conventions chirogra-
phaires de sa pension elle le vit si fort épris de cet
appartement, pour lequel il avait nourri si longtemps

des désirs dont la violence pouvait alors être avouée, qu'elle n'osa lui parler d'un échange et fit céder l'affection aux exigences de l'intérêt. Pour consoler le bien-aimé chanoine, mademoiselle remplaça les larges briques blanches de Château-Renaud qui formaient le carrelage de l'appartement par un parquet en point de Hongrie, et reconstruisit une cheminée qui fumait.

L'abbé Birotteau avait vu pendant douze ans son ami Chapeloud sans avoir jamais eu la pensée de chercher d'où procédait l'extrême circonspection de ses rapports avec M$^{lle}$ Gamard. En venant demeurer chez cette sainte fille, il se trouvait dans la situation d'un amant sur le point d'être heureux. Quand il n'aurait pas été déjà naturellement aveugle d'intelligence, ses yeux étaient trop éblouis par le bonheur pour qu'il lui fût possible de juger M$^{lle}$ Gamard et de réfléchir sur la mesure à mettre dans ses relations journalières avec elle. M$^{lle}$ Gamard, vue de loin et à travers le prisme des félicités matérielles que le vicaire rêvait de goûter près d'elle, lui semblait une créature parfaite, une chrétienne accomplie, une personne essentiellement charitable, la femme de l'Évangile, la vierge sage, décorée de ces vertus humbles et modestes qui répandent sur la vie un céleste parfum. Aussi, avec tout l'enthousiasme d'un homme qui parvient à un but longtemps souhaité, avec la candeur d'un enfant et la niaise étourderie d'un vieillard sans expérience mondaine, entra-t-il dans la vie de M$^{lle}$ Gamard, comme une mouche se prend dans la toile

d'une araignée. Ainsi, le premier jour où il vint dîner
et coucher chez la vieille fille il fut retenu dans son
salon par le désir de faire connaissance avec elle, aussi
bien que par cet inexplicable embarras qui gêne
souvent les gens timides et leur fait craindre d'être
impolis en interrompant une conversation pour sortir.
Il y resta donc pendant toute la soirée. Une autre
vieille fille, amie de Birotteau, nommée M<sup>lle</sup> Salomon
de Villenoix, vint le soir. M<sup>lle</sup> Gamard eut alors la
joie d'organiser chez elle une partie de boston. Le
vicaire trouva, en se couchant, qu'il avait passé une
très agréable soirée. Ne connaissant encore que fort
légèrement M<sup>lle</sup> Gamard et l'abbé Troubert, il n'aperçut que la superficie de leurs caractères. Peu de personnes montrent tout d'abord leurs défauts à nu.
Généralement chacun tâche de se donner une écorce
attrayante. L'abbé Birotteau conçut donc le charmant
projet de consacrer ses soirées à M<sup>lle</sup> Gamard, au lieu
d'aller les passer au dehors. L'hôtesse avait, depuis
quelques années, enfanté un désir qui se reproduisait
plus fort de jour en jour. Ce désir, que forment les
vieillards et même les jolies femmes, était devenu
chez elle une passion semblable à celle de Birotteau
pour l'appartement de son ami Chapeloud, et tenait
au cœur de la vieille fille par les sentiments d'orgueil et
d'égoïsme, d'envie et de vanité qui préexistent chez
les gens du monde. Cette histoire est de tous les temps :
il suffit d'étendre un peu le cercle étroit au fond duquel
vont agir ces personnages pour trouver la raison
coefficiente des événements qui arrivent dans les

sphères les plus élevées de la société. M<sup>lle</sup> Gamard
passait alternativement ses soirées dans six ou huit
maisons différentes. Soit qu'elle regrettât d'être
obligée d'aller chercher le monde et se crût en droit,
à son âge, d'en exiger quelque retour ; soit que son
amour-propre eût été froissé de ne point avoir de
société à elle ; soit enfin que sa vanité désirât les
compliments et les avantages dont elle voyait jouir
ses amies, toute son ambition était de rendre son salon
le point d'une réunion vers laquelle chaque soir un
certain nombre de personnes se dirigeassent *avec
plaisir.* Quand Birotteau et son amie M<sup>lle</sup> Salomon
eurent passé quelques soirées chez elle, en compagnie
du fidèle et patient abbé Troubert, un soir, en sortant
de Saint-Gatien, M<sup>lle</sup> Gamard dit aux bonnes amies,
de qui elle se considérait comme l'esclave jusqu'alors,
que les personnes qui voulaient la voir pouvaient bien
venir une fois par semaine chez elle où elle réunissait
un nombre d'amis suffisant pour faire une partie de
boston ; elle ne devait pas laisser seul l'abbé Birotteau,
son nouveau pensionnaire ; M<sup>lle</sup> Salomon n'avait pas
encore manqué une seule soirée de la semaine ; elle
appartenait à ses amis, et que... et que... etc., etc. —
Ses paroles furent d'autant plus humblement altières
et abondamment doucereuses, que M<sup>lle</sup> Salomon de
Villenoix tenait à la société la plus aristocratique de
Tours. Quoique M<sup>lle</sup> Salomon vînt uniquement par
amitié pour le vicaire, M<sup>lle</sup> Gamard triomphait de
l'avoir dans son salon et se vit, grâce à l'abbé Birotteau,
sur le point de faire réussir son grand dessein de former

un cercle qui pût devenir aussi nombreux, aussi
agréable que l'étaient ceux de M^me de Listomère, de
M^lle Merlin de la Blottière et autres dévotes en
possession de recevoir la société pieuse de Tours.
Mais, hélas ! l'abbé Birotteau fit avorter l'espoir de
M^lle Gamard. Or, si tous ceux qui dans leur vie sont
parvenus à jouir d'un bonheur souhaité longtemps
ont compris la joie que put avoir le vicaire en se
couchant dans le lit de Chapeloud, ils devront aussi
prendre une légère idée du chagrin que M^lle Gamard
ressentit au renversement de son plan favori. Après
avoir pendant six mois accepté son bonheur assez
patiemment, Birotteau déserta le logis, entraînant
avec lui M^lle Salomon. Malgré des efforts inouïs,
l'ambitieuse Gamard avait à peine recruté cinq ou
six personnes, dont l'assiduité fut très problématique,
et il fallait au moins quatre gens fidèles pour constituer un boston. Elle fut donc forcée de faire amende
honorable et de retourner chez ses anciennes amies,
car les vieilles filles se trouvent en trop mauvaise
compagnie avec elles-mêmes pour ne pas rechercher
les agréments équivoques de la société. La cause de
cette désertion est facile à concevoir. Quoique le
vicaire fût un de ceux auxquels le paradis doit un
jour appartenir en vertu de l'arrêt : *Bienheureux les
pauvres d'esprit !* il ne pouvait, comme beaucoup de
sots, supporter l'ennui que lui causaient d'autres sots.
Les gens sans esprit ressemblent aux mauvaises herbes
qui se plaisent dans les bons terrains, et ils aiment
d'autant plus être amusés qu'ils s'ennuient eux-

mêmes. L'incarnation de l'ennui dont ils sont victimes, jointe au besoin qu'ils éprouvent de divorcer perpétuellement avec eux-mêmes, produit cette passion pour le mouvement, cette nécessité d'être toujours là où ils ne sont pas qui les distingue, ainsi que les êtres dépourvus de sensibilité et ceux dont la destinée est manquée, ou qui souffrent par leur faute. Sans trop sonder le vide, la nullité de M^{lle} Gamard, ni sans s'expliquer la petitesse de ses idées, le pauvre abbé Birotteau s'aperçut, un peu tard pour son malheur, des défauts qu'elle partageait avec toutes les vieilles filles et de ceux qui lui étaient particuliers. Le mal chez autrui tranche si vigoureusement sur le bien, qu'il nous frappe presque toujours la vue avant de nous blesser. Ce phénomène moral justifierait, au besoin, la pente qui nous porte plus ou moins vers la médisance. Il est, socialement parlant, si naturel de se moquer des imperfections d'autrui, que nous devrions pardonner le bavardage railleur que nos ridicules autorisent, et ne nous étonner que de la calomnie. Mais les yeux du bon vicaire n'étaient jamais à ce point d'optique qui permet aux gens du monde de voir et d'éviter promptement les aspérités du voisin ; il fut donc obligé, pour reconnaître les défauts de son hôtesse, de subir l'avertissement que donne la nature à toutes ses créations, la douleur ! Les vieilles filles n'ayant pas fait plier leur caractère et leur vie à une autre vie ni à d'autres caractères, comme l'exige la destinée de la femme, ont, pour la plupart, la manie de vouloir tout faire plier autour d'elles.

Chez M^lle Gamard ce sentiment dégénérait en despotisme, mais ce despotisme ne pouvait se prendre qu'à de petites choses. Ainsi, entre mille exemples, le panier de fiches et de jetons posé sur la table de boston pour l'abbé Birotteau devait rester à la place où elle l'avait mis ; et l'abbé la contrariait vivement en le dérangeant, ce qui arrivait presque tous les soirs. D'où procédait cette susceptibilité stupidement portée sur des riens, et quel en était le but ? Personne n'eût pu le dire, M^lle Gamard ne le savait pas elle-même. Quoique très mouton de sa nature, le nouveau pensionnaire n'aimait cependant pas plus que les brebis à sentir trop souvent la houlette, surtout quand elle est armée de pointes. Sans s'expliquer la haute patience de l'abbé Troubert, Birotteau voulut se soustraire au bonheur que M^lle Gamard prétendait lui assaisonner à sa manière, car elle croyait qu'il en était du bonheur comme de ses confitures ; mais le malheureux s'y prit assez maladroitement, par suite de la naïveté de son caractère. Cette séparation n'eut donc pas lieu sans bien des tiraillements et des picoteries auxquels l'abbé Birotteau s'efforça de ne pas se montrer sensible.

A l'expiration de la première année qui s'écoula sous le toit de M^lle Gamard, le vicaire avait repris ses anciennes habitudes en allant passer deux soirées par semaine chez M^me de Listomère, trois chez M^lle Salomon, et les deux autres chez M^lle Merlin de la Blottière. Ces personnes appartenaient à la partie aristocratique de la société tourangelle, où M^lle Ga-

mard n'était point admise. Aussi l'hôtesse fut-elle
vivement outragée par l'abandon de l'abbé Birotteau,
qui lui faisait sentir son peu de valeur : toute espèce
de choix implique un mépris pour l'objet refusé.

— M. Birotteau ne nous a pas trouvés assez aimables, dit l'abbé Troubert aux amis de M^lle Gamard
lorsqu'elle fut obligée de renoncer à ses soirées. C'est
un homme d'esprit, un gourmet ! Il lui faut du beau
monde, du luxe, des conversations à saillies, les
médisances de la ville.

Ces paroles amenaient toujours M^lle Gamard à
justifier l'excellence de son caractère aux dépens de
Birotteau.

— Il n'a pas déjà tant d'esprit, disait-elle. Sans
l'abbé Chapeloud, il n'aurait jamais été reçu chez
M^me de Listomère. Oh ! j'ai bien perdu en perdant
l'abbé Chapeloud. Quel homme aimable et facile à
vivre ! Enfin, pendant douze ans je n'ai pas eu la
moindre difficulté ni le moindre désagrément avec
lui.

M^lle Gamard fit de l'abbé Birotteau un portrait si
peu flatteur que l'innocent pensionnaire passa dans
cette société bourgeoise, secrètement ennemie de la
société aristocratique, pour un homme essentiellement
difficultueux et très difficile à vivre. Puis la vieille
fille eut, pendant quelques semaines, le plaisir de
s'entendre plaindre par ses amies, qui, sans penser
un mot de ce qu'elles disaient, ne cessèrent de lui
répéter : « Comment vous, si douce et si bonne, avez-
vous inspiré de la répugnance... ? » Ou : « Consolez-

vous, ma chère demoiselle Gamard, vous êtes si bien connue que... », etc.

Mais, enchantées d'éviter une soirée par semaine dans le Cloître, l'endroit le plus désert, le plus éloigné du centre qu'il y ait à Tours, toutes bénissaient le vicaire.

Entre personnes sans cesse en présence, la haine et l'amour vont toujours croissant : on trouve à tout moment des raisons pour s'aimer ou se haïr mieux. Aussi l'abbé Birotteau devint-il insupportable à M^lle Gamard. Dix-huit mois après l'avoir pris en pension, au moment où le bonhomme croyait voir la paix du contentement dans le silence de la haine, et s'applaudissait d'avoir su *très bien corder* avec la vieille fille, pour se servir de son expression, il fut pour elle l'objet d'une persécution sourde et d'une vengeance froidement calculée. Les quatre circonstances capitales de la porte fermée, des pantoufles oubliées, du manque de feu, du bougeoir porté chez lui, pouvaient seules lui révéler cette inimitié terrible dont les dernières conséquences ne devaient le frapper qu'au moment où elles seraient irréparables. Tout en s'endormant, le bon vicaire se creusait donc, mais inutilement, la cervelle, et certes il en sentait bien vite le fond, pour s'expliquer la conduite singulièrement impolie de M^lle Gamard. En effet, ayant agi jadis très logiquement en obéissant aux lois naturelles de son égoïsme, il lui était impossible de deviner ses torts envers son hôtesse. Si les choses grandes sont simples à comprendre, faciles à exprimer, les petitesses de la vie veulent beaucoup de détails. Les événements qui constituent en quelque sorte l'avant-scène de ce drame bourgeois, mais où les passions se retrouvent tout aussi violentes que si elles étaient excitées par de grands intérêts, exigeaient cette longue introduction, et il eût été difficile à un historien exact d'en resserrer les minutieux développements.

Le lendemain matin, en s'éveillant, Birotteau pensa si fortement à son canonicat qu'il ne songeait plus aux quatre circonstances dans lesquelles il avait aperçu, la veille, les sinistres pronostics d'un avenir plein de malheurs. Le vicaire n'était pas homme à se lever sans feu ; il sonna pour avertir Marianne de son réveil et la faire venir chez lui : puis il resta, selon son habitude, plongé dans les rêvasseries somnolescentes pendant lesquelles la servante avait coutume, en lui embrasant la cheminée, de l'arracher doucement à ce dernier sommeil par les bourdonnements de ses inter-pellations et de ses allures, espèce de musique qui lui plaisait. Une demi-heure se passa sans que Marianne eût paru. :Le vicaire, à moitié chanoine, allait sonner de nouveau, quand il laissa le cordon de sa sonnette en entendant le bruit d'un pas d'homme dans l'escalier. En effet, l'abbé Trouvert, après avoir discrètement frappé à la porte, entra sur l'invitation de Birotteau. Cette visite, que les deux abbés se faisaient assez ré-gulièrement une fois par mois l'un à l'autre, ne surprit point le vicaire. Le chanoine s'étonna, dès l'abord, que Marianne n'eût pas encore allumé le feu de son quasi-collègue. Il ouvrit une fenêtre, appela Marianne d'une

voix rude, lui dit de venir chez Birotteau ; puis, se
retournant vers son frère :

— Si mademoiselle apprenait que vous n'avez pas
de feu, elle gronderait Marianne.

Après cette phrase, il s'enquit de la santé de Birotteau et lui demanda d'une voix douce s'il avait quelques nouvelles récentes qui lui fissent espérer d'être
nommé chanoine. Le vicaire lui expliqua ses démarches et lui dit naïvement quelles étaient les personnes auprès desquelles M$^{me}$ de Listomère agissait,
ignorant que Trouvert n'avait jamais su pardonner
à cette dame de ne pas l'avoir admis chez elle, lui,
l'abbé Trouvert, déjà deux fois désigné pour être
vicaire général du diocèse.

Il était impossible de rencontrer deux figures qui
offrissent autant de contrastes qu'en présentaient celles
de ces deux abbés. Trouvert, grand et sec, avait un
teint jaune et bilieux, tandis que le vicaire était ce
qu'on appelle familièrement grassouillet. Ronde et
rougeaude, la figure de Birotteau peignait une bonhomie sans idées ; tandis que celle de Troubert, longue
et creusée par des rides profondes, contractait en certains moments une expression pleine d'ironie ou de
dédain : mais il fallait cependant l'examiner avec attention pour y découvrir ces deux sentiments. Le chanoine
restait habituellement dans un calme parfait, en tenant
ses paupières presque toujours abaissées sur deux yeux
orangés dont le regard devenait à son gré clair et per-
çant. Des cheveux roux complétaient cette sombre
physionomie sans cesse obscurcie par le voile que de

graves méditations jettent sur les traits. Plusieurs
personnes avaient pu d'abord le croire absorbé par
une haute et profonde ambition ; mais celles qui
prétendaient le mieux connaître avaient fini par
détruire cette opinion en le montrant hébété par le
despotisme de M^lle Gamard, ou fatigué par de trop
longs jeûnes. Il parlait rarement et ne riait jamais.
Quand il lui arrivait d'être agréablement ému, il lui
échappait un sourire faible qui se perdait dans les
plis de son visage. Birotteau était, au contraire,
tout expansion, tout franchise, aimait les bons morceaux, et s'amusait d'une bagatelle avec la simplicité
d'un homme sans fiel ni malice. L'abbé Troubert
causait, à la première vue, un sentiment de terreur
involontaire, tandis que le vicaire arrachait un sourire
doux à ceux qui le voyaient. Quand, à travers les
arcades et les nefs de Saint-Gatien, le haut chanoine
marchait d'un pas solennel, le front incliné, l'œil
sévère, il excitait le respect : sa figure cambrée était
en harmonie avec les voussures jaunes de la cathédrale,
les plis de sa soutane avaient quelque chose de monu-
mental, digne de la statuaire. Mais le bon vicaire y
circulait sans gravité, trottait, piétinait en paraissant
rouler sur lui-même. Ces deux hommes avaient néanmoins une ressemblance. De même que l'air ambitieux
de Troubert, en donnant lieu de le redouter, avait
contribué peut-être à le faire condamner au rôle
insignifiant de simple chanoine, le caractère et la
tournure de Birotteau semblaient le vouer éternellement au vicariat de la cathédrale. Cependant l'abbé

Troubert, arrivé à l'âge de cinquante ans, avait tout à fait dissipé, par la mesure de sa conduite, par l'apparence d'un manque total d'ambition et par sa vie toute sainte, les craintes que sa capacité soupçonnée et son terrible extérieur avaient inspirées à ses supérieurs. Sa santé s'étant même grièvement altérée depuis un an, sa prochaine élévation au vicariat général de l'archevêché paraissait probable. Ses compétiteurs eux-mêmes souhaitaient sa nomination, afin de pouvoir mieux préparer la leur pendant le peu de jours qui lui seraient accordés par une maladie devenue chronique. Loin d'offrir les mêmes espérances, le triple menton de Birotteau présentait aux concurrents qui lui disputaient son canonicat les symptômes d'une santé florissante, et sa goutte leur semblait être, suivant le proverbe, une assurance de longévité. L'abbé Chapeloud, homme d'un grand sens, et que son amabilité avait toujours fait rechercher par les gens de bonne compagnie et par les différents chefs de la métropole, s'était toujours opposé, mais secrètement et avec beaucoup d'esprit, à l'élévation de l'abbé Troubert ; il lui avait même très adroitement interdit l'accès de tous les salons où se réunissait la meilleure société de Tours, quoique, pendant sa vie, Troubert l'eût traité sans cesse avec un grand respect, en lui témoignant en toute occasion la plus haute déférence. Cette constante soumission n'avait pu changer l'opinion du défunt chanoine, qui, pendant sa dernière promenade, disait encore à Birotteau : « Défiez-vous de ce grand sec de Troubert ! C'est Sixte-Quint réduit

aux proportions de l'évêché. » Tel était l'ami, le com-
mensal de M^{lle} Gamard, qui venait, le lendemain
même du jour où elle avait pour ainsi dire déclaré
la guerre au pauvre Birotteau, le visiter et lui donner
des marques d'amitié.

— Il faut excuser Marianne, dit le chanoine en la
voyant entrer. Je pense qu'elle a commencé par venir
chez moi. Mon appartement est très humide, et j'ai
beaucoup toussé pendant toute la nuit. — Vous êtes
très sainement ici, ajouta-t-il en regardant les corniches.

— Oh ! je suis ici en chanoine, répondit Birotteau
en souriant.

— Et moi en vicaire, répliqua l'humble prêtre.

— Oui, mais vous logerez bientôt à l'Archevêché,
dit le bon prêtre, qui voulait que tout le monde fût
heureux.

— Oh ! ou dans le cimetière. Mais que la volonté de
Dieu soit faite !

Et Troubert leva les yeux au ciel par un mouvement de résignation.

— Je venais, ajouta-t-il, vous prier de me prêter le
*pouiller* des évêques. Il n'y a que vous à Tours qui
ayez cet ouvrage.

— Prenez-le dans ma bibliothèque, répondit Birotteau que la dernière phrase du chanoine fit ressou-
venir de toutes les jouissances de sa vie.

Le grand chanoine passa dans la bibliothèque et y
resta pendant le temps que le vicaire mit à s'habiller.
Bientôt la cloche du déjeuner se fit entendre, et le
goutteux pensant que, sans la visite de Troubert, il

n'aurait pas eu de feu pour se lever, se dit : « C'est un bon homme ! »

Les deux prêtres descendirent ensemble, armés chacun d'un énorme *in-folio* qu'ils posèrent sur une des consoles de la salle à manger.

— Qu'est-ce que c'est que ça ? demanda d'une voix aigre M^lle Gamard en s'adressant à Birotteau. J'espère que vous n'allez pas encombrer ma salle à manger de vos bouquins.

— C'est des livres dont j'ai besoin, répondit l'abbé Troubert. M. le vicaire a la complaisance de me les prêter.

— J'aurais dû deviner cela, dit-elle en laissant échapper un sourire de dédain. M. Birotteau ne lit pas souvent dans ces gros livres-là.

— Comment vous portez-vous, mademoiselle ? reprit le pensionnaire d'une voix flûtée.

— Mais pas très bien, répondit-elle sèchement. Vous êtes cause que j'ai été réveillée hier pendant mon premier sommeil, et toute ma nuit s'en est ressentie.

En s'asseyant, M^lle Gamard ajouta :

— Messieurs, le lait va se refroidir.

Stupéfait d'être si aigrement accueilli par son hôtesse quand il en attendait des excuses, mais effrayé, comme le sont les gens timides, par la perspective d'une discussion, surtout quand ils en sont l'objet, le pauvre vicaire s'assit en silence. Puis, en reconnaissant dans le visage de M^lle Gamard les symptômes d'une mauvaise humeur apparente, il resta constamment en

guerre avec sa raison qui lui ordonnait de ne pas
souffrir le manque d'égards de son hôtesse, tandis que
son caractère le portait à éviter une querelle. En proie
à cette angoisse intérieure, Birotteau commença par
examiner sérieusement les grandes hachures vertes
peintes sur le gros taffetas ciré que, par un usage
immémorial, M^lle Gamard laissait pendant le déjeuner
sur la table, sans avoir égard ni aux bords usés ni
aux nombreuses cicatrices de cette couverture. Les
deux pensionnaires se trouvaient établis, chacun dans
un fauteuil de canne, en face l'un de l'autre, à chaque
bout de cette table royalement carrée, dont le centre
était occupé par l'hôtesse, et qu'elle dominait du haut
de sa chaise à patins, garnie de coussins et adossée
au poêle de la salle à manger. Cette pièce et le salon
commun étaient situés au rez-de-chaussée, sous la
chambre et le salon de l'abbé Birotteau. Lorsque le
vicaire eut reçu de M^lle Gamard sa tasse de café
sucré, il fut glacé du profond silence dans lequel il
allait accomplir l'acte si habituellement gai de son
déjeuner. Il n'osait regarder ni la figure aride de
Troubert, ni le visage menaçant de la vieille fille, et
se tourna par contenance vers un gros carlin chargé
d'embonpoint, qui, couché sur un coussin près du
poêle, n'en bougeait jamais, trouvant toujours à sa
gauche un petit plat rempli de friandises, et à sa
droite un bol plein d'eau claire.

— Eh bien ! mon mignon, lui dit-il, tu attends ton
café.

Ce personnage, l'un des plus importants au logis,

mais un peu gênant en ce qu'il n'aboyait plus et
laissait la parole à sa maîtresse, leva sur Birotteau
ses petits yeux perdus sous les plis formés dans son
masque par la graisse, puis il les referma sournoisement. Pour comprendre la souffrance du pauvre
vicaire, il est nécessaire de dire que, doué d'une
loquacité vide et sonore comme le retentissement d'un
ballon il prétendait, sans avoir pu donner aux médecins une seule raison de son opinion, que les paroles
favorisaient la digestion. Mademoiselle, qui partageait
cette doctrine hygiénique, n'avait pas encore manqué,
malgré leur mésintelligence, à causer pendant le repas ;
mais, depuis plusieurs matinées, le vicaire avait usé
vainement son intelligence à lui faire des questions
insidieuses pour parvenir à lui délier la langue. Si les
bornes étroites dans lesquelles se renferme cette histoire
avaient permis de rapporter une seule de ces conversations qui excitaient presque toujours le sourire amer
et sardonique de l'abbé Troubert, elle eût offert une
peinture achevée de la vie béotienne des provinciaux.
Quelques gens d'esprit n'apprendraient peut-être pas
sans plaisir les étranges développements que l'abbé
Birotteau et M<sup>lle</sup> Gamard donnaient à leurs opinions
personnelles sur la politique, la religion et la littérature.
Il y aurait certes quelque chose de comique à exposer :
soit les raisons qu'ils avaient tous deux de douter
sérieusement, en 1820, de la mort de Napoléon ; soit
les conjectures qui les faisaient croire à l'existence
de Louis XVII, sauvé dans le creux d'une grosse
bûche. Qui n'eût pas ri de les entendre établissant,

par des raisons bien évidemment à eux, que le roi de France disposait seul de tous les impôts, que les Chambres étaient assemblées pour détruire le clergé, qu'il était mort plus de treize cent mille personnes sur l'échafaud pendant la Révolution ? Puis ils parlaient de la presse sans connaître le nombre des journaux, sans avoir la moindre idée de ce qu'était cet instrument moderne. Enfin, M. Birotteau écoutait avec attention M<sup>lle</sup> Gamard, quand elle disait qu'un homme nourri d'un œuf chaque matin devait infailliblement mourir à la fin de l'année, et que cela s'était vu ; qu'un petit pain mollet, mangé sans boire pendant quelques jours, guérissait de la sciatique ; que tous les ouvriers qui avaient travaillé à la démolition de l'abbaye Saint-Martin étaient morts dans l'espace de six mois ; que certain préfet avait fait tout son possible, sous Bonaparte, pour ruiner les tours de Saint-Gatien, et mille autres contes absurdes.

Mais en ce moment Birotteau se sentit la langue morte. Il se résigna donc à manger sans entamer la conversation. Bientôt il trouva ce silence dangereux pour son estomac et dit hardiment :

— Voilà du café excellent !

Cet acte de courage fut complètement inutile. Après avoir regardé le ciel par le petit espace qui séparait, au-dessus du jardin, les deux arcs-boutants noirs de Saint-Gatien, le vicaire eut encore le courage de dire :

— Il fera plus beau aujourd'hui qu'hier...

A ce propos, M<sup>lle</sup> Gamard se contenta de jeter la plus gracieuse de ses œillades à l'abbé Troubert, et reporta ses yeux empreints d'une sévérité terrible sur Birotteau, qui heureusement avait baissé les siens.

Nulle créature du genre féminin n'était plus capable que M$^{lle}$ Sophie Gamard de formuler la nature élégiaque de la vieille fille ; mais, pour bien peindre un être dont le caractère prête un intérêt immense aux petits événements de ce drame et à la vie intérieure des personnages qui en sont les acteurs, peut-être faut-il résumer ici les idées dont l'expression se trouve chez la vieille fille : la vie habituelle fait l'âme, et l'âme fait la physionomie. Si tout, dans la société comme dans le monde, doit avoir une fin, il y a certes ici-bas quelques existences dont le but et l'utilité sont inexplicables. La morale et l'économie politique repoussent également l'individu qui consomme sans produire, qui tient une place sur terre sans répandre autour de lui ni bien ni mal ; car le mal est sans doute un bien dont les résultats ne se manifestent pas immédiatement. Il est rare que les vieilles filles ne se rangent pas d'elles-mêmes dans la classe de ces êtres improductifs. Or, si la conscience de son travail donne à l'être agissant un sentiment de satisfaction qui l'aide à supporter la vie, la certitude d'être à charge ou même inutile doit produire un effet contraire, et inspirer pour lui-même à l'être inerte le mépris qu'il excite chez les autres. Cette dure réprobation sociale est une des causes qui, à l'insu des vieilles filles, contribuent à mettre dans leurs âmes le chagrin qu'expriment leurs figures. Un préjugé dans lequel il y a du vrai peut-être jette constamment partout, et en France encore plus qu'ailleurs, une grande défaveur sur la femme avec laquelle personne n'a voulu ni partager les biens ni supporter les maux de la vie. Or, il arrive pour les filles un âge où le monde, à tort ou à raison, les condamne sur le dédain dont elles sont victimes. Laides, la bonté de leur caractère devait racheter les imperfections de la nature ; jolies, leur malheur a dû être fondé sur des causes graves. On ne sait lesquelles, des unes ou des autres, sont les plus dignes de rebut. Si leur célibat a été raisonné, s'il est un vœu d'indépendance, ni les hommes, ni les mères ne leur pardonnent d'avoir menti au dévouement de la femme, en s'étant refusées aux passions qui rendent leur sexe si touchant ; renoncer à ses douleurs, c'est en abdiquer la poésie, et ne plus mériter les douces consolations auxquelles une mère a toujours d'incontestables droits. Puis les sentiments généreux, les qualités exquises de la femme ne se développent que par leur constant exercice ; en restant fille, une créature du sexe féminin n'est plus qu'un non-sens : égoïste et froide, elle fait horreur. Cet arrêt implacable est malheureusement trop juste pour que les vieilles filles en ignorent les motifs. Ces idées germent dans leur cœur aussi naturellement que les effets de leur triste vie se reproduisent dans leurs traits. Donc elles se flétrissent, parce que l'expansion constante ou le bonheur qui épanouit la figure des femmes et jette tant de mollesse dans leurs mouvements n'a jamais existé chez elles. Puis elles deviennent âpres et chagrines, parce qu'un être qui a manqué sa vocation

est malheureux : il souffre, et la souffrance engendre
la méchanceté. En effet, avant de s'en prendre à elle-
même de son isolement, une fille en accuse longtemps
le monde. De l'accusation à un désir de vengeance,
il n'y a qu'un pas. Enfin, la mauvaise grâce répandue
sur leurs personnes est encore un résultat nécessaire
de leur vie. N'ayant jamais senti le besoin de plaire,
l'élégance, le bon goût leur restent étrangers. Elles
ne voient qu'elles en elles-mêmes. Ce sentiment les
porte insensiblement à choisir les choses qui leur sont
commodes, au détriment de celles qui peuvent être
agréables à autrui. Sans se bien rendre compte de leur
dissemblance avec les autres femmes, elles finissent
par l'apercevoir et par en souffrir. La jalousie est un
sentiment indélébile dans les cœurs féminins. Les
vieilles filles sont donc jalouses à vide, et ne connaissent que les malheurs de la seule passion que les
hommes pardonnent au beau sexe, parce qu'elle les
flatte. Ainsi torturées dans tous leurs vœux, obligées
de se refuser aux développements de leur nature, les
vieilles filles éprouvent toujours une gêne intérieure
à laquelle elles ne s'habituent jamais. N'est-il pas dur
à tout âge, surtout pour une femme, de lire sur les
visages un sentiment de répulsion, quand il est dans
sa destinée de n'éveiller autour d'elle, dans les cœurs,
que des sensations gracieuses ? Aussi le regard d'une
vieille fille est-il toujours oblique, moins par modestie
que par peur et honte. Ces êtres ne pardonnent pas
à la société leur position fausse, parce qu'ils ne se
la pardonnent pas à eux-mêmes. Or, il est impossible

à une personne perpétuellement en guerre avec elle, ou en contradiction avec la vie, de laisser les autres en paix et de ne pas envier leur bonheur. Ce monde d'idées tristes était tout entier dans les yeux gris et ternes de M<sup>lle</sup> Gamard ; et le large cercle noir par lequel ils étaient bordés, accusait les longs combats de sa vie solitaire. Toutes les rides de son visage étaient droites. La charpente de son front, de sa tête et de ses joues avait les caractères de la rigidité, de la sécheresse. Elle laissait pousser, sans aucun souci, les poils jadis bruns de quelques signes parsemés sur son menton. Ses lèvres minces couvraient à peine des dents trop longues qui ne manquaient pas de blancheur. Brune, ses cheveux jadis noirs avaient été blanchis par d'affreuses migraines. Cet accident la contraignait à porter un tour ; mais ne sachant pas le mettre de manière à en dissimuler la naissance, il existait souvent de légers interstices entre le bord de son bonnet et le cordon noir qui soutenait cette demi-perruque assez mal bouclée. Sa robe, de taffetas en été, de mérinos en hiver, mais toujours de couleur carmélite, serrait un peu trop sa taille disgracieuse et ses bras maigres. Sans cesse rabattue, sa collerette laissait voir un cou dont la peau rougeâtre était aussi artistement rayée que peut l'être une feuille de chêne vue dans la lumière. Son origine expliquait assez bien les malheurs de sa conformation. Elle était fille d'un marchand de bois, espèce de paysan parvenu. A dix-huit ans elle avait pu être fraîche et grasse, mais il ne lui restait aucune trace ni de la blancheur de teint ni des jolies couleurs qu'elle se vantait d'avoir eues. Les tons de sa chair avaient contracté la tinte blafarde assez commune chez les dévotes. Son nez aquilin était celui de tous les traits de sa figure qui contribuait le plus à exprimer le despotisme de ses idées, de même que la forme plate de son front trahissait l'étroitesse de son esprit. Ses mouvements avaient une soudaineté bizarre qui excluait toute grâce, et rien qu'à la voir tirant son mouchoir de son sac pour se moucher à grand bruit, vous eussiez deviné son caractère et ses mœurs. D'une taille assez élevée, elle se tenait très droit, et justifiait l'observation d'un naturaliste qui a physiquement expliqué la démarche de toutes les vieilles filles en prétendant que leurs jointures se soudent. Elle marchait sans que le mouvement se distribuât également dans sa personne, de manière à produire ces ondulations si gracieuses, si attrayantes chez les femmes ; elle allait, pour ainsi dire, d'une seule pièce, en paraissant surgir, à chaque pas, comme la statue du Commandeur. Dans ses moments de bonne humeur elle donnait à entendre, comme le font toutes les vieilles filles, qu'elle aurait bien pu se marier, mais elle s'était heureusement aperçue à temps de la mauvaise foi de son amant, et faisait ainsi, sans le savoir, le procès à son cœur en faveur de son esprit de calcul.

Cette figure typique du genre *vieille fille* était très bien encadrée par les grotesques inventions d'un papier verni représentant des paysages turcs qui ornaient les murs de la salle à manger. M^{lle} Gamard se tenait habituellement dans cette pièce décorée

de deux consoles et d'un baromètre. A la place
adoptée par chaque abbé se trouvait un petit coussin
en tapisserie dont les couleurs étaient passées. Le
salon commun où elle recevait était digne d'elle.
Il sera bientôt connu en faisant observer qu'il se
nommait le *salon jaune* : les draperies en étaient
jaunes, le meuble et la tenture jaunes ; sur la cheminée
garnie d'une glace à cadre doré, des flambeaux et une
pendule en cristal jetaient un éclat dur à l'œil. Quant
au logement particulier de M^{lle} Gamard, il n'avait
été permis à personne d'y pénétrer. On pouvait
seulement conjecturer qu'il était rempli de ces chiffons,
de ces meubles usés, de ces espèces de haillons dont
s'entourent toutes les vieilles filles, et auxquels elles
tiennent tant.

Telle était la personne destinée à exercer la plus
grande influence sur les derniers jours de l'abbé
Birotteau.

Faute d'exercer, selon les vœux de la nature,
l'activité donnée à la femme, et par la nécessité où
elle était de la dépenser, cette vieille fille l'avait
transportée dans les intrigues mesquines, les caquetages de province et les combinaisons égoïstes dont
finissent par s'occuper exclusivement toutes les vieilles
filles. Birotteau, pour son malheur, avait développé
chez Sophie Gamard les seuls sentiments qu'il fût
possible à cette pauvre créature d'éprouver, ceux de
la haine, qui, latents jusqu'alors, par suite du calme
et de la monotonie d'une vie provinciale dont pour
elle l'horizon s'était encore rétréci, devaient acquérir

d'autant plus d'intensité qu'ils allaient s'exercer sur
de petites choses et au milieu d'une sphère étroite.
Birotteau était de ces gens qui sont prédestinés à tout
souffrir, parce que, ne sachant rien voir, ils ne peuvent
rien éviter : tout leur arrive.

— Oui, il fera beau, répondit après un moment le
chanoine, qui parut sortir de sa rêverie et vouloir
pratiquer les lois de la politesse.

Birotteau, effrayé du temps qui s'écoula entre la
demande et la réponse, car il avait, pour la première
fois de sa vie, pris son café sans parler, quitta la salle
à manger où son cœur était serré comme dans un
étau. Sentant sa tasse de café pesante sur son estomac,
il alla se promener tristement sur les petites allées
étroites et bordées de buis qui dessinaient une étoile
dans le jardin. Mais en se retournant, après le premier
tour qu'il y fit, il vit sur le seuil de la porte du salon
M<sup>lle</sup> Gamard et l'abbé Troubert plantés silencieusement : lui, les bras croisés et immobile comme la
statue d'un tombeau ; elle, appuyée sur la porte-
persienne. Tous deux semblaient, en le regardant,
compter le nombre de ses pas. Rien n'est déjà plus
gênant pour une créature naturellement timide que
d'être l'objet d'un examen curieux ; mais s'il est fait
par les yeux de la haine, l'espèce de souffrance qu'il
cause se change en un martyre intolérable. Bientôt
l'abbé Birotteau s'imagina qu'il empêchait M<sup>lle</sup> Gamard et le chanoine de se promener. Cette idée,
inspirée tout à la fois par la crainte et par la bonté,
prit un tel accroissement qu'elle lui fit abandonner

la place. Il s'en alla, ne pensant déjà plus à son canonicat, tant il était absorbé par la désespérante tyrannie de la vieille fille. Il trouva par hasard, et heureusement pour lui, beaucoup d'occupation à Saint-Gatien, où il y eut plusieurs enterrements, un mariage et deux baptêmes. Il put alors oublier ses chagrins. Quand son estomac lui annonça l'heure du dîner, il ne tira pas sa montre sans effroi, en voyant quatre heures et quelques minutes. Il connaissait la ponctualité de M^{lle} Gamard, il se hâta donc de se rendre au logis.

Il aperçut dans la cuisine le premier service desservi. Puis, quand il arriva dans la salle à manger, la vieille fille lui dit d'un son de voix où se peignaient également l'aigreur d'un reproche et la joie de trouver son pensionnaire en faute :

— Il est quatre heures et demie, monsieur Birotteau. Vous savez que nous ne devons pas vous attendre.

Le vicaire regarda le cartel de la salle à manger, et la manière dont était posée l'enveloppe de gaze destinée à la garantir de la poussière lui prouva que son hôtesse l'avait remonté pendant la matinée, en se donnant le plaisir de le faire avancer sur l'horloge de Saint-Gatien. Il n'y avait pas d'observation possible. L'expression verbale du soupçon conçu par le vicaire eût causé la plus terrible et la mieux justifiée des explosions éloquentes que M^{lle} Gamard sût, comme toutes les femmes de sa classe, faire jaillir en pareil cas. Les mille et une contrariétés qu'une servante peut faire subir à son maître, ou une femme à son mari dans les habitudes privées de la vie, furent devinées par M^{lle} Gamard, qui en accabla son pensionnaire. La manière dont elle se plaisait à ourdir ses conspirations contre le bonheur domestique du pauvre prêtre portèrent l'empreinte du génie le plus profondément malicieux. Elle s'arrangea pour ne jamais paraître avoir tort.

Huit jours après le moment où ce récit commence, l'habitation de cette maison et les relations que l'abbé Birotteau avait avec M^{lle} Gamard lui révélèrent une trame ourdie depuis six mois. Tant que la vieille fille avait sourdement exercé sa vengeance, et que le vicaire avait pu s'entretenir volontairement dans l'erreur, en refusant de croire à des intentions malveillantes, le mal moral avait fait peu de progrès chez lui. Mais depuis l'affaire du bougeoir remonté, de la pendule avancée, Birotteau ne pouvait plus douter qu'il ne vécût sous l'empire d'une haine dont l'œil était toujours ouvert sur lui. Il arriva dès lors rapidement au désespoir, en apercevant, à toute heure, les doigts crochus et effilés de M^{lle} Gamard prêts à s'enfoncer dans son cœur. Heureuse de vivre par un sentiment aussi fertile en émotions que l'est celui de la vengeance, la vieille fille se plaisait à planer, à peser sur le vicaire, comme un oiseau de proie plane et pèse sur un mulot avant de le dévorer. Elle avait conçu depuis longtemps un plan que le prêtre abasourdi ne pouvait deviner, et qu'elle ne tarda pas à dérouler, en montrant le génie que savent déployer, dans les petites choses, les personnes solitaires dont l'âme, inhabile à sentir les grandeurs de la piété vraie, s'est jetée dans les minuties de la dévotion. Dernière, mais affreuse aggravation de peine ! La nature de ses chagrins interdisait à Birotteau, homme d'expansion, aimant à être plaint et consolé, la petite douceur de les raconter à ses amis. Le peu de tact qu'il devait à sa timidité lui faisait redouter de paraître ridicule en s'occupant de pareilles niaiseries. Et cependant ces niaiseries composaient toute son existence, sa chère existence pleine d'occupations dans le vide et de vide dans les occupations ; vie terne et grise où les sentiments trop forts étaient des malheurs, où l'absence de toute émotion était une félicité. Le paradis du pauvre prêtre se changea donc subitement en enfer. Enfin, ses souffrances devinrent intolérables. La terreur que lui causait la perspective d'une explication avec M^lle Gamard s'accrut de jour en jour ; et le malheur secret qui flétrissait les heures de sa vieillesse altéra sa santé.

Un matin, en mettant ses bas bleus chinés, il reconnut une perte de huit lignes dans la circonférence de son mollet. Stupéfait de ce diagnostic si cruellement irrécusable, il résolut de faire une tentative auprès de l'abbé Troubert, pour le prier d'intervenir officieusement entre M^lle Gamard et lui.

En se trouvant en présence de l'imposant chanoine, qui, pour le recevoir dans une chambre nue, quitta promptement un cabinet plein de papiers où il travaillait sans cesse, et où ne pénétrait personne, le vicaire eut presque honte de parler des taquineries de M^lle Gamard à un homme qui lui paraissait si sérieusement occupé. Mais après avoir subi toutes les angoisses de ces délibérations intérieures que les gens humbles, indécis ou faibles éprouvent même pour des choses sans importance, il se décida, non sans avoir le cœur grossi par des pulsations extraordinaires, à expliquer sa position à l'abbé Troubert. Le chanoine écouta d'un air grave et froid, essayant, mais en vain, de réprimer certains sourires qui, peut-être, eussent révélé les émotions d'un contentement intime à des yeux intelligents. Une flamme parut s'échapper de ses paupières lorsque Birotteau lui peignit, avec l'éloquence que donnent les sentiments vrais, la constante amertume dont il était abreuvé ; mais Troubert mit la main au-dessus de ses yeux par un geste assez familier aux penseurs, et garda l'attitude de dignité qui lui était habituelle. Quand le vicaire eut cessé de parler, il aurait été bien embarrassé s'il avait voulu chercher sur la figure de Troubert, alors marbrée par des taches plus jaunes encore que ne l'était ordinairement son teint bilieux, quelques traces des sentiments qu'il avait dû exciter chez ce prêtre mystérieux. Après être resté pendant un moment silencieux, le chanoine fit une de ces réponses dont toutes les paroles devaient être longtemps étudiées pour que leur portée fût entièrement mesurée, mais qui, plus tard, prouvaient aux gens réfléchis l'étonnante profondeur de son âme et la puissance de son esprit. Enfin, il accabla Birotteau en lui disant que « ces choses l'étonnaient d'autant plus qu'il ne s'en serait jamais aperçu sans la confession de son frère ; il attribuait ce défaut d'intelligence à ses occupations sérieuses, à ses travaux, et à la tyrannie de certaines pensées élevées qui ne lui permettaient pas de regarder aux détails de la vie. » Il lui fit observer, mais sans avoir l'air de vouloir censurer la conduite d'un homme dont l'âge et les connaissances méritaient son respect, que « jadis les solitaires songeaient rarement à leur nourriture, à leur abri, au fond des thébaïdes où ils se livraient à de saintes contemplations », et que, « de nos jours, le prêtre pouvait par la pensée se faire partout une thébaïde ». Puis, revenant à Birotteau, il ajouta que « ces discussions étaient toutes nouvelles pour lui. Pendant douze années, rien de semblable n'avait eu lieu entre M<sup>lle</sup> Gamard et le vénérable abbé Chapeloud. Quant à lui, sans doute, il pouvait bien, ajouta-t-il, devenir l'arbitre entre le vicaire et leur hôtesse, parce que son amitié pour elle ne dépassait pas les bornes imposées par les lois de l'Église à ses fidèles serviteurs ; mais alors la justice exigeait qu'il entendît aussi M<sup>lle</sup> Gamard. Que, d'ailleurs, il ne trouvait rien de changé en elle ; qu'il l'avait toujours vue ainsi ; qu'il s'était volontiers soumis à quelques-uns de ses caprices, sachant que cette respectable demoiselle était la bonté, la douceur même ; qu'il fallait attribuer les légers changements de son humeur aux souffrances causées par une pulmonie dont elle ne parlait pas et à laquelle elle se résignait en vraie chrétienne... » — Il finit en disant au vicaire, que, « pour peu qu'il restât encore quelques années auprès de mademoiselle, il saurait mieux l'apprécier et reconnaître les trésors de son excellent caractère ».

L'abbé Birotteau sortit confondu. Dans la nécessité fatale où il se trouvait de ne prendre conseil que de lui-même, il jugea M^{lle} Gamard d'après lui. Le bonhomme crut, en s'absentant pendant quelques jours, éteindre, faute d'aliment, la haine que lui portait cette fille. Donc il résolut d'aller, comme jadis, passer plusieurs jours à une campagne où M^{me} de Listomère se rendait à la fin de l'automne, époque à laquelle le ciel est ordinairement pur et doux en Touraine. Pauvre homme ! il accomplissait précisément les vœux secrets de sa terrible ennemie, dont les projets ne pouvaient être déjoués que par une patience de moine ; mais, ne devinant rien, ne sachant point ses propres affaires, il devait succomber comme un agneau, sous le premier coup du boucher.

Située sur la levée qui se trouve entre la ville de Tours et les hauteurs de Saint-Georges, exposée au midi, entourée de rochers, la propriété de M^{me} de Listomère offrait les agréments de la campagne et tous les plaisirs de la ville. En effet, il ne fallait pas plus de dix minutes pour venir du pont de Tours à la porte de cette maison, nommée *l'Alouette*, avantage précieux dans un pays où personne ne veut se déranger pour quoi que ce soit, même pour aller chercher un plaisir. L'abbé Birotteau était à l'Alouette depuis environ dix jours, lorsqu'un matin, au moment du déjeuner, le concierge vint lui dire que M. Caron désirait lui parler. M. Caron était un avocat chargé des affaires de M<sup>lle</sup> Gamard. Birotteau, ne s'en souvenant pas et ne se connaissant aucun point litigieux à démêler avec qui que ce fût au monde, quitta la table en proie à une sorte d'anxiété pour chercher l'avocat : il le trouva modestement assis sur la balustrade d'une terrasse.

— L'intention où vous êtes de ne plus loger chez M<sup>lle</sup> Gamard étant devenue évidente..., dit l'homme d'affaires.

— Eh ! monsieur, s'écria l'abbé Birotteau en interrompant, je n'ai jamais pensé à la quitter.

— Cependant, monsieur, reprit l'avocat, il faut bien que vous vous soyez expliqué à cet égard avec mademoiselle, puisqu'elle m'envoie à la fin de savoir si vous resterez longtemps à la campagne. Le cas d'une longue absence, n'ayant pas été prévu dans vos conventions, peut donner matière à contestation. Or, M<sup>lle</sup> Gamard entendant que votre pension...

— Monsieur, dit Birotteau surpris et interrompant encore l'avocat, je ne croyais pas qu'il fût nécessaire d'employer des voies presque judiciaires pour...

— M<sup>lle</sup> Gamard, qui veut prévenir toute difficulté, dit M. Caron, m'a envoyé pour m'entendre avec vous.

— Eh bien ! si vous voulez avoir la complaisance de revenir demain, reprit encore l'abbé Birotteau, j'aurai consulté de mon côté.

— Soit, dit Caron en saluant.

Et le ronge-papiers se retira. Le pauvre vicaire, épouvanté de la persistance avec laquelle M<sup>lle</sup> Gamard le poursuivait, rentra dans la salle à manger de M<sup>me</sup> de

Listomère en offrant une figure bouleversée. A son aspect, chacun de lui demander :

— Que vous arrive-t-il donc, monsieur Birotteau ?...

L'abbé, désolé, s'assit sans répondre, tant il était frappé par les vagues images de son malheur. Mais, après le déjeuner, quand plusieurs de ses amis furent réunis dans le salon devant un bon feu, Birotteau leur raconta naïvement les détails de son aventure. Ses auditeurs, qui commençaient à s'ennuyer de leur séjour à la campagne, s'intéressèrent vivement à cette intrigue si bien en harmonie avec la vie de province. Chacun prit parti pour l'abbé contre la vieille fille.

— Comment ! lui dit M<sup>me</sup> de Listomère, ne voyez-vous pas clairement que l'abbé Troubert veut votre logement ?

Ici, l'historien serait en droit de crayonner le portrait de cette dame ; mais il a pensé que ceux mêmes auxquels le système de *cognomologie* de Sterne est inconnu, ne pourraient pas prononcer ces trois mots : MADAME DE LISTOMÈRE, sans se la peindre noble, digne, tempérant les rigueurs de la piété par la vieille élégance des mœurs monarchiques et classiques, par des manières polies ; bonne, mais un peu raide ; légèrement nasillarde ; se permettant la lecture de la *Nouvelle Héloïse*, la comédie, et se coiffant encore en cheveux.

— Il ne faut pas que l'abbé Birotteau cède à cette vieille tracassière ! s'écria M. de Listomère, lieutenant de vaisseau venu en congé chez sa tante. Si le vicaire a du cœur et veut suivre mes avis, il aura bientôt conquis sa tranquillité.

Enfin, chacun se mit à analyser les actions de M^lle Gamard avec la perspicacité particulière aux gens de province, auxquels on ne peut refuser le talent de savoir mettre à nu les motifs les plus secrets des actions humaines.

— Vous n'y êtes pas, dit un vieux propriétaire qui connaissait le pays. Il y a là-dessous quelque chose de grave que je ne saisis pas encore. L'abbé Troubert est trop profond pour être deviné si promptement. Notre cher Birotteau n'est qu'au commencement de ses peines. D'abord, sera-t-il heureux et tranquille, même en cédant son logement à Troubert ? J'en doute. — Si Caron est venu vous dire, ajouta-t-il en se tournant vers le prêtre ébahi, que vous aviez l'intention de quitter M^lle Gamard, sans doute M^lle Gamard a l'intention de vous mettre hors de chez elle... Eh bien ! vous en sortirez bon gré mal gré. Ces sortes de gens ne hasardent jamais rien, et ne jouent qu'à coup sûr.

Ce vieux gentilhomme, nommé M. de Bourbonne, résumait toutes les idées de la province aussi complète-ment que Voltaire a résumé l'esprit de son époque. Ce vieillard sec et maigre professait en matière d'ha-billement toute l'indifférence d'un propriétaire dont la valeur territoriale est cotée dans le département. Sa physionomie, tannée par le soleil de la Touraine, était moins spirituelle que fine. Habitué à peser ses paroles, à combiner ses actions, il cachait sa profonde cir-conspection sous une simplicité trompeuse. Aussi l'observation la plus légère suffisait-elle pour apercevoir que, semblable à un paysan de Normandie, il avait toujours l'avantage dans toutes les affaires. Il était très supérieur en œnologie, la science favorite des Tourangeaux. Il avait su arrondir les prairies d'un de ses domaines aux dépens des lais de la Loire en évitant tout procès avec l'État. Ce bon tour le faisait passer pour un homme de talent. Si, charmé par la conversation de M. de Bourbonne, vous eussiez demandé sa biographie à quelque Tourangeau : « Oh ! *c'est un vieux malin !* » eût été la réponse proverbiale de tous ses jaloux, et il en avait beaucoup. En Touraine, la jalousie forme, comme dans la plupart des provinces, *le fond de la langue*.

L'observation de M. de Bourbonne occasionna momentanément un silence pendant lequel les personnes qui composaient ce petit comité parurent réfléchir. Sur ces entrefaites, M^lle Salomon de Villenoix fut annoncée. Amenée par le désir d'être utile à Birotteau, elle arrivait de Tours, et les nouvelles qu'elle en apportait changèrent complètement la face des affaires. Au moment de son arrivée, chacun, sauf le propriétaire, conseillait à Birotteau de guerroyer contre Troubert et Gamard, sous les auspices de la société aristocratique qui devait le protéger.

— Le vicaire général, auquel le travail du personnel est remis, dit M^lle Salomon, vient de tomber malade, et l'archevêque a commis à sa place M. l'abbé Troubert. Maintenant, la nomination au canonicat dépend donc entièrement de lui. Or, hier, chez M^lle de la Blottière, l'abbé Poirel a parlé des désagréments que l'abbé Birotteau causait à M^{lle} Gamard, de manière à vouloir justifier la disgrâce dont sera frappé notre bon abbé : « L'abbé Birotteau est un homme auquel l'abbé Chapeloud était bien nécessaire, disait-il ; et depuis la mort de ce vertueux chanoine, il a été prouvé que... » Les suppositions, les calomnies se sont succédé. Vous comprenez ?

— Troubert sera vicaire général, dit solennellement M. de Bourbonne.

— Voyons ! s'écria M^{me} de Listomère en regardant Birotteau, que préférez-vous : être chanoine, ou rester chez M^{lle} Gamard ?

— Être chanoine ! fut un cri général.

— Eh bien ! reprit M^{me} de Listomère, il faut donner gain de cause à l'abbé Troubert et à M^{lle} Gamard. Ne vous font-ils pas savoir indirectement, par la visite de Caron, que si vous consentez à les quitter vous serez chanoine. Donnant, donnant !

Chacun se récria sur la finesse et la sagacité de M^{me} de Listomère, excepté le baron de Listomère, son neveu, qui dit d'un ton comique à M. de Bourbonne :

— J'aurais voulu le combat entre *la Gamard* et *le Birotteau.*

Mais, pour le malheur du vicaire, les forces n'étaient pas égales entre les gens du monde et la vieille fille soutenue par l'abbé Troubert. Le moment arriva bientôt où la lutte devait se dessiner plus franchement, s'agrandir, et prendre des proportions énormes.

Sur l'avis de M^me de Listomère et de la plupart de ses adhérents qui commençaient à se passionner pour cette intrigue jetée dans le vide de leur vie provinciale, un valet fut expédié à M. Caron. L'homme d'affaires revint avec une célérité remarquable, et qui n'effraya que M. de Bourbonne.

— Ajournons toute décision jusqu'à un plus ample informé, fut l'avis de ce Fabius en robe de chambre auquel de profondes réflexions révélaient les hautes combinaisons de l'échiquier tourangeau.

Il voulut éclairer Birotteau sur les dangers de sa position. La sagesse du *vieux malin* ne servait pas les passions du moment, il n'obtint qu'une légère attention.

La conférence entre l'avocat et Birotteau dura peu. Le vicaire rentra tout effaré, disant :

— Il me demande un écrit qui constate mon *retrait*.

— Quel est ce mot effroyable ? dit le lieutenant de vaisseau.

— Qu'est-ce que cela veut dire ? s'écria M^me de Listomère.

— Cela signifie simplement que l'abbé doit déclarer vouloir quitter la maison de M^lle Gamard, répondit M. de Bourbonne en prenant une prise de tabac.

— N'est-ce que cela ? Signez ! dit M^me de Listomère en regardant Birotteau. Si vous êtes décidé sérieusement à sortir de chez elle, il n'y a aucun inconvénient à constater votre volonté...

La *volonté de Birotteau !*

— Cela est juste, dit M. de Bourbonne en fermant
sa tabatière par un geste sec dont la signification est
impossible à rendre, car c'était tout un langage. Mais
il est toujours dangereux d'écrire, ajouta-t-il en posant
sa tabatière sur la cheminée d'un air à épouvanter le
vicaire.

Birotteau se trouvait tellement hébété par le
renversement de toutes ses idées, par la rapidité des
événements qui le surprenaient sans défense, par la
facilité avec laquelle ses amis traitaient les affaires
les plus chères de sa vie solitaire, qu'il restait immobile,
comme perdu dans la lune, ne pensant à rien, mais
écoutant et cherchant à comprendre le sens des
rapides paroles que tout le monde prodiguait. Il prit
l'écrit de M. Caron, et le lut, comme si le *libellé* de
l'avocat allait être l'objet de son attention ; mais ce fut
un mouvement machinal. Et il signa cette pièce, par
laquelle il reconnaissait renoncer volontairement à
demeurer chez M<sup>lle</sup> Gamard, comme à y être nourri
suivant les conventions faites entre eux. Quand le
vicaire eut achevé d'apposer sa signature, le sieur
Caron reprit l'acte et lui demanda dans quel endroit
sa cliente devait faire remettre les choses à lui appartenant. Birotteau indiqua la maison de M<sup>me</sup> de Listomère.
Par un signe, cette dame consentit à recevoir l'abbé
pour quelques jours, ne doutant pas qu'il ne fût
bientôt nommé chanoine. Le vieux propriétaire voulut
voir cette espèce d'acte de renonciation, et M. Caron
le lui apporta.

— Eh bien ! demanda-t-il au vicaire après l'avoir lu,

il existe donc entre vous et M^lle Gamard des conventions écrites ? où sont-elles ? quelles en sont les stipulations ?

— L'acte est chez moi, répondit Birotteau.

— En connaissez-vous la teneur ? demanda le propriétaire à l'avocat.

— Non, monsieur, dit M. Caron en tendant la main pour reprendre le papier fatal.

« Ah ! se dit en lui-même le vieux propriétaire, toi, monsieur l'avocat, tu sais sans doute tout ce que cet acte contient ; mais tu n'es pas payé pour nous le dire. »

Et M. de Bourbonne rendit la renonciation à l'avocat.

— Où vais-je mettre tous mes meubles ? s'écria Birotteau, et mes livres, ma belle bibliothèque, mes beaux tableaux, mon salon rouge, enfin tout mon mobilier !

Et le désespoir du pauvre homme, qui se trouvait déplanté pour ainsi dire, avait quelque chose de naïf ; il peignait si bien la pureté de ses mœurs, son ignorance des choses du monde, que M^me de Listomère et M^lle Salomon lui dirent pour le consoler, en prenant le ton employé par les mères quand elles promettent un jouet à leurs enfants : « N'allez-vous pas vous inquiéter de ces niaiseries-là ? Mais nous vous trouverons bien une maison moins froide, moins noire que celle de M^lle Gamard. S'il ne se rencontre pas de logement qui vous plaise, eh bien, l'une de nous vous prendra chez elle en pension. Allons, faisons un trictrac. Demain vous irez voir M. l'abbé Troubert pour lui demander

son appui, et vous verrez comme vous serez bien
reçu par lui ! »

Les gens faibles se rassurent aussi facilement qu'ils
se sont effrayés. Donc le pauvre Birotteau, ébloui par
la perspective de demeurer chez M^me de Listomère,
oublia la ruine, consommée sans retour, du bonheur
qu'il avait si longtemps désiré, dont il avait si délicieusement joui. Mais le soir, avant de s'endormir, et avec
la douleur d'un homme pour qui le tracas d'un
déménagement et de nouvelles habitudes étaient la
fin du monde, il se tortura l'esprit à chercher où il
pourrait retrouver pour sa bilbiothèque un emplace-
ment aussi commode que l'était sa galerie. En voyant
ses livres errants, ses meubles disloqués et son ménage
en désordre, il se demandait mille fois pourquoi la
première année passée chez M^lle Gamard avait été si
douce, et la seconde si cruelle. Et toujours son aventure
était un puits sans fond où tombait sa raison. Le
canonicat ne lui semblait plus une compensation
suffisante à tant de malheurs, il comparait sa vie à un
bas dont une seule maille échappée faisait déchirer
toute la trame. M^lle Salomon lui restait. Mais, en
perdant ses vieilles illusions, le pauvre prêtre n'osait
plus croire à une jeune amitié.

Dans la *città dolente* des vieilles filles, il s'en rencontre beaucoup, surtout en France, dont la vie est
un sacrifice noblement offert tous les jours à de nobles
sentiments. Les unes demeurent fièrement fidèles à un
cœur que la mort leur a trop promptement ravi :
martyres de l'amour, elles trouvent le secret d'être

femmes par l'âme. Les autres obéissent à un orgueil
de famille, qui, chaque jour, déchoit à notre honte,
et se dévouent à la fortune d'un frère ou à des neveux
orphelins : celles-là se font mères en restant vierges.
Ces vieilles filles atteignent au plus haut héroïsme de
leur sexe, en consacrant tous les sentiments féminins
au culte du malheur. Elles idéalisent la figure de la
femme, en renonçant aux récompenses de sa destinée
et n'en acceptant que les peines. Elles vivent alors
entourées de la splendeur de leur dévouement, et les
hommes inclinent respectueusement la tête devant
leurs traits flétris. M^lle de Sombreuil n'a été ni femme
ni fille ; elle fut et sera toujours une vivante poésie.
M^lle Salomon appartenait à ces créatures héroïques.
Son dévouement était religieusement sublime, en ce
qu'il devait être sans gloire, après avoir été une
souffrance de tous les jours. Belle, jeune, elle fut aimée,
elle aima ; son prétendu perdit la raison. Pendant cinq
années elle s'était, avec le courage de l'amour, consacrée au bonheur mécanique de ce malheureux, de
qui elle avait si bien épousé la folie qu'elle ne le croyait
point fou. C'était, du reste, une personne simple de
manières, franche en son langage, et dont le visage
pâle ne manquait pas de physionomie, malgré la
régularité de ses traits. Elle ne parlait jamais des
événements de sa vie. Seulement, parfois, les tressaillements soudains qui lui échappaient en entendant
le récit d'une aventure affreuse ou triste, révélaient
en elle les belles qualités que développent les grandes
douleurs. Elle était venue habiter Tours après avoir

perdu le compagnon de sa vie. Elle ne pouvait y être appréciée à sa juste valeur, et passait pour une *bonne personne*. Elle faisait beaucoup de bien, et s'attachait, par goût, aux êtres faibles. A ce titre, le pauvre vicaire lui avait inspiré naturellement un profond intérêt.

M^lle de Villenoix, qui allait à la ville dès le matin, y emmena Birotteau, le mit sur le quai de la Cathédrale et le laissa s'acheminant vers le Cloître où il avait grand désir d'arriver pour sauver au moins le canonicat du naufrage, et veiller à l'enlèvement de son mobilier. Il ne sonna pas sans éprouver de violentes palpitations de cœur, à la porte de cette maison où il avait l'habitude de venir depuis quatorze ans, qu'il avait habitée, et d'où il devait s'exiler à jamais après avoir rêvé d'y mourir en paix, à l'imitation de son ami Chapeloud. Marianne fut surprise de voir le vicaire. Il lui dit qu'il venait parler à l'abbé Troubert, et se dirigea vers le rez-de-chaussée où demeurait le chanoine ; mais Marianne lui cria :

— L'abbé Troubert n'est plus là, monsieur le vicaire, il est dans votre ancien logement.

Ces mots causèrent un affreux saisissement au vicaire, qui comprit enfin le caractère de Troubert et la profondeur d'une vengeance si lentement calculée, en le trouvant établi dans la bibliothèque de Chapeloud, assis dans le beau fauteuil gothique de Chapeloud, couchant sans doute dans le lit de Chapeloud, jouissant des meubles de Chapeloud, logé au cœur de Chapeloup, annulant le testament de Chapeloud, et déshéritant enfin l'ami de ce Chapeloud, qui, pendant si longtemps, l'avait parqué chez M<sup>lle</sup> Gamard, en lui interdisant tout avancement et lui fermant les salons de Tours. Par quel coup de baguette magique cette métamorphose avait-elle eu lieu ? Tout cela n'appartenait-il donc plus à Birotteau ? Certes, en voyant l'air sardonique avec lequel Troubert contemplait cette bibliothèque le pauvre Birotteau jugea que le futur vicaire général était sûr de posséder toujours la dépouille de ceux qu'il avait si cruellement haïs, Chapeloud comme un ennemi, et Birotteau parce qu'en lui se retrouvait encore Chapeloud. Mille idées se levèrent, à cet aspect, dans le cœur du bonhomme, et le plongèrent dans une sorte de songe. Il resta immobile et comme fasciné par l'œil de Troubert, qui le regardait fixement.

— Je ne pense pas, monsieur, dit enfin Birotteau, que vous vouliez me priver des choses qui m'appartiennent. Si M<sup>lle</sup> Gamard a pu être impatiente de vous mieux loger, elle doit se montrer cependant assez juste pour me laisser le temps de reconnaître mes livres et d'enlever mes meubles.

— Monsieur, dit froidement l'abbé Troubert en ne laissant paraître sur son visage aucune marque d'émotion, M<sup>lle</sup> Gamard m'a instruit hier de votre départ, dont la cause m'est encore inconnue. Si elle m'a installé ici, ce fut par nécessité. M. l'abbé Poirel a pris mon appartement. J'ignore si les choses qui sont dans ce logement appartiennent ou non à mademoiselle ; mais si elles sont à vous, vous connaissez sa bonne foi : la sainteté de sa vie est une garantie de sa probité. Quant à moi, vous n'ignorez pas la simplicité de mes mœurs. J'ai couché pendant quinze années dans une chambre nue sans faire attention à l'humidité qui m'a tué à la longue. Cependant, si vous vouliez habiter de nouveau cet appartement, je vous le céderais volontiers.

En entendant ces mots terribles, Birotteau oublia l'affaire du canonicat, il descendit avec la promptitude d'un jeune homme pour chercher Mlle Gamard, et la rencontra au bas de l'escalier sur le large palier dallé qui unissait les deux corps de logis.

— Mademoiselle, dit-il en la saluant et sans faire attention ni au sourire aigrement moqueur qu'elle avait sur les lèvres ni à la flamme extraordinaire qui donnait à ses yeux la clarté de ceux du tigre, je ne m'explique pas comment vous n'avez pas attendu que j'aie enlevé mes meubles pour...

— Quoi ! lui dit-elle en l'interrompant. Est-ce que tous vos effets n'auraient pas été remis chez Mme de Listomère ?

— Mais mon mobilier ?

— Vous n'avez donc pas lu votre acte ? dit la vieille fille d'un ton qu'il faudrait pouvoir écrire en musique pour faire comprendre combien la haine sut mettre de nuances dans l'accentuation de chaque mot.

Et Mlle Gamard parut grandir, et ses yeux brillèrent encore, et son visage s'épanouit, et toute sa personne frissonna de plaisir. L'abbé Troubert ouvrit une fenêtre pour lire plus distinctement dans un volume in-folio. Birotteau resta comme foudroyé. Mlle Gamard lui cornait aux oreilles, d'une voix aussi claire que le son d'une trompette, les phrases suivantes :

— N'est-il pas convenu, au cas où vous sortiriez de chez moi, que votre mobilier m'appartiendrait, pour m'indemniser de la différence qui existait entre la quotité de votre pension et celle du respectable abbé Chapeloud ? Or, M. l'abbé Poirel ayant été nommé chanoine...

En entendant ces derniers mots, Birotteau s'inclina faiblement, comme pour prendre congé de la vieille fille ; puis il sortit précipitamment. Il avait peur, en restant plus longtemps, de tomber en défaillance et de donner ainsi un trop grand triomphe à de si implacables ennemis. Marchant comme un homme ivre, il gagna la maison de M^me de Listomère, où il trouva dans une salle basse son linge, ses vêtements et ses papiers contenus dans une malle. A l'aspect des débris de son mobilier, le malheureux prêtre s'assit, et se cacha le visage dans ses mains pour dérober aux gens la vue de ses pleurs. L'abbé Poirel était chanoine ! Lui, Birotteau, se voyait sans asile, sans fortune et sans mobilier ! Heureusement, M^lle Salomon vint à passer en voiture. Le concierge de la maison, qui comprit le désespoir du pauvre homme, fit un signe au cocher. Puis, après quelques mots échangés entre la vieille fille et le concierge, le vicaire se laissa conduire demi-mort près de sa fidèle amie, à laquelle il ne put dire que des mots sans suite. M^lle Salomon, effrayée du dérangement momentané d'une tête déjà si faible, l'emmena sur-le-champ à l'Alouette, en attribuant ce commencement d'aliénation mentale à l'effet qu'avait dû produire sur lui la nomination de l'abbé Poirel. Elle ignorait les conventions du prêtre avec M<sup>lle</sup> Gamard, par l'excellente raison qu'il en ignorait lui-même l'étendue. Et comme il est dans la nature que le comique se trouve mêlé parfois aux choses les plus pathétiques, les étranges réponses de Birotteau firent presque sourire M<sup>lle</sup> Salomon.

Chapeloud avait raison, disait-il. C'est un monstre !

— Qui ? demandait-elle.

— Chapeloud. Il m'a tout pris.

— Poirel donc ?

— Non, Troubert.

Enfin ils arrivèrent à l'Alouette, où les amis du prêtre lui prodiguèrent des soins si empressés que, vers le soir, ils le calmèrent et purent obtenir de lui le récit de ce qui s'était passé pendant la matinée.

Le flegmatique propriétaire demanda naturellement à voir l'acte qui, depuis la veille, lui paraissait contenir le mot de l'énigme. Birotteau tira le fatal papier timbré de sa poche, le tendit à M. de Bourbonne, qui le lut rapidement, et arriva bientôt à une clause ainsi conçue : « *Comme il se trouve une différence de huit cents francs par an entre la pension que payait feu monsieur Chapeloud et celle pour laquelle ladite Sophie Gamard consent à prendre chez elle, aux conditions ci-dessus stipulées, ledit François Birotteau ; attendu que le soussigné François Birotteau reconnaît surabondamment être hors d'état de donner pendant plusieurs années*

*le prix payé par les pensionnaires de la demoiselle
Gamard, et notamment par l'abbé Troubert ; enfin, eu
égard à diverses avances faites par ladite Sophie Gamard
soussignée, ledit Birotteau s'engage à lui laisser à titre
d'indemnité le mobilier dont il se trouvera possesseur à
son décès, ou lorsque, par quelque cause que ce puisse être,
il viendrait à quitter volontairement, et à quelque époque
que ce soit, les lieux à lui présentement loués, et à ne
plus profiter des avantages stipulés dans les engagements
pris par mademoiselle Gamard envers lui, ci-dessus...* »

— Tudieu ! quelle grosse ! s'écria le propriétaire, et
de quelles griffes est armée ladite Sophie Gamard !

Le pauvre Birotteau, n'imaginant dans sa cervelle
d'enfant aucune cause qui pût le séparer un jour de
M^{lle} Gamard, comptait mourir chez elle. Il n'avait
aucun souvenir de cette clause, dont les termes ne
furent pas même discutés jadis, tant elle lui avait
semblé juste, lorsque, dans son désir d'appartenir à
la vieille fille, il aurait signé tous les parchemins qu'on
lui aurait présentés. Cette innocence était si respectable
et la conduite de M^{lle} Gamard si atroce ; le sort de ce
pauvre sexagénaire avait quelque chose de si déplorable, et sa faiblesse le rendait si touchant, que, dans
un premier moment d'indignation, M^{me} de Listomère
s'écria :

— Je suis cause de la signature de l'acte qui vous a
ruiné, je dois vous rendre le bonheur dont je vous ai
privé.

— Mais, dit le vieux gentilhomme, l'acte constitue
un dol, et il y a matière à procès...

— Eh bien ! Birotteau plaidera. S'il perd à Tours, il gagnera à Orléans. S'il perd à Orléans, il gagnera à Paris ! s'écria le baron de Listomère.

— S'il veut plaider, reprit froidement M. de Bourbonne, je lui conseille de se démettre d'abord de son vicariat.

— Nous consulterons des avocats, reprit M$^{me}$ de Listomère, et nous plaiderons s'il faut plaider. Mais cette affaire est trop honteuse pour M$^{lle}$ Gamard, et peut devenir trop nuisible à l'abbé Troubert, pour que nous n'obtenions pas quelque transaction.

Après mûre délibération, chacun promit son assistance à l'abbé Birotteau dans la lutte qui allait s'engager entre lui et tous les adhérents de ses antagonistes. Un sûr pressentiment, un instinct provincial indéfinissable forçait chacun à unir les deux noms de Gamard et Troubert. Mais aucun de ceux qui se trouvaient alors chez M$^{me}$ de Listomère, excepté le vieux malin, n'avait une idée bien exacte de l'importance d'un semblable combat. M. de Bourbonne attira dans un coin le pauvre abbé.

— Des quatorze personnes qui sont ici, lui dit-il à voix basse, il n'y en aura pas une pour vous dans quinze jours. Si vous avez besoin d'appeler quelqu'un à votre secours, vous ne trouverez peut-être alors que moi d'assez hardi pour oser prendre votre défense, parce que je connais la province, les hommes, les choses, et, mieux encore, les intérêts ! Mais tous vos amis, quoique pleins de bonnes intentions, vous mettent dans un mauvais chemin d'où vous ne pourrez vous tirer. Écoutez mon conseil. Si vous voulez vivre en paix, quittez le vicariat de Saint-Gatien, quittez Tours. Ne dites pas où vous irez, mais allez chercher quelque cure éloignée où Troubert ne puisse pas vous rencontrer.

— Abandonner Tours ? s'écria le vicaire avec un effroi indescriptible.

C'était pour lui une sorte de mort. N'était-ce pas briser toutes les racines par lesquelles il s'était planté dans le monde ? Les célibataires remplacent les sentiments par les habitudes. Lorsqu'à ce système moral, qui les fait moins vivre que traverser la vie, se joint un caractère faible, les choses extérieures prennent sur eux un empire étonnant. Aussi Birotteau était-il devenu semblable à quelque végétal : le transplanter, c'était en risquer l'innocente fructification. De même que, pour vivre, un arbre doit retrouver à toute heure les mêmes sucs et toujours avoir ses chevelus dans le même terrain, Birotteau devait toujours trotter dans Saint-Gatien, toujours piétiner dans l'endroit du Mail où il se promenait habituellement, sans cesse parcourir les rues par lesquelles il passait, et continuer d'aller dans les trois salons où il jouait, pendant chaque soirée, au whist ou au trictrac.

— Ah ! je n'y pensais pas, répondit M. de Bourbonne en regardant le prêtre avec une espèce de pitié.

Tout le monde sut bientôt, dans la ville de Tours, que M$^{me}$ la baronne de Listomère, veuve d'un lieutenant général, recueillait l'abbé Birotteau, vicaire de Saint-Gatien. Ce fait, que beaucoup de gens révoquaient en doute, trancha nettement toutes les questions, et dessina les partis, surtout lorsque M^lle Salomon osa, la première, parler de dol et de procès. Avec la vanité subtile qui distingue les vieilles filles, et le fanatisme de personnalité qui les caractérise, M^lle Gamard se trouva fortement blessée du parti que prenait M^me de Listomère. La baronne était une femme de haut rang, élégante dans ses mœurs, et dont le bon goût, les manières polies, la piété ne pouvaient être contestés. Elle donnait, en recueillant Birotteau, le démenti le plus formel à toutes les assertions de M^lle Gamard, en censurait indirectement la conduite, et semblait sanctionner les plaintes du vicaire contre son ancienne hôtesse.

Il est nécessaire, pour l'intelligence de cette histoire, d'expliquer ici tout ce que le discernement et l'esprit d'analyse avec lequel les vieilles femmes se rendent compte des actions d'autrui prêtaient de force à M^lle Gamard, et quelles étaient les ressources de son parti. Accompagnée du silencieux abbé Troubert, elle allait passer ses soirées dans quatre ou cinq maisons où se réunissaient une douzaine de personnes toutes liées entre elles par les mêmes goûts et par l'analogie de leur situation. C'était un ou deux vieillards qui épousaient les passions et les caquetages de leurs servantes ; cinq ou six vieilles filles qui passaient toute leur journée à tamiser les paroles, à scruter les démarches de leurs voisins et des gens placés au-dessous d'elles dans la société ; puis, enfin, plusieurs femmes âgées, exclusivement occupées à distiller les médi-

sances, à tenir un registre exact de toutes les fortunes, ou à contrôler les actions des autres : elles pro-
nostiquaient les mariages et blâmaient la conduite de
leurs amies aussi aigrement que celle de leurs ennemies.
Ces personnes, logées toutes dans la ville de manière
à y figurer les vaisseaux capillaires d'une plante,
aspiraient, avec la soif d'une feuille pour la rosée, les
nouvelles, les secrets de chaque ménage, les pompaient
et les transmettaient machinalement à l'abbé Troubert, comme les feuilles communiquent à la tige la
fraîcheur qu'elles ont absorbée. Donc, pendant chaque
soirée de la semaine, excitées par ce besoin d'émotion
qui se retrouve chez tous les individus, ces bonnes
dévotes dressaient un bilan exact de la situation de la
ville, avec une sagacité digne du conseil des Dix, et
faisaient la police armée de cette espèce d'espionnage
à coup sûr que créent les passions. Puis quand elles
avaient deviné la raison secrète d'un événement, leur
amour-propre les portait à s'approprier la sagesse de
leur sanhédrin, pour donner le ton du bavardage dans
leurs zones respectives. Cette congrégation oisive et
agissante, invisible et voyant tout, muette et parlant
sans cesse, possédait alors une influence que sa nullité
rendait en apparence peu nuisible, mais qui cependant
devenait terrible quand elle était animée par un intérêt
majeur. Or, il y avait bien longtemps qu'il ne s'était
présenté dans la sphère de leurs existences un événement aussi grave et aussi généralement important pour
chacune d'elles que l'était la lutte de Birotteau, soutenu par M^{me} de Listomère, contre l'abbé Troubert et

M<sup>lle</sup> Gamard. En effet, les trois salons de M<sup>mes</sup> de
Listomère, Merlin de la Blottière et de Villenoix
étant considérés comme ennemis par ceux où allait
M<sup>lle</sup> Gamard, il y avait au fond de cette querelle l'esprit
de corps et toutes ses vanités. C'était le combat du
peuple et du sénat romain dans une taupinière, ou
une tempête dans un verre d'eau, comme l'a dit
Montesquieu en parlant de la république de Saint-
Marin dont les charges publiques ne duraient qu'un
jour, tant la tyrannie y était facile à saisir. Mais cette
tempête développait néanmoins dans les âmes autant
de passions qu'il en aurait fallu pour diriger les plus
grands intérêts sociaux. N'est-ce pas une erreur de
croire que le temps ne soit rapide que pour les cœurs
en proie aux vastes projets qui troublent la vie et la
font bouillonner. Les heures de l'abbé Troubert coulaient aussi animées, s'enfuyaient chargées de pensées
tout aussi soucieuses, étaient ridées par des désespoirs et
des espérances aussi profondes que pouvaient l'être les
heures cruelles de l'ambitieux, du joueur et de l'amant.
Dieu seul est dans le secret de l'énergie que nous
coûtent les triomphes occultement remportés sur les
hommes, sur les choses et sur nous-mêmes. Si nous ne
savons pas toujours où nous allons, nous connaissons
bien les fatigues du voyage. Seulement, s'il est permis
à l'historien de quitter le drame qu'il raconte pour
prendre pendant un moment le rôle des critiques, s'il
vous convie à jeter un coup d'œil sur les existences de
ces vieilles filles et des deux abbés, afin d'y chercher
la cause du malheur qui les viciait dans leur essence,

vous sera peut-être démontré qu'il est nécessaire à
l'homme d'éprouver certaines passions pour développer en lui des qualités qui donnent à sa vie la noblesse,
en étendent le cercle, et assoupissent l'égoïsme naturel
à toutes les créatures.

Mme de Listomère revint en ville sans savoir que,
depuis cinq ou six jours, plusieurs de ses amis étaient
obligés de réfuter une opinion accréditée sur elle,
dont elle aurait ri si elle l'eût connue, et qui supposait
à son affection pour son neveu des causes presque
criminelles. Elle mena l'abbé Birotteau chez son
avocat, à qui le procès ne parut pas chose facile. Les
amis du vicaire, animés par le sentiment que donne
la justice d'une bonne cause, ou paresseux pour un
procès qui ne leur était pas personnel, avaient remis
le commencement de l'instance au jour où ils revien-
draient à Tours. Les amis de Mlle Gamard purent
donc prendre les devants, et surent raconter l'affaire
peu favorablement pour l'abbé Birotteau. Donc
l'homme de loi, dont la clientèle se composait exclusivement des gens pieux de la ville, étonna beaucoup
Mme de Listomère en lui conseillant de ne pas s'embarquer dans un semblable procès, et il termina la
conférence en disant « que, d'ailleurs, il ne s'en char-
gerait pas, parce que, aux termes de l'acte, Mlle Gamard avait raison en droit ; qu'en équité, c'est-à-dire
en dehors de la justice, l'abbé Birotteau paraîtrait,
aux yeux du tribunal et à ceux des honnêtes gens,
manquer au caractère de paix, de conciliation et à
la mansuétude qu'on lui avait supposés jusqu'alors ;

que M^{lle} Gamard, connue pour une personne douce et facile à vivre, avait obligé Birotteau en lui prêtant l'argent nécessaire pour payer les droits successifs auxquels avait donné lieu le testament de Chapeloud, sans lui en demander de reçu ; que Birotteau n'était pas d'âge et de caractère à signer un acte sans savoir ce qu'il contenait, ni sans en connaître l'importance ; et que s'il avait quitté M^{lle} Gamard après deux ans d'habitation, quand son ami Chapeloud était resté chez elle pendant douze ans, et Troubert pendant quinze, ce ne pouvait être qu'en vue d'un projet à lui connu ; que le procès serait donc jugé comme un acte d'ingratitude », etc. Après avoir laissé Birotteau marcher en avant vers l'escalier, l'avoué prit M^{me} de Listomère à part, en la reconduisant, et l'engagea, au nom de son repos, à ne pas se mêler de cette affaire.

Cependant, le soir, le pauvre vicaire, qui se tourmentait autant qu'un condamné à mort dans le cabanon de Bicêtre quand il y attend le résultat de son pourvoi en cassation, ne put s'empêcher d'apprendre à ses amis le résultat de sa visite, au moment où, avant l'heure de faire les parties, le cercle se formait devant la cheminée de M^{me} de Listomère.

— Excepté l'avoué des libéraux, je ne connais, à Tours, aucun homme de chicane qui voulût se charger de ce procès sans avoir l'intention de le faire perdre, s'écria M. de Bourbonne, et je ne vous conseille pas de vous y embarquer.

— Eh bien ! c'est une infamie ! dit le lieutenant de vaisseau. Moi, je conduirai l'abbé chez cet avoué.

— Allez-y lorsqu'il fera nuit, dit M. de Bourbonne en l'interrompant.

— Et pourquoi ?

— Je viens d'apprendre que l'abbé Troubert est nommé vicaire général, à la place de celui qui est mort avant-hier.

— Je me moque bien de l'abbé Troubert.

Malheureusement, le baron de Listomère, homme de trente-six ans, ne vit pas le signe que lui fit M. de Bourbonne pour lui recommander de peser ses paroles, en lui montrant un conseiller de préfecture, ami de Troubert. Le lieutenant de vaisseau ajouta donc :

— Si M. l'abbé Troubert est un fripon...

— Oh ! dit M. de Bourbonne en l'interrompant, pourquoi mettre l'abbé Troubert dans une affaire à laquelle il est complètement étranger ?...

— Mais, reprit le baron, ne jouit-il pas des meubles de l'abbé Birotteau ? Je me souviens d'être allé chez Chapeloud, et d'y avoir vu deux tableaux de prix. Supposez qu'ils valent dix mille francs ?... Croyez-vous que M. Birotteau ait eu l'intention de donner, pour deux ans d'habitation chez cette Gamard, dix mille francs, quand déjà la bibliothèque et les meubles valent à peu près cette somme ?

L'abbé Birotteau ouvrit de grands yeux en apprenant qu'il avait possédé un capital si énorme.

Et le baron, poursuivant avec chaleur, ajouta :

— Pardieu ! M. Salmon, l'ancien expert du Musée de Paris, est venu voir ici sa belle-mère. Je vais y

aller ce soir même, avec l'abbé Birotteau, pour le
prier d'estimer les tableaux. De là je le mènerai chez
l'avoué.

Deux jours après cette conversation, le procès avait
pris de la consistance. L'avoué des libéraux, devenu
celui de Birotteau, jetait beaucoup de défaveur sur
la cause du vicaire. Les gens opposés au gouvernement, et ceux qui étaient connus pour ne pas aimer
les prêtres ou la religion, deux choses que beaucoup
de gens confondent, s'emparèrent de cette affaire, et
toute la ville en parla. L'ancien expert du Musée avait
estimé onze mille francs la Vierge du Valentin et le
Christ de Lebrun, morceaux d'une beauté capitale.
Quant à la bibliothèque et aux meubles gothiques,
le goût dominant qui croissait de jour en jour à Paris
pour ces sortes de choses leur donnait momentanément
une valeur de douze mille francs. Enfin, l'expert,
vérification faite, évalua le mobilier entier à dix mille
écus. Or, il était évident que, Birotteau n'ayant pas
entendu donner à M$^{lle}$ Gamard cette somme énorme
pour le peu d'argent qu'il pouvait lui devoir en vertu
de la soulte stipulée, il y avait, judiciairement parlant,
lieu à réformer leurs conventions ; autrement la vieille
fille eût été coupable d'un dol volontaire. L'avoué des
libéraux entama donc l'affaire en lançant un exploit
introductif d'instance à M$^{lle}$ Gamard. Quoique très
acerbe, cette pièce, fortifiée par des citations d'arrêts
souverains et corroborée par quelques articles du Code,
n'en était pas moins un chef-d'œuvre de logique
judiciaire, et condamnait si évidemment la vieille

fille, que trente ou quarante copies en furent méchamment distribuées dans la ville par l'opposition.

Quelques jours après le commencement des hostilités entre la vieille fille et Birotteau, le baron de Listomère, qui espérait être compris, en qualité de capitaine de corvette, dans la première promotion, annoncée depuis quelque temps au ministère de la marine, reçut une lettre par laquelle un de ses amis lui annonçait qu'il était question dans les bureaux de le mettre hors du cadre d'activité. Étrangement surpris de cette nouvelle, il partit immédiatement pour Paris, et vint à la première soirée du ministre, qui en parut fort étonné lui-même, et se prit à rire en apprenant les craintes dont lui fit part le baron de Listomère. Le lendemain, nonobstant la parole du ministre, le baron consulta les bureaux. Par une indiscrétion que certains chefs commettent assez ordinairement pour leurs amis, un secrétaire lui montra un travail tout préparé, mais que la maladie d'un directeur avait empêché jusqu'alors d'être soumis au ministre, et qui confirmait la fatale nouvelle. Aussitôt, le baron de Listomère alla chez un de ses oncles, lequel, en sa qualité de député, pouvait voir immédiatement le ministre à la Chambre, et il le pria de sonder les dispositions de Son Excellence, car il s'agissait pour lui de la perte de son avenir. Aussi attendit-il avec la plus vive anxiété, dans la voiture de son oncle, la fin de la séance.

Le député sortit bien avant la clôture, et dit à son neveu pendant le chemin qu'il fit en se rendant à son hôtel :

— Comment diable vas-tu te mêler de faire la guerre aux prêtres? Le ministre a commencé par m'apprendre que tu t'étais mis à la tête des libéraux à Tours! Tu as des opinions détestables, tu ne sais pas la ligne du gouvernement, etc. Ses phrases étaient aussi entortillées que s'il parlait encore à la Chambre. Alors je lui ai dit: «Ah çà! entendons-nous!» Son Excellence a fini par m'avouer que tu étais mal avec la grande aumônerie. Bref, en demandant quelques renseignements à mes collègues, j'ai su que tu parlais fort légèrement d'un certain abbé Troubert, simple vicaire général, mais le personnage le plus important de la province où il représente la congrégation. J'ai répondu pour toi corps pour corps au ministre, Monsieur mon neveu, si tu veux faire ton chemin, ne te crée aucune inimitié sacerdotale. Va vite à Tours, fais-y ta paix avec ce diable de vicaire général. Apprends que les vicaires généraux sont des hommes avec lesquels il faut toujours vivre en paix. Morbleu! lorsque nous travaillons tous à rétablir la religion, il est stupide à un lieutenant de vaisseau, qui veut être capitaine, de déconsidérer les prêtres. Si tu ne te raccommodes pas avec l'abbé Troubert, ne compte plus sur moi: je te renierai. Le ministre des affaires ecclésiastiques m'a parlé tout à l'heure de cet homme comme d'un futur évêque. Si Troubert prenait notre famille en haine, il pourrait m'empêcher d'être compris dans la prochaine fournée de pairs. Comprends-tu?

Ces paroles expliquèrent au lieutenant de vaisseau les secrètes occupations de Troubert, de qui Birotteau

disait niaisement : « Je ne sais pas à quoi lui sert de
passer les nuits. »

La position du chanoine au milieu du sénat femelle
qui faisait si subtilement la police de la province et
sa capacité personnelle l'avaient fait choisir par la
congrégation, entre tous les ecclésiastiques de la ville,
pour être le proconsul inconnu de la Touraine. Archevêque, général, préfet, grands et petits étaient sous
son occulte domination. Le baron de Listomère eut
bientôt pris son parti.

— Je ne veux pas, dit-il à son oncle, recevoir une
seconde bordée ecclésiastique dans mes *œuvres vives*.

Trois jours après cette conférence diplomatique
entre l'oncle et le neveu, le marin, subitement revenu
par la malle-poste à Tours, révélait à sa tante, le soir
même de son arrivée, les dangers que couraient les
plus chères espérances de la famille de Listomère, s'ils
s'obstinaient l'un et l'autre à soutenir *cet imbécile de
Birotteau*. Le baron avait retenu M. de Bourbonne au
moment où le vieux gentilhomme prenait sa canne et
son chapeau pour s'en aller après la partie de whist.
Les lumières du vieux malin étaient indispensables
pour éclairer les écueils dans lesquels se trouvaient
engagés les Listomère, et le vieux malin n'avait préma-
turément cherché sa canne et son chapeau que pour se
faire dire à l'oreille : « Restez, nous avons à causer. »

Le prompt retour du baron, son air de contentement, en désaccord avec la gravité peinte en certains
moments sur sa figure, avaient accusé vaguement à
M. de Bourbonne quelques échecs reçus par le lieu-

tenant dans sa croisière contre Gamard et Troubert.
Il ne marqua point de surprise en entendant le baron
proclamer le secret pouvoir du vicaire général congréganiste.

— Je le savais, dit-il.

— Eh bien ! s'écria la baronne, pourquoi ne pas
nous avoir avertis ?

— Madame, répondit-il vivement, oubliez que j'ai
deviné l'invisible influence de ce prêtre et j'oublierai
que vous la connaissez également. Si nous ne gardions
pas le secret, nous passerions pour ses complices ;
nous serions redoutés et haïs. Imitez-moi : feignez
d'être une dupe ; mais sachez bien où vous mettez
les pieds. Je vous en avais assez dit, vous ne me com-
preniez point, et je ne voulais pas me compromettre.

— Comment  devons-nous  maintenant  nous  y
prendre ? dit le baron.

Abandonner Birotteau n'était pas une question, et
ce fut une première condition sous-entendue par les
trois conseillers.

— Battre en retraite avec les honneurs de la guerre
a toujours été le chef-d'œuvre des plus habiles
généraux, répondit M. de Bourbonne. Pliez devant
Troubert : si sa haine est moins forte que sa vanité,
vous vous en ferez un allié ; mais si vous pliez trop,
il vous marchera sur le ventre ; car :

Abîme tout plutôt, c'est l'esprit de l'Église,

a dit Boileau. Faites croire que vous quittez le service,
vous lui échappez, monsieur le baron. Renvoyez le

vicaire, madame, vous donnerez gain de cause à la
Gamard. Demandez chez l'archevêque à l'abbé
Troubert s'il sait le whist. Il vous dira *oui*. Priez-le
de venir faire une partie dans ce salon, où il veut
être reçu ! certes il y viendra. Vous êtes femme,
sachez mettre ce prêtre dans vos intérêts. Quand le
baron sera capitaine de vaisseau, son oncle pair de
France, Troubert évêque, vous pourrez faire Birotteau
chanoine tout à votre aise. Jusque-là pliez ; mais pliez
avec grâce et en menaçant. Votre famille peut prêter
à Troubert autant d'appui qu'il vous en donnera ;
vous vous entendrez à merveille. D'ailleurs marchez
la sonde en main, marin !

— Ce pauvre Birotteau ! dit la baronne.

— Oh ! entamez-le promptement, répliqua le propriétaire en s'en allant. Si quelque libéral adroit
s'emparait de cette tête vide, il vous causerait des
chagrins. Après tout, les tribunaux prononceraient
en sa faveur, et Troubert doit avoir peur du jugement.
Il peut encore vous pardonner d'avoir entamé le
combat ; mais après une défaite il serait implacable.
J'ai dit.

Il fit claquer sa tabatière, alla mettre ses doubles
souliers et partit.

Le lendemain matin, après le déjeuner, la baronne
resta seule avec le vicaire et lui dit, non sans un visible
embarras :

— Mon cher monsieur Birotteau, vous allez trouver
mes demandes bien injustes et bien inconséquentes ;
mais il faut, pour vous et pour nous, d'abord éteindre

votre procès contre M^lle Gamard en vous désistant de
vos prétentions, puis quitter ma maison.

En entendant ces mots le pauvre prêtre pâlit.

— Je suis, reprit-elle, la cause innocente de vos
malheurs, et sais que sans mon neveu vous n'eussiez
pas intenté le procès qui fait maintenant votre chagrin
et le nôtre. Mais écoutez !

Elle lui raconta succinctement l'immense étendue
de cette affaire et lui expliqua la gravité de ses suites.
Ses méditations lui avaient fait deviner pendant la
nuit les antécédents probables de la vie de Troubert :
elle put alors, sans se tromper, démontrer à Birotteau
la trame dans laquelle l'avait enveloppé cette vengeance si habilement ourdie, lui révéler la haute capacité, le pouvoir de son ennemi en lui en dévoilant la
haine, en lui en apprenant les causes, en le lui montrant
couché durant douze années devant Chapeloud, et
dévorant Chapeloud, et persécutant encore Chapeloud
dans son ami. L'innocent Birotteau joignit ses mains
comme pour prier et pleura de chagrin à l'aspect
d'horreurs humaines que son âme pure n'avait jamais
soupçonnées. Aussi effrayé que s'il se fût trouvé sur le
bord d'un abîme, il écoutait, les yeux fixes et humides,
mais sans exprimer aucune idée, le discours de sa bienfaitrice, qui lui dit en terminant :

— Je sais tout ce qu'il y a de mal à vous abandonner;
mais, mon cher abbé, les devoirs de famille passent
avant ceux de l'amitié. Cédez, comme je le fais, à cet
orage, je vous en prouverai toute ma reconnaissance.
Je ne vous parle pas de vos intérêts, je m'en charge.

Vous serez hors de toute inquiétude pour votre existence. Par l'entremise de Bourbonne, qui saura sauver les apparences, je ferai en sorte que rien ne vous manque. Mon ami, donnez-moi le droit de vous trahir. Je resterai votre amie, tout en me conformant aux maximes du monde. Décidez.

Le pauvre abbé stupéfait s'écria :

— Chapeloud avait donc raison en disant que si Troubert pouvait venir le tirer par les pieds dans la tombe il le ferait ! Il couche dans le lit de Chapeloud !

— Il ne s'agit pas de se lamenter, dit M^{me} de Listomère, nous avons peu de temps à nous. Voyons !

Birotteau avait trop de bonté pour ne pas obéir, dans les grandes crises, au dévouement irréfléchi du premier moment. Mais d'ailleurs sa vie n'était déjà plus qu'une agonie. Il dit, en jetant à sa protectrice un regard désespérant qui la navra :

— Je me confie à vous. Je ne suis plus qu'un *bourrier* de la rue !

Ce mot tourangeau n'a pas autre équivalent possible que le mot *brin de paille*. Mais il y a de jolis petits brins de paille, jaunes, polis, rayonnants, qui font le bonheur des enfants ; tandis que le bourrier est le brin de paille décoloré, boueux, roulé dans les ruisseaux, chassé par la tempête, tordu par les pieds du passant.

— Mais, madame, je ne voudrais pas laisser à l'abbé Troubert le portrait de Chapeloud ; il a été fait pour moi, il m'appartient, obtenez qu'il me soit rendu, j'abandonnerai tout le reste.

— Eh bien! dit M^me de Listomère, j'irai chez M^lle Ga-mard.

Ces mots furent dits d'un ton qui révéla l'effort extraordinaire que faisait la baronne de Listomère en s'abaissant à flatter l'orgueil de la vieille fille.

— Et, ajouta-t-elle, je tâcherai de tout arranger. A peine osé-je l'espérer. Allez voir M. de Bourbonne, qu'il minute votre désistement en bonne forme, apportez-m'en l'acte bien en règle ; puis, avec le secours de monseigneur l'archevêque, peut-être pourrons-nous en finir.

Birotteau sortit épouvanté. Troubert avait pris à ses yeux les dimensions d'une pyramide d'Égypte. Les mains de cet homme étaient à Paris et ses coudes dans le cloître Saint-Gatien.

« Lui, se dit-il, empêcher M. le marquis de Listomère de devenir pair de France ?... *Et peut-être, avec le secours de monseigneur l'archevêque, pourra-t-on en finir !* »

En présence de si grands intérêts, Birotteau se trouvait comme un ciron : il se faisait justice.

La nouvelle du déménagement de Birotteau fut d'autant plus étonnante que la cause en était impénétrable. M^me de Listomère disait que, son neveu voulant se marier et quitter le service, elle avait besoin, pour agrandir son appartement, de celui du vicaire. Personne ne connaissait encore le désistement de Birotteau. Ainsi les instructions de M. de Bourbonne étaient sagement exécutées. Ces deux nouvelles, en parvenant aux oreilles du grand vicaire, devaient flatter son amour-propre en lui apprenant que, si elle ne capitulait pas, la famille de Listomère restait au moins neutre et reconnaissait tacitement le pouvoir occulte de la congégation : le reconnaître, n'était-ce pas s'y soumettre ? Mais le procès demeurait tout entier *sub judice*. N'était-ce pas à la fois plier et menacer ?

Les Listomère avaient donc pris dans cette lutte une attitude exactement semblable à celle du grand vicaire : ils se tenaient en dehors et pouvaient tout diriger. Mais un événement grave survint et rendit encore plus difficile la réussite des desseins médités par M. de Bourbonne et par les Listomère pour apaiser le parti Gamard et Troubert. La veille, Mⁱˡᵉ Gamard avait pris du froid en sortant de la cathédrale, s'était mise au lit et passait pour être dangereusement malade. Toute la ville retentissait de plaintes excitées par une fausse commisération : « La sensibilité de Mⁱˡᵉ Gamard n'avait pu résister au scandale de ce procès. Malgré son bon droit, elle allait mourir de chagrin. Birotteau tuait sa bienfaitrice... » Telle était la substance des phrases jetées en avant par les tuyaux capillaires du grand conciliabule femelle et complaisamment répétées par la ville de Tours.

Mᵐᵉ de Listomère eut la honte d'être venue chez la vieille fille sans recueillir le fruit de sa visite. Elle demanda fort poliment à parler à M. le vicaire général. Flatté peut-être de recevoir dans la bibliothèque de Chapeloud, et au coin de cette cheminée ornée des deux fameux tableaux contestés, une femme par laquelle il avait été méconnu, Troubert fit attendre la baronne un moment ; puis il consentit à lui donner audience. Jamais courtisan ni diplomate ne mirent dans la discussion de leurs intérêts particuliers ou dans la conduite d'une négociation nationale, plus d'habileté, de dissimulation, de profondeur que n'en déployèrent la baronne et l'abbé dans le moment où ils se trouvèrent tous les deux en scène.

Semblable au parrain qui, dans le moyen âge, armait le champion et en fortifiait la valeur par d'utiles conseils, au moment où il entrait en lice, le vieux malin avait dit à la baronne :

— N'oubliez pas votre rôle, vous êtes conciliatrice et non partie intéressée. Troubert est également un médiateur. Pesez vos mots ! étudiez les inflexions de la voix du vicaire général. S'il se caresse le menton, vous l'aurez séduit.

Quelques dessinateurs se sont amusés à représenter en caricature le contraste fréquent qui existe entre *ce que l'on dit* et *ce que l'on pense*. Ici, pour bien saisir l'intérêt du duel de paroles qui eut lieu entre le prêtre et la grande dame, il est nécessaire de dévoiler les pensées qu'ils cachèrent mutuellement sous des phrases en apparence insignifiantes. M^me de Listomère commença par témoigner le chagrin que lui causait le procès de Birotteau, puis elle parla du désir qu'elle avait de voir terminer cette affaire à la satisfaction des deux parties.

— Le mal est fait, madame, dit l'abbé d'une voix grave, la vertueuse M^lle Gamard se meurt... (*Je ne m'intéresse pas plus à cette sotte fille qu'au Prêtre-Jean*, pensait-il ; *mais je voudrais bien vous mettre sa mort sur*

*le dos et vous en inquiéter la conscience, si vous êtes*
*assez niaise pour en prendre du souci.*)

— En apprenant sa maladie, monsieur, lui répondit
la baronne, j'ai exigé de M. le vicaire un désistement
que j'apportais à cette sainte fille... (*Je te devine, rusé*
*coquin ! pensait-elle ; mais nous voilà mis à l'abri de tes*
*caprices. Quant à toi, si tu prends le désistement, tu*
*t'enferreras, tu avoueras ainsi ta complicité.*)

Il se fit un moment de silence.

— Les affaires temporelles de M^lle Gamard ne me
concernent pas, dit enfin le prêtre en abaissant ses
larges paupières sur ses yeux d'aigle pour voiler ses
émotions. (*Oh ! oh ! vous ne me compromettrez pas !*
*mais, Dieu soit loué ! les damnés avocats ne plaideront*
*pas une affaire qui pouvait me salir. Que veulent donc*
*les Listomère, pour se faire ainsi mes serviteurs ?*)

— Monsieur, répondit la baronne, les affaires de
M. Birotteau me sont aussi étrangères que vous le
sont les intérêts de M^lle Gamard ; mais malheureusement la religion peut souffrir de leurs débats, et je ne
vois en vous qu'un médiateur, là où moi-même j'agis
en conciliatrice... (*Nous ne nous abuserons ni l'un ni*
*l'autre, monsieurTroubert, pensait-elle. Sentez-vous le*
*tour épigrammatique de cette réponse ?*)

— La religion souffrir, madame ! dit le grand vicaire.
La religion est trop haut située pour que les hommes
puissent y porter atteinte. (*La religion, c'est moi,*
pensait-il). Dieu nous jugera sans erreur, madame,
ajouta-t-il, je ne reconnais que son tribunal.

— Eh bien ! monsieur, répondit-elle, tâchons d'accorder les jugements des hommes avec les jugements de Dieu. (*Oui, la religion, c'est toi.*)

L'abbé Troubert changea de ton :

— Monsieur votre neveu n'est-il pas allé à Paris? (*Vous avez eu là de mes nouvelles*, pensait-il. *Je puis vous écraser, vous qui m'avez méprisé. Vous venez capituler.*)

— Oui, monsieur, je vous remercie de l'intérêt que vous prenez à lui. Il retourne ce soir à Paris, il est mandé par le ministre, qui est parfait pour nous, et voudrait ne pas lui voir quitter le service. (*Jésuite, tu ne nous écraseras pas*, pensait-elle, *et ta plaisanterie est comprise.*)

Un moment de silence.

— Je ne trouve pas sa conduite convenable dans cette affaire, reprit-elle, mais il faut pardonner à un marin de ne pas se connaître en droit. (*Faisons alliance* pensait-elle. *Nous ne gagnerons rien à guerroyer.*)

Un léger sourire de l'abbé se perdit dans les plis de son visage.

— Il nous aura rendu le service de nous apprendre la valeur de ces deux peintures, dit-il en regardant les tableaux, elles seront un bel ornement pour la chapelle de la Vierge. (*Vous m'avez lancé une épigramme*, pensait-il, *en voici deux, nous sommes quittes, madame.*)

— Si vous les donniez à Saint-Gatien, je vous demanderais de me laisser offrir à l'église des cadres dignes du lieu et de l'œuvre. (*Je voudrais bien te faire avouer que tu convoitais les meubles de Birotteau*, pensait-elle.)

— Elles ne m'appartiennent pas, dit le prêtre en se tenant toujours sur ses gardes.

— Mais voici, dit M^me de Listomère, un acte qui éteint toute discussion et les rend à M^lle Gamard. [Elle posa le désistement sur la table.] (*Voyez, monsieur,* pensait-elle, *combien j'ai de confiance en vous.*) Il est digne de vous, monsieur, ajouta-t-elle, digne de votre beau caractère, de réconcilier deux chrétiens ; quoique je prenne maintenant peu d'intérêt à M. Birotteau.

— Mais il est votre pensionnaire, dit-il en l'interrompant.

— Non, monsieur, il n'est plus chez moi. (*La pairie de mon beau-frère et le grade de mon neveu me font faire bien des lâchetés,* pensait-elle.)

L'abbé demeura impassible, mais son attitude calme était l'indice des émotions les plus violentes. M. de Bourbonne avait seul deviné le secret de cette paix apparente. Le prêtre triomphait !

— Pourquoi vous êtes-vous donc chargée de son désistement ? demanda-t-il, excité par un sentiment analogue à celui qui pousse une femme à se faire répéter des compliments.

— Je n'ai pu me défendre d'un mouvement de compassion. Birotteau, dont le caractère faible doit vous être connu, m'a suppliée de voir M^lle Gamard, afin d'obtenir pour prix de sa renonciation à...

L'abbé fronça ses sourcils.

— ...à des *droits* reconnus par des avocats distingués, le portrait...

Le prêtre regarda M^me de Listomère.

— ... Le portrait de Chapeloud, dit-elle en continuant. Je vous laisse le juge de sa prétention... (*Tu
serais condamné, si tu voulais plaider*, pensait-elle.)

L'accent que prit la baronne pour prononcer les
mots *avocats distingués* fit voir au prêtre qu'elle connaissait le fort et le faible de l'ennemi. M^{me} de Listomère montra tant de talent à ce connaisseur émérite
dans le cours de cette conversation qui se maintint
longtemps sur ce ton, que l'abbé descendit chez
M^{lle} Gamard pour aller chercher sa réponse à la transaction proposée.

Troubert revint bientôt.

— Madame, voici les paroles de la pauvre mourante :
« *M. l'abbé Chapeloud m'a témoigné trop d'amitié*, m'a-
t-elle dit, *pour que je me sépare de son portrait.* » Quant
à moi, reprit-il, s'il m'appartenait, je ne le céderais à
personne. J'ai porté des sentiments trop constants au
pauvre défunt pour ne pas me croire le droit de dis-
puter son image à tout le monde.

— Monsieur, ne *nous brouillons* pas pour une
mauvaise peinture. (*Je m'en moque autant que vous
vous en moquez vous-même*, pensait-elle.) Gardez-la,
nous en ferons faire une copie. Je m'applaudis d'avoir
assoupi ce triste et déplorable procès, et j'y aurai
personnellement gagné le plaisir de vous connaître.
J'ai entendu parler de votre talent au whist. Vous
pardonnerez à une femme d'être curieuse, dit-elle en
souriant. Si vous vouliez venir jouer quelquefois chez
moi, vous ne pouvez pas douter de l'accueil que vous
y recevrez.

Troubert se caressa le menton. (*Il est pris ! Bourbonne avait raison*, pensait-elle, *il a sa dose de vanité*.)

En effet, le grand vicaire éprouvait en ce moment la sensation délicieuse contre laquelle Mirabeau ne savait pas se défendre, quand, aux jours de sa puissance, il voyait ouvrir devant sa voiture la porte cochère d'un hôtel autrefois fermé pour lui.

— Madame, répondit-il, j'ai de trop grandes occupations pour aller dans le monde ; mais pour vous, que ne ferait-on pas ? (*La vieille fille va crever, j'entamerai les Listomère, et les servirai s'ils me servent !* pensait-il. *Il vaut mieux les avoir pour amis que pour ennemis.*)

M^me de Listomère retourna chez elle, espérant que l'archevêque consommerait une œuvre de paix si heureusement commencée. Mais Birotteau ne devait pas même profiter de son désistement. M^me de Listomère apprit le lendemain la mort de M^lle Gamard. Le testament de la vieille fille ouvert, personne ne fut surpris en apprenant qu'elle avait fait l'abbé Troubert son légataire universel. Sa fortune fut estimée à cent mille écus. Le vicaire général envoya deux billets d'invitation pour le service et le convoi de son amie chez M^me de Listomère : l'un pour elle, l'autre pour son neveu.

— Il faut y aller, dit-elle.

— Ça ne veut pas dire autre chose ! s'écria M. de Bourbonne. C'est une épreuve par laquelle monseigneur Troubert veut vous juger. Baron, allez jusqu'au cimetière, ajouta-t-il en se tournant vers le lieutenant de vaisseau qui, pour son malheur, n'avait pas quitté Tours.

Le service eut lieu et fut d'une grande magnificence ecclésiastique. Une seule personne y pleura. Ce fut Birotteau qui, seul dans une chapelle écartée, et sans être vu, se crut coupable de cette mort et pria sincèrement pour l'âme de la défunte, en déplorant avec amertume de n'avoir pas obtenu d'elle le pardon de ses torts.

L'abbé Troubert accompagna le corps de son amie jusqu'à la fosse où elle devait être enterrée. Arrivé sur le bord, il prononça un discours où, grâce à son talent, le tableau de la vie étroite menée par la testatrice prit des proportions monumentales.

Les assistants remarquèrent ces paroles dans la péroraison :

« Cette vie pleine de jours acquis à Dieu et à sa religion, cette vie que décorent tant de belles actions faites dans le silence, tant de vertus modestes et ignorées, fut brisée· par une douleur que nous appellerions imméritée si, au bord de l'éternité, nous pouvions oublier que toutes nos afflictions nous sont envoyées par Dieu. Les nombreux amis de cette sainte fille, connaissant la noblesse et la candeur de son âme, prévoyaient qu'elle pouvait tout supporter, hormis des soupçons qui flétrissaient sa vie entière. Aussi, peut-être la Providence l'a-t-elle amenée au sein de Dieu pour l'enlever à nos misères. Heureux ceux qui peuvent reposer, ici-bas, en paix avec eux-mêmes, comme Sophie repose maintenant au séjour des bienheureux dans sa robe d'innocence ! »

— Quand il eut achevé ce pompeux discours, reprit M. de Bourbonne qui raconta les circonstances de l'enterrement à M^me de Listomère au moment où, les parties finies et les portes fermées, ils furent seuls avec le baron, figurez-vous, si cela est possible, ce Louis XI en soutane donnant ainsi le dernier coup de goupillon chargé d'eau bénite.

M. de Bourbonne prit la pincette et imita si bien le geste de l'abbé Troubert, que le baron et sa tante ne purent s'empêcher de sourire.

— Là seulement, reprit le vieux propriétaire, il s'est démenti. Jusqu'alors sa contenance avait été parfaite ; mais il lui a sans doute été impossible, en calfeutrant pour toujours cette vieille fille qu'il méprisait souverainement et haïssait peut-être autant qu'il a détesté Chapeloud, de ne pas laisser percer sa joie dans un geste.

Le lendemain matin, M^lle Salomon vint déjeuner chez M^me de Listomère, et, en arrivant, lui dit tout émue :

— Notre pauvre abbé Birotteau a reçu tout à l'heure un coup affreux qui annonce les calculs les plus étudiés de la haine. Il est nommé curé de Saint-Symphorien.

Saint-Symphorien est un faubourg de Tours, situé au delà du pont. Ce pont, un des plus beaux monuments de l'architecture française, a dix-neuf cents pieds de long, et les deux places qui le terminent à chaque bout sont absolument pareilles.

— Comprenez-vous ? reprit-elle après une pause et tout étonnée de la froideur que marquait Mᵐᵉ de Listomère en apprenant cette nouvelle. L'abbé Birotteau sera là comme à cent lieues de Tours, de ses amis, de tout. N'est-ce pas un exil d'autant plus affreux qu'il est arraché à une ville que ses yeux verront tous les jours et où il ne pourra plus guère venir ? Lui qui, depuis ses malheurs, peut à peine marcher, serait obligé de faire une lieue pour nous voir. En ce moment, le malheureux est au lit, il a la fièvre. Le presbytère de Saint-Symphorien est froid, humide, et la paroisse n'est pas assez riche pour le réparer. Le pauvre vieillard va donc se trouver enterré dans un véritable sépulcre. Quelle atroce combinaison !

Maintenant il nous suffira peut-être, pour achever cette histoire, de rapporter simplement quelques événements et d'esquisser un dernier tableau.

Cinq mois après, le vicaire général fut nommé évêque. Mᵐᵉ de Listomère était morte et laissait quinze cents francs de rente par testament à l'abbé Birotteau. Le jour où le testament de la baronne fut connu, monseigneur Hyacinthe, évêque de Troyes, était sur le point de quitter la ville de Tours pour aller résider dans son diocèse ; mais il retarda son départ. Furieux d'avoir été joué par une femme à laquelle il avait donné la main tandis qu'elle tendait secrètement la sienne à un homme qu'il regardait comme son ennemi, Troubert menaça de nouveau l'avenir du baron et la pairie du marquis de Listomère. Il dit en pleine assemblée, dans le salon de l'archevêque, un de ces mots ecclésiastiques gros de vengeance et pleins de mielleuse mansuétude. L'ambitieux marin vint voir ce prêtre implacable, qui lui dicta sans doute de dures conditions ; car la conduite du baron attesta le plus entier dévouement aux volontés du terrible congréganiste. Le nouvel évêque rendit, par un acte authentique, la maison de M<sup>lle</sup> Gamard au chapitre de la cathédrale, il donna la bibliothèque et les livres de Chapeloud au petit séminaire, il dédia les deux tableaux contestés à la chapelle de la Vierge ; mais il garda le portrait de Chapeloud. Personne ne s'expliqua cet abandon presque total de la succession de M<sup>lle</sup> Gamard. M. de Bourbonne supposa que l'évêque en conservait secrètement la partie liquide, afin d'être à même de tenir avec honneur son rang à Paris, s'il était porté au banc des évêques de la Chambre haute.

Enfin, la veille du départ de monseigneur Troubert, le *vieux malin* finit par deviner le dernier calcul que cachât cette action, coup de grâce donné par la plus persistante de toutes les vengeances à la plus faible de toutes les victimes. Le legs de M<sup>me</sup> de Listomère à Birotteau fut attaqué par le baron de Listomère sous prétexte de captation ! Quelques jours après l'exploit introductif d'instance, le baron fut nommé capitaine de vaisseau. Par une mesure disciplinaire, le curé de Saint-Symphorien était interdit. Les supérieurs ecclésiastiques jugeaient le procès par avance. L'assassin de feu Sophie Gamard était donc un fripon ! Si monseigneur Troubert avait conservé la succession de la vieille fille, il eût été difficile de faire censurer Birotteau.

Au moment où monseigneur Hyacinthe, évêque de Troyes, venait en chaise de poste, le long du quai Saint-Symphorien, pour se rendre à Paris, le pauvre abbé Birotteau avait été mis dans un fauteuil au soleil, au-dessus d'une terrasse. Ce pauvre prêtre, frappé par son archevêque, était pâle et maigre. Le chagrin, empreint dans tous les traits, décomposait entièrement ce visage qui jadis était si doucement gai. La maladie jetait sur ses yeux, naïvement animés autrefois par les plaisirs de la bonne chère et dénués d'idées pesantes, un voile qui simulait une pensée. Ce n'était plus que le squelette du Birotteau qui roulait, un an auparavant, si vide mais si content, à travers le Cloître. L'évêque lança sur sa victime un regard de mépris et de pitié, puis il consentit à l'oublier, et passa.

Nul doute que Troubert n'eût été en d'autres temps Hildebrand ou Alexandre VI. Aujourd'hui l'Église n'est plus une puissance politique et n'absorbe plus les forces des gens solitaires. Le célibat offre donc alors ce vice capital que, faisant converger les qualités de l'homme sur une seule passion, l'égoïsme, il rend les célibataires ou nuisibles ou inutiles. Nous vivons à une époque où le défaut des gouvernements est d'avoir moins fait la Société pour l'Homme que

l'Homme pour la Société. Il existe un combat perpétuel entre l'individu contre le système qui veut
l'exploiter et qu'il tâche d'exploiter à son profit ;
tandis que jadis l'homme réellement plus libre se
montrait plus généreux pour la chose publique. Le
cercle au milieu duquel s'agitent les hommes s'est
insensiblement élargi : l'âme qui peut en embrasser la
synthèse ne sera jamais qu'une magnifique exception ;
car, habituellement, en morale comme en physique,
le mouvement perd en intensité ce qu'il gagne en
étendue. La société ne doit pas se baser sur des
exceptions. D'abord, l'homme fut purement et
simplement père, et son cœur battit chaudement,
concentré dans le rayon de sa famille. Plus tard il
vécut pour un clan ou pour une petite république ;
de là les grands dévouements historiques de la Grèce
ou de Rome. Puis il fut l'homme d'une caste ou d'une
religion pour les grandeurs de laquelle il se montra
souvent sublime ; mais là le champ de ses intérêts
s'augmenta de toutes les régions intellectuelles.
Aujourd'hui sa vie est attachée à celle d'une immense
patrie ; bientôt sa famille sera, dit-on, le monde
entier. Ce cosmopolitisme moral, espoir de la Rome
chrétienne, ne serait-il pas une sublime erreur ? Il
est si naturel de croire à la réalisation d'une noble
chimère, à la fraternité des hommes. Mais, hélas ! la
machine humaine n'a pas de si divines proportions.
Les âmes assez vastes pour épouser une sentimentalité
réservée aux grands hommes ne seront jamais celles
ni des simples citoyens, ni des pères de famille.

Certains physiologistes pensent que lorsque le cerveau s'agrandit ainsi, le cœur doit se resserrer. Erreur ! L'égoïsme apparent des hommes qui portent une science, une nation, ou des lois dans leur sein, n'est-il pas la plus noble des passions, et, en quelque sorte, la maternité des masses ; pour enfanter des peuples neufs ou pour produire des idées nouvelles, ne doivent-ils pas unir dans leurs puissantes têtes les mamelles de la femme à la force de Dieu ? L'histoire des Innocent III, des Pierre le Grand, et de tous les meneurs de siècle ou de nation prouverait au besoin, dans un ordre très élevé, cette immense pensée que Troubert représentait au fond du cloître Saint-Gatien.

Saint-Firmin, avril 1832.

# LE COLONEL CHABERT

A MADAME LA COMTESSE IDA DE BOCARMÉ,
NÉE DU CHASTELER

ALLONS ! encore notre vieux carrick !

Cette exclamation échappait à un clerc appartenant au genre de ceux qu'on appelle dans les études des *saute-ruisseaux*, et qui mordait en ce moment de fort bon appétit dans un morceau de pain ; il en arracha un peu de mie pour faire une boulette qu'il lança railleusement par le vasistas d'une fenêtre sur laquelle il s'appuyait. Bien dirigée, la boulette rebondit presque à la hauteur de la croisée, après avoir frappé le chapeau d'un inconnu qui traversait la cour d'une maison située rue Vivienne, où demeurait Me Derville, avoué.

— Allons, Simonnin, ne faites donc pas de sottises aux gens, ou je vous mets à la porte. Quelque pauvre que soit un client, c'est toujours un homme, que diable ! dit le maître clerc en interrompant l'addition d'un mémoire de frais.

Le saute-ruisseau est généralement, comme était Simonnin, un garçon de treize à quatorze ans, qui dans toutes les études se trouve sous la domination spéciale du principal clerc dont les commissions et les

billets doux l'occupent tout en allant porter des
exploits chez les huissiers et des placets au palais.
Il tient au gamin de Paris par ses mœurs, et à la
chicane par sa destinée. Cet enfant est presque
toujours sans pitié, sand frein, indisciplinable, faiseur
de couplets, goguenard, avide et paresseux. Néanmoins presque tous les petits clercs ont une vieille
mère logée à un cinquième étage avec laquelle ils
partagent les trente ou quarante francs qui leur sont
alloués par mois.

— Si c'est un homme, pourquoi l'appelez-vous
*vieux carrick ?* dit Simonnin de l'air de l'écolier qui
prend son maître en faute.

Et il se remit à manger son pain et son fromage en
accotant son épaule sur le montant de la fenêtre, car il
se reposait debout, ainsi que les chevaux de coucou,
l'une de ses jambes relevée et appuyée contre l'autre,
sur le bout du soulier.

— Quel tour pourrions-nous jouer à ce chinois-là ?
dit à voix basse le troisième clerc nommé Godeschal,
en s'arrêtant au milieu d'un raisonnement qu'il
engendrait dans une requête grossoyée par le quatrième clerc et dont les copies étaient faites par deux
néophytes venus de province. [Puis il continua son
improvisation : ] ... *Mais, dans sa noble et bienveillante
sagesse, Sa Majesté Louis dix-huit* (mettez en toutes
lettres, hé ! Desroches le savant, qui faites la grosse !),
*au moment où elle reprit les rênes de son royaume,
comprit...* (qu'est-ce qu'il comprit, ce gros farceur-là ?)
*la haute mission à laquelle elle était appelée par la divine*

*Providence !......* (point admiratif et six points : on est
assez religieux au palais pour nous les passer), *et sa
première pensée fut, ainsi que le prouve la date de l'ordonnance ci-dessous désignée, de réparer les infortunes causées par les affreux et tristes désastres de nos temps ré-
volutionnaires, en restituant à ses fidèles et nombreux
serviteurs* (nombreux est une flatterie qui doit plaire au
tribunal) *tous leurs biens non vendus, soit qu'ils se trouvassent dans le domaine public, soit qu'ils se trouvassent
dans le domaine ordinaire ou extraordinaire de la couronne, soit enfin qu'ils se trouvassent dans les dotations
d'établissements publics, car nous sommes et nous nous
prétendons habiles à soutenir que tel est l'esprit et le
sens de la fameuse et si loyale ordonnance rendue en...* —
Attendez, dit Godeschal aux trois clercs, cette scélé-
rate de phrase a rempli la fin de ma page. Eh bien ! reprit-il en mouillant de sa langue le dos du cahier afin de
pouvoir tourner la page épaisse de son papier timbré ;
eh bien ! si vous voulez lui faire une farce, il faut lui
dire que le patron ne peut parler à ses clients qu'entre
deux et trois heures du matin : nous verrons s'il
viendra, le vieux malfaiteur !

Et Godeschal reprit la phrase commencée :

— *rendue en...* Y êtes-vous ? demanda-t-il.

— Oui, crièrent les trois copistes.

Tout marchait à la fois, la requête, la causerie et la
conspiration.

— *rendue en...* Hein ? papa Boucard, quelle est la
date de l'ordonnance ? il faut mettre les points sur les
*i*, saquerlotte ! Cela fait des pages.

— *Saquerlotte !* répéta l'un des copistes avant que Boucard le maître clerc eût répondu.

— Comment, vous avez écrit *saquerlotte ?* s'écria Godeschal en regardant l'un des nouveaux venus d'un air à la fois sévère et goguenard.

— Mais oui, dit Desroches, le quatrième clerc, en se penchant sur la copie de son voisin, il a écrit : *Il faut mettre les points sur les i,* et *sakerlotte* avec un k.

Tous les clercs partirent d'un grand éclat de rire.

— Comment, monsieur Huré, vous prenez *saquerlotte* pour un terme de droit, et vous dites que vous êtes de Mortagne ! s'écria Simonnin.

— Effacez bien ça ! dit le principal clerc. Si le juge chargé de taxer le dossier voyait des choses pareilles, il dirait qu'*on se moque de la barbouillée !* Vous causeriez des désagréments au patron. Allons, ne faites plus de ces bêtises-là, monsieur Huré ! Un Normand ne doit pas écrire insouciamment une requête. C'est le : *Portez arme !* de la basoche.

— *rendue en... en ?* demanda Godeschal. Dites-moi donc quand, Boucard ?

— Juin 1814, répondit le premier clerc sans quitter son travail.

Un coup frappé à la porte de l'étude interrompit la phrase de la prolixe requête. Cinq clercs bien endentés, aux yeux vifs et railleurs, aux têtes crépues, levèrent le nez vers la porte, après avoir tous crié d'une voix de chantre : « Entrez. »

Boucard resta la face ensevelie dans un monceau d'actes, nommés *broutille* en style de palais, et continua de dresser le mémoire de frais auquel il travaillait.

L'étude était une grande pièce ornée du poêle classique qui garnit tous les antres de la chicane. Les tuyaux traversaient diagonalement la chambre et rejoignaient une cheminée condamnée, sur le marbre de laquelle se voyaient divers morceaux de pain, des triangles de fromage de Brie, des côtelettes de porc frais, des verres, des bouteilles et la tasse de chocolat du maître clerc. L'odeur de ces comestibles s'amalgamait si bien avec la puanteur du poêle chauffé sans mesure, avec le parfum particulier aux bureaux et aux paperasses, que la puanteur d'un renard n'y aurait pas été sensible. Le plancher était déjà couvert de fange et de neige apportée par les clercs. Près de la fenêtre se trouvait le secrétaire à cylindre du principal, et auquel était adossée la petite table destinée au second clerc. Le second *faisait* en ce moment *le palais*. Il pouvait être de huit à neuf heures du matin. L'étude avait pour tout ornement ces grandes affiches jaunes qui annoncent des saisies immobilières, des ventes, des licitations entre majeurs et mineurs, des adjudications définitives ou préparatoires, la gloire des études ! Derrière le maître clerc était un énorme casier qui garnissait le mur du haut en bas, et dont chaque compartiment était bourré de liasses d'où pendaient un nombre infini d'étiquettes et de bouts de fil rouge qui donnent une physionomie spéciale aux dossiers de procédure. Les rangs inférieurs du casier étaient pleins de cartons jaunis par l'usage, bordés de papier bleu, et sur lesquels

se lisaient les noms des gros clients dont les affaires
juteuses se cuisinaient en ce moment. Les sales vitres
de la croisée laissaient passer peu de jour. D'ailleurs, au
mois de février, il existe à Paris très peu d'études où
l'on puisse écrire sans le secours d'une lampe avant dix
heures, car elles sont toutes l'objet d'une négligence
assez concevable : tout le monde y va, personne n'y
reste, aucun intérêt personnel ne s'attache à ce qui est
si banal, ni l'avoué, ni les plaideurs, ni les clercs ne
tiennent à l'élégance d'un endroit qui, pour les uns
est une classe, pour les autres un passage, pour le
maître un laboratoire. Le mobilier crasseux se transmet
d'avoués en avoués avec un scrupule si religieux que
certaines études possèdent encore des boîtes à *résidus*,
des moules à *tirets*, des sacs provenant des procureurs
au *Chlet*, abréviation du mot Châtelet, juridiction
qui représentait dans l'ancien ordre de choses le
tribunal de première instance actuel. Cette étude
obscure, grasse de poussière, avait donc, comme toutes
les autres, quelque chose de repoussant pour les plaideurs, et qui en faisait une des plus hideuses monstruosités parisiennes. Certes, si les sacristies humides où
les prières se pèsent et se payent comme des épices ; si
les magasins des revendeuses où flottent des guenilles
qui flétrissent toutes les illusions de la vie en nous
montrant où aboutissent nos fêtes ; si ces deux cloaques
de la poésie n'existaient pas, une étude d'avoué serait
de toutes les boutiques sociales la plus horrible. Mais
il en est ainsi de la maison de jeu, du tribunal, du
bureau de loterie et du mauvais lieu. Pourquoi ? Peut-

être, dans ces endroits le drame, en se jouant dans l'âme de l'homme, lui rend-il les accessoires indifférents ; ce qui expliquerait aussi la simplicité des grands penseurs et des grands ambitieux.

— Où est mon canif ?

— Je déjeune !

— Va te faire lanlaire, voilà un pâté sur la requête.

— Chît ! messieurs.

Ces diverses exclamations partirent à la fois au moment où le vieux plaideur ferma la porte avec cette sorte d'humilité qui dénature les mouvements de l'homme malheureux. L'inconnu essaya de sourire, mais les muscles de son visage se détendirent quand il eut vainement cherché quelques symptômes d'aménité sur les visages inexorablement insouciants des six clercs. Accoutumé sans doute à juger les hommes, il s'adressa fort poliment au saute-ruisseau, en espérant que ce pâtiras lui répondrait avec douceur.

— Monsieur, votre patron est-il visible ?

Le malicieux saute-ruisseau ne répondit au pauvre homme qu'en se donnant avec les doigts de la main gauche de petits coups répétés sur l'oreille, comme pour dire : « Je suis sourd. »

— Que souhaitez-vous, monsieur ? demanda Godeschal qui, tout en faisant cette question, avalait une bouchée de pain avec laquelle on eût pu charger une pièce de quatre, brandissait son couteau, et se croisait les jambes en mettant à la hauteur de son œil celui de ses pieds qui se trouvait en l'air.

— Je viens ici, monsieur, pour la cinquième fois,

répondit le patient, Je souhaite parler à M. Derville.

— Est-ce pour affaire ?

— Oui ; mais je ne puis l'expliquer qu'à monsieur...

— Le patron dort ; si vous désirez le consulter sur quelques difficultés, il ne travaille sérieusement qu'à minuit. Mais si vous vouliez nous dire votre cause, nous pourrions, tout aussi bien que lui, vous...

L'inconnu resta impassible. Il se mit à regarder modestement autour de lui, comme un chien qui, en se glissant dans une cuisine étrangère, craint d'y recevoir des coups. Par une grâce de leur état, les clercs n'ont jamais peur des voleurs, ils ne soupçonnèrent donc point l'homme au carrick et lui laissèrent observer le local, où il cherchait vainement un siège pour se reposer, car il était visiblement fatigué. Par système, les avoués laissent peu de chaises dans leurs études. Le client vulgaire, lassé d'attendre sur ses jambes, s'en va grognant, mais il ne prend pas un temps qui, suivant le mot d'un vieux procureur, n'est pas admis en *taxe*.

— Monsieur, répondit-il, j'ai déjà eu l'honneur de vous prévenir que je ne pouvais expliquer mon affaire qu'à M. Derville ; je vais attendre son lever.

Boucard avait fini son addition. Il sentit l'odeur de son chocolat, quitta son fauteuil de canne, vint à la cheminée, toisa le vieil homme, regarda le carrick et fit une grimace indescriptible. Il pensa probablement que, de quelque manière que l'on tordît ce client, il serait impossible d'en extraire un centime ; il intervint alors par une parole brève, dans l'intention de débarrasser l'étude d'une mauvaise pratique.

— Ils vous disent la vérité, monsieur. Le patron ne travaille que pendant la nuit. Si votre affaire est grave, je vous conseille de revenir à une heure du matin.

Le plaideur regarda le maître clerc d'un air stupide, et demeura pendant un moment immobile. Habitués à tous les changements de physionomie et aux singuliers caprices produits par l'indécision ou par la rêverie qui caractérisent les gens processifs, les clercs continuèrent à manger, en faisant autant de bruit avec leurs mâchoires que doivent en faire des chevaux au râtelier, et ne s'inquiétèrent plus du vieillard.

— Monsieur, je viendrai ce soir, dit enfin le vieux qui, par une ténacité particulière aux gens malheureux, voulait prendre en défaut l'humanité.

La seule épigramme permise à la misère est d'obliger la justice et la bienfaisance à des dénis injustes. Quand les malheureux ont convaincu la société de mensonge, ils se rejettent plus vivement dans le sein de Dieu.

— Ne voilà-t-il pas un fameux *crâne ?* dit Simonnin sans attendre que le vieillard eût fermé la porte.

— Il a l'air d'un déterré, reprit le clerc.

— C'est quelque colonel qui réclame un arriéré, dit le maître clerc.

— Non, c'est un ancien concierge, dit Godeschal.

— Parions qu'il est noble, s'écria Boucard.

— Je parie qu'il a été portier, répliqua Godeschal. Les portiers sont seuls doués par la nature de carricks usés, huileux et déchiquetés par le bas comme l'est celui de ce vieux bonhomme. Vous n'avez donc vu ni ses bottes éculées qui prennent l'eau, ni sa cravate qui lui sert de chemise ? Il a couché sous les ponts.

— Il pourrait être noble et avoir tiré le cordon !
s'écria Desroches. Ça s'est vu.

— Non, reprit Boucard au milieu des rires ; je
soutiens qu'il a été brasseur en 1789 et colonel sous la
République.

— Ah ! je parie un spectacle pour tout le monde
qu'il n'a pas été soldat, dit Godeschal.

— Ça va, répliqua Boucard.

— Monsieur ! monsieur ! cria le petit clerc en ouvrant
la fenêtre.

— Que fais-tu, Simonnin ? demanda Boucard.

— Je l'appelle pour lui demander s'il est colonel
ou portier ; il doit le savoir, lui.

Tous les clercs se mirent à rire. Quant au vieillard,
il remontait déjà l'escalier.

— Qu'allons-nous lui dire ? s'écria Godeschal.

— Laissez-moi faire ! répondit Boucard.

Le pauvre homme rentra timidement en baissant les
yeux, peut-être pour ne pas révéler sa faim en regardant avec trop d'avidité les comestibles.

— Monsieur, lui dit Boucard, voulez-vous avoir la
complaisance de nous donner votre nom afin que le
patron sache si...

— Chabert.

— Est-ce le colonel mort à Eylau ? demanda Huré
qui, n'ayant encore rien dit, était jaloux d'ajouter une
raillerie à toutes les autres.

— Lui-même, monsieur, répondit le bonhomme avec
une simplicité antique.

Et il se retira.

— Chouit !

— Dégommé !

— Puff !

— Oh !

— Ah !

— Bâoum !

— Ah ! le vieux drôle !

— Trinn, la, la, trinn, trinn.

— Enfoncé !

— Monsieur Desroches, vous irez au spectacle sans payer, dit Huré au quatrième clerc en lui donnant sur l'épaule une tape à tuer un rhinocéros.

Ce fut un torrent de cris, de rires et d'exclamations, à la peinture duquel on userait toutes les onomatopées de la langue.

— A quel théâtre irons-nous ?

— A l'Opéra, s'écria le principal.

— D'abord, reprit Godeschal, le théâtre n'a pas été désigné. Je puis, si je veux, vous mener chez Mme Saqui.

— Mme Saqui n'est pas un spectacle, dit Desroches.

— Qu'est-ce qu'un spectacle ? reprit Godeschal. Établissons d'abord le *point de fait*. Qu'ai-je parié, messieurs ? un spectacle. Qu'est-ce qu'un spectacle ? une chose qu'on voit...

— Mais dans ce système-là, vous vous acquitteriez donc en nous menant voir l'eau couler sous le Pont Neuf ? s'écria Simonnin en l'interrompant.

— Qu'on voit pour de l'argent, disait Godeschal en continuant.

— Mais on voit pour de l'argent bien des choses qui ne sont pas un spectacle. La définition n'est pas exacte, dit Desroches.

— Mais, écoutez-moi donc ?

— Vous déraisonnez, mon cher, dit Boucard.

— Curtius est-il un spectacle ? dit Godeschal.

— Non, répondit le maître clerc, c'est un cabinet de figures.

— Je parie cent francs contre un sou, reprit Godeschal, que le cabinet de Curtius constitue l'ensemble de choses auquel est dévolu le nom de spectacle. Il comporte une chose à voir à différents prix, suivant les différentes places où l'on veut se mettre...

— Et *berlick berlock*, dit Simonnin.

— Prends garde que je ne te giffle, toi ! dit Godeschal.

Les clercs haussèrent les épaules.

— D'ailleurs, il n'est pas prouvé que ce vieux singe ne se soit pas moqué de nous, dit-il en cessant son argumentation étouffée par le rire des autres clercs. En conscience, le colonel Chabert est bien mort, sa femme est remariée au comte Ferraud, conseiller d'État. M^{me} Ferraud est une des clientes de l'étude !

— La cause est remise à demain, dit Boucard. A l'ouvrage, messieurs ! Sac-à-papier ! l'on ne fait rien ici. Finissez donc votre requête, elle doit être signifiée avant l'audience de la quatrième chambre. L'affaire se juge aujourd'hui. Allons, à cheval.

— Si c'eût été le colonel Chabert, est-ce qu'il n'aurait pas chassé le bout de son pied dans le postérieur

de ce farceur de Simonnin quand il a fait le sourd ?
dit Huré en regardant cette observation comme plus
concluante que celle de Godeschal.

— Puisque rien n'est décidé, reprit Boucard, con-
venons d'aller aux secondes loges des Français voir
Talma dans *Néron*. Simonnin ira au parterre.

Là-dessus, le maître clerc s'assit à son bureau, et
chacun l'imita.

— *Rendue en juin mil huit cent quatorze* (en toutes
lettres), dit Godeschal, y êtes-vous ?

— Oui, répondirent les deux copistes et le grossoyeur
dont les plumes commencèrent à crier sur le papier
timbré en faisant dans l'étude le bruit de cent hanne-
tons enfermés par des écoliers dans des cornets de
papier.

— *Et nous espérons que messieurs composant le
tribunal*, dit l'improvisateur. Halte ! il faut que je
relise ma phrase, je ne me comprends plus moi-même.

— Quarante-six... Ça doit arriver souvent !... et
trois quarante-neuf, dit Boucard.

— *Nous espérons*, reprit Godeschal après avoir tout
relu, *que messieurs composant le tribunal ne seront pas
moins grands que ne l'est l'auguste auteur de l'ordonnance
et qu'ils feront justice des misérables prétentions de
l'administration de la grande chancellerie de la Légion
d'honneur en fixant la jurisprudence dans le sens large
que nous établissons ici...*

— Monsieur Godeschal, voulez-vous un verre d'eau ?
dit le petit clerc.

— Ce farceur de Simonnin ! dit Boucard. Tiens,

apprête tes chevaux à double semelle, prends ce
paquet, et valse jusqu'aux Invalides.

— *Que nous établissons ici*, reprit Godeschal.
Ajoutez : *dans l'intérêt de madame...* (en toutes lettres)
*la vicomtesse de Grandlieu...*

— Comment ! s'écria le maître clerc, vous vous
avisez de faire des requêtes dans l'affaire. Vicomtesse
de Grandlieu contre Légion d'honneur, une affaire
pour compte d'étude, entreprise à forfait ? Ah ! vous
êtes un fier nigaud ! Voulez-vous bien me mettre de
côté vos copies et votre minute, gardez-moi cela pour
l'affaire Navarreins contre les Hospices. Il est tard,
je vais faire un bout de placet, avec des *attendu*, et
j'irai moi-même au palais...

Cette scène représente un des mille plaisirs qui, plus
tard, font dire en pensant à la jeunesse : « C'était le
bon temps ! »

Vers une heure du matin, le prétendu colonel
Chabert vint frapper à la porte de M^e Derville, avoué
près le tribunal de première instance du département
de la Seine. Le portier lui répondit que M. Derville
n'était pas rentré. Le vieillard allégua le rendez-vous
et monta chez ce célèbre légiste, qui, malgré sa
jeunesse, passait pour être une des plus fortes têtes
du palais.

Après avoir sonné, le défiant solliciteur ne fut pas
médiocrement étonné de voir le premier clerc occupé
à ranger sur la table de la salle à manger de son
patron les nombreux dossiers des affaires qui *venaient*
le lendemain en ordre utile. Le clerc, non moins

étonné, salua le colonel en le priant de s'asseoir : ce que fit le plaideur.

— Ma foi, monsieur, j'ai cru que vous plaisantiez hier en m'indiquant une heure si matinale pour une consultation, dit le vieillard avec la fausse gaieté d'un homme ruiné qui s'efforce de sourire.

— Les clercs plaisantaient et disaient vrai tout ensemble, reprit le principal en continuant son travail. M. Derville a choisi cette heure pour examiner ses causes, en résumer les moyens, en ordonner la conduite, en disposer les *défenses*. Sa prodigieuse intelligence est plus libre en ce moment, le seul où il obtienne le silence et la tranquillité nécessaires à la conception des bonnes idées. Vous êtes, depuis qu'il est avoué, le troisième exemple d'une consultation donnée à cette heure nocturne. Après être rentré, le patron discutera chaque affaire, lira tout, passera peut-être quatre ou cinq heures à sa besogne ; puis il me sonnera et m'expliquera ses intentions. Le matin, de dix heures à deux heures, il écoute ses clients, puis il emploie le reste de la journée à ses rendez-vous. Le soir il va dans le monde pour y entretenir ses relations. Il n'a donc que la nuit pour creuser ses procès, fouiller les arsenaux du Code et faire ses plans de bataille. Il ne veut pas perdre une seule cause, il a l'amour de son art. Il ne se charge pas, comme ses confrères, de toute espèce d'affaires. Voilà sa vie, qui est singulièrement active. Aussi gagne-t-il beaucoup d'argent.

En entendant cette explication, le vieillard resta silencieux, et sa bizarre figure prit une expression si

dépourvue d'intelligence, que le clerc, après l'avoir
regardé, ne s'occupa plus de lui. Quelques instants
après Derville rentra, mis en costume de bal ; son
maître clerc lui ouvrit la porte et se remit à achever
le classement des dossiers. Le jeune avoué demeura
pendant un moment stupéfait en entrevoyant dans
le clair-obscur le singulier client qui l'attendait. Le
colonel Chabert était aussi parfaitement immobile que
peut l'être une figure de cire de ce cabinet de Curtius
où Godeschal avait voulu mener ses camarades. Cette
immobilité n'aurait peut-être pas été un sujet d'étonnement si elle n'eût complété le spectacle surnaturel
que présentait l'ensemble du personnage. Le vieux
soldat était sec et maigre. Son front, volontairement
caché sous les cheveux de sa perruque lisse, lui donnait
quelque chose de mystérieux. Ses yeux paraissaient
couverts d'une taie transparente ; vous eussiez dit de
la nacre sale dont les reflets bleuâtres chatoyaient à la
lueur des bougies. Le visage pâle, livide, et en lame
de couteau, s'il est permis d'emprunter cette expression vulgaire, semblait mort. Le cou était serré par
une mauvaise cravate de soie noire. L'ombre cachait
si bien le corps à partir de la ligne brune que décrivait
ce haillon, qu'un homme d'imagination aurait pu
prendre cette vieille tête pour quelque silhouette due
au hasard ou pour un portrait de Rembrandt sans
cadre. Les bords du chapeau qui couvrait le front du
vieillard projetaient un sillon noir sur le haut du
visage. Cet effet bizarre, quoique naturel, faisait ressortir, par la brusquerie du contraste, les rides blanches,

les sinuosités froides, le sentiment décoloré de cette
physionomie cadavéreuse. Enfin l'absence de tout
mouvement dans le corps, de toute chaleur dans le
regard, s'accordait avec une certaine expression de
démence triste, avec les dégradants symptômes par
lesquels se caractérise l'idiotisme, pour faire de cette
figure je ne sais quoi de funeste qu'aucune parole
humaine ne pourrait exprimer. Mais un observateur,
et surtout un avoué, aurait trouvé de plus, en cet
homme foudroyé, les signes d'une douleur profonde,
les indices d'une misère qui avait dégradé ce visage,
comme les gouttes d'eau tombées du ciel sur un beau
marbre l'ont à la longue défiguré. Un médecin, un
auteur, un magistrat eussent pressenti tout un drame
à l'aspect de cette sublime horreur dont le moindre
mérite était de ressembler à ces fantaisies que les
peintres s'amusent à dessiner au bas de leurs pierres
lithographiques en causant avec leurs amis.

En voyant l'avoué, l'inconnu tressaillit par un
mouvement convulsif semblable à celui qui échappe
aux poètes quand un bruit inattendu vient les détour-
ner d'une féconde rêverie, au milieu du silence et de
la nuit.

Le vieillard se découvrit promptement et se leva
pour saluer le jeune homme ; le cuir qui garnissait
l'intérieur de son chapeau étant sans doute fort gras,
sa perruque y resta collée sans qu'il s'en aperçut, et
laissa voir à nu son crâne horriblement mutilé par
une cicatrice transversale qui prenait à l'occiput et
venait mourir à l'œil droit, en formant partout une

grosse couture saillante. L'enlèvement soudain de cette perruque sale, que le pauvre homme portait pour cacher sa blessure, ne donna nulle envie de rire aux deux jeunes gens de loi, tant ce crâne fendu était épouvantable à voir. La première pensée que suggérait l'aspect de cette blessure était celle-ci : « Par là s'est enfuie l'intelligence ! »

« Si ce n'est pas le colonel Chabert, ce doit être un fier troupier ! » pensa Boucard.

— Monsieur, lui dit Derville, à qui ai-je l'honneur de parler ?

— Au colonel Chabert.

— Lequel ?

— Celui qui est mort à Eylau, répondit le vieillard.

En entendant cette singulière phrase, le clerc et l'avoué se jetèrent un regard qui signifiait : « C'est un fou ! »

— Monsieur, reprit le colonel, je désirerais ne confier qu'à vous le secret de ma situation.

Une chose digne de remarque est l'intrépidité naturelle aux avoués. Soit l'habitude de recevoir un grand nombre de personnes, soit le profond sentiment de la protection que les lois leur accordent, soit confiance en leur ministère, ils entrent partout sans rien craindre, comme les prêtres et les médecins. Derville fit un signe à Boucard, qui disparut.

— Monsieur, reprit l'avoué, pendant le jour je ne suis pas trop avare de mon temps ; mais au milieu de la nuit les minutes me sont précieuses. Ainsi, soyez bref et concis. Allez au fait sans digression. Je vous demanderai moi-même les éclaircissements qui me sembleront nécessaires. Parlez.

Après avoir fait asseoir son singulier client, le jeune homme s'assit lui-même devant la table ; mais, tout en prêtant son attention au discours du feu colonel, il feuilleta ses dossiers.

— Monsieur, dit le défunt, peut-être savez-vous que je commandais un régiment de cavalerie à Eylau. J'ai été pour beaucoup dans le succès de la célèbre charge que fit Murat, et qui décida le gain de la victoire. Malheureusement pour moi, ma mort est un fait historique consigné dans les *Victoires et Conquêtes*, où elle est rapportée en détail. Nous fendîmes en deux les trois lignes russes, qui, s'étant aussitôt reformées, nous obligèrent à les retraverser en sens contraire. Au moment où nous revenions vers l'empereur, après avoir dispersé les Russes, je rencontrai un gros de cavalerie ennemie. Je me précipitai sur ces entêtés-là. Deux officiers russes, deux vrais géants, m'attaquèrent à la fois. L'un d'eux m'appliqua sur la tête un coup de sabre qui fendit tout jusqu'à un bonnet de soie noire que j'avais sur la tête, et m'ouvrit profondément le crâne. Je tombai de cheval. Murat vint à mon secours, il me passa sur le corps, lui et tout son monde, quinze cents hommes, excusez du peu ! Ma mort fut annoncée à l'empereur qui, par prudence (il m'aimait un peu, le patron), voulut savoir s'il n'y aurait pas quelque chance de sauver l'homme auquel il était redevable de cette vigoureuse

attaque. Il envoya, pour me reconnaître et me rapporter aux ambulances, deux chirurgiens en leur
disant, peut-être trop négligemment, car il avait de
l'ouvrage : « Allez donc voir si, par hasard, mon pauvre
Chabert vit encore ? » Ces sacrés carabins, qui venaient
de me voir foulé aux pieds par les chevaux de deux
régiments, se dispensèrent sans doute de me tâter le
pouls et dirent que j'étais bien mort. L'acte de mon
décès fut donc probablement dressé d'après les règles
établies par la jurisprudence militaire.

En entendant son client s'exprimer avec une lucidité parfaite et raconter des faits si vraisemblables,
quoique étranges, le jeune avoué laissa ses dossiers,
posa son coude gauche sur la table, se mit la tête dans
la main, et regarda le colonel fixement.

— Savez-vous, monsieur, lui dit-il en l'interrompant,
que je suis l'avoué de la comtesse Ferraud, veuve du
colonel Chabert ?

— Ma femme ! Oui, monsieur. Aussi, après cent
démarches infructueuses chez des gens de loi qui
m'ont tous pris pour un fou, me suis-je déterminé à
venir vous trouver. Je vous parlerai de mes malheurs
plus tard. Laissez-moi d'abord vous établir les faits,
vous expliquer plutôt comme ils ont dû se passer que
comme ils sont arrivés. Certaines circonstances, qui ne
doivent être connues que du Père éternel, m'obligent
à en présenter plusieurs comme des hypothèses. Donc,
monsieur, les blessures que j'ai reçues auront probablement produit un tétanos, ou m'auront mis dans
une crise analogue à une maladie nommée, je crois,

catalepsie. Autrement, comment concevoir que j'aie
été, suivant l'usage de la guerre, dépouillé de mes vêtements et jeté dans la fosse aux soldats par les gens
chargés d'enterrer les morts ! Ici, permettez-moi de
placer un détail que je n'ai pu connaître que postérieu-
rement à l'événement qu'il faut bien appeler ma mort.
J'ai rencontré, en 1814, à Stuttgard un ancien maréchal des logis de mon régiment. Ce cher homme, le
seul qui ait voulu me reconnaître, et de qui je vous
parlerai tout à l'heure, m'expliqua le phénomène de
ma conservation en me disant que mon cheval avait
reçu un boulet dans le flanc au moment où je fus
blessé moi-même. La bête et le cavalier s'étaient donc
abattus comme des capucins de cartes. En me ren-
versant soit à droite, soit à gauche, j'avais été sans
doute couvert par le corps de mon cheval qui m'empêcha d'être écrasé par les chevaux ou atteint par des
boulets. Lorsque je revins à moi, monsieur, j'étais dans
une position et dans une atmosphère dont je ne vous
donnerais pas une idée en vous les racontant jusqu'à
demain. Le peu d'air que je respirais était méphitique.
Je voulus me mouvoir, et ne trouvai point d'espace.
En ouvrant les yeux, je ne vis rien. La rareté de l'air
fut l'accident le plus menaçant et qui m'éclaira le plus
vivement sur ma position. Je compris que là où j'étais
l'air ne se renouvelait point, et que j'allais mourir.
Cette pensée m'ôta le sentiment de la douleur inexprimable par laquelle j'avais été réveillé. Mes oreilles
tintèrent violemment. J'entendis ou crus entendre, je
ne veux rien affirmer, des gémissements poussés par le

monde de cadavres au milieu duquel je gisais. Quoique
la mémoire de ces moments soit bien ténébreuse, quoique mes souvenirs soient bien confus, malgré les impressions de souffrances encore plus profondes que je
devais éprouver et qui ont brouillé mes idées, il y a des
nuits où je crois encore entendre ces soupirs étouffés !
Mais il y a eu quelque chose de plus horrible que les
cris, un silence que je n'ai jamais retrouvé nulle part,
le vrai silence du tombeau. Enfin, en levant les mains,
en tâtant les morts, je reconnus un vide entre ma tête
et le fumier humain supérieur. Je pus donc mesurer
l'espace qui m'avait été laissé par un hasard dont la
cause m'était inconnue. Il paraît, grâce à l'insouciance
ou à la précipitation avec laquelle on nous avait jetés
pêle-mêle, que deux morts s'étaient croisés au-dessus
de moi de manière à décrire un angle semblable à celui
de deux cartes mises l'une contre l'autre par un enfant
qui pose les fondements d'un château. En furetant
avec promptitude, car il ne fallait pas flâner, je rencontrai fort heureusement un bras qui ne tenait à rien,
le bras d'un Hercule ! un bon os auquel je dus mon
salut. Sans ce secours inespéré, je périssais ! Mais, avec
une rage que vous devez concevoir, je me mis à travailler les cadavres qui me séparaient de la couche de
terre sans doute jetée sur nous, je dis nous, comme
s'il y eût eu des vivants. J'y allais ferme, monsieur,
car me voici ! Mais je ne sais pas aujourd'hui comment
j'ai pu parvenir à percer la couverture de chair qui
mettait une barrière entre la vie et moi. Vous me direz
que j'avais trois bras ! Ce levier, dont je me servais

avec habileté, me procurait toujours un peu de l'air
qui se trouvait entre les cadavres que je déplaçais, et
je ménageais mes aspirations. Enfin je vis le jour,
mais à travers la neige, monsieur ! En ce moment je
m'aperçus que j'avais la tête ouverte. Par bonheur,
mon sang, celui de mes camarades ou la peau meurtrie
de mon cheval peut-être, que sais-je ! m'avait, en se
coagulant, comme enduit d'un emplâtre naturel.
Malgré cette croûte, je m'évanouis quand mon crâne
fut en contact avec la neige. Cependant, le peu de
chaleur qui me restait ayant fait fondre la neige autour
de moi, je me trouvai, quand je repris connaissance,
au centre d'une petite ouverture par laquelle je criai
aussi longtemps que je pus. Mais alors le soleil se
levait, j'avais donc bien peu de chances pour être
entendu. Y avait-il déjà du monde aux champs ? Je
me haussais en faisant de mes pieds un ressort dont le
point d'appui était sur les défunts qui avaient les reins
solides. Vous sentez que ce n'était pas le moment de
leur dire : « *Respect au courage malheureux.* » Bref,
monsieur, après avoir eu la douleur, si le mot peut
rendre ma rage, de voir pendant longtemps, oh oui !
longtemps ! ces sacrés Allemands se sauvent en entendant une voix là où ils n'apercevaient point d'homme,
je fus enfin dégagé par une femme assez hardie ou
assez curieuse pour s'approcher de ma tête qui semblait avoir poussé hors de terre comme un champignon.
Cette femme alla chercher son mari, et tous deux me
transportèrent dans leur pauvre baraque. Il paraît que
j'eus une rechute de catalepsie, passez-moi cette ex-

pression pour vous peindre un état duquel je n'ai nulle idée, mais que j'ai jugé, sur les dires de mes hôtes, devoir être un effet de cette maladie. Je suis resté pendant six mois entre la vie et la mort, ne parlant pas, ou déraisonnant quand je parlais. Enfin mes hôtes me firent admettre à l'hôpital d'Heilsberg. Vous comprenez, monsieur, que j'étais sorti du ventre de la fosse aussi nu que de celui de ma mère ; en sorte que, six mois après, quand un beau matin je me souvins d'avoir été le colonel Chabert, et qu'en re-couvrant ma raison je voulus obtenir de ma garde plus de respect qu'elle n'en accordait à un pauvre diable, tous mes camarades de chambrée se mirent à rire. Heureusement pour moi, le chirurgien avait ré-pondu, par amour-propre, de ma guérison, et s'était naturellement intéressé à son malade. Lorsque je lui parlai d'une manière suivie de mon ancienne existence, ce brave homme, nommé Sparchmann, fit constater dans les formes juridiques voulues par le droit du pays, la manière miraculeuse dont j'étais sorti de la fosse des morts, le jour et l'heure où j'avais été trouvé par ma bienfaitrice et par son mari ; le genre, la position exacte de mes blessures, en joignant à ces différents procès-verbaux une description de ma personne. Eh bien ! monsieur, je n'ai ni ces pièces importantes ni la déclaration que j'ai faite chez un notaire d'Heilsberg, en vue d'établir mon identité ! Depuis le jour où je fus chassé de cette ville par les événements de la guerre, j'ai constamment erré comme un vagabond, mendiant mon pain, traité de fou lorsque je racontais mon aventure, et sans avoir ni trouvé, ni gagné un sou pour me procurer les actes qui pouvaient prouver mes dires et me rendre à la vie sociale. Souvent, mes douleurs me retenaient durant des semestres entiers dans de petites villes où l'on prodiguait des soins au Français malade, mais où l'on riait au nez de cet homme dès qu'il prétendait être le colonel Chabert. Pendant longtemps ces rires, ces doutes me mettaient dans une fureur qui me nuisit et me fit même enfermer comme fou à Stuttgard. A la vérité vous pouvez juger, d'après mon récit, qu'il y avait des raisons suffisantes pour faire coffrer un homme ! Après deux ans de détention que je fus obligé de subir, après avoir entendu mille fois mes gardiens disant : « Voilà un pauvre homme qui croit être le colonel Chabert ! » à des gens qui répondaient : « Le pauvre homme ! » je fus convaincu de l'impossibilité de ma propre aventure ; je devins triste, résigné, tranquille, et renonçai à me dire le colonel Chabert, afin de pouvoir sortir de prison et revoir la France. Oh ! monsieur, revoir Paris ! c'était un délire que je ne...

A cette phrase inachevée, le colonel Chabert tomba dans une rêverie profonde que Derville respecta.

— Monsieur, un beau jour, reprit le client, un jour de printemps, on me donna la clef des champs et dix thalers sous prétexte que je parlais très sensément sur toutes sortes de sujets et que je ne me disais plus le colonel Chabert. Ma foi, vers cette époque, et encore aujourd'hui, par moments, mon nom m'est désagréable. Je voudrais n'être pas moi. Le sentiment de mes droits me tue. Si ma maladie m'avait ôté tout souvenir de mon existence passée, j'aurais été heureux ! j'eusse repris du service sous un nom quelconque, et qui sait ? je serais peut-être devenu feld-maréchal en Autriche ou en Russie.

— Monsieur, dit l'avoué, vous brouillez toutes mes idées. Je crois rêver en vous écoutant. De grâce, arrêtons-nous pendant un moment.

— Vous êtes, dit le colonel d'un air mélancolique, la seule personne qui m'ait si patiemment écouté. Aucun homme de loi n'a voulu m'avancer dix napoléons afin de faire venir d'Allemagne les pièces nécessaires pour commencer mon procès...

— Quel procès ? dit l'avoué, qui oubliait la situation douloureuse de son client en entendant le récit de ses misères passées.

— Mais, monsieur, la comtesse Ferraud n'est-elle pas ma femme ? Elle possède trente mille livres de rente qui m'appartiennent, et ne veut pas me donner deux liards. Quand je dis ces choses à des avoués, à des hommes de bon sens ; quand je propose, moi, mendiant, de plaider contre un comte et une comtesse ; quand je m'élève, moi, mort, contre un acte de décès, un acte de mariage et des actes de naissance, ils m'éconduisent, suivant leur caractère, soit avec cet air froidement poli que vous savez prendre pour vous débarrasser d'un malheureux, soit brutalement, en gens qui croient rencontrer un intrigant ou un fou. J'ai été enterré sous des morts, mais maintenant je suis enterré sous des vivants, sous des actes, sous des

faits, sous la société tout entière qui veut me faire
rentrer sous terre !

— Monsieur, veuillez poursuivre maintenant, dit
l'avoué.

— *Veuillez !* s'écria le malheureux vieillard en prenant la main du jeune homme, voilà le premier mot de
politesse que j'entends depuis...

Le colonel pleura. La reconnaissance étouffa sa voix.
Cette pénétrante et indicible éloquence qui est dans
le regard, dans le geste, dans le silence même, acheva
de convaincre Derville et le toucha vivement.

— Écoutez, monsieur, dit-il à son client, j'ai gagné
ce soir trois cents francs au jeu ; je puis bien employer
la moitié de cette somme à faire le bonheur d'un
homme. Je commencerai les poursuites et diligences
nécessaires pour vous procurer les pièces dont vous me
parlez, et jusqu'à leur arrivée je vous remettrai cent
sous par jour. Si vous êtes le colonel Chabert, vous
saurez pardonner la modicité du prêt à un jeune
homme qui a sa fortune à faire. Poursuivez.

Le prétendu colonel resta pendant un moment immobile et stupéfait ; son extrême malheur avait sans
doute détruit ses croyances. S'il courait après son
illustration militaire, après sa fortune, après lui-même,
peut-être était-ce pour obéir à ce sentiment inexplicable, en germe dans le cœur de tous les hommes, et
auquel nous devons les recherches des alchimistes, la
passion de la gloire, les découvertes de l'astronomie,
de la physique, tout ce qui pousse l'homme à se
grandir en se multipliant par les faits ou par les idées.

L'*ego*, dans sa pensée, n'était plus qu'un objet secondaire, de même que la vanité du triomphe ou le plaisir du gain deviennent plus chers au parieur que ne l'est l'objet du pari. Les paroles du jeune avoué furent donc comme un miracle pour cet homme rebuté pendant dix années par sa femme, par la justice, par la création sociale entière. Trouver chez un avoué ces dix pièces d'or qui lui avaient été refusées pendant si longtemps, par tant de personnes et de tant de manières ! Le colonel ressemblait à cette dame qui, ayant eu la fièvre pendant quinze années, crut avoir changé de maladie le jour où elle fut guérie. Il est des félicités auxquelles on ne croit plus ; elles arrivent, c'est la foudre, elles consument. Aussi la reconnaissance du pauvre homme était-elle trop vive pour qu'il pût l'exprimer. Il eût paru froid aux gens superficiels, mais Derville devina toute une probité dans cette stupeur. Un fripon aurait eu de la voix.

— Où en étais-je ? dit le colonel avec la naïveté d'un enfant ou d'un soldat, car il y a souvent de l'enfant dans le vrai soldat, et presque toujours du soldat chez l'enfant, surtout en France.

— A Stuttgard. Vous sortiez de prison, répondit l'avoué.

— Vous connaissez ma femme ? demanda le colonel.

— Oui, répliqua Derville en inclinant la tête.

— Comment est-elle ?

— Toujours ravissante.

Le vieillard fit un signe de main, et parut dévorer quelque secrète douleur avec cette résignation grave

et solennelle qui caractérise les hommes éprouvés dans
le sang et le feu des champs de bataille.

— Monsieur, dit-il avec une sorte de gaieté, car il
respirait, ce pauvre colonel, il sortait une seconde fois
de la tombe, il venait de fondre une couche de neige
moins soluble que celle qui jadis lui avait glacé la
tête, et il aspirait l'air comme s'il quittait un cachot.
Monsieur, dit-il, si j'avais été joli garçon, aucun de
mes malheurs ne me serait arrivé. Les femmes croient
les gens quand ils farcissent leurs phrases du mot
amour. Alors elles trottent, elles vont, elles se mettent
en quatre, elles intriguent, elles affirment les faits, elles
font le diable pour celui qui leur plaît. Comment aurais-
je pu intéresser une femme ? J'avais une face de *re-
quiem*, j'étais vêtu comme un sans-culotte, je ressem-
blais plutôt à un Esquimau qu'à un Français, moi qui
jadis passais pour le plus joli des muscadins, en 1799 !
moi, Chabert, comte de l'Empire ! Enfin, le jour même
où l'on me jeta sur le pavé comme un chien, je rencontrai le maréchal des logis de qui je vous ai déjà
parlé. Le camarade se nommait Boutin. Le pauvre
diable et moi faisions la plus belle paire de rosses que
j'aie jamais vue. Je l'aperçus à la promenade ; si je le
reconnus, il lui fut impossible de deviner qui j'étais.
Nous allâmes ensemble dans un cabaret. Là, quand je
me nommai, la bouche de Boutin se fendit en éclat de
rire comme un mortier qui crève. Cette gaieté, monsieur, me causa l'un de mes plus vifs chagrins ! Elle me
révélait sans fard tous les changements qui étaient
survenus en moi. J'étais donc méconnaissable, même

pour l'œil du plus humble et du plus reconnaissant de
mes amis ! jadis j'avais sauvé la vie à Boutin, mais
c'était une revanche que je lui devais. Je ne vous dirai
pas comment il me rendit ce service. La scène eut lieu
en Italie, à Ravenne. La maison où Boutin m'empêcha
d'être poignardé n'était pas une maison fort décente.
A cette époque je n'étais pas colonel, j'étais simple
cavalier, comme Boutin. Heureusement cette histoire
comportait des détails qui ne pouvaient être connus
que de nous seuls ; et, quand je les lui rappelai, son
incrédulité diminua. Puis je lui contai les accidents
de ma bizarre existence. Quoique mes yeux, ma voix
fussent, me dit-il, singulièrement altérés, que je n'eusse
plus ni cheveux, ni dents, ni sourcils, que je fusse blanc
comme un albinos, il finit par retrouver son colonel
dans le mendiant, après mille interrogations auxquelles
je répondis victorieusement. Il me raconta ses aven-
tures, elles n'étaient pas moins extraordinaires que les
miennes : il revenait des confins de la Chine, où il avait
voulu pénétrer après s'être échappé de la Sibérie. Il
m'apprit les désastres de la campagne de Russie et la
première abdication de Napoléon. Cette nouvelle est
une des choses qui m'ont fait le plus de mal ! Nous
étions deux débris curieux après avoir ainsi roulé sur
le globe comme roulent dans l'Océan les cailloux emportés d'un rivage à l'autre par les tempêtes. A nous
deux, nous avions vu l'Égypte, la Syrie, l'Espagne, la
Russie, la Hollande, l'Allemagne, l'Italie, la Dalmatie,
l'Angleterre, la Chine, la Tartarie, la Sibérie ; il ne
nous manquait que d'être allés dans les Indes et en

Amérique ! Enfin ! plus ingambe que je ne l'étais,
Boutin se chargea d'aller à Paris le plus lestement
possible afin d'instruire ma femme de l'état dans lequel
je me trouvais. J'écrivis à M^me Chabert une lettre bien
détaillée. C'était la quatrième, monsieur ! si j'avais eu
des parents, tout cela ne serait peut-être pas arrivé ;
mais, il faut vous l'avouer, je suis un enfant d'hôpital,
un soldat qui, pour patrimoine, avait son courage,
pour famille tout le monde, pour patrie la France, pour
tout protecteur le bon Dieu. Je me trompe ! j'avais un
père, l'empereur ! Ah ! s'il était debout, le cher homme,
et qu'il vît *son Chabert*, comme il me nommait, dans
l'état où je suis, mais il se mettrait en colère. Que
voulez-vous ! notre soleil s'est couché, nous avons
tous froid maintenant. Après tout, les événements
politiques pouvaient justifier le silence de ma femme !
Boutin partit. Il était bien heureux, lui ! il avait deux
ours blancs supérieurement dressés qui le faisaient
vivre. Je ne pouvais l'accompagner ; mes douleurs ne
me permettaient pas de faire de longues étapes. Je
pleurai, monsieur, quand nous nous séparâmes, après
avoir marché aussi longtemps que mon état put me
le permettre en compagnie de ses ours et de lui. A
Carlsruhe j'eus un accès de névralgie à la tête, et restai
six semaines sur la paille dans une auberge ! Je ne
finirais pas, monsieur, s'il fallait vous raconter tous les
malheurs de ma vie de mendiant. Les souffrances
morales, auprès desquelles pâlissent les douleurs
physiques, excitent cependant moins de pitié, parce
qu'on ne les voit point. Je me souviens d'avoir pleuré

devant un hôtel de Strasbourg où j'avais donné jadis
une fête, et où je n'obtins rien, pas même un morceau
de pain. Ayant déterminé de concert avec Boutin
l'itinéraire que je devais suivre, j'allais à chaque bureau
de poste demander s'il y avait une lettre et de l'argent
pour moi. Je vins jusqu'à Paris sans avoir rien trouvé.
Combien de désespoir ne m'a-t-il pas fallu dévorer :
« Boutin sera mort », me disais-je. En effet, le pauvre
diable avait succombé à Waterloo. J'appris sa mort
plus tard et par hasard. Sa mission auprès de ma femme
fut sans doute infructueuse. Enfin j'entrai dans Paris
en même temps que les Cosaques. Pour moi c'était
douleur sur douleur. En voyant les Russes en France,
je ne pensais plus que je n'avais ni souliers aux pieds
ni argent dans ma poche. Oui, monsieur, mes vêtements étaient en lambeaux. La veille de mon arrivée
je fus forcé de bivouaquer dans les bois de Claye. La
fraîcheur de la nuit me causa sans doute un accès de
je ne sais quelle maladie, qui me prit quand je tra-
versai le faubourg Saint-Martin. Je tombai presque
évanoui à la porte d'un marchand de fer. Quand je me
réveillai j'étais dans un lit de l'Hôtel-Dieu. Là je restai
pendant un mois assez heureux. Je fus bientôt renvoyé ; j'étais sans argent, mais bien portant et sur le
bon pavé de Paris. Avec quelle joie et quelle promptitude j'allai rue du Mont-Blanc, où ma femme devait
être logée dans un hôtel à moi ! Bah ! la rue du Mont-
Blanc était devenue la rue de la Chaussée-d'Antin. Je
n'y vis plus mon hôtel, il avait été vendu, démoli.
Des spéculateurs avaient bâti plusieurs maisons dans

mes jardins. Ignorant que ma femme fût mariée à
M. Ferraud, je ne pouvais obtenir aucun renseigne-
ment. Enfin je me rendis chez un vieil avocat qui jadis
était chargé de mes affaires. Le bonhomme était mort
après avoir cédé sa clientèle à un jeune homme. Celui-
ci m'apprit, à mon grand étonnement, l'ouverture de
ma succession, sa liquidation, le mariage de ma femme
et la naissance de ses deux enfants. Quand je lui dis
être le colonel Chabert, il se mit à rire si franchement
que je le quittai sans lui faire la moindre observation.
Ma détention de Stuttgard me fit songer à Charenton,
et je résolus d'agir avec prudence. Alors, monsieur,
sachant où demeurait ma femme, je m'acheminai vers
son hôtel, le cœur plein d'espoir. Eh bien ! dit le colonel
avec un mouvement de rage concentrée, je n'ai pas été
reçu lorsque je me fis annoncer sous un nom d'em-
prunt, et le jour où je pris le mien je fus consigné à sa
porte. Pour voir la comtesse rentrant du bal ou du
spectacle, au matin, je suis resté pendant des nuits
entières collé contre la borne de sa porte cochère. Mon
regard plongeait dans cette voiture qui passait devant
mes yeux avec la rapidité de l'éclair, et où j'entrevoyais à peine cette femme qui est mienne et qui n'est
plus à moi ! Oh ! dès ce jour j'ai vécu pour la vengeance ! s'écria le vieillard d'une voix sourde en se
dressant tout à coup devant Derville. Elle sait que
j'existe ; elle a reçu de moi, depuis mon retour, deux
lettres écrites par moi-même. Elle ne m'aime plus !
Moi, j'ignore si je l'aime ou si je la déteste ! je la désire
et la maudis tour à tour. Elle me doit sa fortune, son

bonheur ; eh bien ! elle ne m'a pas seulement fait parvenir le plus léger secours ! Par moments je ne sais
plus que devenir !

A ces mots, le vieux soldat retomba sur sa chaise et
redevint immobile. Derville resta silencieux, occupé à
contempler son client.

— L'affaire est grave, dit-il enfin machinalement.
Même en admettant l'authenticité des pièces qui
doivent se trouver à Heilsberg, il ne m'est pas prouvé
que nous puissions triompher tout d'abord. Le procès
ira successivement devant trois tribunaux. Il faut réfléchir à tête reposée sur une semblable cause, elle est
tout exceptionnelle.

— Oh ! répondit froidement le colonel en relevant
la tête par un mouvement de fierté, si je succombe,
je saurai mourir, mais en compagnie.

Là, le vieillard avait disparu. Les yeux de l'homme
énergique brillaient rallumés aux feux du désir et de la
vengeance.

— Il faudra peut-être transiger, dit l'avoué.

— Transiger ! répéta le colonel Chabert. Suis-je mort
ou suis-je vivant ?

— Monsieur, reprit l'avoué, vous suivrez, je l'espère,
mes conseils. Votre cause sera ma cause. Vous vous
apercevrez bientôt de l'intérêt que je prends à votre
situation, presque sans exemple dans les fastes judiciaires. En attendant, je vais vous donner un mot pour
mon notaire, qui vous remettra, sur votre quittance,
cinquante francs tous les dix jours. Il ne serait pas convenable que vous vinssiez chercher ici des secours. Si

vous êtes le colonel Chabert, vous ne devez être à la merci de personne. Je donnerai à ces avances la forme d'un prêt. Vous avez des biens à recouvrer, vous êtes riche.

Cette dernière délicatesse arracha des larmes au vieillard. Derville se leva brusquement, car il n'était peut-être pas de coutume qu'un avoué parût s'émouvoir ; il passa dans son cabinet, d'où il revint avec une lettre non cachetée qu'il remit au comte Chabert. Lorsque le pauvre homme la tint entre ses doigts, il sentit deux pièces d'or à travers le papier.

— Voulez-vous me désigner les actes, me donner le nom de la ville, du royaume ? dit l'avoué.

Le colonel dicta les renseignements en vérifiant l'orthographe des noms de lieux ; puis il prit son chapeau d'une main, regarda Derville, lui tendit l'autre main, une main calleuse, et lui dit d'une voix simple :

— Ma foi, monsieur, après l'empereur vous êtes l'homme auquel je devrai le plus ! Vous êtes *un brave*.

L'avoué frappa dans la main du colonel, le reconduisit jusque sur l'escalier et l'éclaira.

— Boucard, dit Derville à son maître clerc, je viens d'entendre une histoire qui me coûtera peut-être vingt-cinq louis. Si je suis volé, je ne regretterai pas mon argent, j'aurai vu le plus habile comédien de notre époque.

Quand le colonel se trouva dans la rue et devant un réverbère, il retira de la lettre les deux pièces de vingt francs que l'avoué lui avait données, et les regarda pendant un moment à la lumière. Il revoyait de l'or pour la première fois depuis neuf ans.

« Je vais donc pouvoir fumer des cigares ! » se dit-il.

Environ trois mois après cette consultation nuitamment faite par le colonel Chabert chez Derville, le notaire chargé de payer la demi-solde que l'avoué faisait à son singulier client vint le voir pour conférer sur une affaire grave, et commença par lui réclamer six cents francs donnés au vieux militaire.

— Tu t'amuses donc à entretenir l'ancienne armée ? lui dit en riant ce notaire, nommé Crottat, jeune homme qui venait d'acheter l'étude où il était maître clerc, et dont le patron venait de prendre la fuite en faisant une épouvantable faillite.

— Je te remercie, mon cher maître, répondit Derville, de me rappeler cette affaire-là. Ma philanthropie n'ira pas au delà de vingt-cinq louis ; je crains déjà d'avoir été la dupe de mon patriotisme.

Au moment où Derville achevait sa phrase, il vit sur son bureau les paquets que son maître clerc y avait mis. Ses yeux furent frappés à l'aspect des timbres oblongs, carrés, triangulaires, rouges, bleus, apposés sur une lettre par les postes prussienne, autrichienne, bavaroise et française.

— Ah ! dit-il en riant, voici le dénouement de la comédie, nous allons voir si je suis attrapé.

Il prit la lettre et l'ouvrit, mais il n'y put rien lire, elle était écrite en allemand.

— Boucard, allez vous-même faire traduire cette lettre et revenez promptement, dit Derville en entr'ouvrant la porte de son cabinet et tendant la lettre à son maître clerc.

Le notaire de Berlin auquel s'était adressé l'avoué lui annonçait que les actes dont les expéditions étaient demandées lui parviendraient quelques jours après cette lettre d'avis. Les pièces étaient, disait-il, parfaitement en règle, et revêtues des légalisations nécessaires pour faire foi en justice. En outre, il lui mandait que presque tous les témoins des faits consacrés par les procès-verbaux existaient à Prussich-Eylau ; et que la femme à laquelle M. le comte Chabert devait la vie vivait encore dans un des faubourgs d'Heilsberg.

— Ceci devient sérieux, s'écria Derville quand Boucard eut fini de lui donner la substance de la lettre. — Mais, dis donc, mon petit, reprit-il en s'adressant au notaire, je vais avoir besoin de renseignements qui doivent être en ton étude. N'est-ce pas chez ce vieux fripon de Roguin...

— Nous disons l'infortuné, le malheureux Roguin, reprit maître Alexandre Crottat en riant et interrompant Derville.

— N'est-ce pas chez cet infortuné, qui vient d'emporter huit cent mille francs à ses clients et de réduire plusieurs familles au désespoir, que s'est faite la liquidation de la succession Chabert ? Il me semble que j'ai vu cela dans nos pièces Ferraud.

— Oui, répondit Crottat, j'étais alors troisième clerc ; je l'ai copiée et bien étudiée, cette liquidation. Rose Chapotel, épouse et veuve de Hyacinthe, dit Chabert, comte de l'Empire, grand officier de la Légion d'hon-

neur ; ils s'étaient mariés sans contrat, ils étaient donc
communs en biens. Autant que je puis m'en souvenir,
l'actif s'élevait à six cent mille francs. Avant son
mariage, le comte Chabert avait fait un testament en
faveur des hospices de Paris, par lequel il leur attribuait le quart de la fortune qu'il posséderait au moment
de son décès ; le domaine héritait de l'autre quart. Il
y a eu licitation, vente et partage, parce que les
avoués sont allés bon train. Lors de la liquidation,
le monstre qui gouvernait alors la France a rendu par
un décret la portion du fisc à la veuve du colonel.

— Ainsi la fortune personnelle du comte Chabert
ne se monterait donc qu'à trois cent mille francs ?

— Par conséquent, mon vieux ! répondit Crottat.
Vous avez parfois l'esprit juste, vous autres avoués,
quoiqu'on vous accuse de plaider aussi bien le pour
que le contre...

Le comte Chabert, dont l'adresse se lisait au bas de
la première quittance que lui avait remise le notaire, demeurait dans le faubourg Saint-Marceau, rue du Petit-
Banquier, chez un vieux maréchal des logis de la garde
impériale, devenu nourrisseur, et nommé Vergniaud.
Arrivé là, Derville fut forcé d'aller à pied à la recherche
de son client ; car son cocher refusa de s'engager
dans une rue non pavée et dont les ornières étaient
un peu trop profondes pour les roues d'un cabriolet.
En regardant de tous les côtés, l'avoué finit par trouver, dans la partie de cette rue qui avoisine le boulevard, entre deux murs bâtis avec des ossements et de
la terre, deux mauvais pilastres en moellons, que le

passage des voitures avait ébréchés, malgré deux
morceaux de bois placés en forme de bornes. Ces
pilastres soutenaient une poutre couverte d'un chape-
ron en tuiles, sur laquelle ces mots étaient écrits en
rouge : VERGNIAUD, NOURICEURE. A droite de ce nom
se voyaient des œufs, et à gauche une vache, le tout
peint en blanc. La porte était ouverte et restait sans
doute ainsi pendant toute la journée. Au fond d'une
cour assez spacieuse s'élevait, en face de la porte, une
maison, si toutefois ce nom convient à l'une de ces
masures bâties dans les faubourgs de Paris, et qui ne
sont comparables à rien, pas même aux plus chétives
habitations de la campagne, dont elles ont la misère
sans en avoir la poésie. En effet, au milieu des champs
les cabanes ont encore une grâce que leur donnent la
pureté de l'air, la verdure, l'aspect des champs, une
colline, un chemin tortueux, des vignes, une haie vive,
la mousse des chaumes, et les ustensiles champêtres ;
mais à Paris la misère ne se grandit que par son horreur. Quoique récemment construite, cette maison
semblait près de tomber en ruine. Aucun des matériaux
n'y avait eu sa vraie destination, ils provenaient tous
des démolitions qui se font journellement dans Paris.
Derville lut sur un volet fait avec les planches d'une
enseigne : *Magasin de nouveautés*. Les fenêtres ne se
ressemblaient point entre elles et se trouvaient bizarrement placées. Le rez-de-chaussée, qui paraissait être
la partie habitable, était exhaussé d'un côté tandis
que de l'autre les chambres étaient enterrées par une
éminence. Entre la porte et la maison s'étendait une

mare pleine de fumier où coulaient les eaux pluviales
et ménagères. Le mur sur lequel s'appuyait ce chétif
logis, et qui paraissait être plus solide que les autres,
était garni de cabanes grillagées où de vrais lapins
faisaient leurs nombreuses familles. A droite de la
porte cochère se trouvait la vacherie surmontée d'un
grenier à fourrage, et qui communiquait à la maison
par une laiterie. A gauche étaient une basse-cour, une
écurie et un toit à cochon qui avait été fini, comme celui
de la maison, en mauvaises planches de bois blanc
clouées les unes sur les autres et mal recouvertes
avec du jonc. Comme presque tous les endroits où se
cuisinent les éléments du grand repas que Paris dévore
chaque jour, la cour dans laquelle Derville mit le pied
offrait les traces de la précipitation voulue par la
nécessité d'arriver à heure fixe. Ces grands vases de
fer-blanc bossués dans lesquels se transporte le lait, et
les pots qui contiennent la crème, étaient jetés pêle-
mêle devant la laiterie, avec leurs bouchons de linge.
Les loques trouées qui servaient à les essuyer flottaient
au soleil étendues sur des ficelles attachées à des
piquets. Le cheval pacifique, dont la race ne se trouve
que chez les laitières, avait fait quelques pas en avant
de sa charrette et restait devant l'écurie, dont la porte
était fermée. Une chèvre broutait le pampre de la
vigne grêle et poudreuse qui garnissait le mur jaune et
lézardé de la maison. Un chat était accroupi sur les
pots à crème et les léchait. Les poules, effarouchées à
l'approche de Derville, s'envolèrent en criant, et le
chien de garde aboya.

« L'homme qui a décidé le gain de la bataille d'Eylau serait là ! » se dit Derville en saisissant d'un seul coup d'œil l'ensemble de ce spectacle ignoble.

La maison était restée sous la protection de trois gamins. L'un, grimpé sur le faîte d'une charrette chargée de fourrage vert, jetait des pierres dans un tuyau de cheminée de la maison voisine, espérant qu'elles y tomberaient dans la marmite. L'autre essayait d'amener un cochon sur le plancher de la charrette qui touchait à terre, tandis que le troisième, pendu à l'autre bout, attendait que le cochon y fût placé pour l'enlever en faisant faire la bascule à la charrette. Quand Derville leur demanda si c'était bien là que demeurait M. Chabert, aucun ne répondit, et tous trois le regardèrent avec une stupidité spirituelle, s'il est permis d'allier ces deux mots. Derville réitéra ses questions sans succès. Impatienté par l'air narquois des trois drôles, il leur dit de ces injures plaisantes que les jeunes gens se croient le droit d'adresser aux enfants, et les gamins rompirent le silence par un rire brutal. Derville se fâcha. Le colonel, qui l'entendit, sortit d'une petite chambre basse située près de la laiterie et apparut sur le seuil de sa porte avec un flegme militaire inexprimable. Il avait à la bouche une de ces pipes notablement *culottées* (expression technique des fumeurs), une de ces humbles pipes de terre blanche nommées des *brûle-gueule*. Il leva la visière d'une casquette horriblement crasseuse, aperçut Derville et traversa le fumier pour venir plus promptement à son bienfaiteur, en criant d'une voix amicale aux gamins :

— Silence dans les rangs !

Les enfants gardèrent aussitôt un silence respectueux qui annonçait l'empire exercé sur eux par le vieux soldat.

— Pourquoi ne m'avez-vous pas écrit ? dit-il à Derville. Allez le long de la vacherie ! Tenez, là, le chemin est pavé, s'écria-t-il en remarquant l'indécision de l'avoué qui ne voulait pas se mouiller les pieds dans le fumier.

En sautant de place en place, Derville arriva sur le seuil de la porte par où le colonel était sorti. Chabert parut désagréablement affecté d'être obligé de le recevoir dans la chambre qu'il occupait. En effet, Derville n'y aperçut qu'une seule chaise. Le lit du colonel consistait en quelques bottes de paille sur lesquelles son hôtesse avait étendu deux ou trois lambeaux de ces vieilles tapisseries, ramassées je ne sais où, qui servent aux laitières à garnir les bancs de leurs charrettes. Le plancher était tout simplement en terre battue. Les murs salpêtrés, verdâtres et fendus répandaient une si forte humidité que le mur contre lequel couchait le colonel était tapissé d'une natte en jonc. Le fameux carrick pendait à un clou. Deux mauvaises paires de bottes gisaient dans un coin. Nul vestige de linge. Sur la table vermoulue, les bulletins de la Grande Armée réimprimés par Plancher étaient ouverts et paraissaient être la lecture du colonel, dont la physionomie était calme et sereine au milieu de cette misère. Sa visite chez Derville semblait avoir changé le caractère de ses traits, où l'avoué trouva les traces d'une pensée heureuse, une lueur particulière qu'y avait jetée l'espérance.

— La fumée de la pipe vous incommode-t-elle ? dit-il en tendant à son avoué la chaise à moitié dépaillée.

— Mais, colonel, vous êtes horriblement mal ici.

Cette phrase fut arrachée à Derville par la défiance naturelle aux avoués, et par la déplorable expérience que leur donnent de bonne heure les épouvantables drames inconnus auxquels ils assistent.

« Voilà, se dit-il, un homme qui aura certainement employé mon argent à satisfaire les trois vertus théologales du troupier : le jeu, le vin et les femmes ! »

— C'est vrai, monsieur, nous ne brillons pas ici par le luxe. C'est un bivouac tempéré par l'amitié ; mais... (Ici le soldat lança un regard profond à l'homme de loi.) Mais je n'ai fait de tort à personne, je n'ai jamais repoussé personne, et je dors tranquille.

L'avoué songea qu'il y aurait peu de délicatesse à demander compte à son client des sommes qu'il lui avait avancées, et il se contenta de lui dire :

— Pourquoi n'avez-vous donc pas voulu venir dans Paris, où vous auriez pu vivre aussi peu chèrement que vous vivez ici, mais où vous auriez été mieux ?

— Mais, répondit le colonel, les braves gens chez lesquels je suis m'avaient recueilli, nourri *gratis* depuis un an ! comment les quitter au moment où j'avais un peu d'argent ? Puis le père de ces trois gamins est un vieux *égyptien*...

— Comment, un égyptien ?

— Nous appelons ainsi les troupiers qui sont

revenus de l'expédition d'Égypte de laquelle j'ai fait
partie. Non seulement tous ceux qui en sont revenus
sont un peu frères, mais Vergniaud était alors dans
mon régiment, nous avions partagé de l'eau dans le
désert. Enfin, je n'ai pas encore fini d'apprendre à lire
à ses marmots.

— Il aurait bien pu vous mieux loger, pour votre
argent, lui.

— Bah ! dit le colonel, ses enfants couchent comme
moi sur la paille ! Sa femme et lui n'ont pas un lit
meilleur, ils sont bien pauvres, voyez-vous ; ils ont
pris un établissement au-dessus de leurs forces. Mais
si je recouvre ma fortune !... Enfin, suffit !

— Colonel, je dois recevoir demain ou après vos
actes d'Heilsberg. Votre libératrice vit encore !

— Sacré argent ! dire que je n'en ai pas ! s'écria-t-il
en jetant par terre sa pipe.

Une pipe *culottée* est une pipe précieuse pour un
fumeur, mais ce fut par un geste si naturel, par un
mouvement si généreux, que tous les fumeurs et même
la régie lui eussent pardonné ce crime de lèse-tabac.
Les anges auraient peut-être ramassé les morceaux.

— Colonel, votre affaire est excessivement com-
pliquée, lui dit Derville en sortant de la chambre pour
s'aller promener au soleil le long de la maison.

— Elle me paraît, dit le soldat, parfaitement simple.
On m'a cru mort, me voilà ! rendez-moi ma femme
et ma fortune ; donnez-moi le grade de général auquel
j'ai droit, car j'ai passé colonel dans la garde impériale
la veille de la bataille d'Eylau.

l'empereur a rendu par un décret à votre veuve la portion qui revenait au domaine public. Maintenant, à quoi avez-vous droit ? à trois cent mille francs seulement, moins les frais.

— Et vous appelez cela la justice ? dit le colonel ébahi.

— Mais, certainement...

— Elle est belle !

— Elle est ainsi, mon pauvre colonel. Vous voyez que ce que vous avez cru facile ne l'est pas. Mme Ferraud peut même vouloir garder la portion qui lui a été donnée par l'empereur.

— Mais elle n'était pas veuve, le décret est nul...

— D'accord. Mais tout se plaide. Écoutez-moi. Dans ces circonstances, je crois qu'une transaction serait, et pour vous et pour elle, le meilleur dénouement du procès. Vous y gagnerez une fortune plus considérable que celle à laquelle vous auriez droit.

— Ce serait vendre ma femme !

— Avec vingt-quatre mille francs de rente, vous aurez, dans la position où vous vous trouvez, des femmes qui vous conviendront mieux que la vôtre et qui vous rendront plus heureux. Je compte aller voir aujourd'hui même Mme la comtesse Ferraud afin de sonder le terrain ; mais je n'ai pas voulu faire cette démarche sans vous en prévenir.

— Allons ensemble chez elle...

— Fait comme vous êtes ? dit l'avoué. Non, non, colonel, non. Vous pourriez y perdre tout à fait votre procès...

— Mon procès est-il gagnable ?

— Sur tous les chefs, répondit Derville. Mais, mon cher colonel Chabert, vous ne faites pas attention à une chose. Je ne suis pas riche, ma charge n'est pas entièrement payée. Si les tribunaux vous accordent une *provision*, c'est-à-dire une somme à prendre par avance sur votre fortune, ils ne l'accorderont qu'après avoir reconnu vos qualités de comte Chabert, grand officier de la Légion d'honneur.

— Tiens, je suis grand officier de la Légion, je n'y pensais plus, dit-il naïvement.

— Eh bien ! jusque-là, reprit Derville, ne faut-il pas plaider, payer des avocats, lever et solder les jugements, faire marcher des huissiers, et vivre ? Les frais des instances préparatoires se monteront, à vue de nez, à plus de douze ou quinze mille francs. Je ne les ai pas, moi qui suis écrasé par les intérêts énormes que je paye à celui qui m'a prêté l'argent de ma charge. Et vous ! où les trouverez-vous ?

De grosses larmes tombèrent des yeux flétris du pauvre soldat et roulèrent sur ses joues ridées. A l'aspect de ces difficultés, il fut découragé. Le monde social et judiciaire lui pesait sur la poitrine comme un cauchemar.

— J'irai, s'écria-t-il, au pied de la colonne de la place Vendôme ; je crierai là : « Je suis le colonel Chabert qui a enfoncé le grand carré des Russes à Eylau ! » Le bronze, lui, me reconnaîtra !

— Et l'on vous mettra sans doute à Charenton.

A ce nom redouté, l'exaltation du militaire tomba.

— N'y aurait-il donc pas pour moi quelques chances favorables au ministère de la guerre ?

— Les bureaux ! dit Derville. Allez-y, mais avec un jugement bien en règle qui déclare nul votre acte de décès. Les bureaux voudraient pouvoir anéantir les gens de l'Empire.

Le colonel resta pendant un moment interdit, immobile, regardant sans voir, abîmé dans un désespoir sans bornes. La justice militaire est franche, rapide, elle décide à la turque, et juge presque toujours bien ; cette justice était la seule que connût Chabert. En apercevant le dédale de difficultés où il fallait s'engager, en voyant combien il fallait d'argent pour y voyager, le pauvre soldat reçut un coup mortel dans cette puissance particulière à l'homme et que l'on nomme la *volonté*. Il lui parut impossible de vivre en plaidant ; il fut pour lui mille fois plus simple de rester pauvre, mendiant, de s'engager comme cavalier si quelque régiment voulait de lui. Ses souffrances physiques et morales lui avaient déjà vicié le corps dans quelques-uns des organes les plus importants. Il touchait à l'une de ces maladies pour lesquelles la médecine n'a pas de nom, dont le siège est en quelque sorte mobile comme l'appareil nerveux qui paraît le plus attaqué parmi tous ceux de notre machine, affection qu'il faudrait nommer le *spleen* du malheur. Quelque grave que fût déjà ce mal invisible, mais réel, il était encore guérissable par une heureuse conclusion. Pour ébranler tout à fait cette vigoureuse organisation, il suffirait d'un obstacle nouveau, de

quelque fait imprévu qui en romprait les ressorts
affaiblis et produirait ces hésitations, ces actes incompris, incomplets, que les physiologistes observent chez
les êtres ruinés par les chagrins.

En reconnaissant alors les symptômes d'un profond
abattement chez son client, Derville lui dit :

— Prenez courage, la solution de cette affaire ne
peut que vous être favorable. Seulement, examinez
si vous pouvez me donner toute votre confiance, et
accepter aveuglément le résultat que je croirai le
meilleur pour vous.

— Faites comme vous voudrez, dit Chabert.

— Oui, mais vous vous abandonnez à moi comme
un homme qui marche à la mort ?

— Ne vais-je pas rester sans état, sans nom ? Est-ce
tolérable ?

— Je ne l'entends pas ainsi, dit l'avoué. Nous
poursuivrons à l'amiable un jugement pour annuler
votre acte de décès et votre mariage, afin que vous
repreniez vos droits. Vous serez même, par l'influence
du comte Ferraud, porté sur les cadres de l'armée
comme général, et vous obtiendrez sans doute une
pension.

— Allez donc ! répondit Chabert, je me fie entièrement à vous.

— Je vous enverrai donc une procuration à signer,
dit Derville. Adieu, bon courage ! S'il vous faut de
l'argent, comptez sur moi.

Chabert serra chaleureusement la main de Derville,
et resta le dos appuyé contre la muraille, sans avoir

la force de le suivre autrement que des yeux. Comme tous les gens qui comprennent peu les affaires judiciaires, il s'effrayait de cette lutte imprévue. Pendant cette conférence, à plusieurs reprises, il s'était avancé, hors d'un pilastre de la porte cochère, la figure d'un homme posté dans la rue pour guetter la sortie de Derville, et qui l'accosta quand il sortit. C'était un vieux homme vêtu d'une veste bleue, d'une cotte blanche plissée semblable à celle des brasseurs, et qui portait sur la tête une casquette de loutre. Sa figure était brune, creusée, ridée, mais rougie sur les pommettes par l'excès du travail et hâlée par le grand air.

— Excusez, monsieur, dit-il à Derville en l'arrêtant par le bras, si je prends la liberté de vous parler ; mais je me suis douté, en vous voyant, que vous étiez l'ami de notre général.

— Eh bien ! dit Derville, en quoi vous intéressez-vous à lui ? Mais qui êtes-vous ? reprit le défiant avoué.

— Je suis Louis Vergniaud, répondit-il d'abord. Et j'aurais deux mots à vous dire.

— Et c'est vous qui avez logé le comte Chabert comme il l'est ?

— Pardon, excuse, monsieur, il a la plus belle chambre. Je lui aurais donné la mienne, si je n'en avais eu qu'une ; j'aurais couché dans l'écurie. Un homme qui a souffert comme lui, qui apprend à lire à mes *mioches*, un général, un égyptien, le premier lieutenant sous lequel j'ai servi... faudrait voir ! Du tout, il est le mieux logé. J'ai partagé avec lui ce que j'avais. Malheureusement ce n'était pas grand'chose,

du pain, du lait, des œufs ; enfin à la guerre comme
à la guerre ! C'est de bon cœur. Mais il nous a vexés.

— Lui ?

— Oui, monsieur, vexés, là, ce qui s'appelle en
plein. J'ai pris un établissement au-dessus de mes
forces, il le voyait bien. Ça vous le contrariait et il
pansait le cheval ! Je lui dis : « Mais, mon général ?
— Bah ! qui dit, je ne veux pas être comme un
fainéant, et il y a longtemps que je sais brosser le
lapin. » J'avais donc fait des billets pour le prix de
ma vacherie à un nommé Grados... Le connaissez-
vous, monsieur ?

— Mais, mon cher, je n'ai pas le temps de vous
écouter. Seulement, dites-moi comment le colonel vous
a vexés ?

— Il nous a vexés, monsieur, aussi vrai que je m'appelle Louis Vergniaud et que ma femme en a pleuré.
Il a su par les voisins que nous n'avions pas le premier
sou de notre billet. Le vieux grognard, sans rien dire,
a amassé tout ce que vous lui donniez, a guetté le
billet et l'a payé. C'te malice ! Que ma femme et moi
nous savions qu'il n'avait pas de tabac, ce pauvre
vieux, et qu'il s'en passait ! Oh ! maintenant, tous les
matins il a ses cigares ! je me vendrais plutôt... Non !
nous sommes vexés. Donc, je voudrais vous proposer
de nous prêter, vu qu'il nous a dit que vous étiez un
brave homme, une centaine d'écus sur notre établissement, afin que nous lui fassions faire des habits, que
nous lui meublions sa chambre. Il a cru nous acquitter,
pas vrai ? Eh bien ! au contraire, voyez-vous, l'ancien

nous a endettés... et vexés ! Il ne devait pas nous faire
cette avanie-là. Il nous a vexés ! et des amis, encore ?
Foi d'honnête homme, aussi vrai que je m'appelle
Louis Vergniaud, je m'engagerais plutôt que de ne
pas vous rendre cet argent-là...

Derville regarda le nourrisseur, et fit quelques pas
en arrière pour revoir la maison, la cour, les fumiers,
l'étable, les lapins, les enfants.

— Par ma foi, je crois qu'un des caractères de la
vertu est de ne pas être propriétaire, se dit-il. Va, tu
auras tes cent écus ! et plus même. Mais ce ne sera pas
moi qui te les donnerai, le colonel sera bien assez riche
pour t'aider, et je ne veux pas lui en ôter le plaisir.

— Ce sera-t-il bientôt ?

— Mais oui.

— Ah ! mon Dieu, que mon épouse va-t-être contente !

Et la figure tannée du nourrisseur sembla s'épanouir.

« Maintenant, se dit Derville en remontant dans
son cabriolet, allons chez notre adversaire. Ne laissons
pas voir notre jeu, tâchons de connaître le sien, et
gagnons la partie d'un seul coup. Il faudrait l'effrayer ?
Elle est femme. De quoi s'effrayent le plus les femmes ?
Mais les femmes ne s'effrayent que de... »

Il se mit à étudier la position de la comtesse, et
tomba dans une de ces méditations auxquelles se
livrent les grands politiques en concevant leurs plans,
en tâchant de deviner le secret des cabinets ennemis.
Les avoués ne sont-ils pas en quelque sorte des
hommes d'État chargés des affaires privées ? Un coup

d'œil jeté sur la situation de M. le comte Ferraud et
de sa femme est ici nécessaire pour faire comprendre
le génie de l'avoué.

M. le comte Ferraud était le fils d'un ancien conseiller au parlement de Paris, qui avait émigré pendant
le temps de la Terreur, et qui, s'il sauva sa tête, perdit
sa fortune. Il rentra sous le Consulat et resta constamment fidèle aux intérêts de Louis XVIII, dans les
entours duquel était son père avant la Révolution. Il
appartenait donc à cette partie du faubourg Saint-
Germain qui résista noblement aux séductions de
Napoléon. La réputation de capacité que se fit le
jeune comte, alors simplement appelé M. Ferraud, le
rendit l'objet des coquetteries de l'empereur, qui souvent était aussi heureux de ses conquêtes sur l'aristocratie que du gain d'une bataille. On promit au comte
la restitution de son titre, celle de ses biens non vendus,
on lui montra dans le lointain un ministère, une séna-
torerie. L'empereur échoua. M. Ferraud était, lors de
la mort du comte Chabert, un jeune homme de vingt-
six ans, sans fortune, doué de formes agréables, qui
avait des succès et que le faubourg Saint-Germain
avait adopté comme une de ses gloires ; mais M^me la
comtesse Chabert avait su tirer un si bon parti de la
succession de son mari, qu'après dix-huit mois de
veuvage elle possédait environ quarante mille livres
de rente. Son mariage avec le jeune comte ne fut pas
accepté comme une nouvelle par les coteries du faubourg Saint-Germain. Heureux de ce mariage qui
répondait à ses idées de fusion, Napoléon rendit à

M^me Chabert la portion dont héritait le fisc dans la succession du colonel ; mais l'espérance de Napoléon fut encore trompée. M^me Ferraud n'aimait pas seulement son amant dans le jeune homme, elle avait été séduite aussi par l'idée d'entrer dans cette société dédaigneuse qui, malgré son abaissement, dominait la cour impériale. Toutes ses vanités étaient flattées autant que ses passions dans ce mariage. Elle allait devenir une *femme comme il faut*. Quand le faubourg Saint-Germain sut que le mariage du jeune comte n'était pas une défection, les salons s'ouvrirent à sa femme. La Restauration vint. La fortune politique du comte Ferraud ne fut pas rapide. Il comprenait les exigences de la position dans laquelle se trouvait Louis XVIII, il était du nombre des initiés qui attendaient *que l'abîme des révolutions fût fermé*, car cette phrase royale, dont se moquèrent tant les libéraux, cachait un sens politique. Néanmoins, l'ordonnance citée dans la longue phrase cléricale qui commence cette histoire lui avait rendu deux forêts et une terre dont la valeur avait considérablement augmenté pendant le séquestre. En ce moment, quoique le comte Ferraud fût conseiller d'État, directeur général, il ne considérait sa position que comme le début de sa fortune politique. Préoccupé par les soins d'une ambition dévorante, il s'était attaché comme secrétaire un ancien avoué ruiné nommé Delbecq, homme plus qu'habile, qui connaissait admirablement les ressources de la chicane, et auquel il laissait la conduite de ses affaires privées. Le rusé praticien avait assez bien compris sa position chez le comte, pour y être probe par spéculation. Il espérait parvenir à quelque place par le crédit de son patron, dont la fortune était l'objet de tous ses soins. Sa conduite démentait tellement sa vie antérieure qu'il passait pour un homme calomnié. Avec le tact et la finesse dont sont plus ou moins douées toutes les femmes, la comtesse, qui avait deviné son intendant, le surveillait adroitement, et savait si bien le manier, qu'elle en avait déjà tiré un très bon parti pour l'augmentation de sa fortune particulière. Elle avait su persuader à Delbecq qu'elle gouvernait M. Ferraud, et lui avait promis de le faire nommer président d'un tribunal de première instance dans l'une des plus importantes villes de France, s'il se dévouait entièrement à ses intérêts. La promesse d'une place inamovible qui lui permettrait de se marier avantageusement et de conquérir plus tard une haute position dans la carrière politique en devenant député, fit de Delbecq l'âme damnée de la comtesse. Il ne lui avait laissé manquer aucune des chances favorables que les mouvements de Bourse et la hausse des propriétés présentèrent dans Paris aux gens habiles pendant les trois premières années de la Restauration. Il avait triplé les capitaux de sa protectrice, avec d'autant plus de facilité que tous les moyens avaient paru bons à la comtesse afin de rendre promptement sa fortune énorme. Elle employait les émoluments des places occupées par le comte aux dépenses de la maison, afin de pouvoir capitaliser ses revenus, et Delbecq se prêtait aux calculs de cette avarice sans chercher à

s'en expliquer les motifs. Ces sortes de gens ne s'in-
quiètent que des secrets dont la découverte est nécessaire à leurs intérêts. D'ailleurs il en trouvait si naturellement la raison dans cette soif d'or dont sont atteintes
la plupart des Parisiennes, et il fallait une si grande
fortune pour appuyer les prétentions du comte Ferraud, que l'intendant croyait parfois entrevoir dans
l'avidité de la comtesse un effet de son dévouement
pour l'homme de qui elle était toujours éprise. La
comtesse avait enseveli les secrets de sa conduite au
fond de son cœur. Là étaient des secrets de vie et de
mort pour elle, là était précisément le nœud de cette
histoire. Au commencement de l'année 1818, la Restauration fut assise sur des bases en apparence iné-
branlables ; ses doctrines gouvernementales, comprises
par les esprits élevés, leur parurent devoir amener
pour la France une ère de prospérité nouvelle ; alors la
société parisienne changea de face. M^me la comtesse
Ferraud se trouva par hasard avoir fait tout ensemble
un mariage d'amour, de fortune et d'ambition. Encore
jeune et belle, M^me Ferraud joua le rôle d'une femme
à la mode et vécut dans l'atmosphère de la cour. Riche
par elle-même, riche par son mari, qui, prôné comme
un des hommes les plus capables du parti royaliste et
l'ami du roi, semblait promis à quelque ministère, elle
appartenait à l'aristocratie, elle en partageait la
splendeur. Au milieu de ce triomphe, elle fut atteinte
d'un cancer moral. Il est de ces sentiments que les
femmes devinent malgré le soin que les hommes mettent à les enfouir. Au premier retour du roi, le comte

Ferraud avait conçu quelques regrets de son mariage. La veuve du colonel Chabert ne l'avait allié à personne, il était seul et sans appui pour se diriger dans une carrière pleine d'écueils et pleine d'ennemis. Puis, peut-être, quand il avait pu juger froidement sa femme, avait-il reconnu chez elle quelques vices d'éducation qui la rendaient impropre à le seconder dans ses projets. Un mot dit par lui à propos du mariage de Talleyrand éclaira la comtesse, à laquelle il fut prouvé que si son mariage était à faire, jamais elle n'eût été Mme Ferraud. Ce regret, quelle femme le pardonnerait ? Ne contient-il pas toutes les injures, tous les crimes, toutes les répudiations en germe ? Mais quelle plaie ne devait pas faire ce mot dans le cœur de la comtesse, si l'on vient à supposer qu'elle craignait de voir revenir son premier mari ! Elle l'avait su vivant, elle l'avait repoussé. Puis, pendant le temps où elle n'en avait plus entendu parler, elle s'était plu à le croire mort à Waterloo avec les aigles impériales, en compagnie de Boutin. Néanmoins elle conçut d'attacher le comte à elle par le plus fort des liens, par la chaîne d'or, et voulut être si riche que sa fortune rendît son second mariage indissoluble, si par hasard le comte Chabert reparaissait encore. Et il avait reparu, sans qu'elle s'expliquât pourquoi la lutte qu'elle redoutait n'avait pas déjà commencé. Les souffrances, la maladie l'avaient peut-être délivrée de cet homme. Peut-être était-il à moitié fou, Charenton pouvait encore lui en faire raison. Elle n'avait pas voulu mettre Delbecq ni la police dans sa confidence, de peur de se donner un maître ou de précipiter la catastrophe. Il existe à Paris beaucoup de femmes qui, semblables à la comtesse Ferraud, vivent avec un monstre moral inconnu ou côtoient un abîme ; elles se font un calus à l'endroit de leur mal, et peuvent encore rire et s'amuser.

« Il y a quelque chose de bien singulier dans la situation de M. le comte Ferraud, se dit Derville en sortant de sa longue rêverie, au moment où son cabriolet s'arrêtait rue de Varennes, à la porte de l'hôtel Ferraud. Comment, lui si riche, aimé du roi, n'est-il pas encore pair de France ? Il est vrai qu'il entre peut-être dans la politique du roi, comme me le disait M^me de Grandlieu, de donner une haute importance à la pairie en ne la prodiguant pas. D'ailleurs, le fils d'un conseiller au parlement n'est ni un Crillon, ni un Rohan. Le comte Ferraud ne peut entrer que subrepticement dans la Chambre haute. Mais, si son mariage était cassé, ne pourrait-il faire passer sur sa tête, à la grande satisfaction du roi, la pairie d'un de ces vieux sénateurs qui n'ont que des filles. Voilà certes une bonne bourde à mettre en avant pour effrayer notre comtesse », se dit-il en montant le perron.

Derville avait, sans le savoir, mis le doigt sur la plaie secrète, enfoncé la main dans le cancer qui dévorait M^me Ferraud. Il fut reçu par elle dans une jolie salle à manger d'hiver, où elle déjeunait en jouant avec un singe attaché par une chaîne à une espèce de petit poteau garni de bâtons en fer. La comtesse était enveloppée dans un élégant peignoir ; les boucles de ses cheveux, négligemment rattachées, s'échappaient d'un bonnet qui lui donnait un air mutin. Elle était fraîche et rieuse. L'argent, le vermeil, la nacre étince-laient sur la table, et il y avait autour d'elle des fleurs curieuses plantées dans de magnifiques vases en porcelaine. En voyant la femme du comte Chabert, riche de ses dépouilles, au sein du luxe, au faîte de la société, tandis que le malheureux vivait chez un pauvre nourrisseur au milieu des bestiaux, l'avoué se dit : « La morale de ceci est qu'une jolie femme ne voudra jamais reconnaître son mari, ni même son amant dans un homme en vieux carrick, en perruque de chiendent et en bottes percées. » Un sourire malicieux et mordant exprima les idées moitié philosophiques, moitié rail-leuses qui devaient venir à un homme si bien placé pour connaître le fond des choses, malgré les mensonges sous lesquels la plupart des familles parisiennes cachent leur existence.

— Bonjour, monsieur Derville, dit-elle en conti-nuant à faire prendre du café au singe.

— Madame, dit-il brusquement, car il se choqua du ton léger avec lequel la comtesse lui avait dit : « Bon-jour, monsieur Derville », je viens causer avec vous d'une affaire assez grave.

— J'en suis *désespérée*, M. le comte est absent...

— J'en suis enchanté, moi, madame. Il serait *désespérant* qu'il assistât à notre conférence. Je sais d'ailleurs, par Delbecq, que vous aimez à faire vos affaires vous-même sans en ennuyer M. le comte.

— Alors, je vais faire appeler Delbecq, dit-elle.

— Il vous serait inutile, malgré son habileté, reprit Derville. Écoutez, madame, un mot suffira pour vous rendre sérieuse. Le comte Chabert existe.

— Est-ce en disant de semblables bouffonneries que vous voulez me rendre sérieuse ? dit-elle en partant d'un éclat de rire.

Mais la comtesse fut tout à coup domptée par l'étrange lucidité du regard fixe par lequel Derville l'interrogeait en paraissant lire au fond de son âme.

— Madame, répondit-il avec une gravité froide et perçante, vous ignorez l'étendue des dangers qui vous menacent. Je ne vous parlerai pas de l'incontestable authenticité des pièces, ni de la certitude des preuves qui attestent l'existence du comte Chabert. Je ne suis pas un homme à me charger d'une mauvaise cause, vous le savez. Si vous vous opposez à notre inscription en faux contre l'acte de décès, vous perdrez ce premier procès, et cette question résolue en notre faveur nous fait gagner tous les autres.

— De quoi prétendez-vous donc me parler ?

— Ni du colonel, ni de vous. Je ne vous parlerai pas non plus des mémoires que pourraient faire des avocats spirituels, armés des faits curieux de cette cause, et du parti qu'ils tireraient des lettres que vous avez reçues de votre premier mari avant la célébration de votre mariage avec votre second.

— Cela est faux ? dit-elle avec toute la violence d'une petite-maîtresse. Je n'ai jamais reçu de lettre du comte Chabert ; et si quelqu'un se dit être le colonel, ce ne peut être qu'un intrigant, quelque forçat libéré,

comme Cogniard peut-être. Le frisson me prend rien
que d'y penser. Le colonel peut-il ressusciter, monsieur?
Bonaparte m'a fait complimenter sur sa mort par un
aide de camp; et je touche aujourd'hui trois mille francs
de pension accordée à sa veuve par les Chambres. J'ai eu
mille fois raison de repousser tous les Chabert qui sont
venus, comme je repousserai tous ceux qui viendront.

— Heureusement nous sommes seuls, madame. Nous
pouvons mentir à notre aise, dit-il froidement en
s'amusant à aiguillonner la colère qui agitait la comtesse afin de lui arracher quelques indiscrétions, par
une manœuvre familière aux avoués, habitués à rester
calmes quand leurs adversaires ou leurs clients s'em-
portent.

« Eh bien! donc, à nous deux », se dit-il à lui-même
en imaginant à l'instant un piège pour lui démontrer
sa faiblesse.

— La preuve de la remise de la première lettre existe,
madame, reprit-il à haute voix, elle contenait des
valeurs...

— Oh! pour des valeurs, elle n'en contenait pas.

— Vous avez donc reçu cette première lettre, reprit
Derville en souriant. Vous êtes déjà prise dans le
premier piège que vous tend un avoué, et vous croyez
pouvoir lutter avec la justice...

La comtesse rougit, pâlit, se cacha la figure dans les
mains. Puis elle secoua sa honte, et reprit avec le sang-
froid naturel à ces sortes de femmes :

— Puisque vous êtes l'avoué du prétendu Chabert,
faites-moi le plaisir de...

— Madame, dit Derville en l'interrompant, je suis encore en ce moment votre avoué comme celui du colonel. Croyez-vous que je veuille perdre une clientèle aussi précieuse que l'est la vôtre ! Mais vous ne m'écoutez pas...

— Parlez, monsieur, dit-elle gracieusement.

— Votre fortune vous venait de M. le comte Chabert, et vous l'avez repoussé. Votre fortune est colossale et vous le laissez mendier. Madame, les avocats sont bien éloquents lorsque les causes sont éloquentes par elles-mêmes : il se rencontre ici des circonstances capables de soulever contre vous l'opinion publique.

— Mais, monsieur, dit la comtesse impatientée de la manière dont Derville la tournait et retournait sur le gril, en admettant que votre M. Chabert existe, les tribunaux maintiendront mon second mariage à cause des enfants, et j'en serai quitte pour rendre deux cent vingt-cinq mille francs à M. Chabert.

— Madame, nous ne savons pas de quel côté les tribunaux verront la question sentimentale. Si, d'une part, nous avons une mère et ses enfants, nous avons de l'autre un homme accablé de malheurs, vieilli par vos refus. Où trouvera-t-il une femme ? Puis, les juges peuvent-ils heurter la loi ? Votre mariage avec le colonel a pour lui le droit, la priorité. Mais si vous êtes représentée sous d'odieuses couleurs, vous pourriez avoir un adversaire auquel vous ne vous attendez pas. Là, madame, est ce danger dont je voudrais vous préserver.

— Un nouvel adversaire ! dit-elle. Qui ?

— M. le comte Ferraud, madame.

— M. Ferraud a pour moi un trop vif attachement, et, pour la mère de ses enfants, un trop grand respect...

— Ne parlez pas de ces niaiseries-là, dit Derville en l'interrompant, à des avoués habitués à lire au fond des cœurs. En ce moment M. Ferraud n'a pas la moindre envie de rompre votre mariage et je suis persuadé qu'il vous adore ; mais si quelqu'un venait lui dire que son mariage peut être annulé, que sa femme sera traduite en criminelle au banc de l'opinion publique...

— Il me défendrait, monsieur !

— Non, madame.

— Quelle raison aurait-il de m'abandonner, monsieur ?

— Mais celle d'épouser la fille unique d'un pair de France, dont la pairie lui serait transmise par ordonnance du roi.

La comtesse pâlit.

« Nous y sommes ! se dit en lui-même Derville. Bien, je te tiens, l'affaire du pauvre colonel est gagnée. »

— D'ailleurs, madame, reprit-il à haute voix, il aurait d'autant moins de remords qu'un homme couvert de gloire, général, comte, grand officier de la Légion d'honneur, ne serait pas un pis-aller, et si cet homme lui redemande sa femme...

— Assez ! assez, monsieur ! dit-elle. Je n'aurai jamais que vous pour avoué. Que faire ?

— Transiger ! dit Derville.

— M'aime-t-il encore ? dit-elle.

— Mais je ne crois pas qu'il puisse en être autrement.

A ce mot, la comtesse dressa la tête. Un éclair d'espérance brilla dans ses yeux ; elle comptait peut-être spéculer sur la tendresse de son premier mari pour gagner son procès par quelque ruse de femme.

— J'attendrai vos ordres, madame, pour savoir s'il faut vous signifier nos actes, ou si vous voulez venir chez moi pour arrêter les bases d'une transaction, dit Derville en saluant la comtesse.

Huit jours après les deux visites que Derville avait faites, et par une belle matinée du mois de juin, les époux, désunis par un hasard presque surnaturel, partirent des deux points les plus opposés de Paris, pour venir se rencontrer dans l'étude de leur avoué commun. Les avances qui furent largement faites par Derville au colonel Chabert lui avaient permis d'être vêtu selon son rang. Le défunt arriva donc voituré dans un cabriolet fort propre. Il avait la tête couverte d'une perruque appropriée à sa physionomie, il était habillé de drap bleu, avec du linge blanc, et portait sous son gilet le sautoir rouge des grands officiers de la Légion d'honneur. En reprenant les habitudes de l'aisance, il avait retrouvé son ancienne élégance martiale. Il se tenait droit. Sa figure, grave et mystérieuse, où se peignaient le bonheur et toutes ses espérances, paraissait être rajeunie et plus grasse, pour emprunter à la peinture une de ses expressions les plus pittoresques. Il ne ressemblait pas plus au Chabert en vieux carrick qu'un gros sou ne ressemble à une pièce de quarante francs nouvellement frappée. A le voir, les passants eussent facilement reconnu en lui l'un de ces beaux débris de notre ancienne armée, un de ces hommes héroïques sur lesquels se reflète notre gloire nationale, et qui la représentent comme un éclat de glace illuminé par le soleil semble en réfléchir tous les rayons. Ces vieux soldats sont tout ensemble des tableaux et des livres. Quand le comte descendit de sa voiture pour monter chez Derville, il sauta légèrement comme aurait pu faire un jeune homme. A peine son cabriolet avait-il retourné, qu'un joli coupé tout armorié arriva. Mme la comtesse Ferraud en sortit dans une toilette simple, mais habilement calculée pour montrer la jeunesse de sa taille. Elle avait une jolie capote doublée de rose qui encadrait parfaitement sa figure, en dissimulait les contours et la ravivait. Si les clients s'étaient rajeunis, l'étude était restée semblable à elle-même, et offrait alors le tableau par la description duquel cette histoire a commencé. Simonnin déjeunait, l'épaule appuyée sur la fenêtre qui alors était ouverte, et il regardait le bleu du ciel par l'ouverture de cette cour entourée de quatre corps de logis noirs.

— Ah ! s'écria le petit clerc, qui veut parier un spectacle que le colonel Chabert est général et cordon rouge ?

— Le patron est un fameux sorcier, dit Godeschal.

— Il n'y a donc pas de tour à lui jouer cette fois ? demanda Desroches.

— C'est sa femme qui s'en charge, la comtesse Ferraud ! dit Boucard.

— Alors, dit Godeschal, la comtesse Ferraud serait donc obligée d'être à deux...

— La voilà ! répondit Simonnin.

En ce moment, le colonel entra et demanda Derville.

— Il y est, monsieur le comte, dit Simonnin.

— Tu n'es donc pas sourd, petit drôle ? dit Chabert en prenant le saute-ruisseau par l'oreille et la lui tortillant à la satisfaction des clercs, qui se mirent à rire et regardèrent le colonel avec la curieuse considération due à ce singulier personnage.

Le comte Chabert était chez Derville au moment où sa femme entra par la porte de l'étude.

— Dites donc, Boucard, il va se passer une singulière scène dans le cabinet du patron ! Voilà une femme qui peut aller les jours pairs chez le comte Ferraud et les jours impairs chez le comte Chabert.

— Dans les années bissextiles, dit Godeschal, le comte y sera.

— Taisez-vous donc, messieurs ! l'on peut entendre, dit sévèrement Boucard ; je n'ai jamais vu d'étude où l'on plaisantât comme vous le faites sur les clients.

Derville avait consigné le colonel dans la chambre à coucher, quand la comtesse se présenta.

— Madame, lui dit-il, ne sachant pas s'il vous serait agréable de voir M. le comte Chabert, je vous ai séparés. Si cependant vous désiriez...

— Monsieur, c'est une attention dont je vous remercie.

— J'ai préparé la minute d'un acte dont les condi-

tions peuvent être discutées par vous et par M. Chabert,
séance tenante. J'irai alternativement de vous à lui,
pour vous présenter, à l'un et à l'autre, vos raisons
respectives.

— Voyons, monsieur, dit la comtesse en laissant
échapper un geste d'impatience.

Derville lut.

« Entre les soussignés,

« Monsieur Hyacinthe, *dit Chabert*, comte, maréchal
de camp et grand officier de la Légion d'honneur,
demeurant à Paris, rue du Petit-Banquier, d'une part,

« Et la dame Rose Chapotel, épouse de M. le comte
Chabert, ci-dessus nommé, née... »

— Passez, dit-elle, laissons les préambules, arrivons
aux conditions.

— Madame, dit l'avoué, le préambule explique
succinctement la position dans laquelle vous vous
trouvez l'un et l'autre. Puis, par l'article premier, vous
reconnaissez, en présence de trois témoins, qui sont
deux notaires et le nourrisseur chez lequel a demeuré
votre mari, auxquels j'ai confié sous le secret votre
affaire et qui garderont le plus profond silence ; vous
reconnaissez, dis-je, que l'individu désigné dans les
actes joints au sous-seing, mais dont l'état se trouve
d'ailleurs établi par un acte de notoriété préparé chez
Alexandre Crottat, votre notaire, est le comte Chabert,
votre premier époux. Par l'article second, le comte
Chabert, dans l'intérêt de votre bonheur, s'engage à ne
faire usage de ses droits que dans les cas prévus par
l'acte lui-même. — Et ces cas, dit Derville en faisant

une sorte de parenthèse, ne sont autres que la non-exécution des clauses de cette convention secrète. — De son côté, reprit-il, M. Chabert consent à poursuivre de gré à gré avec vous un jugement qui annulera son acte de décès et prononcera la dissolution de son mariage.

— Ça ne me convient pas du tout, dit la comtesse étonnée, je ne veux pas de procès. Vous savez pourquoi.

— Par l'article trois, dit l'avoué en continuant avec un flegme imperturbable, vous vous engagez à constituer au nom d'Hyacinthe, comte Chabert, une rente viagère de vingt-quatre mille francs, inscrite sur le grand-livre de la dette publique, mais dont le capital vous sera dévolu à sa mort...

— Mais c'est beaucoup trop cher ! dit la comtesse.

— Pouvez-vous transiger à meilleur marché ?

— Peut-être.

— Que voulez-vous donc, madame ?

— Je veux, je ne veux pas de procès, je veux...

— Qu'il reste mort, dit vivement Derville en l'interrompant.

— Monsieur, dit la comtesse, s'il faut vingt-quatre livres de rente, nous plaiderons...

— Oui, nous plaiderons ! s'écria d'une voix sourde le colonel qui ouvrit la porte et apparut tout à coup devant sa femme, en tenant une main dans son gilet et l'autre étendue vers le parquet, geste auquel le souvenir de son aventure donnait une horrible énergie.

« C'est lui ! » se dit en elle-même la comtesse.

— Trop cher ! reprit le vieux soldat. Je vous ai

donné près d'un million, et vous marchandez mon
malheur. Eh bien ! je vous veux maintenant vous et
votre fortune. Nous sommes communs en biens, notre
mariage n'a pas cessé...

— Mais monsieur n'est pas le colonel Chabert !
s'écria la comtesse en feignant la surprise.

— Ah ! dit le vieillard d'un ton profondément
ironique, voulez-vous des preuves ? Je vous ai prise au
Palais-Royal...

La comtesse pâlit. En la voyant pâlir sous son rouge,
le vieux soldat, touché de la vive souffrance qu'il
imposait à une femme jadis aimée avec ardeur,
s'arrêta ; mais il en reçut un regard si venimeux qu'il
reprit tout à coup :

— Vous étiez chez la...

— De grâce, monsieur, dit la comtesse à l'avoué,
trouvez bon que je quitte la place. Je ne suis pas venue
ici pour entendre de semblables horreurs.

Elle se leva et sortit. Derville s'élança dans l'étude.
La comtesse avait trouvé des ailes et s'était comme
envolée. En revenant dans son cabinet, l'avoué rtouva
le colonel dans un violent accès de rage et se promenant à grands pas.

— Dans ce temps-là chacun prenait sa femme où
il voulait, disait-il ; mais j'ai eu tort de la mal choisir,
de me fier à des apparences. Elle n'a pas de cœur !

— Eh bien ! colonel, n'avais-je pas raison en vous
priant de ne pas venir. Je suis maintenant certain de
votre identité. Quand vous vous êtes montré, la comtesse a fait un mouvement dont la pensée n'était pas

équivoque. Mais vous avez perdu votre procès, votre femme sait que vous êtes méconnaissable !

— Je la tuerai...

— Folie ! vous serez pris et guillotiné comme un misérable. D'ailleurs peut-être manquerez-vous votre coup ! ce serait impardonnable, on ne doit jamais manquer sa femme quand on veut la tuer. Laissez-moi réparer vos sottises, grand enfant ! Allez-vous-en. Prenez garde à vous, elle serait capable de vous faire tomber dans quelque piège et de vous enfermer à Charenton. Je vais lui signifier nos actes afin de vous garantir de toute surprise.

Le pauvre colonel obéit à son jeune bienfaiteur, et sortit en lui balbutiant des excuses. Il descendait lentement les marches de l'escalier noir, perdu dans de sombres pensées, accablé peut-être par le coup qu'il venait de recevoir, pour lui le plus cruel, le plus profondément enfoncé dans son cœur, lorsqu'il entendit, en parvenant au dernier palier, le frôlement d'une robe et sa femme apparut.

— Venez, monsieur, lui dit-elle en lui prenant le bras par un mouvement semblable à ceux qui lui étaient familiers autrefois.

L'action de la comtesse, l'accent de sa voix redevenue gracieuse, suffirent pour calmer la colère du colonel, qui se laissa mener jusqu'à la voiture.

— Eh bien ! montez donc ! lui dit la comtesse quand le valet eut achevé de déplier le marchepied.

Et il se trouva, comme par enchantement, assis près de sa femme dans le coupé.

— Où va madame ? demanda le valet.

— A Groslay, dit-elle.

Les chevaux partirent et traversèrent tout Paris.

— Monsieur ! dit la comtesse au colonel d'un son de voix qui révélait une de ces émotions rares dans la vie, et par lesquelles tout en nous est agité.

En ces moments, cœur, fibres, nerfs, physionomie, âme et corps, tout, chaque pore même tressaille. La vie semble ne plus être en nous ; elle en sort et jaillit, elle se communique comme une contagion, se transmet par le regard, par l'accent de la voix, par le geste, en imposant notre vouloir aux autres. Le vieux soldat tressaillit en entendant ce seul mot, ce premier, ce terrible : « Monsieur ! » Mais aussi était-ce tout à la fois un reproche, une prière, un pardon, une espérance, un désespoir, une interrogation, une réponse. Ce mot comprenait tout. Il fallait être comédienne pour jeter tant d'éloquence, tant de sentiments dans un mot. Le vrai n'est pas si complet dans son expression, il ne met pas tout en dehors, il laisse voir tout ce qui est au dedans. Le colonel eut mille remords de ses soupçons, de ses demandes, de sa colère, et baissa les yeux pour ne pas laisser deviner son trouble.

— Monsieur, reprit la comtesse après une pause imperceptible, je vous ai bien reconnu !

— Rosine, dit le vieux soldat, ce mot contient le seul baume qui pût me faire oublier mes malheurs.

Deux grosses larmes roulèrent toutes chaudes sur les mains de sa femme, qu'il pressa pour exprimer une tendresse paternelle.

— Monsieur, reprit-elle, comment n'avez-vous pas deviné qu'il me coûtait horriblement de paraître devant un étranger dans une position aussi fausse que l'est la mienne ! Si j'ai à rougir de ma situation, que ce ne soit au moins qu'en famille. Ce secret ne devait-il pas rester enseveli dans nos cœurs ? Vous m'absoudrez, j'espère, de mon indifférence apparente pour les malheurs d'un Chabert à l'existence duquel je ne devais pas croire. J'ai reçu vos lettres, dit-elle vivement, en lisant sur les traits de son mari l'objection qui s'y exprimait, mais elles me parvinrent treize mois après la bataille d'Eylau ; elles étaient ouvertes, sales, l'écriture en était méconnaissable, et j'ai dû croire, après avoir obtenu la signature de Napoléon sur mon nouveau contrat de mariage, qu'un adroit intrigant voulait se jouer de moi. Pour ne pas troubler le repos de M. le comte Ferraud, et ne pas altérer les liens de la famille, j'ai donc dû prendre des précautions contre un faux Chabert. N'avais-je pas raison, dites ?

— Oui, tu as eu raison ; c'est moi qui suis un sot, un animal, une bête, de n'avoir pas su mieux calculer les conséquences d'une situation semblable. Mais où allons-nous ? dit le colonel en se voyant à la barrière de la Chapelle.

— A ma campagne, près de Groslay, dans la vallée de Montmorency. Là, monsieur, nous réfléchirons ensemble au parti que nous devons prendre. Je connais mes devoirs. Si je suis à vous en droit, je ne vous appartiens plus en fait. Pouvez-vous désirer que nous devenions la fable de tout Paris ? N'instruisons pas

le public de cette situation qui pour moi présente un
côté ridicule, et sachons garder notre dignité. Vous
m'aimez encore, reprit-elle en jetant sur le colonel
un regard triste et doux ; mais moi, n'ai-je pas été
autorisée à former d'autres liens ? En cette singulière
position, une voix secrète me dit d'espérer en votre
bonté qui m'est si connue. Aurais-je donc tort en vous
prenant pour seul et unique arbitre de mon sort ?
Soyez juge et partie. Je me confie à la noblesse de
votre caractère. Vous aurez la bonté de me pardonner
les résultats de fautes innocentes. Je vous l'avouerai
donc, j'aime M. Ferraud. Je me suis crue en droit de
l'aimer. Je ne rougis pas de cet aveu devant vous ;
s'il vous offense, il ne nous déshonore point. Je ne
puis vous cacher les faits. Quand le hasard m'a laissée
veuve, je n'étais pas mère.

Le colonel fit un signe de main à sa femme pour
lui imposer silence, et ils restèrent sans proférer un
seul mot pendant une demi-lieue. Chabert croyait
voir les deux petits enfants devant lui.

— Rosine !

— Monsieur ?

— Les morts ont donc bien tort de revenir ?

— Oh ! monsieur, non, non ! Ne me croyez pas
ingrate. Seulement, vous trouvez une amante, une
mère, là où vous aviez laissé une épouse. S'il n'est
plus en mon pouvoir de vous aimer, je sais tout ce
que je vous dois et puis vous offrir encore toutes les
affections d'une fille.

— Rosine, reprit le vieillard d'une voix douce, je

n'ai plus aucun ressentiment contre toi. Nous oublie-
rons tout, ajouta-t-il avec un de ces sourires dont la
grâce est toujours le reflet d'une belle âme. Je ne
suis pas assez peu délicat pour exiger les semblants
de l'amour chez une femme qui n'aime plus.

La comtesse lui lança un regard empreint d'une
telle reconnaissance que le pauvre Chabert aurait
voulu rentrer dans sa fosse d'Eylau. Certains hommes
ont une âme assez forte pour de tels dévouements,
dont la récompense se trouve pour eux dans la certitude d'avoir fait le bonheur d'une personne aimée.

— Mon ami, nous parlerons de tout ceci plus tard
et à cœur reposé, dit la comtesse.

La conversation prit un autre cours, car il était
impossible de la continuer longtemps sur ce sujet.
Quoique les deux époux revinssent souvent à leur
situation bizarre, soit par des allusions, soit sérieusement, ils firent un charmant voyage, se rappelant les
événements de leur union passée et les choses de
l'Empire. La comtesse sut imprimer un charme doux
à ces souvenirs, et répandit dans la conversation une
teinte de mélancolie nécessaire pour y maintenir la
gravité. Elle faisait revivre l'amour sans exciter aucun
désir, et laissait entrevoir à son premier époux toutes
les richesses morales qu'elle avait acquises, en tâchant
de l'accoutumer à l'idée de restreindre son bonheur
aux seules jouissances que goûte un père près d'une
fille chérie. Le colonel avait connu la comtesse de
l'Empire, il revoyait une comtesse de la Restauration.
Enfin les deux époux arrivèrent par un chemin de

traverse à un grand parc situé dans la petite vallée
qui sépare les hauteurs de Margency du joli village
de Groslay. La comtesse possédait là une délicieuse
maison où le colonel vit, en arrivant, tous les apprêts
que nécessitaient son séjour et celui de sa femme. Le
malheur est une espèce de talisman dont la vertu
consiste à corroborer notre constitution primitive ; il
augmente la méfiance et la méchanceté chez certains
hommes, comme il accroît la bonté de ceux qui ont
un cœur excellent. L'infortune avait rendu le colonel
encore plus secourable et meilleur qu'il ne l'avait été,
il pouvait donc s'initier au secret des souffrances féminines qui sont inconnues à la plupart des hommes.
Néanmoins, malgré son peu de défiance il ne put
s'empêcher de dire à sa femme :

— Vous étiez donc bien sûre de m'emmener ici ?

— Oui, répondit-elle, si je trouvais le colonel Chabert dans le plaideur.

L'air de vérité qu'elle sut mettre dans cette réponse
dissipa les légers soupçons que le colonel eut honte
d'avoir conçus. Pendant trois jours la comtesse fut
admirable près de son premier mari. Par de tendres
soins et par sa constante douceur elle semblait vouloir
effacer le souvenir des souffrances qu'il avait endurées,
se faire pardonner les malheurs que, suivant ses aveux,
elle avait innocemment causés ; elle se plaisait à
déployer pour lui, tout en lui faisant apercevoir une
sorte de mélancolie, les charmes auxquels elle le
savait faible ; car nous sommes plus particulièrement
accessibles à certaines façons, à des grâces de cœur

ou d'esprit auxquelles nous ne résistons pas ; elle
voulait l'intéresser à sa situation, et l'attendrir assez
pour s'emparer de son esprit et disposer souverainement de lui. Décidée à tout pour arriver à ses fins,
elle ne savait pas encore ce qu'elle devait faire de
cet homme, mais certes elle voulait l'anéantir socialement. Le soir du troisième jour elle sentit que, malgré
ses efforts, elle ne pouvait cacher les inquiétudes que
lui causait le résultat de ses manœuvres. Pour se
trouver un moment à l'aise, elle monta chez elle,
s'assit à son secrétaire, déposa le masque de tranquillité qu'elle conservait devant le comte Chabert,
comme une actrice qui, rentrant fatiguée dans sa
loge après un cinquième acte pénible, tombe demi-
morte et laisse dans la salle une image d'elle-même
à laquelle elle ne ressemble plus. Elle se mit à finir
une lettre commencée qu'elle écrivait à Delbecq, à
qui elle disait d'aller, en son nom, demander chez
Derville communication des actes qui concernaient le
colonel Chabert, de les copier et de venir aussitôt la
trouver à Groslay. A peine avait-elle achevé, qu'elle
entendit dans le corridor le bruit des pas du colonel,
qui, tout inquiet, venait la retrouver.

— Hélas ! dit-elle à haute voix, je voudrais être
morte ! Ma situation est intolérable...

— Eh bien ! qu'avez-vous donc ? demanda le bonhomme.

— Rien, rien, dit-elle.

Elle se leva, laissa le colonel et descendit pour
parler sans témoin à sa femme de chambre, qu'elle

fit partir pour Paris, en lui recommandant de remettre
elle-même à Delbecq la lettre qu'elle venait d'écrire
et de la lui rapporter aussitôt qu'il l'aurait lue. Puis
la comtesse alla s'asseoir sur un banc où elle était
assez en vue pour que le colonel vînt l'y trouver aussitôt qu'il le voudrait. Le colonel, qui déjà cherchait
sa femme, accourut et s'assit près d'elle.

— Rosine, lui dit-il, qu'avez-vous ?

Elle ne répondit pas. La soirée était une de ces
soirées magnifiques et calmes dont les secrètes harmonies répandent, au mois de juin, tant de suavité
dans les couchers du soleil. L'air était pur et le silence
profond, en sorte que l'on pouvait entendre dans le
lointain du parc les voix de quelques enfants qui
ajoutaient une sorte de mélodie aux sublimités du
paysage.

— Vous ne me répondez pas ? demanda le colonel
à sa femme.

— Mon mari..., dit la comtesse, qui s'arrêta, fit un
mouvement, et s'interrompit pour lui demander en
rougissant : — Comment dirai-je en parlant de M. le
comte Ferraud ?

— Nomme-le ton mari, ma pauvre enfant, répondit
le colonel avec un accent de bonté ; n'est-ce pas le
père de tes enfants ?

— Eh bien ! reprit-elle, si monsieur me demande ce
que je suis venue faire ici, s'il apprend que je m'y suis
enfermée avec un inconnu, que lui dirai-je ? Écoutez,
monsieur, reprit-elle en prenant une attitude pleine de
dignité, décidez de mon sort, je suis résignée à tout...

— Ma chère, dit le colonel en s'emparant des mains de sa femme, j'ai résolu de me sacrifier entièrement à votre bonheur...

— Cela est impossible, s'écria-t-elle en laissant échapper un mouvement convulsif. Songez donc que vous devriez alors renoncer à vous-même et d'une manière authentique...

— Comment, dit le colonel, ma parole ne vous suffit pas ?

Le mot *authentique* tomba sur le cœur du vieillard et y réveilla des défiances involontaires. Il jeta sur sa femme un regard qui la fit rougir ; elle baissa les yeux, et il eut peur de se trouver obligé de la mépriser. La comtesse craignait d'avoir effarouché la sauvage pudeur, la probité sévère d'un homme dont le caractère généreux, les vertus primitives lui étaient connus. Quoique ces idées eussent répandu quelques nuages sur leurs fronts, la bonne harmonie se rétablit aussitôt entre eux. Voici comment. Un cri d'enfant retentit au loin.

— Jules, laissez votre sœur tranquille ! s'écria la comtesse.

— Quoi ! vos enfants sont ici ? dit le colonel.

— Oui, mais je leur ai défendu de vous importuner.

Le vieux soldat comprit la délicatesse, le tact de femme renfermé dans ce procédé si gracieux, et prit la main de la comtesse pour la baiser.

— Qu'ils viennent donc, dit-il.

La petite fille accourait pour se plaindre de son frère.

— Maman !

— Maman !

— C'est lui qui...

— C'est elle...

Les mains étaient étendues vers la mère, et les deux voix enfantines se mêlaient. Ce fut un tableau soudain et délicieux !

— Pauvres enfants ! s'écria la comtesse en ne retenant plus ses larmes, il faudra les quitter ; à qui le jugement les donnera-t-il ? On ne partage pas un cœur de mère, je les veux, moi !

— Est-ce vous qui faites pleurer maman ! dit Jules en jetant un regard de colère au colonel.

— Taisez-vous, Jules ! s'écria la mère d'un air impérieux.

Les deux enfants restèrent debout et silencieux, examinant leur mère et l'étranger avec une curiosité qu'il est impossible d'exprimer par des paroles.

— Oh ! oui, reprit-elle, si l'on me sépare du comte, qu'on me laisse les enfants, et je serai soumise à tout...

Ce fut un mot décisif qui obtint tout le succès qu'elle en avait espéré.

— Oui, s'écria le colonel comme s'il achevait une phrase mentalement commencée, je dois rentrer sous terre. Je me le suis déjà dit.

— Puis-je accepter un tel sacrifice ? répondit la comtesse. Si quelques hommes sont morts pour sauver l'honneur de leur maîtresse, ils n'ont donné leur vie qu'une fois. Mais ici vous donneriez votre vie tous les jours ! Non, non, cela est impossible. S'il

ne s'agissait que de votre existence, ce ne serait rien ;
mais signer que vous n'êtes pas le colonel Chabert,
reconnaître que vous êtes un imposteur, donner votre
honneur, commettre un mensonge à toute heure du
jour, le dévouement humain ne saurait aller jusque-là.
Songez donc ! Non. Sans mes pauvres enfants je me
serais déjà enfuie avec vous au bout du monde...

— Mais, reprit Chabert, est-ce que je ne puis pas
vivre ici, dans votre petit pavillon, comme un de vos
parents ? Je suis usé comme un canon de rebut, il
ne me faut qu'un peu de tabac et *le Constitutionnel*.

La comtesse fondit en larmes. Il y eut entre la
comtesse Ferraud et le colonel Chabert un combat
de générosité d'où le soldat sortit vainqueur. Un soir,
en voyant cette mère au milieu de ses enfants, le
soldat fut séduit par les touchantes grâces d'un
tableau de famille, à la campagne, dans l'ombre et
le silence ; il prit la résolution de rester mort, et ne
s'effrayant plus de l'authenticité d'un acte, il demanda
comment il fallait s'y prendre pour assurer irrévocable-
ment le bonheur de cette famille.

— Faites comme vous voudrez ! lui répondit la
comtesse, je vous déclare que je ne me mêlerai en
rien de cette affaire. Je ne le dois pas.

Delbecq était arrivé depuis quelques jours, et,
suivant les instructions verbales de la comtesse,
l'intendant avait su gagner la confiance du vieux militaire. Le lendemain matin donc, le colonel Chabert
partit avec l'ancien avoué pour Saint-Leu-Taverny,
où Delbecq avait fait préparer chez le notaire un

acte conçu en termes si crus que le colonel sortit brusquement de l'étude après en avoir entendu la lecture.

— Mille tonnerres ! je serais un joli coco ! Mais je passerais pour un faussaire ! s'écria-t-il.

— Monsieur, lui dit Delbecq, je ne vous conseille pas de signer trop vite. A votre place, je tirerais au moins trente mille livres de rente de ce procès-là, car madame les donnerait.

Après avoir foudroyé ce coquin émérite par le lumineux regard de l'honnête homme indigné, le colonel s'enfuit emporté par mille sentiments contraires. Il redevint défiant, s'indigna, se calma tour à tour. Enfin il entra dans le parc de Groslay par la brèche d'un mur, et vint à pas lents se reposer et réfléchir à son aise dans un cabinet pratiqué sous un kiosque d'où l'on découvrait le chemin de Saint-Leu. L'allée étant sablée avec cette espèce de terre jaunâtre par laquelle on remplace le gravier de rivière, la comtesse, qui était assise dans le petit salon de cette espèce de pavillon, n'entendit pas le colonel, car elle était trop préoccupée du succès de son affaire pour prêter la moindre attention au léger bruit que fit son mari. Le vieux soldat n'aperçut pas non plus sa femme au-dessus de lui dans le petit pavillon.

— Eh bien! monsieur Delbecq, a-t-il signé ? demanda la comtesse à son intendant qu'elle vit seul sur le chemin par-dessus la haie d'un saut-de-loup.

— Non, madame. Je ne sais pas même ce que notre homme est devenu. Le vieux cheval s'est cabré.

— Il faudra donc finir par le mettre à Charenton, dit-elle, puisque nous le tenons.

Le colonel, qui retrouva l'élasticité de la jeunesse pour franchir le saut-de-loup, fut en un clin d'œil devant l'intendant, auquel il appliqua la plus belle paire de soufflets qui jamais ait été reçue sur deux joues de procureur.

— Ajoute que les vieux chevaux savent ruer, lui dit-il.

Cette colère dissipée, le colonel ne se sentit plus la force de sauter le fossé. La vérité s'était montrée dans sa nudité. Le mot de la comtesse et la réponse de Delbecq avaient dévoilé le complot dont il allait être la victime. Les soins qui lui avaient été prodigués étaient une amorce pour le prendre dans un piège. Ce mot fut comme une goutte de quelque poison subtil qui détermina chez le vieux soldat le retour de ses douleurs et physiques et morales. Il revint vers le kiosque par la porte du parc, en marchant lentement comme un homme affaissé. Donc, ni paix ni trêve pour lui ! Dès ce moment il fallait commencer avec cette femme la guerre odieuse dont lui avait parlé Derville, entrer dans une vie de procès, se nourrir de fiel, boire chaque matin un calice d'amertume. Puis, pensée affreuse, où trouver l'argent nécessaire pour payer les frais des premières instances ? Il lui prit un si grand dégoût de la vie, que s'il y avait eu de l'eau près de lui il s'y serait jeté, que s'il avait eu des pistolets il se serait brûlé la cervelle.

Puis il retomba dans l'incertitude d'idées qui, depuis sa conversation avec Derville chez le nourrisseur, avait

changé son moral. Enfin, arrivé devant le kiosque, il
monta dans le cabinet aérien dont les rosaces de verre
offraient la vue de chacune des ravissantes perspectives
de la vallée, et où il trouva sa femme assise sur une
chaise. La comtesse examinait le paysage et gardait
une contenance pleine de calme en montrant cette
impénétrable physionomie que savent prendre les
femmes déterminées à tout. Elle s'essuya les yeux
comme si elle eût versé des pleurs, et joua par un
geste distrait avec le long ruban rose de sa ceinture.
Néanmoins, malgré son assurance apparente, elle ne
put s'empêcher de frissonner en voyant devant elle
son vénérable bienfaiteur, debout, les bras croisés, la
figure pâle, le front sévère.

— Madame, dit-il après l'avoir regardée fixement
pendant un moment et l'avoir forcée à rougir, madame,
je ne vous maudis pas, je vous méprise. Maintenant,
je remercie le hasard qui nous a désunis. Je ne sens
même pas un désir de vengeance, je ne vous aime plus.
Je ne veux rien de vous. Vivez tranquille sur la foi
de ma parole, elle vaut mieux que les griffonnages de
tous les notaires de Paris. Je ne réclamerai jamais le
nom que j'ai peut-être illustré. Je ne suis plus qu'un
pauvre diable nommé Hyacinthe, qui ne demande que
sa place au soleil. Adieu...

La comtesse se jeta aux pieds du colonel et voulut
le retenir en lui prenant les mains, mais il la repoussa
avec dégoût en lui disant :

— Ne me touchez pas !

La comtesse fit un geste intraduisible lorsqu'elle

entendit le bruit des pas de son mari. Puis, avec la profonde perspicacité que donne une haute scélératesse ou le féroce égoïsme du monde, elle crut pouvoir vivre en paix sur la promesse et le mépris de ce loyal soldat.

Chabert disparut en effet. Le nourrisseur fit faillite et devint cocher de cabriolet. Peut-être le colonel s'adonnat-il d'abord à quelque industrie du même genre. Peut-être, semblable à une pierre lancée dans un gouffre, alla-t-il, de cascade en cascade, s'abîmer dans cette boue de haillons qui foisonne à travers les rues de Paris.

Six mois après cet événement, Derville, qui n'entendait plus parler ni du colonel Chabert ni de la comtesse Ferraud pensa qu'il était survenu sans doute entre eux une transaction, que, par vengeance, la comtesse avait fait dresser dans une autre étude. Alors, un matin, il supputa les sommes avancées audit Chabert, y ajouta les frais, et pria la comtesse Ferraud de réclamer à M. le comte Chabert le montant de ce mémoire, en présumant qu'elle savait où se trouvait son premier mari.

Le lendemain même l'intendant du comte Ferraud, récemment nommé président du tribunal de première instance dans une ville importante, écrivit à Derville ce mot désolant :

« Monsieur,

« Madame la comtesse Ferraud me charge de vous prévenir que votre client avait complètement abusé de votre confiance, et que l'individu qui disait être le comte Chabert a reconnu avoir indûment pris de fausses qualités.

« Agréez, etc.                          « DELBECQ. »

— On rencontre des gens qui sont aussi, ma parole d'honneur, par trop bêtes. Ils ont volé le baptême ! s'écria Derville. Soyez donc humain, généreux, philanthrope et avoué, vous vous faites enfoncer ! Voilà une affaire qui me coûte plus de deux billets de mille francs.

Quelque temps après la réception de cette lettre, Derville cherchait au palais un avocat auquel il voulait parler, et qui plaidait à la police correctionnelle. Le hasard voulut que Derville entrât à la sixième chambre au moment où le président condamnait comme vagabond le nommé Hyacinthe à deux mois de prison, et ordonnait qu'il fût ensuite conduit au dépôt de mendicité de Saint-Denis, sentence qui, d'après la jurisprudence des préfets de police, équivaut à une détention perpétuelle. Au nom d'Hyacinthe, Derville regarda le délinquant assis entre deux gendarmes sur le banc des prévenus, et reconnut, dans la personne du condamné, son faux colonel Chabert. Le vieux soldat était calme, immobile, presque distrait. Malgré ses haillons, malgré la misère empreinte sur sa physionomie, elle déposait d'une noble fierté. Son regard avait une expression de stoïcisme qu'un magistrat n'aurait pas dû méconnaître ; mais, dès qu'un homme tombe entre les mains de la justice, il n'est plus qu'un être moral, une question de droit ou de fait, comme aux yeux des statisticiens il devient un chiffre. Quand le soldat fut reconduit au greffe pour être emmené plus tard avec la fournée de vagabonds que l'on jugeait en ce moment, Derville usa du droit qu'ont les avoués d'entrer partout au palais, l'accompagna au greffe et l'y contempla pendant quelques instants, ainsi que les curieux mendiants parmi lesquels il se trouvait. L'antichambre du greffe offrait alors un de ces spectacles que malheureusement ni les législateurs, ni les philanthropes, ni les peintres, ni les écrivains ne viennent étudier. Comme tous les laboratoires de la chicane, cette antichambre est une pièce obscure et puante, dont les murs sont garnis d'une banquette en bois noirci par le séjour perpétuel des malheureux qui viennent à ce rendez-vous de toutes les misères sociales, et auquel pas un d'eux ne manque. Un poète dirait que le jour a honte d'éclairer ce terrible égout par lequel passent tant d'infortunes ! Il n'est pas une seule place où ne se soit assis quelque crime en germe ou consommé ; pas un seul endroit où se soit rencontré quelque homme qui, désespéré par la légère flétrissure que la justice avait imprimée à sa première faute, n'ait commencé une existence au bout de laquelle devait se dresser la guillotine ou détoner le pistolet du suicide. Tous ceux qui tombent sur le pavé de Paris rebondissent contre ces murailles jaunâtres, sur lesquelles un philanthrope qui ne serait pas un spéculateur pourrait déchiffrer la justification des nombreux suicides dont se plaignent des écrivains hypocrites, incapables de faire un pas pour les prévenir, et qui se trouve écrite dans cette antichambre, espèce de préface pour les drames de la Morgue ou pour ceux de la place de Grève. En ce moment le colonel Chabert s'assit au milieu de ces hommes à faces énergiques, vêtus des horribles livrées de la misère, silencieux par intervalles, ou causant à voix basse, car trois gendarmes de faction se promenaient en faisant retentir leurs sabres sur le plancher.

— Me reconnaissez-vous ? dit Derville au vieux soldat en se plaçant derrière lui.

— Oui, monsieur, répondit Chabert en se levant.

— Si vous êtes un honnête homme, reprit Derville à voix basse, comment avez-vous pu rester mon débiteur ?

Le vieux soldat rougit comme aurait pu le faire une jeune fille accusée par sa mère d'un amour clandestin.

— Quoi ! Mme Ferraud ne vous a pas payé ? s'écriat-il à haute voix.

— Payé ! dit Derville. Elle m'a écrit que vous étiez un intrigant.

Le colonel leva les yeux par un sublime mouvement d'horreur et d'imprécation, comme pour en appeler au ciel de cette tromperie nouvelle.

— Monsieur, dit-il d'une voix calme à force d'altération, obtenez des gendarmes la faveur de me laisser entrer au greffe, je vais vous signer un mandat qui sera certainement acquitté.

Sur un mot dit par Derville au brigadier, il lui fut permis d'emmener son client dans le greffe, où Hyacinthe écrivit quelques lignes adressées à la comtesse Ferraud.

— Envoyez cela chez elle, dit le soldat, et vous serez remboursé de vos frais et de vos avances. Croyez, monsieur, que si je ne vous ai pas témoigné la reconnaissance que je vous dois pour vos bons offices, elle n'en est pas moins là, dit-il en se mettant la main sur le cœur. Oui, elle est là, pleine et entière. Mais que peuvent les malheureux ? Ils aiment, voilà tout.

— Comment, lui dit Derville, n'avez-vous pas stipulé pour vous quelque rente ?

— Ne me parlez pas de cela ! répondit le vieux militaire. Vous ne pouvez pas savoir jusqu'où va mon mépris pour cette vie extérieure à laquelle tiennent la plupart des hommes. J'ai subitement été pris d'une maladie : le dégoût de l'humanité. Quand je pense que Napoléon est à Sainte-Hélène, tout ici-bas m'est indifférent. Je ne puis plus être soldat, voilà tout mon malheur. Enfin, ajouta-t-il en faisant un geste plein d'enfantillage, il vaut mieux avoir du luxe dans ses sentiments que sur ses habits. Je ne crains, moi, le mépris de personne.

Et le colonel alla se remettre sur son banc. Derville sortit. Quand il revint à son étude, il envoya Godeschal, alors son second clerc, chez la comtesse Ferraud, qui, à la lecture du billet, fit immédiatement payer la somme due à l'avoué du comte Chabert.

En 1830, vers la fin du mois de juin, Godeschal, alors avoué, allait à Ris, en compagnie de Derville, son prédécesseur. Lorsqu'ils parvinrent à l'avenue qui conduit de la grande route à Bicêtre, ils aperçurent sous un des ormes du chemin un de ces vieux pauvres

chenus et cassés qui ont obtenu le bâton de maréchal
des mendiants, en vivant à Bicêtre comme les femmes
indigentes vivent à la Salpêtrière. Cet homme, l'un
des deux mille malheureux logés dans *l'hospice de la
Vieillesse*, était assis sur une borne et paraissait concentrer toute son intelligence dans une opération bien
connue des invalides, et qui consiste à faire sécher au
soleil le tabac de leurs mouchoirs, pour éviter de les
blanchir, peut-être. Ce vieillard avait une physionomie
attachante. Il était vêtu de cette robe de drap rougeâtre que l'hospice accorde à ses hôtes, espèce de
livrée horrible.

— Tenez, Derville, dit Godeschal à son compagnon
de voyage, voyez donc ce vieux. Ne ressemble-t-il pas
à ces grotesques qui nous viennent d'Allemagne. Et
cela vit, et cela est heureux peut-être !

Derville prit son lorgnon, regarda le pauvre, laissa
échapper un mouvement de surprise et dit :

— Ce vieux-là, mon cher, est tout un poème, ou,
comme disent les romantiques, un drame. As-tu rencontré quelquefois la comtesse Ferraud ?

— Oui, c'est une femme d'esprit et très agréable,
mais un peu trop dévote, dit Godeschal.

— Ce vieux bicêtrien est son mari légitime, le comte
Chabert, l'ancien colonel ; elle l'aura sans doute fait
placer là. S'il est dans cet hospice au lieu d'habiter un
hôtel, c'est uniquement pour avoir rappelé à la jolie
comtesse Ferraud qu'il l'avait prise, comme un fiacre,
sur la place. Je me souviens encore du regard de tigre
qu'elle lui jeta dans ce moment-là.

Ce début ayant excité la curiosité de Godeschal, Derville lui raconta l'histoire qui précède. Deux jours après, le lundi matin, en revenant à Paris, les deux amis jetèrent un coup d'œil sur Bicêtre, et Derville proposa d'aller voir le colonel Chabert. A moitié chemin de l'avenue, les deux avoués trouvèrent assis sur la souche d'un arbre abattu le vieillard qui tenait à la main un bâton et s'amusait à tracer des raies sur le sable. En le regardant attentivement, ils s'aperçurent qu'il venait de déjeuner autre part qu'à l'établissement.

— Bonjour, colonel Chabert, lui dit Derville.

— Pas Chabert ! pas Chabert ! je me nomme Hyacinthe, répondit le vieillard. Je ne suis plus un homme, je suis le numéro 164, septième salle, ajouta-t-il en regardant Derville avec une anxiété peureuse, avec une crainte de vieillard et d'enfant. — Vous allez voir le condamné à mort ! dit-il après un moment de silence. Il n'est pas marié, lui ! il est bien heureux !

— Pauvre homme, dit Godeschal. Voulez-vous de l'argent pour acheter du tabac ?

Avec toute la naïveté d'un gamin de Paris, le colonel tendit avidement la main à chacun des deux inconnus, qui lui donnèrent une pièce de vingt francs ; il les remercia par un regard stupide, en disant :

— Braves troupiers !

Il se mit au port d'armes, feignit de les coucher en joue, et s'écria en souriant :

— Feu des deux pièces ! Vive Napoléon !

Et il décrivit en l'air avec sa canne une arabesque imaginaire.

— Le genre de sa blessure l'aura fait tomber en enfance, dit Derville.

— Lui en enfance ! s'écria un vieux bicêtrien qui les regardait. Ah ! il y a des jours où il ne faut pas lui marcher sur le pied. C'est un vieux malin plein de philosophie et d'imagination. Mais aujourd'hui, que voulez-vous, il a fait le lundi. Monsieur, en 1820 il était déjà ici. Pour lors, un officier prussien, dont la calèche montait la côte de Villejuif, vint à passer à pied. Nous étions, nous deux Hyacinthe et moi, sur le bord de la route. Cet officier causait en marchant avec un autre, avec un Russe, ou quelque animal de la même espèce, lorsqu'en voyant l'ancien, le Prussien, histoire de blaguer, lui dit : « Voilà un vieux voltigeur qui devait être à Rosbach. — J'étais trop jeune pour y être, lui répondit-il, mais j'ai été assez vieux pour me trouver à Iéna. » Pour lors le Prussien a filé, sans faire d'autres questions.

— Quelle destinée ! s'écria Derville. Sorti de l'*hospice des Enfants trouvés*, il revient mourir à l'*hospice de la Vieillesse*, après avoir, dans l'intervalle, aidé Napoléon à conquérir l'Égypte et l'Europe. — Savez-vous, mon cher, reprit Derville après une pause, qu'il existe dans notre société trois hommes, le prêtre, le médecin et l'homme de justice, qui ne peuvent pas estimer le monde ? Ils ont des robes noires, peut-être parce qu'ils portent le deuil de toutes les vertus, de toutes les illusions. Le plus malheureux des trois est

l'avoué. Quand l'homme vient trouver le prêtre, il
arrive poussé par le repentir, par le remords, par des
croyances qui le rendent intéressant, qui le grandissent,
et consolent l'âme du médiateur, dont la tâche ne va
pas sans une sorte de jouissance : il purifie, il répare et
réconcilie. Mais, nous autres avoués, nous voyons se
répéter les mêmes sentiments mauvais, rien ne les
corrige, nos études sont des égouts qu'on ne peut pas
curer. Combien de choses n'ai-je pas apprises en exerçant ma charge ! J'ai vu mourir un père dans un
grenier, sans sou ni maille, abandonné par deux filles
auxquelles il avait donné quarante mille livres de
rente ! J'ai vu brûler des testaments ; j'ai vu des mères
dépouillant leurs enfants, des maris volant leurs
femmes, des femmes tuant leurs maris en se servant
de l'amour qu'elles leur inspiraient pour les rendre
fous ou imbéciles, afin de vivre en paix avec un amant.
J'ai vu des femmes donnant à l'enfant d'un premier lit
des goûts qui devaient amener sa mort, afin d'enrichir
l'enfant de l'amour. Je ne puis vous dire tout ce que
j'ai vu, car j'ai vu des crimes contre lesquels la justice
est impuissante. Enfin, toutes les horreurs que les
romanciers croient inventer sont toujours au-dessous
de la vérité. Vous allez connaître ces jolies choses-là,
vous ; moi, je vais vivre à la campagne avec ma
femme, Paris me fait horreur.

   J'en ai déjà bien vu chez Desroches, répondit
Godeschal.

   Paris, février-mars 1832.

## IMPRIMERIE NELSON, ÉDIMBOURG, ÉCOSSE
### IMPRIMÉ EN GRANDE-BRETAGNE
### PRINTED IN GREAT BRITAIN